DATE DUE

LA OBRA NARRATIVA DE MAX AUB

(1929-1969)

BIBLIOTECA ROMÁNICA HISPÁNICA

DIRIGIDA POR DÁMASO ALONSO

II. ESTUDIOS Y ENSAYOS, 189

IGNACIO SOLDEVILA DURANTE

LA OBRA NARRATIVA DE MAX AUB (1929-1969)

BIBLIOTECA ROMÁNICA HISPÁNICA
EDITORIAL GREDOS, S. A.
MADRID

EDITORIAL GREDOS, S. A.
Sánchez Pacheco, 83, Madrid. España.

Depósito Legal: M. 12737-1973.

ISBN 84-249-0497-4. Rústica.
ISBN 84-249-0498-2. Tela.

Gráficas Cóndor, S. A., Sánchez Pacheco, 83, Madrid, 1973. — 3900.

ABREVIATURAS USADAS

(Las fechas entre paréntesis corresponden a las ediciones utilizadas) *

G = *Geografía* (1929).
G (64) = *Geografía* (1964).
LAP = *Luis Álvarez Petreña* (1965).
CC = *Campo cerrado* (1943).
NSC = *No son cuentos* (1944).
CS = *Campo de sangre* (1945).
SdeE = *Sala de espera* (1948-1951).
CA = *Campo abierto* (1951).
YV = *Yo vivo* (1953).
AP = *Algunas prosas* (1954).
BI = *Las buenas intenciones* (1954).
CIC = *Ciertos cuentos* (1955).
CCI = *Cuentos ciertos* (1955).
JTC = *Jusep Torres Campalans* (1958).
CMEX = *Cuentos mexicanos* (1959).
FF = *La verdadera historia de la muerte de F. F. y otros cuentos* (1960).
CV = *La calle de Valverde* (1961).
CM = *Campo del Moro* (1963).
CF = *Campo francés* (1965).
HMM = *Historias de mala muerte* (1965).
CAL = *Campo de los almendros* (1968).
HH = *Hablo como hombre* (1967).
EC = *Enero en Cuba* (1969).

---

* Ver la bibliografía, p. 455 y ss.

PREAMBULO

Al límite de nuestro trabajo, que aquí se ofrece al lector, cabe preguntarse si de la penosa labor terminada se deduce un mejor entendimiento de la obra narrativa de Aub para el lector que pueda llegar a su término. Desde el punto de vista de los contenidos, nos parece evidente que la revisión de cada obra en particular, trabajo que constituye la primera parte de nuestro estudio, no podía dejar de contener una primera apreciación de sus estructuras tanto como de los contenidos con ellas inextricablemente trenzados. El juego de lanzadera que forma y contenido realizan en la creación literaria ha quedado probado una vez más en esa imposibilidad absoluta en que el estudioso se encuentra de eludir las estructuras cuando habla de temas y argumentos.

En momentos sucesivos y espaciados de esa primera parte y repaso hemos establecido descansillos en los que se hace somera revisión de los juicios críticos que sobre la obra de Aub se han publicado con anterioridad a nosotros. Es otra prueba más de la necesidad imprescriptible de tener en cuenta los juicios valorativos al mismo tiempo que se procede a las enumeraciones descriptivas. El cordial diálogo que entre el autor y sus antecesores se ha ido así estableciendo, ha permitido al primero descubrir, por la fuerza del diálogo, nuevos aspectos y diferentes perspectivas, que le dejan adelantarse con mayor seguridad y al mismo tiempo exigen un mayor sentido de la relatividad y la subjetividad de sus propios juicios.

Del análisis del conjunto de la obra narrativa, por lo que a la visión del mundo en ella explícita toca, nuestra misión ha querido limitarse a sistematizar lo que en la obra aubiana se hallaba desperdigado, reconstituyendo así una estructura que nos parece existente, si bien fragmentaria y dispersa, en una ordenación artificial que tiene cabida en un estudio como el presente, pero que fuera enojosa e inaceptable en la obra narrativa. Con lo cual no queremos decir que, a pesar de nuestros sinceros esfuerzos por mantenernos dentro de los límites de la más estricta documentación, no se haya introducido en nuestra ordenación un elemento de subjetividad, que nos parece inevitable en cualquier caso, y sin el cual, en rigor, no existiría este trabajo.

Dejando de lado ese inevitable factor personal, que a otros corresponde señalar, nos parece haber establecido las premisas fundamentales de una visión del mundo descubierta en las obras narrativas de Aub. Un mundo que se presenta sólidamente inspirado en las estructuras del hombre, tanto en sus aspectos individuales como en sus figuras colectivas. Consciente de sus posibilidades ilimitadas y de sus límites, esa dialéctica del espacio y el tiempo en que el hombre aubiano se siente a la vez circunscrito y obligado a más, se manifiesta parcialmente en cada uno de sus personajes, se transfigura en cada una de sus acciones episódicas y se deja entender a través de las estructuras mismas de la narración, de manera que no nos parece exagerado decir que, desde el nivel mínimo del lenguaje hasta el nivel máximo del *Laberinto mágico* entero, todos ellos constituyen, por sus respectivas contribuciones, una inmensa y estructurada alegoría de la condición del hombre contemporáneo, y particularmente del hombre europeo desarraigado por los conflictos violentos que han caracterizado a nuestro siglo. De ellos han salido los supervivientes de grupos, generaciones y aun clases enteras, profundamente transformados por un proceso sistemático, si bien muchas veces inconsciente, de destrucción organizada. Que esos supervivientes vivan en un mundo cuya coherencia sorprende casi tanto como su desarraigo nos parece una feliz comprobación de la elasticidad del ser humano ante la adversidad, de su infinita capacidad de adaptación a las circunstancias, mientras sus fuerzas físicas no le abandonan definitivamente. Si esa visión del mundo corresponde a un momento del pasado, del presente o del futuro de la humanidad, es cosa que no nos es posible dilucidar suficientemente. Todo lo que podemos concluir es que, por su coherencia y dinamismo, ese mundo se aparece ante nosotros como humanamente practicable y artísticamente verosímil.

De la profundización continuada, del afectuoso asedio que de la obra hemos realizado durante largos años, nos parece haber llegado a una evidencia: que la obra narrativa de Aub no es de fácil acercamiento, y que las primeras impresiones que, en parte y en conjunto, produce al lector típico y escaso de tiempo, pueden resentirse de cierta desilusión o sensación de incompatibilidad. Lo cierto es que, querenciosos de un mejor conocimiento de la obra, cada lectura sucesiva, cada minuciosa cala nos ha ido abriendo puertas a panoramas insospechados, a perspectivas ni siquiera entrevistas en los primeros paseos apresurados. Que en sus inmensas e intrincadas galerías *El laberinto mágico* encierra tesoros de arte y de humanidad que no se entregan al mirar apresurado del turista dominical o veraniego. Y que, alegoría en ello también del hombre, a cuya imagen y semejanza está hecho, *El laberinto* se da a conocer lentamente y se ofrece una y otra vez en facetas y rasgos que, a pesar de la larga convivencia, pueden aparecer en el lugar o el momento menos esperados.

Del *Laberinto mágico* manan verdad y belleza, y en él puede circular el lector durante años estableciendo un permanente diálogo entre su vida real y esa existencia polimorfa, esquiva y amante a la vez, tejiendo también entre ambos la tela cordial de una vida en común.

Si de este trabajo, resultado de años de paciente lectura, obtuviera el lector poco fruto, no habría que atribuirlo a la calidad del *Laberinto mágico* sino a la poca del exégeta que, a fin de cuentas, empezó a aventurarse en el *Laberinto* quince años atrás, o poco más: poco, en efecto, para las dimensiones espaciales y temporales dentro de cuyos límites se enreda la laboriosa y sorprendente madeja de vidas, lugares y encuentros, voces y ecos, pasiones y movimientos. Y muy probable será que el crítico, creyéndose imaginar que mira la obra dedálica ya desde fuera, esté siendo víctima de un curioso espejismo y que, como el propio autor, esté metido para siempre en la urdimbre y, por ello, le falte inevitablemente esa distancia necesaria para que los pasillos no impidan ver el laberinto, o los árboles el bosque. O, por el contrario, es muy posible que el crítico sea víctima de la ilusión opuesta y que el único espejismo que padezca sea el de haber entrado en el laberinto, cuando no ha pasado de sus puertas, o ha mirado, como el furtivo curioso a través de las ventanas iluminadas, la nocturna fiesta. En tal caso, el presente trabajo debería llevar como subtítulo: la ilusión crítica.

Quebec, 27 de marzo de 1970.

* * *

Han transcurrido dos años y medio desde que, al dar término a nuestro trabajo, firmábamos nuestra introducción. Desde entonces, la actividad editorial en torno a la obra de Aub en España, así como los estudios y notas publicadas por la crítica de nuestro país han tenido un notable y loable incremento. Desgraciadamente, Max Aub vio a España por última vez en julio de 1972. Apenas regresado a su residencia en México, falleció. El último tren de la noche, del que hablábamos al final de nuestra introducción, pasó para él, que lo esperaba a pie firme en su sala de espera mejicana. Corregimos las pruebas del libro en octubre; el lector sabrá compensar la extensión de algunas de nuestras expresiones y usos verbales, transponiéndolos al pretérito irremisible a que deben ser reducidos. Aun contando con ello, hemos procurado eliminar toda alusión al futuro de los proyectos literarios de Aub, porque ignoramos en qué estado de redacción han quedado, y si será posible su publicación póstuma. Aludimos, sobre todo, al tan esperado *Luis Buñuel, novela*[1]. Desaparece Aub después de haber apurado hasta el fin la amargura de un reencuentro fallido con España; país extraño y extrañado tras tantos y tan duros años de exilio y distanciamiento. Queda constancia de ello en ese diario trágico, cuya lucidez sólo tiene pareja en la acerbidad, y que se llama *La gallina ciega*. A sus sesenta y nueve años, la plena madurez de intelectual y de escritor a que había llegado Aub nos obliga a hablar de una muerte prematura.

---

[1] En apéndice a nuestra bibliografía incluimos las referencias de sus más importantes publicaciones entre 1970 y 1972.

INTRODUCCIÓN

COORDENADAS GENERACIONALES DEL AUTOR Y DE SU OBRA

1

A partir de la favorable acogida deparada a la integración de un grupo de escritores de principio de siglo bajo la denominación de «generación», la utilización historiográfica de las teorías de Lorenz, a través de las sistematizaciones de Petersen, y en España de Pedro Laín Entralgo, es patente en los estudios y manuales al uso, por lo que concierne a la literatura española contemporánea a partir de la generación de 1898.

Al comenzar el estudio de la obra narrativa de cualquier escritor contemporáneo, se plantea, pues, casi instintivamente, la cuestión del establecimiento de sus coordenadas históricas y su encasillamiento dentro de una generación o una promoción literaria determinada, cuestión que se suele resolver con más o menos tino, pero siempre sin plantearse la cuestión previa acerca del valor o la utilidad de tal intento clasificatorio.

El sistema generacional, como todos los intentos de tal índole, es una concesión a la necesidad de orientación en el estudio de un mundo determinado —en nuestro caso, el literario—, y si descartamos ese aspecto utilitario del sistema, veremos el peligro que amenaza a todo estudioso de la literatura que se inspira en esos intentos, de olvidar que, si bien un determinado número de rasgos sirven para caracterizar a un grupo dado de escritores, éstos no son valorados ni siquiera considerados por él porque en ellos se reúnan todos o casi todos esos rasgos, sino principalmente por ciertos valores inconfundibles y propios de la obra personal de cada escritor. La agrupación generacional tiene su máxima validez y eficacia en los estudios históricos socio-políticos, pero debe quedar relegada a la función de simple orientadora de la revelación de determinada comunidad de intereses entre escritores, cuando de literatura se trata. Y solamente si esa comunidad de intereses se manifiesta en sus obras de creación, y en la medida en que ello ocurra, se podrá decir que el acercamiento generacional es de utilidad indiscutible para el estudio de la literatura.

Por otra parte, no quisiéramos ser objeto de malas interpretaciones. Aunque éstas sean difícilmente evitables, vamos a dejar sentado muy explícitamente que ni queremos disociar la literatura de su contexto, o, más precisamente, de su *humus* socio-político, sin el cual toda una parte de ella quedaría inexplicable e inutilizada, ni negamos el extraordinario valor documental de la obra literaria para las ciencias del hombre. Ahora bien, la obra escrita, como obra de arte, es el objeto central de nuestra disciplina, y dentro de esos límites, netos y conscientemente buscados, reside el centro de nuestro interés. No olvidamos que, en la frontera opuesta a la que linda con las ciencias sociales e históricas, la literatura se avecina a la lingüística, que la convierte en objeto de sus análisis específicamente, y que el resultado de esta labor es tan indispensable para el conocimiento global de la creación literaria como sus supuestos sociológicos, políticos, económicos.

Una tercera frontera la marcan los usos que de la obra literaria como manifestación de una personalidad pueden hacer, para su edificación e ilustración, la psicología o la psicopatología. De Freud a esta parte, el estudioso de la literatura no puede ignorar las aportaciones de la psicología del subconsciente o del psicoanálisis de los sueños al entendimiento total de la obra literaria. La cuarta frontera linda y comunica a la vez, como las otras, con la filosofía. La obra literaria es un todo en cuya coherencia pueden detectarse no solamente «deleytables fontezicas de filosofía», sino una visión del mundo cuya mayor o menor originalidad o representatividad interesa eminentemente al filósofo, pero que puede servir, en cualquier caso, al estudioso de la literatura para el mejor entendimiento de la obra y de sus repercusiones.

Ética, lógica o metafísica de la obra literaria; psicogénesis, psicoanálisis o tipología del texto literario, autobiografismo y presencia del hombre en la obra; análisis fonético, morfológico, sintáctico y léxico del texto; semántica y estructuras simbólicas de la obra; análisis, al nivel del significante y del significado, de sus contenidos científicos, sociológicos, económicos o políticos; historia genérica y generacional de la obra y el autor. He aquí unas cuantas posibilidades de descomposición y análisis del objeto literario, y otras tantas razones del interés del hombre contemporáneo por la literatura. Sin olvidar toda la zona de posibles acercamientos comparatistas, que afectan a las concomitancias y divergencias de la literatura con las demás artes, o con las demás zonas espaciales y temporales de su propio dominio, otras razones sobreabundantes que centran intereses nuevos en torno al objeto de la creación literaria.

Constituyen todos una serie de prismas a través de los cuales la humana curiosidad contempla tal objeto, un conjunto de filtros por los que lo hace pasar para quedarse en cada caso con el fragmento particularmente preciso para determinados intereses del momento o de la vocación especialista. Y si nos preguntásemos acerca de lo que le quedaría al que hemos convenido en llamar estudioso de la literatura, después de haber hecho pasar la obra literaria por todos los filtros citados y quizás otros olvidados, tendríamos que decirnos honradamente: nada y todo.

Nada, en el sentido más riguroso; pero, si hiciéramos pasar el objeto literario en primer lugar por el filtro de la lingüística, lo mismo le ocurriría al estudioso de la literatura que a los demás especialistas, porque la materia quedaría agotada en el complejo sistema lingüístico, y quedarían sólo unas estructuras que, vacías de contenido, serían, de hecho, utópicas. Pero es evidente la falsedad del supuesto, porque la obra literaria no es un producto material, sino una creación del espíritu, aunque esté depositada en vehículos materiales. Como tal, la obra literaria resiste a toda agua regia, sobrevive a todo filtro, descomposición, uso y abuso. Por ello conviene, de pasada, concluir la futilidad de tanta santa indignación, de tan sonoro desgarrar de túnicas escolares y escolásticas, ante la utilización que del objeto literario hacen hoy los analistas de las ciencias humanas [1]. La obra literaria es un objeto de intereses convergentes, un nudo de cuestiones, y, como tal, legítimamente utilizable por todos esos intereses, que en nada afectan, con su labor, a la integridad y a la existencia del objeto.

La pregunta «¿qué le queda al estudioso de la literatura?» hay que plantearla nuevamente. La cuestión nos parece, en la más amplia de las perspectivas, ésta: ¿Qué le queda al estudioso de la literatura después del paso por la múltiple criba a que aquélla se ve sometida por todos los intereses científicos? Dos posibilidades de respuesta aparecen inmediatamente a nuestra consideración. La primera es que a tal estudioso le queda el análisis de la obra literaria como obra *de arte,* para descubrir

---

[1] Excluimos, evidentemente, a los practicantes de la política que, ellos sí, están en disposición de atentar a la vida misma de la obra literaria, mutilándola, retirándola de la circulación o impidiéndole el acceso a ella, haciéndola objeto de *autodafé.* Naturalmente, las más de las veces, por su inagotable capacidad de reproducción y su escurridizo volumen, la obra literaria acaba por escapar a los intentos de destrucción más alevosos. Claro que la Enciclopedia Espasa, por mal ejemplo, sería difícilmente escamoteable frente a una persecución inquisitorial, pero por suerte suya y regocijo nuestro, la venerable reliquia es ornato de los más conspicuos despachos políticos. De los inquisidores de la obra literaria, es sin duda el más alevoso el de dentro de casa: el propio autor que, arrepentido de su creación, consigue a veces hacerla desaparecer de la faz de la tierra, o maquillarla de tal modo que ni ella misma se reconozca. («No le toquéis ya más, que así es la rosa», como dijo el otro, que se pasó la vida haciendo juegos de prestidigitación con las suyas). Digamos que la labor más eficaz de los inquisidores de las letras no ocurre cuando pretenden destruir la mercurial materia de la creación literaria, sino cuando, yendo directamente a la raíz del mal, y matando la rabia con la higiene total del perro, hacen perder el tiempo, a veces de una vez para siempre, a los autores potenciales.

su especificidad y su común finalidad con las otras artes. Cuando el analista literario se limita a la estética de la obra literaria, no se le podrá negar cierto rigor intelectual y una loable y modesta conciencia de sus límites. Pero la consideración de la obra de arte como objeto artístico resulta a la vez frustradora y difícil para el estudioso. Difícil en manera directamente proporcional a la contemporaneidad de la obra estudiada; frustradora de modo inversamente proporcional a la «pureza» de su especialización.

Esto nos parece así porque en nuestro mundo contemporáneo, en el que los valores de la colectividad predominan sobre los individuales, los aspectos puramente estéticos o lúdicos de la obra de arte, aislados de sus demás valores, crean en el estudioso, o en el lector dedicado exclusivamente a su contemplación gozosa, un sentimiento de culpabilidad análogo al de cualquier vicio solitario y asocial, más o menos grande e intenso según su sensibilidad y participación en los valores colectivos. Esto lleva frecuentemente al estudioso de la literatura, sobre todo cuando pretende hacer de ese estudio su modo de vida, y de sus resultados el valor de cambio con el que se mantiene en el contexto social, a no contentarse con ese aspecto puramente literario de la obra y, en muchos casos, hasta a olvidarlo, adoptando para su labor uno o varios de los filtros o prismas de análisis de la literatura que satisfagan a una de las exigencias de la colectividad; el estudioso de la literatura declina en sociólogo de la literatura, para cuyo oficio está peor pertrechado que cualquier estudiante de ciencias sociales, o en desorientado psicoanalista de ocasión.

Creemos que esa mala conciencia del estudioso, que comparte con el creador mismo de literatura, es el motivo remoto y a menudo oculto de la mayor parte de las elucubraciones polémicas sobre las relaciones entre «lo bello y lo útil», «la verdad y la belleza», «la naturaleza y el arte», «la libertad y el compromiso», «la aventura y el orden», y tantas otras parejas dialécticas en torno a las que gira una vez y otra el torcedor de la conciencia individual, distendida en la opción entre valores individuales y valores colectivos.

Precisamente la aplicación de la metodología generacionista a la literatura es un intento de aclimatación historicista de los estudiosos de aquélla, que se desvían así, en una primera etapa, de la obra hacia el autor, y, en un segundo movimiento, de éste hacia su colectividad histórica, dentro de un contexto en el que podrían estudiarse igualmente y con los mismos interesantes resultados los inventos literarios y los científicos. Lo cual no es negar el valor del método para el mejor conocimiento del motor de explosión o de la novela naturalista, pero sí su importancia primordial y, más aún, su exclusivismo.

De hecho, si todos los acercamientos a la obra literaria antes enumerados son *posibles*, lo cierto es que, en la inmensa mayoría de los casos, la obra literaria queda al margen del interés del especialista sociólogo, historiador o psiquiatra, que puede recurrir directamente al objeto de su estudio —el hombre— o a sus documentos u objetos directamente testimoniales, como pueden ser las encuestas, los sondeos, las memorias o los documentos. El lingüista recurre mucho más a menudo a los textos literarios, como el filósofo, porque la creación del escritor concierne más directamente a la materia de su estudio, y de ahí que los más tradicionales ángulos y prismas de acercamiento hayan sido estas clásicas disciplinas del saber humanístico, que son originariamente las hermanas de la retórica en el trivio: acercamiento, pues, ya trivial, en el sentido más estricto del término, pero del que se defienden difícilmente los más ardientes defensores del estudio puramente retórico, precisamente por ser casi prácticamente imposible un neto deslinde entre disciplinas tan ligadas por el objeto de estudio y por la común tradición metodológica. Frente a los tipos modernos de estudioso antes mencionados, es éste del experto en uno o dos de los campos del trivio, a más del propio retórico, el que más frecuentemente se encuentra aún hoy, particularmente en el dominio de las facultades universitarias, de uno y otro lado del Atlántico, herederas directas o indirectas de una tradición valiosísima, cuyos frutos siguen teniendo indiscutible validez [2].

2 Limitándonos a la literatura española, piénsese simplemente en la permanencia y la validez de los juicios críticos de Marcelino Menéndez y

Por razón de la utilización marginal o parcial que de la obra literaria pueden hacer las otras disciplinas humanísticas antiguas y modernas, queda al estudioso de la literatura una segunda posibilidad llena tanto de ambición como de perspectivas de posible satisfacción propia y ajena, que consiste en un intento de síntesis de todos esos acercamientos parciales a la obra literaria. Apúntase con dicha síntesis a una suma antropológica de la obra literaria que, como creación endógena del hombre, constituye a la vez su objeto y su propio sujeto, reuniendo todas las cualidades antropomórficas y mágicas que el hombre antiguo atribuía a su sombra, y el moderno, a su «ego». Para dicha síntesis, es indispensable que el estudioso esté en posesión de una cultura humanística polivalente, y al tanto de las metodologías de las diferentes disciplinas en que la ciencia del hombre se diversifica. Es tanto como decir que, con la expansión y el desarrollo extraordinarios que han conocido en nuestro siglo dichas disciplinas, tal estudioso está más cerca de ser una entelequia que una realidad palpable y aprovechable. Sólo un equipo de hombres de distinta formación, pero con una misma orientación de intereses, podría contribuir a la consecución de tales síntesis.

Al advenimiento de esas comunidades verdaderamente funcionales y devotas de la obra del hombre, que en virtudes colectivas podrían aprender de los equipos monásticos de escribas medievales tanto como de los modernos equipos de científicos universitarios, va dedicada esta modesta contribución de un espíritu solitario a su pesar, pertrechado con un instrumental de ocasión y una limitada inteligencia de los hechos que ni la voluntad ni la obstinación logran superar. Sirva, pues, como ejemplo de los mediocres resultados que un hombre solo puede alcanzar, aun cuando tenga conciencia clara de sus objetivos, así pugne por auparse sin salir de su aislamiento.

Pelayo, que, a más de medio siglo de su muerte, hacían aún exclamar a Max Aub: «Pasan los años, se suceden los críticos, ganan y pierden nombre. ¿Qué tenía ese montañés tenaz, que cuando dice algo es lo que se había de decir?» (*Heine*, 101).

2

Después de esta necesaria aclaración, y teniendo muy en cuenta los límites naturales del análisis de tipo generacional, intentaremos aprovecharlo indirectamente para situar la obra frente a su autor y, sobre todo, a éste respecto a su tiempo.

Dejando de lado, como hizo Salinas, la cuestión de los caracteres hereditarios, veamos los restantes criterios clásicos de la agrupación por generaciones.

La coincidencia cronológica de nacimiento, preferimos entenderla más bien como nacimiento a la vida literaria que a la biológica, lo que nos permite aunar en un mismo grupo a escritores como Benjamín Jarnés y Francisco Ayala, nacidos respectivamente en 1888 y 1906, pero que coinciden en sus ortos literarios, puesto que *El profesor inútil* y la *Tragicomedia de un hombre sin espíritu* vieron la luz a un año de distancia. La magia cuasi astrológica implícita en el requisito tradicional aritmético queda así reducida a una normal coincidencia de advenimiento a la literatura, de entrada en el gremio de escritores, que es causa natural de una relación entre quienes publican en torno a unos mismos editores y se presentan a la vez ante un público idéntico. La fecha de nacimiento literario de la generación de Aub va de 1925 a 1930; si bien algún texto se adelanta o aparece en fechas inmediatamente posteriores al septenado de la dictadura primo-riverista, o anteriores al *diktat* estético de José Ortega y Gasset, el nacimiento del grupo tiene en esas dos autoridades las coordenadas paternas y paternales.

Si en alguna ocasión hemos pensado que la literatura «deshumanizada» se explicaba como huida de las ingratas realidades de la dictadura política, lo cierto es para nosotros, hoy, tras nueva reflexión, que tal literatura no nos aparece en una línea de divergencia, sino de convergencia entre dos reacciones frente a la subida de los valores supraindividuales y colectivistas, al unísono con la progresiva ilustración y creciente bienestar de la sociedad de masas. Dictadura primo-riverista en el mundo de la política y orteguiana en las artes y el pensamiento no son sino dos aspectos de la reacción del individuo de *élite*, de la rebelión *frente a* las masas. Ni que decir tiene que, en ambos casos, ni el general ni el pensador son los directos responsables, sino las cabezas de turco más o menos representativas y conscientes que emergen del grupo al que representan. No pretendemos con ello quitar ni responsabilidad ni «voluntad de estilo» a ambas figuras señeras más en apariencia que en profundidad, sino más bien señalar el hecho de que, al hacerlas blanco exclusivo de las iras, tanto por parte de los representantes del orden tradicional arcaico, como por la de los portavoces del socialismo, se cae en el error que buscaba el grupo contrincante, cuando echaba por delante a sus figuras de proa: si por acaso rodaban las cabezas, la crítica quedaría satisfecha, ignorando que lo que tomaba por cabeza de la tenia no era sino cola enhiesta.

En ese error de perspectiva era tanto más fácil caer cuanto más cerca se estaba del grupo objeto de los ataques. Y, por antonomasia, ocurrió en el mundo de las letras a los que de tal grupo se disociaron de grado o por fuerza: así le ocurrió a Max Aub o a Juan Chabás. De otra época ya, y con otros antecedentes, Eugenio de Nora no se dejó atraer por el señuelo más de la cuenta [3].

El criterio de la homogeneidad en la educación se basa no tanto en la formación universitaria de los miembros del grupo, que sería común a todos cuantos en los mismos años pasaron por las aulas universitarias de España, en el segundo y tercer decenio de este siglo, ni en el conocimiento y trato de una tradición literaria o de unas traducciones igualmente al alcance de todos, como en la polarización en torno a ciertos órganos de opinión: la revista *España* primero, la *Revista de Occidente* y el diario *El Sol* acto seguido.

La mutua relación personal de los componentes de la generación se fraguará precisamente en torno a los comités y salas

[3] En *La novela española contemporánea*, Madrid, Gredos, 1962, II, 159. Que Juan Goytisolo se dejara también llevar por el mismo reflejo de Aub o Chabás tiene otros motivos que no son del caso.

de redacción de esos órganos impresos, y el acontecimiento o experiencia histórica común a todos, como ya hemos dado a entender, fue el auge de los valores supraindividuales de la sociedad de masas en formación, y la reacción individualista de la que, en nombre del liberalismo, se hicieron protagonistas y seguidores [4].

Después de todo lo dicho, inútil es repetir que el caudillo o cabeza visible del grupo pertenece, como ocurre con la generación del 98, a una generación anterior y del mismo signo, a la que pertenecían otros oráculos menores como Ramón Pérez de Ayala: hablamos de José Ortega y Gasset, asistido en la *Revista de Occidente* por algún fiel y fino cancerbero. Homenaje directo o inverso a su caudillaje son las alabanzas tanto como los dicterios y críticas feroces que tienen en años aún recientes a Ortega como blanco o pretexto de controversias políticas, religiosas, filosóficas y literarias. Mejor que las «estrictas objetividades» y los estudios «por alguien con talante no beligerante» que propugna cautelosamente José Ramón Marra-López, nos dan la medida exacta del valor y la importancia de Ortega en la sociedad española de nuestro más que mediado siglo esas discordantes y más o menos templadas voces y apellidos [5].

El lenguaje generacional gira también en torno a lo más individualista del uso instrumental: ahí se manifiesta en toda su exigencia el supuesto mito de «lo nuevo»: criptograma y mensaje cifrado «para la minoría, siempre». El «álgebra superior de las metáforas» es la asignatura clave en la carrera generacional. Juan José Domenchina, al criticar en los años treinta

---

[4] Es curioso notar que, a pesar de los supuestos comunes, el grupo de la dictadura política centró su enemiga en el de la intelectual, como fenómeno «circense» que no cuadraba con lo adusto y precario de la circunstancia. Y la reacción de orgullo herido explica la oposición que, a la recíproca, despertó en los dirigentes de la «intelligenzia» individualizante y deshumanizada, que iba a vivir tanto y no más que la dictadura. De cualquier modo, y a diferencia de lo que ocurrió con los intelectuales de otras generaciones —Unamuno, por buen ejemplo— las cosas nunca pasaron a mayores, como lo prueba la falta de medidas radicales o erradicantes por parte del aparato censorio gubernamental.

[5] *Narrativa española fuera de España*, Madrid, Guadarrama, 1963, 23.

la reedición de *El profesor inútil* de Jarnés, pone el dedo implacable en la herida del tiempo:

> Aquello de la imagen a ultranza fue epidemia catastrófica. Ortega y Gasset, creador o descubridor de algunas muy felices, hizo culminar este pacienzudo deporte. La búsqueda de la metáfora degeneró bien pronto en obsesiva superstición estética. Supeditando lo cualitativo a lo cuantitativo, se solía preguntar: «¿Cuántas metáforas?». Y al bisoño escritor que no incluía un mínimo de siete metáforas por párrafo solía motejársele de escribidor insulso o de metafórico ruin. ¡Un delirio de sombras! No hubo, a la postre, nada más digno ni halagüeño que los chaparrones de imágenes. La sensibilidad moza se anegaba en imágenes. Advino el repudio de las ideas. El ineludible «tabú». ¿Un soneto? Catorce metáforas. ¿Una novela? Tres mil doscientas veintitrés metáforas. Y nadie se preocupó de emulsionar estos hallazgos con la sintaxis ni con la sindéresis. ¿Para qué? Nada tan bello como la rebeldía de las imágenes a granel (...) La contagiosidad y virulencia de aquel delirio causó hondos estragos. La metáfora se encrespó en desatino [6].

La última condición generacional —el anquilosamiento de la generación precedente— no se cumple, *stricto sensu*, sino bastantes años después, ya entrado el período de la postguerra, y nos preguntamos si dicha condición no debiera entenderse normalmente como previa al triunfo de la generación, o dominación en el campo de las letras, y no como condición de su advenimiento. Repasando la vida de las generaciones del siglo pasado y del presente, es ése el sentido que puede dársele al requisito; el anquilosamiento sería más bien el de la generación antecedente, y aun de la previa. Así, en el caso que nos ocupa, el advenimiento de la generación deshumanizada coincide tanto como provoca un voluntario e intencional agarrotamiento de las escuelas realistas y naturalistas, en las personas de sus epígonos, y en las figuras y obras de sus más eminentes representantes. Fueron éstos objeto de las burlas y chirigotas de la joven generación, que luego ha reconocido no haber siquiera leído a Galdós en aquellos años, porque se les había inculcado la imagen

---

6 *Crónicas de Gerardo Rivera,* Madrid, Aguilar, 1935, 107-8.

grosera —ellos, tan finos— de «Don Benito el garbancero». Y así ocurriría que incluso los escasos pero valiosos intentos de realismo renovado en sus temas y sus estructuras, surgidos por obra de lo que creemos poder agrupar bajo el epígrafe de los escritores del periodismo —Sender o Benavides, Chaves Nogales o Arconada— iban a ser objeto de las mismas iras y el mismo desprecio, y si no el sambenito, sí tuvieron que llevar el dombenito, que aún persiste, bajo apariencias diversas.

A la literatura novelesca escrita en estos años de la dictadura por tal grupo generacional —hablamos, naturalmente, del de Aub— se ha convenido en llamarla «deshumanizada», siguiendo un término impuesto en los medios literarios por Ortega, a raíz del éxito alcanzado por su colección de ensayos reunida bajo el título de *La deshumanización del arte.* Creemos aquí llegar al lugar y momento de establecer lo que nos parece el justo sentido del término, diversamente interpretado en los últimos años por las nuevas generaciones de la postguerra, que hemos visto el momento literario de los años veinte desde una lejanía engañadora, y por referencias basadas más bien en los textos polémicos que en los que originaron la discusión. El hecho de que en dichos textos de controversia se dé por sabido todo un contexto que para nosotros es ya histórico, no ha dejado de favorecer la confusión. Que José Ramón Marra-López nos permita, una vez más, tomarle como ejemplo. Su obra, hasta ahora la única que se ha ocupado extensa y sistemáticamente en España de la literatura de la rama exiliada de la generación «deshumanizada», es, por ese hecho, referencia obligada, y ejemplar tanto por sus valiosas aportaciones como por sus deformaciones. Al estudiar la cuestión del dominio orteguiano sobre la generación, Marra-López hace constantes y abundantes referencias a las piezas polémicas en torno a la misma, pero no cita una sola vez directamente la obra orteguiana que está en el origen de la controversia, y así puede dejarse llevar por curiosas contradicciones.

Cita, por buen ejemplo, a Pedro Salinas, subrayando la frase siguiente: «sacando la novela de su servidumbre, antes inevitable, casi siempre, a la visión analítica y reproductiva de lo humano». Y comenta: «¡A costa de perder su humanidad, claro es! O sea, a costa de perder el supuesto indispensable para novelar. El lirismo interior y la fantasía sustituyeron a la realidad inmediata *totalmente,* de un tajo, como si ambos conceptos fueran opuestos e inmezclables». El «claro es» de Marra-López presupone lo que niega al final de su frase. Quizás la contradicción resida menos en ser resultado de una mala interpretación de la narrativa deshumanizada que en el hecho de una redacción apresurada de su texto. Posiblemente es así, porque, de otro modo, sería difícil explicar la presencia, una página antes, de una cita de Francisco Ayala, que no puede dejar lugar a dudas acerca del tipo de realidad que se excluye de la narrativa deshumanizada.

En dicha cita habla Ayala de su generación por aquellos años, diciendo que «se manifestó muy desligada de las realidades inmediatas» (subrayado por Marra-López), y poco más adelante insiste en la naturaleza de esas realidades, diciendo que las tendencias todas eran «coincidentes en su prescindencia de la realidad social inmediata» (igualmente subrayado). No resulta, pues, admisible, la afirmación abusiva del comentarista, que, a continuación de la cita, extrapola al comentar:

> Es decir, para ellos no existía la realidad social inmediata, ni siquiera el mundo que los rodeaba —salvo en un sentido puramente estético, como base de su inspiración, que luego transformarían intelectualmente, y a veces ni eso—, y prescinden del ámbito existencial [7].

Dejados de lado, por obvios, los excesos del estilo polémico, nos limitaremos a señalar que el achaque de absoluta falta de solidaridad social que se les imputa es tan inútil como recriminar a los caballos su condición de cuadrúpedos, o a las aves su falta de peso. Marra-López los recrimina, evidentemente, en nombre de una posición de solidaridad con una realidad social determinada que es la suya y la nuestra. Pero de observar detenidamente, se hubiera percatado de que en la generación acusada existió una solidaridad, pero con otras realidades sociales

[7] *Op. cit.*, 27-29.

bien distintas y, por decirlo de una vez, con otros estratos de la sociedad española que, como hemos dicho antes, habían restaurado su dictado sobre las capas en movimiento ascendente. La indignación patente que soporta toda la exposición de Marra-López honra sus virtudes cívicas tanto casi como invalida su diagnóstico. Claro es que su actitud no es de hoy, ni exclusiva suya o del grupo social con el que nos identificamos, como lo indica la vigencia de la venerable frase popular «pedir peras al olmo». Desde el punto de vista socio-político que nos aúna, es evidente que la tal generación, en aquellos años, tenía un claro parentesco con la higuera estéril de la parábola. Pero su expansión «despampanante» quizá sea un resultado de ese aristocratismo intelectualista de ave de lujo, y sus trinos tanto más agudos cuanto que, a la manera de la coral vaticana, se trataba de voces blancas, novelísticamente hablando.

La tal generación resulta un blanco fácil por su creación novelesca en aquel tiempo, pero no porque su floración fuese vana tanto como por genéricamente desplazada. Y los mismos excesos metafóricos tienen reconocimiento y son acatados por todos, empezando por el mismo Marra-López, cuando de la lírica se trata: «En un momento clave de nuestra historia intelectual, triunfa la poesía, alcanzando excelsa altura...» [8].

Volvamos ahora a lo nuestro, a saber, nuestra precedente afirmación de que el concepto de «deshumanización» ha sido mal interpretado en nuestros tiempos, confundiéndolo prácticamente con el de «cosificación», por entender que el término orteguiano tomaba su raíz en *homo,* cuando, en realidad, la toma en *humanitas,* y que, por consiguiente, la deshumanización no fue huida de lo humano tanto como de lo humanitario, en el sentido menos ñoño de la palabra. La deshumanización, pues, era, básicamente, desolidarización, y no cosificación, ya que, muy al contrario, el antropomorfismo del estilo deshumanizado es una esencial característica que hemos de ver bien probada en el transcurso del presente estudio [9].

---

8 *Ibid.*, 28.

9 V. Parte III, cap. 6.

Reconozcamos, en descargo de los muchos equivocados, que lo han sido por el equívoco mismo del término, que se da fácilmente como materia de confusión. Que estamos en lo cierto sería afirmación atrevida si no contáramos, en nuestro apoyo, con las afirmaciones y postulados mismos de Ortega y con los testimonios de los miembros de la generación que luego adoptaron frente a la deshumanización una postura crítica del mismo signo que la de Marra-López.

En efecto, el hecho de considerar Ortega el arte como juego y el negarle trascendencia alguna, apuntan a la abstención y la reclusión del *homo* —realidad inmediata— al margen de la *humanitas* —realidad colectiva y generalizadora, opuesta al aristocratismo y al «elitismo» tantas veces afirmado por el creyente en las «minorías egregias» y debelador de las masas «que cocean y no entienden» tanto como del hombre medio.

Para que el Sr. Marra-López y quien esto escribe, su amigo, no se olviden, nos dice el maestro Ortega en 1925 que «defender el socialismo o combatir por la libertad son cosas muy fáciles; tener ideas, en cambio, cosa tan difícil que no le ha acontecido nunca». ¿A quién?, nos preguntaremos, inquietos; ¿al hombre-masa? No: «al escritor de poco talento... (que) tenderá a convencerse a sí mismo y a los demás de que escribir no es tener ideas, imágenes, gracia, amenidad, música verbal, etc., sino defender el socialismo o combatir por la libertad. ¡Qué sería en efecto, del pobre hombre, si no creyese tal cosa! » [10].

Deshumanización es interiorización. «Tornamos hoy de las acciones a la persona, de la función a la substancia», dice Ortega [11]. Y cuando afirma que en la novela moderna se busca la eliminación progresiva de los elementos humanos que dominaban en la producción romántica y naturalista, la restricción histórica deja marcados los límites de la afirmación principal. El novelista renuncia a lo humano colectivo para volverse a los límites del hombre individuo, en lo que éste pueda tener

---

[10] En *Notas del vago estío*, de *Notas*, Madrid, Espasa-Calpe, 1928, 167-68.

[11] Cit. de Aub, *Discurso de la novela española contemporánea*, México, El Colegio de México, Jornadas, 50, 84-85.

de único e irreemplazable. Aub nos confirma en la validez de nuestra interpretación por los reproches que hará a Ortega, señalando «en lo que vino a engendrar» la huella de la escuela filosófica alemana que «contra el pragmatismo y el materialismo que tendían a anular al hombre disolviéndole en el ambiente (...) tiende a devolverle el poder de encerrase en sí y valorar el mundo según sus apetencias». Y, poco más adelante, cuando, indicando el inevitable y progresivo enrarecimiento del estilo «deshumanizado», afirma: «Por ese camino se alejaban forzosamente cada día más de las fórmulas populares: la novela y el teatro. Se deshumanizaban, pura bambolla, camino de la nada...». Y completa citando a Ortega: «Todo lo exquisito —¡qué le vamos a hacer!— es socialmente ineficaz», para concluir: «Ceguera y narcisismo» [12]. La relación de los términos «popular» y «deshumanizado» como antitéticos está subrayada por la cita *ad hoc* de Ortega: «Socialmente ineficaz».

Ya veremos en Aub cómo es esa dimensión de la interiorización progresiva del estilo lo único que perdura, insistentemente y en variadas formas, en su obra de postguerra motivada por lo social y lo histórico, y quizás ese contrapunto sea uno de los rasgos más inconfundibles y característicos del quehacer literario de Aub a partir de 1939.

La reacción de otro compañero de generación y de exilio —Juan Chabás— frente a la teoría orteguiana confirma, con un ejemplo más, nuestra interpretación del término «deshumanización»:

> ¿Puede existir una generación sin que se encuentre aglutinada y movida, con impulso de creación hacia el futuro, por un quehacer colectivo o, al menos, por una conducta histórica y nacional, que implique una común actitud determinada ante los problemas de su tiempo? Si fuese así, podríamos hablar de una generación de 1927, amputada de conciencia histórica propia, sin sentido de su parte y su papel en las faenas más hondas de la solidaridad nacional, desasosegada por hallar la expresión

---

[12] *Ibid.*, 83; 86.

> más pulcra de su intelectualismo esteticista; en suma, una generación deshumanizada [13].

Una salvedad es necesaria tras este texto de Chabás. Habrá que reconocer que la solidaridad de la generación con los movimientos de reacción de su clase se realiza al nivel del grupo, pero no conscientemente al de los individuos, por lo menos en la mayoría de los casos. No parece sino que estuvieran siguiendo consignas de valor exclusivamente estético, pero cuyas implicaciones socio-políticas, que hoy nos parecen evidentes, les escapaban a ellos. Por eso Chabás, acertando en lo negativo de su diagnóstico, todavía en 1950, desde su aislamiento cubano, no era capaz de ver el otro lado de la moneda «deshumanizada» y puede insistir diciendo que «lo español, lo nacional más hondo, no es en los escritores de esta generación patrimonio general, sino individual virtud».

A partir de la proclamación de la República, los escritores de la generación se van distanciando de su quehacer como narradores y de las teorías literarias que los habían motivado. Y ese distanciamiento no se ve ni con mucho compensado con la aparición de algunos jóvenes escritores que llegan tardíamente a la «escuela». La vida ciudadana y nacional ofrece quizás en esos momentos la gavilla de temas que Ortega daba por agotados, y lo cierto es que, mientras los escritores deshumanizantes abandonan la novela, entran en escena los novelistas de la promoción socializante, entrada que, en contraste con el cada vez más agobiador silencio de los otros, culmina en 1935 con la concesión del Premio Nacional de Literatura a Ramón J. Sender. Es más, los escritores deshumanizantes han empezado a manifestar evidentes signos de un cambio total de orientación, y entre los primeros barruntos, fácilmente rastreables en *Erika ante el invierno,* relato de 1930 con que Ayala termina su quehacer literario de la preguerra, y *Luis Alvarez Petreña,* novela del significativo fracaso y suicidio de un alevín de escritor de la escuela, escrita en 1933, el viraje se ha realiza-

---

[13] *Literatura española contemporánea,* La Habana, Ed. Cultural, 1952, 412. Ver también E. de Nora, *op. cit.,* II, 157-58.

do totalmente. Si bien, como hemos indicado, el cambio de perspectiva les lleva a un silencio más o menos tardíamente decidido, que será lúcidamente explicado muchas veces, pero pocas veces con la claridad del texto siguiente de Ayala:

> Pasó pronto la oportunidad y el ambiente de aquella sensual alegría que jugaba con imágenes, metáforas, con palabras, y se complacía en su propio asombro del mundo, divirtiéndose en estilizarlo. Todo aquel poetizar florido, en que yo hube de participar también a mi manera, se agostó de repente; se ensombreció aquella que pensábamos aurora con la gravedad hosca de acontecimientos que comenzaban a barruntarse, y yo por mí, me reduje al silencio. Requerido —creía— por otras urgencias e intereses, pero sin duda bajo la presión de una causa más profunda, puse tregua a mi gusto de escribir ficciones, y acudí con mi pluma al empeño de dilucidar los temas penosísimos, oscuros y desgraciados que tocaban a nuestro destino, al destino de un mundo repentinamente destituido de sus ilusiones [14].

Así ocurre también que incluso los nuevos escritores tardíamente nacidos al rescoldo del movimiento literario entre 1930 y 1934 —de Antonio de Obregón a José Corrales Egea— ya no respondan enteramente a las formulaciones ortodoxas de la deshumanización del arte, y puedan señalarse ya en la primera novela de Obregón, *Efectos navales* (1930), los signos de un trasfondo social que la balumba de metáforas y un evidente «bazuqueo surrealista» no son capaces de encubrir sino a medias. *Hermes en la vía pública*, su siguiente novela, es acogida por el mismísimo cancerbero Jarnés, en 1934, como «la última carcajada de una gran fiesta literaria extinguida... me parece verlo preparando las siete llaves para el sepulcro de ese personaje de Morand que se burlaba de las esencias de las cosas. Tal vez pronto se embriague de ellas» [15].

El mismo Jarnés, prologando el primer y prematuro libro de Corrales Egea en 1935, después de señalar lo «poco nutrida»

---

14 *Obras narrativas completas*, México, Aguilar, 1969, 598-99.
15 Cit. por E. de Nora, *op. cit.*, II, 236-37.

que está la lista de los novelistas españoles, a los que «un adolescente añade hoy su nombre» (nótese que la lista a que Jarnés se refiere es la del grupo desertado y que, como al fin de todas las guerras que se pierden, se ven adolescentes en armas), termina diciendo:

> *Hombres de acero* no es un libro que se haya escrito jugando, sino —como corresponde a una adolescencia excepcional, prometedora— sufriendo. Sufrir prematuramente: he aquí una señal de adopción. José Corrales Egea es, pues, un elegido. Para sufrir ante la vida actual, más que nunca patética; para escribir en España, que es sufrir dos veces [16].

He ahí, a la vez, una novela y una presentación que ya están bien lejos de las proclamaciones de asepsia sentimental del oráculo deshumanizante. La «estricta fruición estética» había dejado de ser compatible con la de «escribir en España, que es sufrir dos veces». Ciérrase así el paréntesis de una aurora boreal prolongada durante siete años, y en la que tuvo parte —y arte ¿por qué no?— el escritor Max Aub.

No es difícil reunir un manojo de citas aubianas, a partir de su *Luis Álvarez Petreña,* que nos señalen la temprana fractura y disociación progresiva de nuestro escritor respecto de las posturas generacionales de aquel decenio, fractura que puede situarse en torno a 1930: coincidiendo con el final de la dictadura política, *Fábula verde* es el último tributo de obediencia al *diktat* estético y la causa inmediata de su ruptura, como habremos de ver. El hecho de haber podido señalar con tanta precisión los caracteres esenciales del grupo en 1933, fecha de composición de su novela *Luis Álvarez Petreña,* es la mejor prueba de la efectividad del distanciamiento. He aquí, en resumen, los rasgos generacionales que se desprenden de dicho análisis: intelectualismo, auto-suficiencia, búsqueda de la estabilidad social —lo que ellos decían «colocarse»—, asepsia política más aparente que real, irresponsabilidad, facilidad depor-

[16] En José Corrales Egea, *Hombres de acero,* Madrid, Espasa-Calpe, 1935, 7.

tiva, ambición de originalidad a cualquier precio, metaforismo, miedo a parecer pedante o cursi, horror al triunfo popular, gusto por los clásicos barrocos, filiación poética modernista [17]. La generación en el tercer decenio del siglo ha sido de nuevo evocada con un acento de discreta nostalgia, ausente totalmente aún en *Luis Alvarez Petreña* y en el *Discurso de la novela española contemporánea,* en la novela de 1961 *La calle de Valverde* [18].

La lucidez del análisis se explicaría quizás también por la postura singular e inconfundible del escritor valenciano dentro del grupo, a partir de sus años de formación como lector de la revista *España.* Aub vive, como los otros, en torno a Madrid, pero sus ausencias son frecuentes, y sus viajes por España y por Europa le dan un conocimiento temprano de muchas realidades que la mayoría de sus compañeros desconocen aún, o que son referencias librescas. Tiene una sólida formación, pero desde el fin del bachillerato, en lugar de frecuentar la universidad como sus amigos, prefiere tener un trabajo lucrativo —viajante de comercio— y dedicar sus ganados ocios a completar una formación que por marginal a las aulas universitarias no será menos sólida que la de sus compañeros. A *España* sigue la *Revista de Occidente* como base de su formación y de su información, según la frase por él acuñada; pero Aub domina a la vez perfectamente el francés y el alemán, el italiano y el catalán, y su trabajo le da los medios para estar suscrito a las revistas francesas, belgas, alemanas e italianas de vanguardia, y sus frecuentes estancias en Barcelona le permiten conocer muy de cerca las actividades del «avant-guardisme» catalán. La constante lectura de la *Nouvelle Revue Française* es uno de los factores distintivos de sus diferencias con el grupo. «Todos eran mis amigos, pero ya había algo en mí que no comulgaba

---

17 LAP, passim. Ver especialmente págs. 13, 15, 17, 18-19, 22, 25, 55, 64-67, 68, 70-71, 76, 78. Es muy curioso observar cómo en Petreña se manifiestan ya ciertas «pasiones» literarias que serán predominantes en la parte de la grey literaria que quedó en España tras el conflicto, como son el garcilasismo, el angelismo y el marenostrismo (LAP, 71-72).

18 CV, 170-72, 187-88, 234, 243, 273-74.

con las teorías de Ortega —reflejo de tantas alemanas—», dice en una sucinta autobiografía[19]. Aub se siente siempre a un tiempo integrado y marginal. Incluso en lo personal: su origen extranjero frente a su entusiasta nacionalización española; su lucha duramente ganada por el dominio del español, que hace finalmente de él un clásico moderno de nuestro idioma, pese a la dureza nunca perdida de su pronunciación, que le hacía ser blanco de alguna broma de Lorca, su amigo; frente a la manera de vivir de los recursos de sus familias acomodadas, típica de sus compañeros, su acomodo y desahogo no menos notables son el resultado de un trabajo personal e intensivo; frente al aislamiento social de sus amigos, su constante ajetreo de viajante le lleva a un trato de trenes, fondas y comercios con todas las clases populares españolas.

Esta situación, a la que otros datos ejemplares pudieran añadirse, hizo que Aub, de los primeros, pudiera sentir y sondear los substratos sociales sobre los que se asentaba tan artificiosa floración novelística y sentir lo parcial, dentro del concierto —o el desconcierto— de la cultura europea, de las bases estéticas y éticas del movimiento literario deshumanizante. Eso le permitió, junto con Francisco Ayala, sobrevivir al desastre y pasar a ser, en pocos años, el dramaturgo y novelista español de mayores dimensiones y universalidad en las tres primeras décadas de la postguerra.

Si, desde nuestra perspectiva actual, treinta y cinco años después del comienzo de la guerra civil, contemplamos el destino de la generación o de la promoción de novelistas nacida en torno a los años veinte y pretendemos integrar a los supervivientes de la guerra y del exilio, veremos que, salvo los criterios de procedencia, ninguno de los elementos característicos de la anterior clasificación generacional serviría para reagruparlos de nuevo. Ninguno ha sobrevivido ni serviría para unir a los escritores, irremediablemente separados en los dos grupos que la guerra estableció más o menos al azar del momento, y

---

19 Carta de Aub, 31 diciembre 1953.

que el exilio o la permanencia en la patria distanció de manera aún más tajante.

Hasta tal punto es cierto el hecho, que el lento y progresivo restablecimiento de los contactos, primero por escrito, personales luego, no ha bastado, más de treinta años después del fin de la guerra, a cubrir y cicatrizar el «tajo» que ésta y el exilio provocaran.

El acontecimiento generacional que les una ya no será la dictadura de Primo de Rivera, sino la guerra civil, que, precisamente, no une sino en la disensión. Y justamente este fenómeno explica que los supervivientes de la generación se reagrupen, de uno y otro lado del Atlántico, con los escritores de la generación siguiente, llamada de 1936, y cuyo carácter de «partida» no es peculiar a ellos, sino que lo vienen a compartir con sus mayores. Leyendo los resultados del simposio que tuvo lugar en la universidad americana de Syracuse en octubre de 1967, no podemos menos de afirmarnos en nuestra creencia de que las interminables discusiones sobre la pertenencia o no pertenencia a dicha generación, lugar común de las discusiones, se verían en buena medida resueltas si adoptáramos, para el estudio de las dos generaciones, además de los criterios clásicos del nacimiento y de la mutua relación personal —sobre todo este último— el especial criterio del exilio o el arraigo para reagruparlos. Los ejemplos serían evidentes en el campo de la poesía, pero para limitarnos al género narrativo, vemos cómo se aproximan los centros de interés y la problemática de escritores como Aub y Sender, naturalmente, pero más sintomáticamente la relación se hace más estrecha entre Aub, por ejemplo, y los que, por haber accedido a las letras en torno a 1936, pertenecen a la siguiente generación, pero que con él comparten el exilio. Y Herrera Petere, Barea, Andújar o Sánchez Barbudo, José R. Arana, se nos aparecen como más ligados a Ayala, Aub o el mismo Sender, que con un Torrente Ballester, un Zunzunegui o un Cela. Y, consiguientemente, más cerca Aub y Ayala de los exiliados de la generación del 36 que de los propios compañeros de promoción que, como Claudio de la Torre, quedaron en España.

Digamos, de pasada, que al buscar nombres de escritores de la generación cuya actividad de postguerra nos permitiera el parangón, hemos encontrado una enorme dificultad. Entre los supervivientes de los grupos que Eugenio de Nora juntó bajo el feliz epígrafe de novelistas «intelectualistas, líricos y deshumanizados» que permanecieron en la Península, las actividades terminan, por regla general, antes de 1934, o en torno a esa fecha, por lo que a producción narrativa se refiere, y su labor de postguerra se desvía hacia otras actividades de tipo teatral, poético o crítico, cuando no acaba en un total silencio.

Es muy probable que un no lejano día la generación partida de 1936 se encuentre en una situación sociopolítica que le permita realizar el esfuerzo necesario para reintegrarse, soldando definitivamente el tajo separador, y algunos casos de readaptación reciente parecen indicar ya con bastante probabilidad que el reinjerto no será rechazado. No creemos que pueda ocurrir así para los de la generación a la que Aub pertenece y que, ya al borde de los setenta, parecen más destinados a persistir en sus actuales distanciamientos, sin que el tajo, a pesar de los aparentes esfuerzos de unos y otros, pueda rellenarse satisfactoriamente para ellos, ni la herida cicatrizarse sin sufrimientos insoportables. La razón es que para ellos el tiempo ya está jugando sus últimas bazas y, salvo azorinianas longevidades, los últimos y granados frutos de su madurez intelectual están llamados a persistir en la línea ya señalable en el momento de escribir estas palabras, que, naturalmente, quisiéramos ver desmentidas, de punta a punta, dentro de diez años. Ojalá no sea cierta nuestra impresión de que la sala de espera, después de su evolución a sala de estar, vuelve a tomar aspecto de sala de esperar, en primera clase, al último tren de la noche.

PRIMERA PARTE

LA PRODUCCIÓN NARRATIVA DE AUB EN SUS UNIDADES CRONOLÓGICAS Y ARGUMENTALES

INTRODUCCIÓN

En este primero y más académico asedio de la obra narrativa de Max Aub nos proponemos resumir para nuestro uso, tanto como para mejor entendimiento del lector, lo que, para cada una de las unidades del conjunto, agrupadas a su vez en cinco unidades que corresponden a cada uno de los capítulos —salvo en un caso, en que la unidad se reparte en dos capítulos— se conviene tradicionalmente en llamar los argumentos, acompañados de algunas observaciones y comentarios más o menos extensos según el interés especial de cada unidad narrativa. Seguimos en esto una tendencia revalorizada en los últimos años a partir del excelente estudio de conjunto publicado por Eugenio G. de Nora sobre la novela española contemporánea, que ya hemos citado y citaremos repetidas veces a lo largo de nuestro estudio, por constituir el primero y el principal «clásico» del período que nos ocupa.

No se justifica la presencia de estas visiones argumentales y panorámicas por razón de la existencia de un hipotético lector que hubiese tenido la ocurrencia de emprender la lectura del presente estudio sin haber sido antes asiduo y atento lector de la obra narrativa completa de Max Aub. De darse tal caso, le advertimos honestamente y de antemano que perdería más que medianamente su tiempo en nuestra lectura si no la hiciera preceder por la que es causa de nuestros trabajos. Podría hasta cierto punto justificarse la presencia de nuestra primera parte como servicio para refrescar la memoria de lecturas quizás algo borrosas en el recuerdo, o para sustituir provisionalmente el conocimiento de una u otra de las muchas piezas de que consta *El laberinto mágico.*

Segunda y, a nuestro entender, principal razón de esta primera parte es el hecho de que, al resumir el crítico la obra del autor que pretende estudiar, viéndose en la obligación de reducir artificialmente la historia en busca de lo que él considera sus líneas esenciales, pone de relieve determinados elementos entre los muchos en que la obra se descompone, y deja, siguiendo su propio criterio, muchos más en la sombra y en el silencio. Pues bien, esta selección y resumen que el estudioso realiza será la mejor guía previa de sus intenciones y de sus motivos. En otras palabras, vendrán sus resúmenes a ser otras tantas muestras de la subjetividad a través de la que va a ser interpretada y, por consiguiente, irremediablemente transformada la obra narrativa original.

Si, como intentaremos demostrar en el comienzo de la tercera parte de nuestro estudio, la objetividad del escritor es imposible, la demostración nos parece igualmente válida para el crítico, y la mejor prueba de ello, o, cuando menos, la de más inmediata connotación, es esa manera inevitablemente personal de resumir las historias, iluminando determinados aspectos que serán, a no dudarlo, los que motivarán esencialmente las interpretaciones de la obra literaria que se propongan por vía de análisis o de síntesis.

Aprovechamos igualmente esta primera parte para resumir, cuando lo consideramos interesante para el posterior entendimiento de la obra, las críticas y comentarios que, a lo largo de los años, se han ido publicando en torno a la narrativa de Aub. Dichas críticas van acompañadas, cuando nos ha parecido indispensable, de algún comentario, especialmente cuando se hace manifiesta una divergencia notable de opinión entre la ajena crítica y la propia.

Advertiremos, para mejor entendimiento del lector, y dejando para lugar oportuno las motivaciones, que para nosotros *El laberinto mágico* es el título que abarca toda la obra de Aub, y no sólo aquella parte que tiene por argumento la guerra civil.

Llámese a ésta *Laberinto español* o, como Aub indica, *Campo español*, puesto que, para nosotros, sólo nos aparece definitiva y suficientemente justificada la adopción del primer título para encerrar en él, sin remedio, toda la obra aubiana.

Digamos, en fin, al lector asiduo y cuidadoso de Aub, dotado de buena memoria e impaciente, que quizás le convenga —y al autor también— empezar este libro por su segunda parte, o mejor aún, por la tercera, y volver atrás, si le queda gusto, en sentido inverso al que llevó el que esto redacta, y sálvese quien pueda, o a quien se pueda.

I

LA PRODUCCIÓN NARRATIVA HASTA 1936

Dentro de la producción literaria global de Aub en los años anteriores a la guerra civil, la obra narrativa está particularmente situada bajo el signo de la experimentación y la renovación de las técnicas tanto como de la temática, siguiendo una orientación marcada por las más escuchadas autoridades en la materia y que, para la posteridad en la que nos encontramos, están simbolizadas por la personalidad preeminente de José Ortega y Gasset. Pero sería injusto atribuir a Ortega la responsabilidad exclusiva de una tendencia que estaba en las bases mismas de la sociedad literaria del momento, no sólo en España, sino en Europa, aunque en la Península la situación marginal creada en la república de las letras con el advenimiento de la dictadura de Primo de Rivera contribuyera a fomentar la elaboración experimental en el aislamiento típico de los laboratorios, puesto que los intelectuales, de viejo y nuevo cuño, se habían hecho sospechosos a la autoridad. El prestigio de la «inteligencia» quedaba así por primera vez en entredicho, después de los largos años de afianzamiento de la función social del escritor en España, o, cuando menos, de una buena parte de la intelectualidad española. Hacemos esta salvedad teniendo en cuenta la persistencia de los últimos representantes de la llamada bohemia literaria, cuya función circense de espectáculo público y piedra de intrascendente escándalo para la sociedad bien-pensante, la invalidaba totalmente para acceder a la nueva respetabilidad de la clase.

Es un hecho sin duda descuidado hasta ahora cuando se ha tratado de explicar la intensidad y la calidad de los creadores y experimentadores de la «vanguardia» literaria, que en su existencia peninsular no podía sino indirectamente acogerse a la explicación válida y clásica en otros países europeos, de resultado típico de una postguerra como la que empieza en 1919. Con esto no queremos insinuar que la repercusión de dicho estado de ánimo no alcanzara a España, cuya participación material y compromiso espiritual en el conflicto europeo han sido ya objeto de estudio y de ficción, desde el momento mismo del conflicto [1].

El viento de renovación que azota la meseta literaria europea no perdona en España ni a las más autorizadas y prestigiosas figuras de las letras, que desde los noventayochistas como Azorín —piénsese en sus intentos de teatro de «vanguardia»—, Valle-Inclán, Unamuno —recordemos la inflexión casi lorquiana en algunos de sus textos poéticos de la década de los veinte—, pasando por la generación más europeísta de Ortega, alcanza, como hemos afirmado, a todos los grupos literarios de prestigio o en mal del mismo, aunque en muchas ocasiones la inquietud no llegara más allá de una sensación de ánimo, una disposición favorable a los más audaces intentos, disposición sin la cual, hay que insistir en ello, ni siquiera las vergonzantes manifestaciones de las «vanguardias» españolas hubieran sido posibles.

No caben dudas sobre la importancia que, como catalizador de ese estado de ánimo colectivo, tuvo la aprobación y el padrinazgo de Ortega, quizás la voz más autorizada de la inteligencia española en aquellos años, en el crecimiento de la vanguardia y, particularmente, en la joven generación de los que, como Aub, cuentan en su formación cotidiana con las lecciones periodísticas de Ortega y con sus revistas *España* y *Revista de Occi-*

---

1 *Al calor de la hoguera,* de Wenceslao Fernández Flórez, es de 1916, y no conocerá su vertiente cómica hasta 1931, en *Los que no fuimos a la guerra.*

dente: «*España* está a la base de mi formación y de mi información... no dejábamos de leer ningún número de la Colección Universal de Calpe, igualmente orientada por Ortega... A *España* sucedió *Revista de Occidente*»[2].

Dejando de lado el hecho de la integración de Ortega dentro de la corriente general de renovación y de experimentación de la época, cabría aquí señalar que, particularmente en el caso de Aub, conviene distinguir entre las fuentes germánicas de formación directa e indirecta de nuestro escritor, y que Ortega representaba para él, y las fuentes de origen francés que, por su educación parisiense y la persistencia de sus contactos directos con el mundo literario galo, deben contarse como las primordiales en la constitución de la personalidad artística de Aub: «Estaba suscrito a las revistas literarias francesas, belgas e italianas de vanguardia. El año 21 conocí en Gerona a Jules Romains... desde 1918 no perdí un número de la N.R.F.»[3].

En este ambiente, pues, de renovación general del mundo de las letras, acentuado por la marginalización política de la clase intelectual, comienza Aub, tras un libro de poemas en 1925, y una primera obra de teatro publicada en 1928, a dar a la imprenta su primera experiencia narrativa de importancia, apadrinado por Enrique Díez-Canedo, que lo acoge en sus *Cuadernos Literarios,* colección literaria que, dentro de sus apariencias modestas (ediciones en rústica, con un formato de 14 cm.), está ya en 1929 al cabo de su cuarta serie. El total de veinticuatro volúmenes publicados hasta 1929 está avalado por las más prestigiosas firmas del momento, desde Azorín, Pío Baroja, Ramón Menéndez-Pidal y Santiago Ramón y Cajal, pasando por el propio Díez-Canedo, Manuel Azaña, Mauricio Bacarisse, Alfonso Reyes, Eugenio D'Ors, hasta los más jóvenes valores del momento «vanguardista», como Fernando Vela, Antonio Espina o Ernesto Giménez Caballero. La combinación de tan autorizadas firmas con tan modestas apariencias materiales

---

[2] De las referencias autobiográficas facilitadas por Aub en su carta de diciembre de 1953.

[3] *Ibid.*; añádanse a esto los frecuentes viajes a París en aquellos años.

es índice claro de las circunstancias precarias en que vivió la vanguardia literaria de aquellos años; el autor se veía obligado en muchas ocasiones a correr con los gastos de la edición de sus propios textos.

1

Geografía, con sus sesenta y ocho páginas, es la contribución de Aub a los *Cuadernos Literarios* y su bautismo de fuego como narrador vanguardista. Los críticos de la obra aubiana no se han ocupado particularmente ni de ésta ni de las demás obras narrativas del período que nos ocupa. De Ángel Valbuena Prat a Manuel Durán, toda una línea de la crítica ignora su narración de preguerra con la excepción de *Luis Alvarez Petreña,* para dedicarse preferentemente a comentar su teatro. Y la reedición en 1964 de *Geografía* no ha sido objeto de ninguna crítica que haya llegado a nuestro conocimiento.

De los tratadistas que mencionan la obra, Marra-López la descarta de sus comentarios, considerándola, como el conjunto de su narrativa de preguerra, sin importancia, y limitándose a calificarla de «ficción en prosa un poco a la manera de Ramón Gómez de la Serna», junto con *Fábula verde*[4]. Nora, por su parte, asimila igualmente *Geografía* a *Fábula verde,* pero dándole a ésta la ventaja de «un esbozo argumental» sobre la anterior, a la que, por tanto, se le niega argumento implícitamente[5]. En fin, y para terminar nuestra revisión a contracorriente del tiempo, remontamos hasta las igualmente breves observaciones de Juan Chabás, que hace por primera vez la identificación de ambos textos narrativos y que, como sus sucesores en la crítica, dedica más atención a *Fábula verde,* limitándose después a identificar *Geografía* como «gemela por la intención y la estructura», e incurriendo en el grave error de considerarlas «casi coetáneas», cuando, en realidad, una dis-

[4] J. R. Marra-López, *Narrativa española fuera de España,* 180.
[5] E. G. de Nora, *La novela española contemporánea,* II, 2, 67.

tancia de cinco años separa ambas novelas cortas [6]. La vaguedad de las alusiones y la evidente confusión de valores que se desprenden de estas afirmaciones críticas nos lleva a suponer un desconocimiento del texto por parte de los dos estudiosos más recientes, y un justificable olvido de Chabás (amigo y coetáneo —él sí— de Aub), como consecuencia de las difíciles circunstancias en que su obra se escribió [7]. Nada nuevo añaden los críticos posteriores, de cualquier modo, a lo dicho por Chabás.

Intentemos acercarnos con mayor cuidado al texto de *Geografía*. En primer lugar, conviene señalar que la primera edición, ya descrita, apareció mutilada de un capítulo, según explica el propio Aub en el prefacio a la segunda edición, que lo incluye:

> Escribí *Geografía* en 1925. La *Revista de Occidente* dio unos fragmentos en su número 52, de octubre de 1927. Se publicó en los *Cuadernos Literarios* de *La Lectura*, dirigidos por Enrique Díez-Canedo, en 1929. Ausente de España, no corregí las pruebas y así no me di cuenta de que en el manuscrito entregado faltaba un capítulo, enviado a no recuerdo qué revista. Esas páginas fueron publicadas, sin explicación, en *La Gaceta Literaria* del 1 de octubre de 1929 [8].

El fragmento ocupa cinco páginas en la segunda edición y no añade a la acción ningún nuevo episodio, extendiéndose en los detalles del paseo por el puerto [9].

Dejamos así las cuestiones bibliográficas para ocuparnos de la argumental. La suposición de desconocimiento del texto por parte de la crítica se concreta aquí con toda evidencia, puesto que el lector atento descubre sin mayor dificultad no sólo el «tema», sino incluso aspectos de un mito clásico re-

---

[6] Juan Chabás, *Literatura española contemporánea*, 655.

[7] Chabás redactó su obra en Cuba, sin tener a mano una bibliografía adecuada, entre 1950 y 1952, por lo que se resiente de considerable número de errores.

[8] G (1964), 59.

[9] *Ibid.*, 28-33.

mozado por la literatura francesa, que Aub conocía bien: los amores de Fedra con su hijastro Hipólito, en ausencia de Teseo, su padre —turista y triunfador del laberinto—. Pero, como corresponde a otros tiempos bien distintos de los de Eurípides, Séneca o Racine, no sólo Hipólito es quien lleva la iniciativa en los amores incestuosos, sino que es correspondido por su madrastra. El enigmático final nos hace pensar, por la postura de Hipólito, que viene muerto en brazos de su padre, con lo cual el suicidio de la esposa infiel resulta perfectamente justificado.

El paso de la milenaria tradición mitológico-literaria está delicadamente insinuado en el nombre del personaje masculino —tanto el padre como la madrastra quedan innominados— y en las meditaciones del propio Hipólito, que, en un momento de la narración, tiene la sensación vaga de estar representando un papel de una comedia que ignora[10]. El tema parece particularmente arraigado en la imaginación creadora de Aub, que recurrirá nuevamente a él en su drama más popular —*Deseada,* de 1950— y en algún otro episodio de sus novelas de postguerra. Un mural hecho a base de este relato hubo en la casa de Aub en Valencia, calle del Almirante Cadarso, según testimonio personal del autor.

En *Geografía,* es el mundo de los sueños quiméricos y fantásticos de los enamorados, ambos en torno al Atlas geográfico y a la esfera armilar, como Paolo y Francesca en torno a su legendario y nunca acabado libro, lo que ocupa el interés del autor y del lector. Las cartas del Capitán, desde los lejanos puertos oceánicos, completan las bases de las caprichosas ensoñaciones de los jóvenes, y dejan planear sobre su ilícita felicidad la amenaza siempre pendiente del regreso del padre y esposo. Pero puede más en ellos el libre juego de su fantasía acerca de los mundos lejanos, de los nombres exóticos, que toman caracteres vivos y reaccionan como seres humanos, o hacen reaccionar a los amantes por la simple evocación de sus nombres. Es ésta una de las dos bases anecdóticas del relato.

---

[10] G (1929), 25.

Unas veces es la sonoridad extraña de una palabra, como en los nombres de lugar mejicanos y ecuatorianos: «Zacatulú, Temascaltepec, Chirimoya, Tantoyuca, Zacapotaxtla, Xalucingo, Cayapás, Esmeraldas, Charapotó, Chimborazo, que les dejaban en la boca amargor de tisanas y embriaguez de opios y raros perfumes» [11]. Otras veces es el juego de la sinonimia lo que provoca imágenes humorísticas o poéticas:

> ¡Cómo se divertían al tropezar con las islas Sandwich, esas islas que llevan el cartelón a la espalda, y jamón, en vez de mar, entre cada una de ellas!...
>
> Aquella tarde en que tropezaron sus manos en Tombuctú, sus ojos en el Cabo de Buena Esperanza, y se abrazaron en el Cabo de Hornos —¡cómo quemaban sus mejillas!— después de jurarse eterno amor en la Tierra de Fuego... [12].

Otras, en fin, es la configuración de continentes o países el pretexto para la imagen ingeniosa, o abiertamente osada: «¡Dinamarca, Dinamarca!, sostenida erecta por el Schleswig-Holstein, mientras las Escandinavas se parten gozosas» [13]. Pero no siempre las motivaciones de la fantasía son tan claras: nos preguntamos por qué las cataratas del Niágara son «dulces como un caramelo» [14]. A veces son claramente el resultado de una interferencia semántica del francés, como en el juego de palabras «abismo de Abisinia», más explicable en la ortografía francesa, que aproxima «abyssal» (de «abîme») a Abyssinie.

Juego con las palabras, alegría de la ductilidad, de la maleabilidad del verbo, tanto como descubrimiento gozoso de las posibilidades del idioma de adopción, que invade, incluso contradictoriamente, los pasajes en que se relatan sentimientos de tristeza [16]. Característica típica del tono literario de la época

---

[11] *Ibid.*, 15.

[12] *Ibid.*, 57.

[13] *Ibid.*, 58.

[14] *Ibid.*, 59 («Por las tarjetas postales, las bodas, todo en Kodak very crome» —nos explica Aub—).

[15] *Ibid.*, 23.

[16] Ver especialmente 18-20.

a que venimos refiriéndonos, y que se manifiesta aquí, como después en *Luis Álvarez Petreña,* por alusiones y comparaciones tomadas del mundo de los deportes: «Sus pasos largos acortaban todas las distancias, sentíase en aquellas horas capaz de batir todos los records, acudían los estadios, 100 metros en 10" 2/5» [17]. La humanización de la circunstancia, que nos parece típica del tono de época mal llamado «deshumanizado», nos aparece como bien evidente a lo largo de todo el texto [18]. La fantasía libre vagabundea como un perenne castillo de fuegos de artificio, inundando, contagiando con su humanidad desbordante el mundo todo en el que el hombre vive y aun los planetas que contempla.

De *Geografía* puede decirse que el desbordamiento lírico del joven Aub —recordemos que el texto está escrito en 1925, a sus veintidós años— todavía tiene más tono de «escuela» que de auténtica creación personal, por lo que toca a la escritura. Por ello son menos frecuentes las manifestaciones de lo que luego constituirá una de las características inconfundibles del estilo aubiano: el juego conceptista de los términos dentro de una misma frase: «hilos de telegrafía sin ellos» [19]. Pero, por otra parte, el juego de palabras, aunque favorecido por el pie forzado de la ambientación geográfica del relato mismo, anuncia ya, por su abundancia y por la variedad de las entonaciones y actitudes que con él obtiene —bufas, cómicas, tragicómicas, dramáticas, trágicas—, el eterno Max Aub del *Laberinto mágico.*

2

La segunda narración, publicada por Aub en 1933 con el título de *Fábula verde,* fue escrita en 1930, es decir, cinco años después de *Geografía* [20]. Como mencionamos a propósito de

---

[17] G (1929), 20.
[18] Ver la introducción al presente trabajo.
[19] G (1929), 7.
[20] Acabada de imprimir el 31 de diciembre de 1932, no se hizo pública, pues, hasta 1933, por lo que preferimos rigurosamente este año como el de la publicación.

ésta, *Fábula verde* ha suscitado un poco más de interés por parte de la crítica, aunque, como en el caso de Nora, sea para limitarla a la categoría de «prosa lírica». En cambio, la crítica de Juan Chabás tiende a calificarla, más acertadamente a nuestro entender, como fábula erótica. Chabás ha señalado, igualmente, cierto paralelo con *Geografía,* al hablar de la descripción botánica de Aub como de un fondo geográfico imaginario sobre el que habita la desesperación amorosa[21].

En realidad, creemos que el paralelo entre ambas obras hay que señalarlo, por lo que toca a la trama argumental, precisamente en esa cuestión de la desesperación amorosa. Como el Hipólito de *Geografía,* Margarita Claudia es una adolescente enamorada de la naturaleza, y ambos acaban por rechazar el amor carnal de los adultos. Hipólito lo hará después de una total experiencia con su madrastra; Margarita Claudia, después de unos simples escarceos con su pretendiente, para refugiarse el uno en la muerte, que le reconcilia con el padre, la otra en la total comunión con la naturaleza vegetal, al punto de dar a luz una simbólica manzana, paralela a la no menos simbólica flor roja que queda en las manos de Hipólito.

Otro común elemento en ambas obras es la ambigüedad de los episodios finales: sólo después de un detenido análisis de la descripción hemos podido llegar a la conclusión de la muerte de Hipólito, y aun así no nos atrevemos a afirmarla de manera definitiva. Quizás el autor haya dejado esa ambigüedad para permitir más de una interpretación. Dicha ambigüedad se corresponde en ambos textos con otra ambigüedad al nivel del léxico, que persiste en toda la extensión de los mismos, y en *Fábula verde* es patente ya al nivel del título. Señalemos, no obstante, que la ambigüedad en Aub está subrayada por el mismo autor, que no quiere dejar abierta la posibilidad de que el lector pase por el texto sin percatarse de ella. En esto se distingue de lo que ocurre con los relatos de su coetáneo Francisco Ayala, cuyo gusto notorio por la ambigüedad se manifiesta preferentemente

---

21 *Op. cit.,* 654-55.

al nivel de la conducta y el sentir de los personajes, y que permite una lectura que pueda pasar, ignorándola, por encima del doble fondo.

La polivalencia de nivel léxico en Aub, que veremos en la tercera parte de nuestro estudio, es la base de la ambigüedad que le caracteriza. El título del relato que nos ocupa no queda explícitamente señalado como bivalente en el texto. Y podría ser que, hechos a ese juego de los sememas típico de Aub, tendamos a verlo incluso allí donde no fue voluntario. Verde es la fábula en el sentido material, primero, referido al color de la vegetación, enamorada como está la protagonista del mundo vegetal, con exclusión de cualquier otro. La muchacha, enteramente feliz sólo cuando se encuentra en el campo, entre sus árboles, sus plantas y sus tierras húmedas y fértiles, sobrevive en la ciudad gracias a los mercados de frutas y verduras, gracias a las fruterías, que le compensan, cuando puede contemplarlas, de los malos ratos de las carnicerías.

El personaje va a tener precisamente su único momento de debilidad frente al acoso sentimental de su joven enamorado cuando éste, con una estratagema clásica, va a asediarla por su punto débil, empleando una serie de imágenes vegetales para manifestar sus deseos. Pero quedará todo el tinglado destruido ante la inevitable carnalidad del primer beso, que desmorona la ficción vegetal cuidadosamente trenzada en torno a la presa. Si rueda por el césped la muchacha, no será con el joven, sino con la misma naturaleza reconciliada, y de la posesión mutua le nacerá a Margarita Claudia «una manzana grande parida sin dolor». Único testigo del evento, «una serpiente en el manzano más próximo». Con esa alusión bíblica, introduce Aub una ambigüedad de situación que ya habíamos anunciado previamente. Parece que el autor, con ella, ha querido abrir un plano simbólico, una llave denotatoria de otro nivel del relato. Otros datos nos sitúan igualmente en un plano de símbolos bíblicos. El joven pretendiente, en efecto, se llama Gabriel, y se presenta «para la anunciación», agente del anuario de horticultura «Divino», levantando su índice hacia los cielos, como en una pintura de Fra Angelico: «El cielo estaba azul, las mayas y las primaveras blancas, amarillas, verdes y rosadas»[22]. El plano semántico de denotaciones insinuado por Chabás correspondería a la acepción erótica posible del título. Pero preferimos adentrarnos, siquiera sea aventuradamente, en un plano denotativo distinto, correspondiente a la acepción de «verde» como sinónimo de momento auroral, de accesión a la juventud, que es, como decíamos, un aspecto común a Hipólito y a Margarita Claudia, en el que podrían justificarse las alusiones bíblicas que se refieren a dos momentos aurorales de la Humanidad: el paraíso terrenal y el advenimiento del Cristo, según la cosmogonía cristiana. Y puesto que la ambigüedad de la obra abierta nos incita a ello, nos preguntamos si no se puede suponer que el rechazo del arcángel, es decir, de la fecundación de origen divino, y la consiguiente concepción de la manzana como fruto de la tierra, no aluden a la redención que para el humanismo agnóstico significa la reconciliación del hombre con el mundo por la inteligencia.

El relato tiene las dimensiones clásicas de la «cagarrita literaria». La edición, además, está hecha en formato in-folio, con hojas sin numerar, y con ilustraciones en filigrana verde, tomadas de la célebre *Botánica* de Cavanilles: esfuerzo de arte para minorías. Doscientos ejemplares, a costa del autor, constituyeron la edición original, impresa muy cuidadamente y en excelentes papeles de hilo y verjurado. En la norma estilística también el relato presenta un tema original, insólito, y lo hace, sobre todo, en un tono de metáfora aparentemente alegre y desenfadada, ayudándose con una continua pirotecnia verbal de las imágenes, y con lo exótico que para el lector ciudadano aparece el léxico preciso del mundo vegetal. Queda, pues, señalado este aspecto de ejercicio-oposición en la nueva retórica por el joven escritor que quiere acabar de hacerse un puesto al sol de la *Revista de Occidente*. Puesto que, paradójicamente, perdió a partir de entonces. Sabemos por Aub que el texto se publicó a expensas del autor porque el San Pedro de la revista —Benjamín Jarnés— decidió dejarlo a la puerta del paraíso, quizás

[22] FV, fol. xv.

por darse el gusto de hacer una frase: «demasiados vegetales» que, por sus consecuencias ridículas para el autor, podría parangonarse con el «trop de marquises» de André Gide al rechazar el manuscrito de Proust.

El ambiente de la época y del lugar fueron luego perfecta y cruelmente descritos por el mismo Aub en su *Discurso de la novela española contemporánea*[23] y en su novela *La calle de Valverde*[24].

Por otra parte, es muy importante, por debajo de los aspectos de mayor artificio en este relato, la presencia de ciertas zonas oscuras, en las que creemos ver apuntar una problemática de tipo existencial, anuncio claro de todo lo que acabará aflorando después del conflicto civil en la obra de Aub, hasta el extremo de constituir uno de los rasgos básicos de sus escritos. Pero esa discreta presencia de los temas, opuesta a la manera invasora con que aparece en su obra de postguerra, es lo que nos impidió en un principio reconocer su presencia en la obra de preguerra, y nos indujo a distinguir dos grandes períodos, separados por la guerra, en el conjunto de su creación literaria. Lo cual podría ser más aceptable en otros aspectos que en este de la problemática maxaubiana, a la que los hechos de la guerra no hicieron sino exacerbar, obligándola a desnudarse de peregrinas ornamentaciones, para quedar expuesta, osamenta pura, al sol negro del exilio. Tanto en su producción teatral como narrativa de preguerra, es posible rastrear todos los puntos fundamentales de la meditación de Aub en torno a la condición humana, individuo y colectividad. Menos difícil el rastreo, evidentemente, en el teatro, que, por condición genérica, se presenta en un despojo de toda riqueza verbal, debiendo ser entendido por el público de una sola vez, sin posibilidad de vuelta atrás. Esa condición indispensable de todo teatro, ignorada por la mayoría de los intelectuales en mal de escritura dramática, pero siempre presente en la elaboración teatral de Aub, aun en medio de este ambiente de la preguerra, hace, repetimos, que la problemática

---

23 Ver especialmente 81-98.

24 *Op. cit., passim.*

del escritor aparezca más clara y visible en su teatro que en su narrativa de aquel momento. La guerra, respecto a su obra narrativa, habría estimulado un contagio de esa cualidad dramática a su prosa.

La problemática existencial apunta, pues, en *Fábula verde*, es decir, en el texto literario aubiano que, para nosotros, es uno de los ejercicios de estilo más cerca de la ortodoxia, en la línea de la supuesta deshumanización. No solamente es una intensificación en el antropomorfismo de la imaginación creadora, sino que manifiesta preocupaciones humanísticas típicas del movimiento existencialista, en cuya línea, más o menos abiertamente, están los espíritus más caracterizados de las generaciones literarias españolas desde las postrimerías del siglo XIX [25].

Como último dato sobre *Fábula verde*, conviene subrayar que es el único relato situado en el país y en los lugares en que transcurrió la infancia de Aub, a la que, por rarísima excepción, recuerda al poner en Margarita Claudia las impresiones que de la España entonces desconocida traían a su casa los clientes españoles de su padre.

3

Luis Alvarez Petreña [26] es el relato que reúne en coro la aceptación y el encomio de los críticos, con la curiosa excepción de Chabás, que, posiblemente por la deficiencia de sus fuentes bibliográficas, no contaba con dicho texto en el momento de la preparación de su tratado. A treinta años de distancia, resulta extraordinariamente significativo comparar la crítica del escritor J. J. Domenchina con las de los dos críticos que con más detenimiento han tratado de esta breve novela epistolar, y que, al menos en el caso de Nora, tuvieron en cuenta la crítica de Domenchina antes de establecer sus opiniones. Todos concuer-

---

[25] Ver parte tercera, cap. VI de este estudio, p. 403 y ss.
[26] LAP, Barcelona, Ed. Miracle, 1934.

dan en la opinión de ser el personaje central un ejemplar típico del escritor intelectualista en ciernes, transido «como Álvarez Petreña, de turbios ideales mostrencos, vahos de sedicente espiritualidad o idealidad, ribetes de cerebralismo o intelectualismo trasnochado, y lugares comunes plurilingües, o regurgitaciones de la más flamante pedantería» [27].

Por el contrario, la diferencia entre la primera crítica de Domenchina y las siguientes es la valoración negativa de la novela, que se desprende de las cuatro extensas páginas del análisis. Inconscientemente está Domenchina, escritor dominado por su actividad periodística y política, comparando la novela de Aub con la suya propia, *La túnica de Neso*. En ella había expuesto cinco años antes, con terrible crueldad y poco éxito, en 350 extensas páginas, una aventura paralela, punto por punto, de escritor intelectualista que acaba en el suicidio, tal cual Luis Álvarez. Y la comparación, por la brevedad y la concisión estilística de la novela de Aub, le resulta abiertamente desfavorable [28].

Tanto Nora como Manuel Durán han encomiado precisamente esos rasgos de concisión en el ritmo y el estilo de Aub, tanto como la representatividad del personaje [29].

El relato está presentado bajo el tradicional pretexto del manuscrito encontrado, pero, a diferencia del clásico misterio que suele envolver el hallazgo y las circunstancias del mismo, esta vez —como mucho más tarde, en *Jusep Torres Campalans*— se nos presenta con señales precisas de su supuesto autor. En ese mundo de la creación del autor, todo debe ocurrir como en el mundo real, dando así al relato una dimensión, una distancia segunda que lo hace más *real* aún para el lector.

En ese manojo de cartas que constituye el relato, el autor-personaje se nos manifiesta como una víctima de sus pasiones fundamentales: la amorosa, que lo lleva a someterse a una

[27] Juan José Domenchina, *Crónicas de Gerardo Rivera*, Madrid, Aguilar, 1935, 213.

[28] *La túnica de Neso*, Madrid, Biblioteca Nueva, 1929.

[29] E. de Nora, *op. cit.*, vol. II, 2, 67-69; Manuel Durán, *Max Aub o la vocación de escritor*, en *Siempre*, México, 22 junio 1966, 260.

mujer, y la pasión literaria, formas ambas —físicas y espirituales— de la pasión de sobrevivir. Es esa pasión la que explica los últimos gestos de Álvarez Petreña: destruir todos los manuscritos, *salvo uno,* y suicidarse, esperando que ambos gestos lo impondrán en el mundo de las letras, que lo ignoró, y en el recuerdo de Laura, que lo hundió con su total desprecio. La carta de Laura a un viejo amigo, que completa el expediente del infortunado, viene a hacer saber al lector el fracaso de la segunda motivación: Laura no parece afectada por el suicidio. Todo lo más, parece orgullosa, cosquilleada por la vanidad de ser motivo de tal tragedia, así sea de un insignificante. Luis Álvarez Petreña pide a Max Aub la publicación de su cuaderno para hacer saber a Laura que pudo «ser para ella lo que nadie encuentra en este mundo» [30].

¿Se suicida por ella, o por no poder soportar su apatía, su marginalidad, su insignificancia? Este segundo aspecto de Luis es el que más nos interesa hoy, por lo representativo de tantos escritores de su tiempo, en su tiempo. Tan típico que Domenchina, él mismo típico y tópico de época, no supo ver que el romanticismo traspapelado, el wertherianismo de Petreña, propuesto por Aub en sus palabras de introducción a las cartas, es precisamente característico de su generación en aquella época: la pasión de la vida nueva aherrojada en una «vida idiota y pesada» de «gruesa burguesía amaestrada». El impulso de la juventud sin guía ni motivos, adocenada por el malbaratamiento de la inteligencia en un sentido deportivo de las letras, sin trascendencia ni responsabilidad dentro o fuera de ellas. El literato, caído de su podio, sin la aureola de trascendencia, sin decidirse por la pasión política tampoco, gira en el vacío, inteligencia sin ideal, pero incapaz de resignarse a la vida vegetativa del «confort» intrascendente o a la bohemia folklórica. A diferencia de sus compañeros de generación, Álvarez Petreña, por su suicidio, no llegó a recibir el empujón que esperaba, y que les dio a todos, viejos y jóvenes, la guerra civil.

---

[30] LAP, 13.

Relato de un escritor fracasado, dentro de una generación conocida, típico de ella y a la vez imaginario, «ma non troppo». Exactamente el mismo tema y los mismos procedimientos de partida que, *mutatis mutandis,* empleará Aub muchos años más tarde para «inventar» su Jusep Torres, más complejo, evidentemente, en su estructura y, poco después, en los aditamentos diversos con que vuelve a publicar en 1965 el *Luis Alvarez Petreña*[31]. Por otra parte, la forma epistolar, cuyo carácter dramático hace una vez más sinalefa entre el novelista y el dramaturgo que conviven en Aub, vuelve a aparecer de manera más cruda y estilizada en *Juego de cartas,* otra reconstrucción, como se verá, desde todos los ángulos posibles, de un personaje, esta vez por los que le rodearon y conocieron en vida. Ya en Petreña se anuncia la importancia de la pluralidad de perspectivas en el conocimiento del personaje: «¿Eres verdaderamente así? Yo qué sé. Veremos si mañana, al intentar fijarte de nuevo, me sales de la pluma de otra manera. Del conjunto de estas maneras quisiera yo encontrar algo de luz»[32].

4

Yo vivo[33], escrito entre 1934 y 1936, es llamado por el autor, en el colofón de la edición de 1953, «ejercicio retórico». La consideración del autor frente a su obra, hecha veinte años antes, es típica del enternecimiento —que el sentimiento de culpabilidad entrevera— con que los escritores de la generación contemplan hoy su obra primaveral[34]. Gozo nostálgico de sentir, veinte años después, que la obra era buena; creador interrumpido a la mitad de sus siete días, se pregunta por lo que pudo ser su

[31] Los aditamentos a la edición de 1965, salvo la nota final, habían aparecido ya en *Sala de espera,* 20, 1-39.

[32] LAP, 32.

[33] Primera edición de México, Tezontle, 1953. Segunda edición de Barcelona, Colección El Bardo, 1966.

[34] Ver el proemio de Francisco Ayala a *La cabeza del cordero* (1949) en *Obras narrativas completas,* Aguilar-México, 1969, 597-606.

obra si no hubiera caído sobre él, con aparente destiempo, el diluvio universal de la guerra: «Lo miro con cariño porque es el libro que pudo ser y no es... que creí que sería mi gran libro... que quedará trunco para siempre...» [35]. Pero el autor siente como vergüenza de haber vivido —siquiera breves— unos años paradisíacos, en medio de este otro mundo desde el que se contempla a sí mismo en lo que fue: mundo en el que los hornos abrían sus bocas alegres, rebosantes de los bollos proverbiales. Pero este mundo de ahora le ha «preñado de otras cosas. Tal vez sea lástima; posiblemente no».

He ahí, en frase concisa, el dilema del escritor de su generación, quizás no consciente, en el momento en que así duda, de que no es sino obra de su tiempo. De que si Aub ha tocado puerto para su *Laberinto español* con *Campo de los almendros,* en lugar de completar *Yo vivo,* la Historia es responsable, como pudo serlo de lo contrario. Así lo ve claramente en otros momentos en los que la vista del creador no está empañada por la melancolía que se adueña de él al contemplar su galería de torsos inacabados. Véase como ejemplo de lo dicho su brevísimo relato *De los beneficios de las guerras civiles* [36].

Puesto en su tiempo, al abrigo de los años, *Yo vivo* se nos aparece como la moneda recién acuñada, de haz sin envés, como el manifiesto del puro gozo sensorial de la existencia humana en un mundo joven, de pleno mediodía, sin sombras presentes o imaginables, ni más contrastes que los estrictos necesarios para la retórica eficaz. Las nubes de la guerra no asoman siquiera enemigas por el horizonte mediterráneo. Ahí está el Max Aub de la preguerra, para quien de la voluntad al acto no hay solución de continuidad; el hombre ilimitado, sin más límites que los propios, alegremente aceptados, de su naturaleza. La guerra y sus secuelas acuñarán implacablemente el envés de la moneda, grabando en ella los relieves de la divisa del azar: los límites imponderables e imprevisibles. No parecía

---

35 YV, 78.
36 HMM, 127-29.

posible ponerle puertas al campo, y ahí estará Aub poco después, encerrado en él, hacinado, en el campo acotado y mísero del universo concentracionario. La voluntad no tiene más que el último reducto de la memoria para convencerse de su existencia, de su realidad. La condición humana parece otra cosa bien distinta de lo que parecía. Y en 1953, en el abra mejicana, ambas memorias se oponen en un incompatible dialéctico, y el autor, literalmente, no sabe a qué carta quedarse.

Yo vivo es un panorama sensorial, sensacional. Círculo perfecto, empieza entre las sábanas tibias de la mañana, con el nacimiento del caos del sueño, y terminará entre las frescas sábanas nocturnas, con la entrega al reposo caótico. Del ser al no ser de nuevo transcurre un día de la vida de los sentidos: ver, gustar, tocar, oler y oír, por orden, de mayor a menor, en combinaciones y permutaciones, el hombre en su mundo, el hombre gozándose en su circunstancia, regocijándose en sus límites, conocidos y agradecidos, hechos a la medida de sus deseos. Voluntad y límites, conjugados: he ahí el secreto de la felicidad casi milagrosa que rezuma por todos sus poros léxicos y sintácticos. Es un salmo, un ensalmo, de y a los sentidos, que Max Aub entona, y que se subsume y resume —felicidad del título perfecto— en el grito afirmativo: ¡Yo vivo!, y cuya entonación correcta nos viene dada por la minuciosa anotación diacrítica que es el relato mismo.

Todo el Aub sensorial está entero y acabado ahí, ya: pero en estado físicamente puro. Mundo al revés: el metal puro, antes de su mezcla con la ganga, el metal antes de entrar al fondo del pozo, a la oscuridad e indecisión de las galerías laberínticas de la mina. Una danza primaveral, renacentista —o, mejor, nacentista— trenzada maravillosa e inconscientemente al borde mismo del pozo. Del otro lado, ya en los antípodas, recontemplándose en su danza adánica, el autor y actor no sale de su asombro. ¿Cómo pudo vivir ese mundo de perfección no contrastada? «Perfección: vida sin muerte, día sin noche, a mano lo suave, a mano la luz sin sombras, a mano la bienaventuranza, a mano la victoria sin estorbo, a mano lo que no tiene fin, a mano la hermosura eterna, a mano el deleite sin segundo, siéndolo. ¡Manjar sin hastío! » [37]. ¿Cómo pudo ser la ingenua creencia de un mundo hecho a la medida de la voluntad del hombre?, puede ser la pregunta de Aub en 1955, ante párrafos como éste:

> El mundo es como es, de todos los colores. Toco el mundo, el mundo existe. La mano izquierda contra el suelo. El cielo es azul. La espuma es blanca. Las hojas del almendro son verdes y sus flores blancas. Las rosas son rosas, blancas, amarillentas, salmonadas o granates. La arena, de lejos, es ambarina; de cerca, de mil colores. La noche es negra. El agua dulce es buena de beber. Las ortigas pinchan. Es más agradable bajar que subir una cuesta. El café es mejor caliente. El melocotón es la fruta más sabrosa, el brillante la piedra más dura. El sol calienta. Esto es el mundo, sólo esto. Ahora. Eres feliz porque esto es el mundo, sólo esto, y Matilde. Y tú sabes que el sol calienta, que el cielo y el mar son azules; cuáles son los colores de las rosas, y sus nombres. Los nombres que tú les pones a todas las cosas. El mundo es tuyo, tuyo y de todos. El mundo es la medida del hombre [38].

Desde ese antropomorfismo circular de la preguerra al antropomorfismo laberíntico de la postguerra va todo lo que implica una caída por el abismo y una puesta en pie al nivel de los antípodas.

---

[37] YV, 69.
[38] *Ibid.*, 65-66.

II

NARRATIVA EN TORNO A LA GUERRA CIVIL
(de 1936 a 1938)

De la extensa producción de Aub a partir de 1936, el tema de la guerra civil acapara una gran parte. La mayor, sin duda, tanto por la extensión como por la importancia. Incluso novelas marginales al conflicto, como *La calle de Valverde*, pueden producir la impresión de estar escritas en función de él, por la manera precisa en que sitúan al lector para que mejor entienda los tres años cruciales que, en el tiempo de la novela, están aún por venir.

Aub tuvo, por los años en que escribía su primera novela en torno a la guerra, la intención de redactar una serie de cinco, unidas bajo el título común de *El laberinto mágico*, tomado, según dice en el prefacio, de San Agustín [1]. Acabado el ciclo con *Campo de los Almendros* a los treinta años de su comienzo, el proyecto original se ha complicado y extendido hasta abarcar seis grandes novelas y una serie de relatos breves y cuentos, resultado inevitable de una persistencia en el estado de tránsito que para Aub han supuesto esos treinta años de exilio, inimagina-

---

[1] CC, 9. Emir Rodríguez Monegal transcribe una conversación con Aub en la que la atribución del título se da a San Pablo (*El arte de narrar*, Caracas, Monte Avila Ed., 1968, 45).

dos en 1939, y que ha llegado al punto de producir efectos obsesivos reconocidos por el mismo autor [2].

Siguiendo un orden algo distinto del establecido por el autor y reproducido por Eugenio de Nora [3] (que ya data de años antes de la aparición de *Campo del Moro* y, por lo tanto, incompleto), haremos una revisión de los contenidos de los diversos relatos y novelas que constituyen lo que Aub llamó *El laberinto mágico* y nosotros llamaremos *El laberinto español.*

Nos permitimos añadir dos narraciones ya publicadas en el momento de dar a conocer su lista a Nora, y que seguramente pasaron inadvertidas a Aub. Se trata de *Playa en invierno* y *Librada,* aparecidas en *Sala de espera.* El autor mismo, a quien hicimos la observación en 1964, incluyó posteriormente *Librada* en sus *Historias de mala muerte.*

1. «CAMPO CERRADO», INTRODUCCIÓN AL CONFLICTO CIVIL [4]

En el momento de escribir la novela en París, entre mayo y agosto de 1939, Aub ha utilizado ya el tema de la guerra en algunas piezas de su «teatro de circunstancias», y en el relato *El cojo,* de 1938, pero lo aborda por primera vez como base de una novela, y con el proyecto ya decidido del *Laberinto.* Por ella empieza, pues, y no por el relato de 1938. El libro consta de tres partes y un «colmo», y va precedido de tres notas. En la primera se indica el designio inicial del *Laberinto,* y su importancia queda disminuida por la realidad final, tan distinta

---

2 En carta personal del 8 de marzo de 1962, en plena redacción de lo que Aub cree una novela y acabará en dos —*Campo del Moro* y *C. de los almendros*—, nos decía: «Lo que yo creía un relato del tipo de *Las buenas intenciones* se me está complicando en otra maraña y laberinto hermano de los Campos. No tengo remedio».

3 *Op. cit.*, II, 2, 70, nota 21.

4 *Campo cerrado,* México, Ed. Tezontle, 1943. Según cuenta a E. R. Monegal, Aub envió por un viajero el manuscrito a José Bergamín, para su publicación en la Editorial Séneca, creada por los exiliados en México, pero el manuscrito no se publicó.

del primitivo proyecto allí manifestado. La segunda justifica la entrada que en sus novelas va a dar a «las palabrotas, ajos, tacos, groserías, juramentos e interjecciones soeces», con intención de mejor reconstruir el ambiente y situar a los personajes en su expresión verbal auténtica, salvando así «el tufillo de época». No creemos que ello le reste los lectores que el autor temía, si consideramos la evolución de la narrativa española contemporánea.

La tercera nota es a la vez la más corta y la más importante, puesto que en ella califica a su novela de «galería». Así llamada tanto porque a ella pueden asomarse sus personajes, como porque desde ella los contemplarán los lectores. Con ser esta novela la única de las tres primeras en la que se nos presenta una especie de personaje central, la impresión es la misma que en *Campo de sangre* y en *Campo abierto*: que el protagonista, tal y como lo entiende la novelística tradicional, está ausente. En su lugar, una serie de personajes o de ambientes pasan y desaparecen, para luego volver a aparecer en ocasiones, siguiendo formaciones paralelas o entretejidas. Rafael Serrador, supuesto personaje central, se pierde entre los demás; en muchas ocasiones ni cuenta ni se encuentra en el relato [5]. Bien que mal, en la primera parte le seguimos a través de ambientes levantinos (Viver de las Aguas, Castellón de la Plana). Viver, pueblecillo de la raya entre Valencia y Aragón, donde terminan los olivos mediterráneos y empiezan las carrascas del interior. Donde sólo ocurre, una vez al año, algo importante: el toro de fuego [6].

Su padre, «republicano y enemigo de las vaquillas», prestará al hijo, cuando sepa leer bien, dos libros: una historia de la revolución francesa en vulgarización de Blasco Ibáñez, y otro sobre los romanos, de Castelar. El valor simbólico de ambos volúmenes no puede escapar al menos avisado de los lectores. Aprendiz de platero en Castellón, que Aub describe como «pue-

---

[5] Para la construcción de personajes, véase el cap. III de la tercera parte de este estudio.

[6] Para la importancia simbólica del toro de fuego en el conjunto del *Laberinto*, véase el capítulo V de la tercera parte de este trabajo.

blo chato, ancho, sin más carácter que la falta de él», pasa luego a Barcelona, a la que llega en los últimos días de la monarquía. Despedido de su empleo por un platero carlista, que le toma, por error, por un comunista, entra a trabajar en una fábrica, pasando de artesano a obrero, transición igualmente simbólica de la evolución del personaje. Hasta este momento, ninguna preocupación política o social en él. Los acontecimientos históricos han retenido la atención en breves líneas: «Cayó Primo de Rivera, sustituyóle Berenguer con huelgas, manifestaciones y constitucionalistas... Hubo elecciones y se proclamó la República» [7].

En la segunda parte se describe el ambiente social y político de los medios populares barceloneses, en los que dominaba el anarquismo. El personaje central se va diluyendo, y las conversaciones de sobremesa y de café constituyen la parte más extensa e importante del relato. Siguen, por contraste, las reuniones de los falangistas barceloneses en «El oro del Rhin», café en cuya tertulia pontificaba Luys Santamarina, que aparece en la novela con el nombre de Luis Salomar y fue íntimo amigo de Aub por aquellos años. El retrato de dicho personaje, tanto el físico como el espiritual, es, no sólo excelente, sino representativo de la manera expresionista de Aub [8].

Por último se hace asistir al lector a la preparación inmediata del alzamiento nacionalista en Barcelona.

A la tercera parte corresponde la narración del alzamiento y la lucha callejera en Barcelona. Se pasa revista a la galería de personajes, situándolos en los momentos en que la acción va a empezar, y con la primera salida de los militares, en la madrugada del 18 de julio, termina el primer capítulo. El autor sigue los acontecimientos de la mañana, casi con la minucia del historiador. Se describen los primeros fallos de lo que parecía un engranaje de perfección fatal. El relato sigue en la mañana y el mediodía del 18 todos los episodios de la lucha por la posesión de Barcelona, atribuyéndose a García Oliver la idea

---

7 CC, 56-58.
8 *Ibid.*, 118 y siguientes.

y la acción de separar el estado mayor de los militares, situado en Capitanía, de los cuarteles periféricos y, con ello, de las columnas que avanzan radialmente hacia dicho centro.

A la lucha improvisada por las calles asiste Serrador, a quien Salomar ha enviado, como hombre de confianza y sin antecedentes, para vigilar e informar del desarrollo de los acontecimientos. Pero con la observación de la lucha, a Serrador le va llegando un conocimiento de las cosas y de sí mismo distinto del de la víspera. Descubre un sentido a la vida al ver a los hombres luchar por algo que saben y quieren, se le revela el sentido de la hermandad de clase y de la superioridad de los valores colectivos sobre la soledad y el individualismo. Mientras Rafael va viviendo, interiormente, el proceso de su «conversión», los anarquistas han logrado su primer objetivo, pero, faltos de medios, no pueden impedir algunas infiltraciones. La aparición de la Guardia Civil, al mando de Escobar, decide, con el peso de la experiencia y la disciplina, la conclusión del episodio bélico en favor de los republicanos.

Significativamente, mientras lucha y conversión suceden en la calle, Lledó, personaje que tipifica al intelectual inactivo, contempla desde su balcón, con la misma mirada —esa sí, deshumanizada— que dará años después Paulino Masip a su Hamlet García, sabiendo más y queriendo menos que los que dan sus vidas, de un lado y de otro [9].

Se sigue igualmente de cerca la acción en la tarde del mismo día, comenzando por la toma del cuartel de Icaria, famosa por la improvisación de trincheras móviles, haciendo rodar unas enormes balas de papel de periódico almacenadas en el vecino puerto [10]. Y entre los «mirones», Rafael siente cada vez más fuerte el deseo de participar en la lucha, y obedece a alguien que le pide, sin consultar sus opiniones, que eche una mano al grupo que va empujando las balas hacia el cuartel. La evolución del personaje ha cerrado su ciclo, y desaparece, como tal,

---

[9] Paulino Masip, *El diario de Hamlet García*, México, Unión Distribuidora de Ediciones, 1944.

[10] Del episodio se hizo igualmente eco Ramón J. Sender en *Los sapos blancos* (*El Mono azul*, I, Madrid, 27 de agosto de 1936, 6).

en el torrente desbordado. Apenas sabremos de él, en la nómina escueta del final, que murió antes del término de la guerra. Después de la rendición de Goded, empieza la descripción de la euforia del triunfo, de la quema de iglesias y las justicias sumarias, desfiles de automóviles requisados, atestados de gente del pueblo, puño alzado. Escenas en todo semejantes a las de Madrid en el mismo momento, y tantas veces repetidas en las innumerables novelas del mismo tema.

Sigue a la tercera parte un «colmo», de cuyos dos capítulos el primero está montado, a manera de mosaico, con escenas de la noche del 18, cuando las llamas, dueñas de los monumentos, las iluminan. Serrador es un testigo más, y sus últimos pensamientos son para establecer un paralelo entre este nuevo mundo, «salido de sí», y el toro de fuego de sus recuerdos de infancia y adolescencia en Viver, cerrándose con una visión paralela a la del comienzo de la novela el primer tranco largo del *Laberinto*, según las reglas arquitectónicas del mismo. El segundo capítulo no es sino una lista de los personajes más importantes, reales o imaginarios, de la novela, con una escueta indicación de sus destinos, en el 17 de agosto de 1939. Es, por su esquematismo, de una eficacia estilística terrible, la mención que acompaña a los nombres: «fusilado... muerto... fusilado... fusilado...». Otros, exiliados; otros, en campos de concentración; otros, encarcelados. Sólo López Serrador, sin gloria, ha muerto, «a los ocho días del capítulo anterior, en el Hospital Clínico de Barcelona, de tifus».

2. «Campo abierto»: la guerra en 1936

Esta segunda novela de la guerra civil es, desde el punto de vista de su creación, posterior en algunos años a *Campo de sangre*, que analizaremos en tercer lugar. Pero, por lo que se refiere a la cronología de los acontecimientos históricos descritos, precede a esta última, y como tal, revisamos aquí su contenido, continuación de *Campo cerrado*[11]. Esta decisión está

[11] *Campo abierto*, México, Ed. Tezontle, 1951.

tomada siguiendo al pie de la letra la fecha de composición tal y como aparece al fin de la edición, y que reza: «México, 1948-1950». Se contradice así el propio Aub en su entrevista con E. Rodríguez Monegal, en la que dice que lo que siguió escribiendo en París, tras el final de *Campo cerrado,* fueron los capítulos de *Campo abierto* que, por causa de su encarcelamiento, su paso por los campos de concentración y su emigración a Méjico, sin volver a París, quedaron guardados hasta el año 1948 «en la bodega de la portera de la casa donde vivíamos» [12].

En espera de una confirmación o un mentís del autor, creemos que la contradicción no es sino aparente. La fecha de 1948-1950, inscrita al final de la novela, nos lleva a concluir que, en el momento de la recuperación del manuscrito, en 1948, Aub procedió a rehacer el original escrito en su buhardilla parisina de la calle Capitaine Ferber, de manera profunda, durante dos años. La hipótesis nos parece confirmada porque, desde el punto de vista del estilo, y especialmente por el tratamiento del lenguaje, *Campo de sangre* pertenece a la línea manierista que comienza en la preguerra, continúa en *Campo cerrado* y termina precisamente por los años 1945-1948, y en los que Aub, dedicado a la escritura dramática, siente poco a poco la necesidad de un idioma más escueto, podado de frondas, que deje mejor transparentar las estructuras de base. La transición se puede apreciar especialmente en los dos primeros tomos de *Sala de espera,* publicados entre 1948 y 1950, y en los que se barajan relatos breves, ensayos y piezas en un acto [13].

En esta segunda novela grande de la guerra, tres partes, claramente diferenciadas por el mismo autor, se sitúan respectivamente: 1) en Valencia, al comienzo de la guerra y la revolución; 2) en Burgos, en la que se hace un intento de descripción de la zona nacionalista y que, con el personaje central, Claudio Luna, discurre de Burgos a Madrid, a través del frente de Guadarrama; 3) sobre la primera semana de noviembre en Madrid, lugar y días en que se detiene el avance victorioso de las tropas nacionalistas.

---

[12] E. R. Monegal, *op. cit.,* 39.

[13] *Sala de espera,* México, Tezontle, vols. I y II, 1948-1950.

En la primera parte se suceden seis capítulos, titulados con los nombres de los seis personajes que constituyen el centro de cada historia, y de diferentes anécdotas de la guerra en Valencia, a través de sus vidas. El fondo común es Valencia, que da así una unidad al conjunto, aparentemente contrarrestada por la casi total independencia de los seis personajes entre sí. Después de la corta narración introductoria, que parece casi exclusivamente dedicada a situar al lector en la sensación de peligro inminente de aquellos días, y situar a los personajes de la novela bajo el dominio del capricho del azar, se pasa, sin transición, a la historia de Vicente Dalmases, personaje llamado a ser, en el conjunto del *Laberinto*, el más importante de todos junto con su compañera Asunción. Todavía aquí, en la primera parte, el personaje no aparece bien definido, y su función es más la de introducirnos en el ambiente del teatro valenciano durante los primeros días de la guerra, presentándonos a la vez la organización sindical que se formó para asegurar la gerencia y el funcionamiento de los teatros, todos «nacionalizados», y la formación o el crecimiento de los grupos teatrales aficionados, a la sombra de esta nueva situación, y de la desaparición de muchos profesionales del teatro, simbolizada en la muerte del suicida del Teatro Eslava [14]. Reflejo todo, indudablemente, de las actividades mismas de Aub al frente del grupo teatral «El buho», y de su actuación como secretario del consejo nacional del teatro, presidido por Antonio Machado.

Asunción Meliá, por su parte, personaje que acabará conquistando de manera preferente el amor de su autor, es aquí igualmente pretexto para presentar un «fait divers», a la vez desgraciado y típico de aquellos días turbulentos, y que implica la falsa delación de su padre, viejo militante sindicalista, como falangista. El incidente es a la vez motivo para presentarnos por vez primera uno de los temas políticos fundamentales del *Laberinto*: la contradicción entre la disciplina de partido (Dalmases es comunista) y los problemas familiares o personales.

---

[14] CA, 29-35.

Después de un nuevo y breve intermedio mortal —la historia de M. Rivelles—, volvemos a Valencia, y a un socialista, Vicente Farnals, trasunto cercano a las circunstancias personales e ideológicas de su creador Aub. El centro de la historia es discursivo, poniendo como pretexto la acción de Farnals, por la que éste ha hecho pasar a la zona nacional a un viejo amigo, a sabiendas de que es nacionalista. La discusión entre Farnals y Gaspar Requena, amigo de aquél y miembro representativo del partido comunista, reanuda, de manera mucho más extensa, y casi desde el mismo punto de vista, la discusión precedente entre el dirigente comunista Bonifacio Álvarez y Vicente Dalmases. (Por un error no corregido por el autor, se nos confirma la impresión de que Bonifacio Álvarez y Gaspar Requena son trasuntos de una misma persona: a Requena se le llama Álvarez en una ocasión.)

La que lleva el nombre de Jorge Mustieles es la más extensa historia de la primera parte. Es éste un joven abogado radical-socialista, miembro del tribunal popular organizado por su partido, y en el que tiene que juzgar y condenar a su padre, cacique de pueblo implicado gravemente en la conjura. Rápidamente vencido por lo trágico de su acción, buscará por todos los medios la remisión de la pena que, sin él saberlo, ha sido anulada por los compañeros del tribunal, en honor a su integridad. La disensión y la disolución de tantas familias españolas en torno a la guerra está representada aquí de manera ejemplar y verídica.

De otro cariz completamente distinto es la historia del industrioso «Uruguayo», ex-emigrante de América y pescador de pistola en el río revuelto de la zona republicana durante el primer año de la guerra. Con su banda de pistoleros usa y abusa de delaciones y «listas negras» para reunir una cuantiosa fortuna en joyas y billetes. Le perderá su petición de pasaporte bajo nombre falso. Las escenas de su encarcelamiento por sorpresa, de la corta estancia en la celda, en donde seguimos el elemental hilo discursivo del semihombre y sus lucubraciones animales, así como del final y legitimado «paseo», durante el cual se derrumba su aparente fachada de matón, son de una eficacia terrible e implacable, en su sequedad y ritmo acelerado.

En la segunda parte vamos a seguir la vida y azares del joven falangista Claudio Luna, burgalés, que participa en el trabajo de ejecutar al pasante de su padre. Antes de su muerte, dará a Claudio la dirección de su única hermana en Madrid, para que la avise cuando pueda. Muerta la madre de Luna a consecuencia de la conducta de su hijo, se va éste al frente del Guadarrama y, en los azares de una retirada, se encuentra en zona republicana. Avalado por su antiguo profesor, socialista eminente, Luna decide quedarse en Madrid al margen del conflicto. Le perderá el torcedor de la conciencia: al visitar a la hermana de su víctima, ésta, quintacolumnista, lo enreda en un trabajo arriesgado de espionaje, en uno de cuyos reveses caerá de nuevo prisionero.

Estas aventuras de Claudio Luna no son folletinescas, como se ha pretendido [15]. Considérese, por ejemplo, la sobriedad con que Aub, desconocedor de la vida en la zona nacionalista, trata, en breves páginas, el episodio burgalés de su personaje [16]. Aunque sin duda son menos sobrias en la acumulación de episodios que las anteriores de la primera parte.

Más de la mitad de la novela se dedica a la tercera parte, titulada con el nombre de la capital de España. Del 3 al 7 de noviembre seguiremos, día a día, las peripecias de la defensa de la capital. Vicente Dalmases reúne en su figura al representante del ejército, que se bate en retirada desde los últimos quince días, y a la vez la voluntad renovada de resistencia surgida entre el pueblo madrileño de los barrios periféricos. Importante es igualmente el episodio de los aficionados del «Retablo», venidos a Madrid para colaborar con la Alianza de Intelectuales Antifascistas, de cuyas actividades teatrales tenemos noticia en la novela: por ella desfilan Rafael Alberti y M.ª Teresa León, y se prepara una representación de la *Numancia* cer-

---

15 V. E. de Nora, *op. cit.*, II, 2, 73.

16 Señalado por J. L. Alborg, *Hora actual de la novela española*, II, Madrid, Taurus, 1962, 89.

vantina[17]. A través de Sanchís, uno de los miembros del «Retablo», pariente del barbero Jacinto Bonifaz y de su señora Romualda, se nos lleva a uno de los más curiosos y pintorescos episodios de la improvisación popular: la organización del batallón de los «fígaros» madrileños, cuya nómina casi completa revisa Aub en un extraordinario fragmento narrativo, auténtica galería de «retratos al minuto», que no desdicen junto a los clásicos del género celesco.

El intermedio discursivo más importante de esta tercera parte, paralelo al de Farnals y Requena en la primera, es el protagonizado por un interlocutor principal, Julián Templado, que unas veces se opone a nuevas personificaciones de escritor deshumanizado, como Roberto Braña (continuación del Lledó de *Campo cerrado* y antecesor del Ferrís de *Campo de los almendros*)[18]. Otra caracterización aparentemente idéntica, la de Don Servando Aguilar, en el mismo episodio, es en realidad representativa de un grupo generacional anterior, y tiene más parentesco con los desnortados supervivientes del 98. Otros encuentros de Templado lo colocan en situación tangencial con personajes más comprometidos en el conflicto, como el católico de izquierdas Paulino Cuartero, el archivero Villegas, el juez Rivadavia, el capitán comunista Herrera o el ejemplar doctor Riquelme, director de un hospital de sangre.

El último grupo de interlocutores de Templado es el formado por los extranjeros: Gorov, posible trasunto de los dos rusos que Aub conociera —Ehrenburg y Koltzov— y el escritor y periodista norteamericano Willy Hope, cuyas costumbres, talante físico y gestas recuerdan necesariamente las de su compatriota Hemingway. Incluso los personajes llamados a no en-

---

[17] La misma María Teresa León escribirá años más tarde una novela inspirada en parte en sus recuerdos y las actividades teatrales de la Alianza: *Juego limpio*, Buenos Aires, Editorial Goyanarte, 1959.

[18] La aparición de Templado, como la de Cuartero, Herrera, Lola Cifuentes y otros personajes importantes, sin previa presentación ni retrato, contra la manera habitual de Aub, es un indicio más para suponer la redacción final de CA posterior a la de CS. Todos esos personajes no presentados en CA son objeto de biografías más o menos detalladas en CS. Lo contrario ocurre, p. ej., con Rivadavia.

contrarse con él hasta *Campo del Moro,* como Dalmases, se cruzarán con él en algún episodio, o asistirán silenciosos a sus discusiones [19]. Cumple así Julián Templado, personaje el más cercano a Aub de todos los que circulan por las galerías del *Laberinto,* la función de hilo de Ariadna por el que se van enhebrando episodios y anécdotas, personas y personajes, trasuntos y caricaturas.

El ritmo de las transiciones entre las diferentes apariciones de los mismos personajes se va acelerando a medida que la acción avanza y que la inminencia de la entrada de las tropas nacionales en Madrid se hace mayor, hasta adquirir un ritmo cinematográfico característico, en el que los planos se suceden sin transiciones, o con ligeros efectos de fundido. Al cabo de la tercera parte, ha logrado Aub una visión global de la famosa semana madrileña de noviembre, aliando las mejores virtudes narrativas con la minucia del detalle auténtico, que le lleva al extremo de reproducir, por ejemplo, la transcripción taquigráfica de una breve charla radiofónica del general Queipo de Llano, o un documento histórico cuyo paralelo con los acontecimientos del momento parece evidente a su compilador, el escritor Cuartero [20].

En la parte central del creciente remolino, las discusiones de Templado y sus varios interlocutores completan la visión global de la semana con un panorama de los problemas y las diversas ideologías e interpretaciones de los hechos, que agobiaban a los diversos tipos de intelectuales y hombres de acción en aquellos momentos. No nos cabe duda de que Aub ha logrado en esta tercera parte uno de sus mejores momentos como novelista, dueño de todos los resortes narrativos e inventor de otros nuevos, al que habrá que recurrir no sólo como eficaz ejemplo, sino como fiel e insuperable reflejo de un momento y lugar específicos de nuestra historia.

---

19 V. el episodio de las discusiones en la Granja del Henar, CA, 361.

20 *Ibid.*, 455-59. V., a propósito de las implicaciones de este tipo de citas en la *Weltanschauung* de Aub, el cap. II de la segunda parte de nuestro estudio.

A pesar de las opiniones contrarias sobre la ausencia de episodios propiamente bélicos en la novela de Aub [21], baste recordar las escenas de esta tercera parte protagonizadas por Dalmases, una de las cuales termina, en difícil conjunción de lirismo y de épica bélica, la novela, o las escenas de la defensa de la Casa de Campo frente al avance de los regulares, y las acciones de los antitanquistas. Por otra parte, en una guerra de carácter estrictamente moderno como lo fue, en sus aspectos técnicos y estratégicos, la española, la distinción entre vanguardia y retaguardia queda muy disminuida en su validez. Por el efecto de los bombardeos de ciudades abiertas tanto como por las luchas intestinas de facciones o de quintas columnas, ningún ciudadano puede considerarse al abrigo, si no al margen, de la aventura bélica. Ni que decir tiene que el hecho de no haber sido Aub combatiente no lo invalidaba para describir dichas escenas de guerra en el frente. La aquiescencia a tal argumentación —hacer de la necesidad virtud— [22] nos llevaría a imponer paradójicas si no cómicas limitaciones a la actividad creadora de los novelistas.

De cualquier manera, y para limitarnos al caso que nos interesa aquí, ni siquiera es seguro que Max Aub no fuera esporádicamente combatiente, y su presencia en Madrid en aquellos días nos ha hecho pensar que existe un aspecto autobiográfico muy plausible en el episodio de que Julián Templado, su *alter ego,* es protagonista en las trincheras improvisadas del barrio de Usera, en la mañana del 7 de noviembre. Aub no ha desmentido esta insinuación mía, que conoce por la primera versión de este trabajo.

---

[21] J. L. Alborg, *op. cit.,* 88: «Rasgo genuino de todos estos libros de Max Aub es que la guerra como tal, el estruendo armado, la vida de los frentes, falta por entero». Afirmación precipitada que no insistiremos en refutar en adelante. Baste recordar relatos como *Una canción, Cota, La ley,* capítulos enteros de CS y de CA, como la batalla de Teruel, la muerte de Herrera, la defensa de la Casa de Campo, la retirada del frente del sur o de las tropas y la población en su éxodo hacia Francia, en *Enero sin nombre,* para invalidar el aserto.

[22] Alborg, *op. cit.,* 88.

Esta tercera parte constituye, en verdad, el centro neurálgico del *Laberinto* entero, que queremos ver especialmente resumido en la breve conversación sostenida por Cuartero y Riquelme en el hospital, y que discute precisamente la denominación del mundo del hombre como «laberinto mágico»[23].

3. «Campo de sangre»: la guerra en 1938

Empezada a redactar en París y terminada en Marsella, entre 1940 y 1942, aparece esta voluminosa novela en 1945, en Méjico[24]. Se divide, como las dos anteriores, de manera tripartita, aunque aquí la segunda parte sitúe su extenso paréntesis central partiendo de las escenas de la toma de Teruel por las tropas republicanas, y acabando en el tradicional intermedio discursivo, casi de rigor, confiado a un larguísimo monólogo. La primera y la tercera parte se sitúan en el mismo lugar —Barcelona— y a una distancia de apenas un mes y medio entre ellas.

La primera discurre, en unidad de tiempo y de lugar, entre la madrugada del 31 de diciembre de 1937 y la del primero de enero de 1938. Sigue Julián Templado como guía o conductor de los episodios y escenas de esta parte, apareciendo desde la primera en compañía del juez Rivadavia, de vuelta de presenciar unas ejecuciones en el castillo de Montjuich. Al revisar las historias de los tres fusilados, surge un enlace personal más con *Campo abierto*: Lola Cifuentes, personaje episódico en ésta, que ahora va a aparecer en primer plano, como espía al servicio del S.I.M. No es más que el primer enlace de una interminable cadena: la mayor parte de los personajes importantes circulan entre los distintos campos, con la excepción de *Campo cerrado,* del que muy pocos sobreviven para contarlo.

El segundo capítulo nos ofrece un amplio paréntesis narrativo, en el que se relata la vida, especialmente la juventud y edad adulta, de Julián Templado, que hemos caracterizado como

---

23 CA, 512-14.

24 *Campo de sangre,* México, Ed. Tezontle, 1945.

uno de los más representativos portavoces de su autor[25]. No se nos escatiman sus andanzas, gustos y disgustos, creencias e incredulidades, ideas sobre España, la sociedad, la política y la guerra. Y, en fin, la propia peripecia de su padre en los primeros días de la guerra, víctima milagrosamente escapada a la ejecución sumaria de un grupo de justicieros ambulantes[26].

Julián Templado es igualmente el nexo de unión con el siguiente capítulo, dedicado a la historia de Julio Jiménez. Éste, antiguo feriante, vuelve a su vivienda a través de la lluvia helada. Mientras camina hacia casa —los tranvías no funcionan, los bombarderos se ciernen sobre la ciudad—, la memoria de Jiménez arrastra al lector, en un inmenso *flash-back*, a sus tiempos de feriante por los pueblos de Levante y de la Mancha, con una precisión y un conocimiento de pueblos y de ferias a los que no es ajena la larga experiencia de Aub como viajante de comercio. Aparece López Mardones, personaje en el que se quintaesencia un tipo humano y una función, la de delator, por los que Julián Templado —y tras él, Max Aub— siente un odio sin límites[27]. Templado visita al hijo de Jiménez, enfermo, y

[25] V. un estudio de las variantes de éste y otros personajes del mundo novelesco de Aub en el cap. III de la tercera parte de nuestro estudio.

[26] Su entereza y serenidad despiertan en sus ejecutores barruntos de la inocencia que luego deciden comprobar documentalmente: el padre de Templado había sido denunciado como peligroso fascista por el honrado comerciante que le adeudaba —deuda secreta y de honor— diez mil pesetas, y que será la víctima indicada del paseo destinado a su acreedor: justicia sanchopancesca y muy de aquellos tiempos (CS, 41-44). Un episodio semejante ha sido relatado por Arturo Barea en *La forja de un rebelde*, III, 141-43.

[27] La persistencia en el tema de la traición y la soplonería tanto como las múltiples variantes del tipo de Mardones nos han llevado finalmente a identificar el personaje como trasunto, y las causas de la fobia contra él. El tal personaje, vividor, ex-cineasta en Hollywood, fullero y chivato al servicio del S. I. M., es trasunto de quien, por su denuncia falsa, causó el encarcelamiento de Aub en Marsella, como supuesto comunista, y todos los consiguientes padecimientos de los campos de concentración. Denuncia posiblemente provocada involuntariamente por el propio Aub, que, sospechando su condición de agente doble, le había propinado, al azar de un encuentro en las calles de Marsella, una andanada verbal de la que quizás es reflejo la que Templado dedica a Mardones en la escena que ahora nos ocupa (CS, 76-77; EC, 94).

cuya mujer resulta ser la antigua criada de su casa y primera pasión de su adolescencia [28].

El nudo discursivo más importante de esta primera parte lo constituyen los dos siguientes capítulos. Cuartero, Rivadavia, Templado y Herrera, todos ellos personajes itinerantes del *Laberinto mágico,* a los que se une el dibujante Sancho, celebran parcamente la nochevieja. Trátase de las vicisitudes de la guerra en Teruel, de la justificación de los ex-abruptos, amplificando los argumentos de Aub en el prefacio a *Campo cerrado* con sabrosos ejemplos [29]. Se habla de los catalanes, y el problema sociológico del hambre en la guerra es punto de partida para hablar de comidas: el Max Aub gastrónomo, el Max Aub hambriento de los años de la guerra y de la postguerra se desquita en anécdotas y recetas opíparas por voz de los comensales reunidos en torno al escaso mantel del figón barcelonés. Salen los amigos, Paseo de Gracia arriba, prosiguiendo sus discusiones hasta la madrugada, dialogando sobre las cuestiones del momento y de siempre: comunismo, cristianismo, socialismo.

El siguiente inciso narrativo corresponde a la historia conyugal de Paulino Cuartero y Pilar Núñez, terrible y agriada esposa del intelectual católico. Las escenas de la vida insoportable de los malcasados, sus querellas interminables, nacidas de naderías enormes, son un motivo ya utilizado anteriormente por Aub en el escenario de su obra *La vida conyugal* [30]. Callejón sin salida, donde dos seres se amontonan y baten a palos de ciego, puro laberinto. Terminado el trágico sainete, se reanuda en el capítulo octavo la conversación peripatética interrumpida en el sexto. Rivadavia, Templado y Herrera: el masón liberal, el socialista y el comunista firmemente ortodoxo, continúan con sus opiniones contradictorias sobre comunismo y libertad, autoridad y anarquía, la política y la guerra civil a la manera española. Extiéndense en interpretaciones y motivaciones hasta que la luz del día, más que la fatiga, los devuelve a sus casas.

---

28 El personaje de Matilde vuelve, bajo distintos nombres, en el *Laberinto* (v. parte tercera, cap. III).

29 CC, 9-11.

30 Drama en tres actos escrito en 1939.

Perfectamente construido el capítulo décimo, cuya primera parte transcurre en un contrapunto de amor carnal y de muerte amenazante. Mientras las «pavas» dejan caer sus huevos de metralla sobre Barcelona, el médico y la prostituta Mariquilla miden las cuatro esquinas de una cama del hotel, y sus límites. Los zambombazos épicos van poniendo con sus amenazas un contrapunto y un incentivo a los términos líricos, de una lujuria salvaje y poética, en que los amantes se expresan. El comentario gozoso de Mariquilla, al final, es lo que da título al capítulo: «El bombardeo no admite mediocridad».

Nueva cala en la intimidad de Paulino Cuartero, esta vez al margen de su intimidad conyugal. A la una de la madrugada, desvelado, el escritor incuba una comedia, ofreciéndose al lector el mundo de la creación teatral por dentro. Cuartero busca los perfiles escénicos de una anécdota tragicómica de la vida en la retaguardia. De esas cogitaciones va surgiendo lo que pudiera ser capítulo de una historia del teatro tanto como de la novela a que pertenece, si tal historia del teatro «por de dentro» se intentase algún día [31]. Trasládase de nuevo la acción —capítulo XII— al cuarto de Templado, donde éste juega a espías y espiados con Lola Cifuentes, intentando sonsacarle su responsabilidad en la muerte del fusilado de Montjuich [32].

La segunda parte traslada la acción a Teruel: asistimos a escenas de la batalla callejera por la posesión de la ciudad, siguiendo las peripecias de tres milicianos que quieren a toda costa alcanzar un estanco en donde saciar la necesidad de otro

---

31 El monólogo de Cuartero es igualmente interesante para el estudio de las relaciones entre lengua y estilo. V. el cap. IV de la tercera parte.

32 CS, cap. I. Nuevo *flash-back* narrativo, remontando tiempo atrás es la historia personal de Lola y de su padre, otra víctima de la represión en Madrid. Templado se deja sonsacar por Lola, por gusto de jugar con el azar, de provocar el peligro. Entre tanto, su amiga Guerrero está ligándose en una auténtica conspiración de la quinta columna barcelonesa, con Isabel Rubió, miembro activo de ésta. Planean un envío de información hacia la zona nacional a través de Francia, contando con la colaboración inocente de Templado, siempre dispuesto a dar todo por la opinión de las mujeres. Con Cristinica, son tres las conspiradoras a las tres de la mañana.

humo que el que abundantemente se alza de los escombros. Nuevo meandro narrativo: historia ejemplar de Juan Fajardo, en buena parte trasunto —así creemos— de la de Juan Chabás. Hope entrevista en el tercer capítulo al gobernador republicano recién instalado en Teruel, Julio Guillén, llamado a persistir en el *Laberinto* hasta el final[33].

Fajardo prepara entre tanto un convoy de heridos y refugiados hacia Levante. Visión de los preparativos en el terreno gris, blanco a trazos por la nieve, sucio de barro, negro de lutos campesinos, en un excelente *traveling* descriptivo. En la ambulancia de Fajardo viaja Don Leandro Zamora, archivero de Teruel, malherido por un cascote. Diserta largamente este pintoresco personaje durante los dos capítulos que constituyen el monólogo discursivo más extenso de la novela, distinto de los demás paréntesis precisamente por su carácter monologal y su unidad de tema y de interpretación. Don Leandro expone su interpretación de los míticos y táuricos orígenes de Teruel, de la historia de los españoles, de una España cimentada con argamasa semítica, enemiga de innovaciones extranjeras. Rememora, como Cuartero en *Campo abierto,* otros momentos guerreros de España, recitando pasajes de Luis de Mármol e insistiendo en que el estado natural de los españoles es el de la guerra. Establécense conexiones entre lo hispánico y el anarquismo mientras que los camiones y ambulancias prosiguen su camino, llegando en la madrugada a Viver, ciudad natal de López Serrador, a cuya casa va a morir el archivero. Éste sólo interrumpirá su monólogo cada vez más febril para confesarse con el cura del pueblo y dar a Fajardo la dirección de su hija en Barcelona, lo que va a provocar importantes acontecimientos de la tercera parte. Se repite así el procedimiento de enlace narrativo utilizado en el episodio de Claudio Luna, en *Campo abierto.*

La tercera parte comienza precisamente por una entrevista en Barcelona entre Fajardo y Cuartero, a quien aquél transmite

---

33 El modelo de este personaje es José-Ignacio Mantecón, según nos confirma Aub (carta del 14 de julio de 1964).

la dirección y el encargo del difunto, falto de tiempo o de valor para hacerlo él mismo. El agitado episodio del encuentro de Paulino con Rosario Zamora y su extraña tía, obsesa estranguladora de mininos, es motivo para un clásico relato, excursión en las vidas de la tía y la sobrina. Pronto el agriado intelectual y la exhuberante joven llegan a una intimidad mutuamente consolatoria, y se desata de nuevo el mismo lirismo ardiente de las escenas de alcoba ya señalado entre Templado y Mariquilla.

Volvemos a éste y a sus desventuras por causa del soplón Mardones y por la acogida que, como estaba previsto, ha hecho a los engaños de las conspiradoras. Su discusión con Rivadavia, a propósito de su ayuda indiscriminada a las tres martas, recoge y amplía la precedente discusión de Farnals y Requena en *Campo abierto*[34].

Julio Jiménez, espía aficionado al servicio del soplón, acaba víctima de las iras de su esposa, incapaz de soportar, como Templado, a los traidores. Una cruda escena nos descubre en rasgos violentos y sombríos el amor ya viejo y lleno de reconcomios del hijastro, que llega en esos momentos de Teruel y que, turbado por la escena, arrastra a su madrastra a satisfacer su pasión[35].

El anticlímax de la novela se sitúa en la madrugada del 19 de marzo, cuando cada personaje nos es presentado en la inmovilidad de su espera de algo, en forma paralela a como se desarrolla el anticlímax de *Campo abierto*, en vísperas de la batalla de Madrid. Cada uno de los personajes toma distancias respecto a su existencia y hace balance. El bombardeo del día siguiente en Barcelona, la violenta muerte de Rosario Zamora a unos pasos de Cuartero, resuelven de manera sangrienta, con la inmolación de una víctima inocente y simbólica, las deudas de los hombres y el precio de las culpas. A ello se refiere el

---

34 En realidad, de ser CA, como suponemos, posterior en su refacción a CS, será en CA donde se repita la discusión.

35 Se renueva aquí un motivo de *Geografía* y de *Deseada.*

título, traducción del Haceldama del Evangelio, campo comprado con los treinta dineros de Judas y la sangre del inocente.

* * *

Los tres más importantes o extensos trabajos de crítica en torno a Aub que dedican una especial atención a su producción novelesca, escritos por Eugenio G. de Nora, J. Luis Alborg y José Ramón Marra-López, cronológicamente en orden, fueron todos publicados en la sexta década de nuestro siglo y comienzos de la séptima. Ninguno de los tres, por consiguiente, ha considerado más que las tres primeras novelas de la guerra civil. Creemos, pues, que es éste el lugar indicado para señalar ciertos aspectos de dicha crítica. Es curioso observar en todos ellos una común reacción de sorpresa ante las características particulares de los tres primeros *Campos*. Los tres críticos, influidos por una observación de Segundo Serrano Poncela, cuyo trabajo panorámico sobre la novela española contemporánea ha sentado una serie de lugares luego comunes y de prejuicios que el mismo Serrano Poncela está hoy muy lejos de compartir, han querido ver en la narrativa de Aub un escollo difícilmente salvable, representado por «la abundancia de material sociológico y anecdótico» [36]. Eugenio de Nora habla de una «hipertrofia ideológica y discursiva» y de «interminables discusiones [que] ocupan el espacio y la atención casi hasta comprometer el equilibrio narrativo de tales obras» [37]. Dejando de lado las consideraciones sobre lo bien fundado de tales argumentos para nuestro estudio de las estructuras narrativas [38], nos limitaremos aquí a señalar la opinión contradictoria de Alborg:

> Brotan de todas partes torrentes de pensamiento que el autor distribuye en animadas y movidas escenas, en las que el apasionado pensar ni empece la amenidad ni difumina la silueta

---

[36] Segundo Serrano Poncela, *La novela española contemporánea,* en *La Torre,* Rev. de la Univ. de Puerto Rico, 2, 1953, 112.

[37] Nora, *op. cit.,* 71.

[38] V. parte tercera, cap. II.

humana de los personajes, sostenedores de opiniones por las que se definen [39].

En tercer lugar, la opinión de Marra-López:

> Dotado de innegables dotes para la narrativa (...), comprometido siempre en defensa de sus creencias, sus novelas resultan «quemadas» por «exceso de materiales anecdóticos y sociológicos», pasándose de rosca en lo que a literario se refiere [40].

Llegamos, con el transcrito párrafo de Marra-López, al nudo de la cuestión litigiosa: el uso y abuso de las afirmaciones de Serrano Poncela. Ya tuvimos ocasión de señalar en otro lugar parecido caso de abuso de interpretación [41]. Esta vez no sólo se abusa de la interpretación, sino que se transcribe de manera inexacta la afirmación de Serrano Poncela. Éste, en efecto, habla de la «abundancia», no del «exceso», y tampoco para afirmar que la novela de Aub se resienta por ello, sino para considerarla fuera de juego entre las posibles aspirantes al título de «la novela de la guerra civil» por antonomasia. Lo dicho se confirma dos páginas más adelante en el famoso artículo, cuando insiste en que «su característica principal es su fuerte nervio dialéctico» [42]. De cualquier modo, la afirmación de Serrano Poncela data ya de quince años atrás, y no creemos que hoy se pueda mantener, según es opinión de muchos, de los que sería ejemplo Alborg:

> Después de conocer estos libros de Max Aub [nótese que son los mismos sobre los que Serrano Poncela basó su juicio], tengo para mí, sin duda posible, que en él tenemos nuestro primer novelista de la guerra: por intensidad, por densidad y hasta por cantidad incluso [43].

---

[39] Alborg, *op. cit.*, 97.
[40] Marra-López, *op. cit.*, 190.
[41] I. Soldevila-Durante, *La novela española actual, tentativa de entendimiento*, en RHM, New York, enero-abril 1967, 94-95.
[42] S. Poncela, *op. cit.*, 115.
[43] Alborg, *op. cit.*, 81.

Más significativa, por basarse exclusivamente en la lectura de *Campo de sangre,* nos parece la estimación de Domingo Pérez Minik:

> Ninguna novela de nuestro país ofrece la originalidad de este *Campo de sangre.* Hay momentos en que la creemos no lograda, otros en que nos parece acabadísima [...] creemos sinceramente que es imposible encontrar una novela española actual donde el estilo haya adquirido esta fuerte originalidad. De cierto modo, Max Aub es el único escritor moderno que se empasta lúcidamente con los grandes maestros, creadores de formas literarias, de la generación del 98 [44].

Aun orientando sus principales preocupaciones críticas por la dramaturgia de Max Aub, las breves líneas que a *Campo cerrado* y *Campo de sangre* consagró Chabás se acercan posiblemente más al fondo de la cuestión. Juan Chabás ha tenido en cuenta la profunda preparación de Aub, su extenso conocimiento de las literaturas, que tiene escasos iguales y ninguno mayor entre los creadores de la literatura española contemporánea. De esos antecedentes, así como de la consideración detenida de las dos novelas, ha llegado a comprender que Aub realizaba una síntesis magistral de las mejores posibilidades del género, y mirando, no hacia atrás, sino hacia adelante, afirma: «Llega Max Aub de ese modo al punto que sus novelas se aparezcan como una de las formas posibles de la evolución moderna del género, sin que se advierta —claro está— un deliberado propósito de taller en ese resultado» [45].

El resto de la producción novelesca de Aub no ha hecho sino confirmar la validez de esa extrapolación [46].

---

[44] Domingo Pérez Minik, *Novelistas españoles de los siglos XIX y XX,* Madrid, Guadarrama, 1957, 299-300.

[45] Juan Chabás, *Literatura española contemporánea,* 662.

[46] Dejamos de lado, por su concisión o por la escasez de elementos de información, las menciones y referencias a la narrativa de Aub en los diccionarios y manuales al uso, que, cuando menos, parecen utilizar material de segunda mano para sus referencias. Seríamos injustos en hacer un catálogo de sus errores a propósito de Aub, puesto que no ignoramos las difíciles condiciones de información en que se han compuesto esos trabajos.

4. Fragmentos novelescos, relatos y cuentos

Reunimos aquí, por su situación en la trayectoria histórica de la obra de Aub, su primera narración en torno al tema de la guerra —*El Cojo*—, tres cuentos cuya acción se desarrolla igualmente en el frente, y tres fragmentos narrativos que, aunque aparecidos en forma independiente, como cuentos, tienen un origen que llamaríamos «meteórico», ya que se trata de fragmentos desprendidos de *Campo de sangre* y del designio original de *Campo francés*. Los relatos así independizados son: *La espera, Santander y Gijón* y *Un asturiano*.

Una canción y *Cota* son dos breves relatos que el novelista sitúa en el frente de batalla, siendo el primero descripción de un momento de reposo entre dos ataques en frente abierto. El narrador es un soldado combatiente, tumbado en medio de un olivar, y para quien adquieren agigantada importancia las cosas insignificantes que su postura cuerpo a tierra pone en inusitada perspectiva. Y en esa inmovilidad preñada de expectativas, una canción andaluza entonada bajo el sol aplomado de la primera hora de la tarde, viene a ser el equivalente de una explosión, por contraste con la quietud de la tierra y la inmovilidad de los hombres y las cosas que le rodean [47]. También dos tiempos marcadamente contrastados se ofrecen en la anécdota de *Cota* [48]. Esta vez el narrador-novelista nos presenta al personaje, Guillén, ya conocido del lector de *Campo de sangre*. Por la fecha y el lugar de composición, el relato es contemporáneo a la novela [49]. El hecho de que el protagonista del relato sea igualmente personaje de la novela podría hacernos pensar en el mismo origen meteórico que atribuimos a las tres narraciones, que, a diferencia de ésta, tienen un carácter en cierto modo dependiente de las novelas en que se originaron.

---

[47] En CCI, 7-11.
[48] En NSC, 51-62.
[49] Fechado en el campo de concentración de Vernet d'Ariège, 1940.

En la primera parte del relato, Guillén, al mando de una compañía, con sus hombres, vive la tensión de los minutos previos al ataque, tensión extraordinariamente sentida y expresada en términos que hemos llamado de «realismo trascendente»[50]. El sentido de la responsabilidad del mando, que pone en sus manos los destinos de tantos hombres, contrasta con las bromas y gestos nerviosos de los soldados. Lazo de transición entre la primera parte —la espera— y la segunda —la acción— son las últimas disposiciones estratégicas de Guillén. Apenas iniciado, el avance queda detenido por el fuego de los contrarios. Y, de pronto, el latigazo de la frase popular y vulgar: «Maricón el último», que lanza un soldado, y el efecto inesperado de la misma en los milicianos: se avanza y se toma la cota. (Una razón más para confirmar la dependencia original de este relato con *Campo de sangre,* en donde otro episodio de guerra, en el que Guillén es protagonista, está presentado como ejemplificación de la teoría acerca de la eficacia de las palabrotas en los momentos críticos. *Cota* podría servir a los mismos fines.)

La ley es, después de la historia *El Cojo,* la más extensa del grupo[51]. Narra una historia y un problema, ambos resueltos de manera inesperada. La historia es la de dos desertores sin suerte que el mando republicano ha sorprendido en flagrante delito. Se nos relata la historia de cada uno, caracterizándolos como personajes bien diferenciados: uno, un cocinero vasco, como hombre sin voluntad que se ha dejado arrastrar al mal paso por el otro, negociante de «los que nunca se metieron en política», camuflado en la retaguardia por amigos influyentes hasta que, al azar de una redada, es enviado al frente. Este último tipo del hombre apolítico preocupado sólo por sus negocios o sus lucubraciones mentales es objeto de virulentos ataques por parte de los escritores de ambos bandos, y no son escasos los relatos en que dicha inquina se manifiesta[52].

---

[50] NSC, 56. Para el «realismo trascendente», v. tercera parte, capítulo II.

[51] En CCI, 13-31.

[52] Recuérdese, por ejemplo, *El hombre que iba para estatua,* de J. A. Zunzunegui, en *Vértice,* San Sebastián, agosto de 1938. En este

El relato, dentro de su perfección formal, es una piedra más en la masa argumental en pro y en contra de la previsibilidad de las conductas humanas, que constituye uno de los problemas básicos del debate ideológico en el *Laberinto.*

La espera, con el subtítulo «Sabadell, 1938», apareció por primera vez en 1950 y se reedita luego en un volumen de cuentos en 1955 [53]. El personaje-narrador, aunque innominado, es fácilmente identificado como Fajardo, el escritor militarizado de *Campo de sangre.* Espera en el aeropuerto de Sabadell un avión militar que le lleve a Albacete, arriconado en una casuca improvisada en taberna, y cuyo ambiente está descrito con una minuciosa complacencia que hace pensar en un «pastiche» azoriniano. Debido a lo extraordinario de tal descripción, puede interpretarse como reflejo directo del tedio en que se consumen las horas de espera. Como en *Una canción,* cualquier objeto cobra una importancia extraordinaria, como el menor acontecimiento. Aquí no es una canción, sino la aparición inesperada de Jesús Herrera, de paso hacia el frente del Ebro. El per-

---

cuento de Aub, el problema es el que se le plantea a Manuel García Cienfuegos, perito agrónomo, oficial y defensor, por órdenes superiores, del reo Domingo Soria, el «apolítico». Condenado éste a muerte, el joven capitán inexperto se desespera considerando lo cruel de la guerra. El mismo comandante del batallón decide mandar el pelotón de ejecución, en pleno campo. Domingo Soria, aprovechando un descuido del último instante, sale huyendo entre los matorrales de la tierra de nadie, y todo el pelotón, instintivamente, hace fuego sobre el triste cocinero vasco, que no se ha movido del lugar de la ejecución. Y, en una reacción imprevisible, es el capitán Cienfuegos quien sale furioso tras el fugitivo, disparando inútilmente todo el cargador de su arma.

> A Manuel se le revolvía la sangre. ¿Para eso tanto respeto por la ley? Estaba condenado ¿no? ¡Pues a morirse como los hombres!
> El comandante le miraba asombrado.
> —¿Por qué no disparasteis contra él?
> —Estabas tú entre el pelotón y el fugitivo.
> —Pero la ley...
> Se calló. Miró a su superior. Se sonrió:
> —Cómo cambian los hombres...
> —No lo sabes bien.

[53] SE, II, xii, 12-17 y CCI, 33-42.

sonaje-narrador, al despedirse, tiene la sensación de que no se volverán a ver más. Sabemos, por *Campo de sangre,* que no fue así. Cabe aquí señalar, por lo excepcional, un aparente desliz en los datos históricos, que contrasta con el cuidado con que Aub trata dicha cuestión en sus relatos. Al comentar el avance de los nacionales, dicen que «se han metido por el Maestrazgo como Pedro por su casa», pero Herrera muere el 14 de marzo, mientras que la campaña del Maestrazgo tuvo lugar a fines de marzo y en abril. De cualquier modo, es un fragmento excedente de *Campo de sangre.*

Lo es igualmente, y sin duda alguna, *Santander y Gijón*[54]. El personaje relata en primera persona al narrador la historia de las últimas horas republicanas de Santander, y su huida a Gijón llevándose a Rosario Zamora desde el hospital de Valdecilla, y la amistad de ésta con Arizmendi. En *Campo de sangre* se nos relata el viaje de Rosario en un barquito desde Gijón hasta la costa francesa. Otro viaje casi idéntico protagoniza aquí el personaje Toribio Mayáns. La narración es interrumpida: «Bonita frase —dijo Templado—». Este personaje, como hemos visto, es uno de los más importantes del *Laberinto,* pero, salvo la extemporánea interrupción, no participa en absoluto en la presente narración. Lo que confirmaría, si falta hiciera, la cualidad meteórica del fragmento[55].

Un asturiano[56] es uno de los primeros fragmentos fechados en Méjico (1944), y forma parte, con muchos otros que se analizarán, por sus temas, en el capítulo IV, de una versión novelesca de *Campo francés* que nunca se completó, y cuyas piezas se repartirán en *No son cuentos* y en *Cuentos ciertos.* Como

---

[54] NSC, 99-112.

[55] Otros dos datos nos sitúan el fragmento más exactamente. El relato empieza con la frase: «Nos contó una noche Toribio Mayáns en Barcelona...». Creemos que esa noche puede ser la del 31 de diciembre de 1937, en el episodio de la cena de Nochevieja. Nos lo confirma la última frase del relato, en la que reaparecen las aceitunas, que, con el pan y los huevos fritos en aceite, constituyen la pitanza de los comensales en *Campo de sangre.* El segundo dato lo constituye la fecha del fragmento: «Marsella, 1941», es decir, en plena redacción de la novela.

[56] NSC, 91-96.

sabemos, fue la versión en forma de guión cinematográfico la única publicada. El relato, en el que el protagonista-narrador cuenta un incidente de intendencia en la retaguardia republicana del norte, es simplemente un pretexto para contrastar las muy distintas características con que se organizaron los grupos republicanos en Asturias y en Vizcaya, los unos siguiendo una tradición revolucionaria establecida en la rebelión de Asturias de 1934, los otros, aspirando a un régimen de orden y de democracia anglo-sajona. Los unos ateos, los otros católicos. Narrado por un asturiano, el breve episodio caricaturiza, evidentemente, la posición vasca.

El Cojo[57], que E. de Nora calificara como «la mejor novela corta de nuestra guerra»[58], apareció por primera vez en *Hora de España*[59]. Escrita en Barcelona, poco después de la evacuación del ejército republicano y de grandes masas de la población civil entre Málaga y Almería, se inspira en dicho episodio de la guerra para la creación de un personaje —el Cojo de Vera— que, durante dicho éxodo, adoptará una actitud que él mismo no sabe heroica. Es este un tipo novelesco que se repite en Aub —véase el Fidel Muñoz de *Campo del Moro,* o El Pastelero de *Campo de los almendros*—, por lo que respecta a esa actitud de «el que se queda cuando los demás huyen», pero que, a diferencia del Robert Jordan de Hemingway, no lo hace en actitud de héroe que se sacrifica por los demás, sino porque, en su primitivismo o en su inocencia, no ve que haya otra manera de comportarse para defender lo suyo: su tierra, su casa, su reducto.

El relato está construido en forma de tríptico, cuya primera tabla nos presenta el lugar de autos y la historia del Cojo y de su mujer hasta su instalación como aparceros en esa tierra, al borde de la carretera entre Málaga y Almería. Historia y personajes muy representativos y perfectamente verosímiles y reconocibles. Pareja sencilla y elemental, sumisa a la servidumbre de la tierra y de los hijos, sometida sin discusión a la autoridad

57 NSC, 13-47.
58 Nora, *op. cit.*, II, 2, 75.
59 *Hora de España,* XVII, Barcelona, mayo de 1938, 73-89.

del amo. La segunda tabla adquiere un ritmo distinto: la inmovilidad del hombre y de sus contornos, que caracteriza la primera, pasa ahora a ser movilidad de la circunstancia: la revolución campesina ha decidido dar la propiedad de las tierras a sus cultivadores. El Cojo de Vera pierde pie: siglos de sumisión pesan sobre sus espaldas, y la velocidad con que los cambios se producen ante sus ojos, bajo sus pies, contrasta con las reticencias y la incredulidad del campesino. Por fin, con lentitud, se va abriendo en El Cojo la idea de que lo imposible deje de serlo. La inmovilidad se deja llevar poco a poco por la corriente del entusiasmo. Y el Cojo, que ha sido el último de los campesinos en aceptar la colectivización de la tierra, habrá llegado al apogeo de su nueva existencia cuando ya los otros, al anuncio del avance de los nacionalistas, abandonan las tierras y el pueblo.

En la tercera tabla, es la circunstancia la que se pone en movimiento cada vez más irresistible: por la carretera pasan tropas y gentes, huyendo ante el avance del enemigo. El Cojo, por contraste, ha adquirido una inmovilidad que se resiste a la corriente; su mujer y su hija encinta, obedeciéndole, se unen al éxodo. El Cojo quedará solo, con un grupo de milicianos, para defender su tierra, para defenderse a sí mismo, tan enraizado en ella como el olivo a cuya sombra dispara a pie firme, mientras avanza el enemigo:

> El Cojo buscaba una palabra y no daba con ella; defendía lo suyo, su sudor, los sarmientos que había plantado, y lo defendía directamente: como un hombre. Esa palabra, el Cojo no la sabía, no la había sabido nunca, ni creído jamás que se pudiera emplear como posesivo. Era feliz [60].

La esperanza no se ha perdido: nace, kilómetros más arriba, personificada por la nieta que da a luz su hija al borde de la carretera, mientras la metralla de la aviación, en vuelo rasante, da muerte a la parturienta. Pero eso el Cojo, de seguro, no lo supo nunca.

---

60 NSC, 47.

III

NARRATIVA EN TORNO A LA GUERRA CIVIL
(de 1938 a 1939)

En la producción novelesca de Aub, solamente un relato da cuenta del episodio de la evacuación de Cataluña después del hundimiento del frente: *Enero sin nombre.* Los primeros episodios de *Campo francés* completan la visión del éxodo a comienzos de 1939. *Lérida y Granollers,* que incluimos igualmente aquí, presenta otro aspecto del frente de Cataluña. Dos acontecimientos básicos en la caída de la República constituyen el nudo temático en torno al que se desarrollan las dos novelas que trataremos igualmente aquí: el «golpe» dirigido por el coronel Casado en Madrid, para *Campo del Moro,* y la aglomeración de tropas y refugiados civiles en el puerto de Alicante, para *Campo de los almendros,* novela con la que, en sentido estricto, termina una parte del *Laberinto mágico* que hemos dado en llamar *El laberinto español* o, como sugiere Aub mismo, *Campo español.* Si, en un primitivo plan de Aub, *Campo de los almendros* figura en un lugar intermedio, lo cierto es que ha sido el último en ser escrito y, como veremos, en sus últimas páginas se cierra el ciclo abierto con *Campo cerrado.*

1. Dos relatos breves

Lérida y Granollers no apareció hasta 1960, en un volumen que reúne varios cuentos de exilio y algunas otras narraciones ya publicadas en *Sala de espera*[1]. Por su composición fragmentaria, podría tener el mismo origen que *Un asturiano* y constituir una pieza suelta de la versión novelesca de *Campo francés*. La narración tiene dos tiempos distintos e independientes: una visita al frente de Lérida, que pasa por la ciudad, dividiéndola. Y una plácida escena de Granollers, ciudad en plena retaguardia, adonde la guerra sólo «llega a través de discursos y papeles, quintos y voluntarios; el frente queda lejos, se desconoce su ruido»[2]. Quizá por oposición a Lérida, en la que, a pesar de estar dividida por el frente, se vive en una calma intrascendente que hace decir al autor cómo la primavera vence, haciendo de la guerra paz, la paz va a ser la guerra en esa incauta ciudad de Granollers, por obra y desgracia de un inesperado bombardeo aéreo. En la guerra moderna, ya lo dice claramente Aub, pierden sentido las nociones de frente y retaguardia. Transformación instantánea, de Apocalipsis:

> De pronto, veinte segundos bastan, las casas vienen a escombros, los cristales a mil trozos, las aceras limpias a suciedad inverosímil, las calles a solar, las paredes a aire, el cielo azul a pardo, las voces a ayes o silencio, los cuerpos a guiñapo, los árboles a sarmiento... Corre, grita la gente. Estamos a ciento cincuenta kilómetros del frente. Es la retaguardia. Una niña —¿qué tendrá, seis o siete años?— pegada a una pared mira fijo, sin poder llorar ni cerrar los ojos. De un poste cuelga un trozo de carne[3].

---

[1] En *La verdadera historia de la muerte de Francisco Franco*, México, Libromex Ed., 1960, 141-44.
[2] *Ibid.*, 143.
[3] *Ibid.*, 144.

Enero sin nombre[4]. Esta sombría descripción del éxodo de la población civil y de los restos del ejército y cuadros políticos hacia Francia, a través del norte de Cataluña, está escrita según una técnica ya señalada en nuestro resumen de *El Cojo*. Consiste en contrastar la riada humana con la inmovilidad de un ser aislado, que no sabe demasiado el alcance de sus actos, pero que está enraizado en el suelo, como los olivos de su tierra. Así decíamos del Cojo de Vera. Pues bien, esa comparación se materializa aquí en el haya centenaria, personificación vegetal de la persistencia enraizada frente a la fugacidad de los hombres, arrastrados por huracanes y ciclones «porque les faltan raíces para afrontarlos»[5]. Por sus pies, en Figueras, pasan gentes que conversan, comentan, sufren y se desahogan. El haya recoge y comenta, a su manera. Si no muere con ellos, se deja llevar ramas en el bombardeo inesperado que los diezma. La brecha la cubrirá pronto de nuevo la ola de refugiados, interminable. Un intelectual español y un francés —bien pudieran ser Aub y Malraux, que por allí pasaron, camino de Francia— se culpan y acusan a las potencias de la no-intervención. Un vómito sin efecto catártico —valga la incongruencia etimológica— aplana al español. Como loco contrapunto final, un girón de milicianos e internacionales remonta la corriente, en busca del frente. Pero la marea, a pesar del entusiasmo pasajero que suscitan con su paso, prosigue camino de Francia. Una niña llora, y otra mayor le impone silencio: —«Cállate, que te van a oír los aviones». Y la pequeña se calla, sobrecogida.

2. «Campo del moro»: los últimos días del Madrid republicano[6]

Como hemos señalado, el fondo histórico sobre el que se desarrolla esta cuarta novela del *Laberinto español* consiste en

[4] CCI, 43-81.
[5] *Ibid.*, 48.
[6] México, Ed. Joaquín Mortiz, 1963.

la lucha armada por el poder en Madrid, en los primeros días de marzo de 1939, entre los grupos militares y anarquistas convencidos por el coronel Casado de que la única solución al conflicto es la conclusión de una honorable y condicionada rendición al enemigo, de una parte, y de otra, por los que, en posición de fidelidad al gabinete Negrín, están dispuestos a continuar la guerra a ultranza, creyendo que los nacionales victoriosos no acordarán condiciones y con la secreta esperanza de que la guerra europea, que amenaza, estalle, internacionalizando así definitivamente la contienda en España.

Una primera diferencia entre éste y los tres *Campos* precedentes es, por lo dicho, la concentración del fondo histórico en un solo episodio de la guerra. La segunda consiste en que los capítulos o episodios de reconstrucción histórica, con la intervención de los políticos y los militares con sus propios nombres, ocupan una parte mayor y más importante que en las novelas anteriores. En su lugar señalaremos las diferencias estilísticas con aquéllas [7]. Quede aquí indicada su estrecha ligazón con ellas, no sólo por imposición del título y por los acontecimientos narrados en torno a la guerra civil, sino por la presencia de los personajes nativos de los anteriores volúmenes. De ellos, Dalmases, Templado y el Dr. Riquelme ocuparán el mayor espacio en la novela, unidos a un recién venido, procedente de *La calle de Valverde* —Víctor Terrazas—, y a otros nuevos personajes, incluidas las cuatro damas que emparejan con los protagonistas masculinos ya mencionados.

La novela, según el proyecto inicial de Aub, ya mencionado en el capítulo precedente, debía titularse «Historia de Alicante», incluyendo, por tanto, la novela siguiente. En el transcurso de la redacción, el primer episodio fue adquiriendo autonomía, y Aub decidió publicarlo separadamente, bajo el título *Los traidores*. Finalmente, la simetría con los títulos anteriores decidió el título final, sugerido por un texto de Mesonero-Romanos que Aub cita al comienzo de la novela [8]. La obra, por

7 V. parte tercera, cap. I.

8 En dicha cita, del libro sobre el antiguo Madrid, se menciona el Campo del Moro como sitio en que se había resistido victoriosamente a

otra parte, debía tener una estructura más clásica, que Aub consideraba gemela de *Las buenas intenciones*. En el cambio fundamental que se producirá, debemos considerar como influyentes dos elementos: la inercia producida por las tres novelas precedentes de la serie, de una parte, y, de otra, la reciente composición de *La calle de Valverde*, en la que Aub adoptaba por primera vez una división de la novela en siete partes. Esta misma división se impone en *Campo del Moro*, correspondiendo cada una de las partes a un día distinto, entre el 7 y el 13 de marzo.

En la primera parte, que comienza con una escena breve de historia, en la que participan Giner de los Ríos, Casado y Besteiro, cada una de las escenas presenta a un grupo de personajes o a un personaje principal, de cuyos antecedentes y situación, actividades y opiniones en el momento histórico, se nos da cuenta. Cada una de las escenas de este tipo está ligada a las otras por la presencia de un personaje común [9].

Una tertulia de anarquistas, en particular, da lugar a una serie de incisos retrospectivos, típicos de Aub, a través de los cuales se reconstruye en parte el mundo agitado del anarcosindicalismo, particularmente activo en Levante y Cataluña [10].

En la misma noche en que Dalmases sale hacia Elda con un mensaje del mando militar para el Estado Mayor, Julián

---

los sarracenos en el siglo XII, y como campo de batalla en las guerras fratricidas entre D. Pedro I de Castilla y los Trastámara.

[9] Así, entre Fidel Muñoz, personaje brotado de *La calle de Valverde*, y Don Manuel el Espiritista, es Vicente Dalmases el nexo de unión. Dalmases, objeto resignado de la admiración de este último y estrambótico personaje, lo es agradecido de la adoración y cuidados con que ameniza sus soledades Lola, la hija del Espiritista. Entre Don Manuel el Espiritista y el grupo de los anarquistas es nexo Enrique Almirante, al mismo tiempo cambalachero, como el primero, y correligionario de los segundos. Bonifaz, estrafalario personaje en que se mezcla lo intelectual con lo anarquista, es el lazo entre éstos y Pascual Segrelles, funcionario ministerial de importancia. Por este último se penetra de nuevo en los medios políticos para exponer la situación encontrada de casadistas y gubernamentales.

[10] Además de la que consideramos ahora, Aub ha tratado el tema en otras ocasiones: V. *Las buenas intenciones*, tercera parte.

Templado, de regreso a Madrid, recuerda mejores tiempos y amigos lejanos: Herrera muerto, Paulino por Francia, Gorov fusilado en Rusia, Hope en cualquier parte del mundo. Sólo el Dr. Riquelme sigue en Madrid, a la que Templado llega de regreso de París, tras una estancia al servicio de la Embajada de España —como el propio Aub—. En Madrid, trabajando en el hospital, vive maritalmente con Mercedes, jovial enfermera, con la que mutuamente se desahogan sus pasiones elementales.

De *La calle de Valverde* vienen los dos Terrazas, padre e hijo, que circulan por este espacio narrativo ignorándose el uno al otro. Viejo anarquista el uno, ambicioso y fracasado escritor el otro, que ahora se ha transfigurado (como el Fajardo de *Campo de sangre*) por la disciplina militar y la conversión al comunismo. La aventura militar del «Comandante Rafael» —nombre de guerra del joven Terrazas— se complementa en el relato con su reconversión a otra ortodoxia: la sexual, perdida al final de *La calle de Valverde* con tal de verse aupado al mundo de las artes. A esa rehabilitación contribuye Rosa M.ª Laínez, personaje de antecedentes perfectamente burgueses, a quien la guerra ha sorprendido sola en Madrid. Por ésta, que trabaja como secretaria en una cancillería hispanoamericana, conocemos ciertos personajes y actividades diplomáticas de medio pelo, que durante la guerra ejercieron el lucrativo negocio de traficar con pasaportes y vidas humanas en peligro. Por Balandrán y Céspedes, uno de esos encargados de *los* negocios, y por sus soplones y escuchas, nos introduce el narrador en nuevos entresijos de la enredada madeja política que día y noche teje y desteje voluntades y destinos. Entre tanto, lejos de Dalmases, los sueños eróticos de su amante Lola nos descubren lo insaciable y lo posesivo de su pasión. Ha pasado la primera jornada.

La segunda —6 de marzo— continúa con Dalmases en la posición «Dácar», donde están reunidos los jefes comunistas y el alto mando del partido [11]. Y Fidel Muñoz, siempre atrinchera-

---

11 A La Pasionaria entrega Dalmases un mensaje. En una pausa de la acción, hace éste una visita a Monóvar, y a un tío suyo amigo de

do en su casita madrileña, frente al enemigo, contra el que hace una guerrilla personal, continúa recibiendo visitas en su ruinosa barbacana. Entre ellas la del pintoresco «Pirandello», librero de viejo y variante de uno de los tipos clásicos de Aub [12]. Comentan la tragedia que en Madrid se representa en esos momentos. Igual hace Templado con su amigo socialista González Moreno; desde perspectivas más elevadas, generalizan sobre una de las preocupaciones de Aub: la traición y los traidores. Frente al idealismo de Templado, el político resume su opinión pragmática: «La honradez está precisamente en hacer lo que se cree que se debe hacer teniendo en cuenta las circunstancias en el preciso momento de hacerlo. Lo demás es literatura» [13]. Aub transcribe íntegro el manifiesto casadista, escrito por el anarquista García Pradas [14]. En la lucha callejera y la mutua represión entre ambos bandos, casi todos los personajes de la novela se reúnen en las cárceles de Madrid: el «comandante Rafael», por el supuesto secuestro de una empleada diplomática; Templado, sorprendido en su tarea de ayudar a la distribución del último ejemplar de *Mundo obrero*; el grupo de los anarquistas, aliados al golpe de Casado, dan con sus huesos, accidentalmente, en un retén comunista de los Nuevos Ministerios; Dalmases, entrando en Madrid, es detenido en el primer control casadista.

Jornada del 7 de marzo. Por intervención de Riquelme, Templado recupera su libertad: los heridos y moribundos llegan interminables al hospital. Cada uno de los personajes libres se pone en movimiento para remediar la situación de los prisioneros. Fidel Muñoz, Don Manuel y Lola, van de unos a otros

---

Azorín, que para Dalmases rememora su historia y tan notable amistad. Más precavido que Don Quijote, está el tío enmurando su preciosa biblioteca antes de salir hacia el exilio, temeroso de las inquisiciones de amas y curas. Entre tanto, en Madrid, Templado se entera por una prostituta —otra Mariquilla— de la sublevación. En las colas se comenta la nueva. Y en Levante, Negrín, después de tomar las últimas disposiciones, sale en avión, con su gobierno, hacia el norte de África.

[12] V. parte tercera, cap. III de nuestro estudio.

[13] CM, 131.

[14] *Ibid.*, 138-40.

para salvar a Dalmases, cuyo primer encuentro con Templado se realiza en la cárcel.

Jornada del 8 de marzo. La acción cobra un ritmo cada vez más acelerado en sus cambios de planos y de escenas. Imágenes rápidas, cinematográficas: un pelotón de ejecución y la horrible indiferencia de los transeúntes, la cola del carbón, Rosa María buscando a Terrazas, Bonifaz y Pirandello perorando y discutiendo de libros, un anarquista huido recala en casa del Espiritista, que ahoga sus impotencias en el vino mejor de su bodega.

Jornada del 9 de marzo. Prosiguen las escaramuzas y la labor de los médicos en el hospital. Lola encuentra la pista de Dalmases por el comisario Rigoberto Barea, y va de antesala en antesala. Riquelme, en una escena semejante a la de *Campo abierto,* pasa revista a su galería de heridos [15].

Sexta jornada —12 de marzo—. Tres días después. Nuevos datos sobre el golpe casadista. Un oficial libera a Dalmases, a quien Lola espera a la puerta. Ni Dalmases ni el lector saben aún el precio que la joven ha tenido que pagar por su libertad, y tras dos frías frases de circunstancias, Dalmases la deja en la acera de la calle. En un camión repleto de milicianos, va camino de Alicante. Uno de éstos cuenta la historia de Lola entregándose, de un puesto militar a otro, a cambio de información sobre él. Regresa en otro camión a Madrid para encontrarla ya muerta, ahorcada en el dintel de su cuarto. Dalmases vagabundea, rumiando sus reconcomios, entre las ruinas de la casa de Muñoz, posiblemente muerto en la refriega.

13 de marzo. Última jornada. La historia de la sublevación, en toda su absurda inutilidad, ya cabe en cuatro líneas: «Sale un militar del despacho de Casado. Entra Besteiro. Están solos. —¿Y de Burgos? —Parece que no quieren saber nada como no sea la rendición incondicional». El entierro de Lola: Mercedes, Manuela y Rosa María son su único cortejo. En la plaza de Manuel Becerra, con permiso del automedonte, suben al coche

---

15 *Op. cit.,* 463 y sigs.

fúnebre. Sin más avisos, escribe el autor: «El obús les dio de lleno. El caballo sobrevivió un cuarto de hora»[16]. Rosa María, agonizante, reza y recuerda su adolescencia de colegiala en un convento. Ahora el lector entiende la presencia del segundo exordio de la novela, copia escueta de un cable de la International Press: «Madrid, 13 de marzo de 1939. La artillería nacionalista reanudó sus esporádicos bombardeos. Un obús destrozó un coche fúnebre cerca del cementerio del Este, hiriendo y matando al acompañamiento»[17]. Y el espantoso final: una loca, Soledad, mujer de Pirandello, huida de su reclusión durante las luchas, contempla con la inocencia furiosa de los enajenados la agonía de la muchacha, mientras, imagen de Urano goyesco, tiene entre sus manos, mordisqueándola, otra mano destrozada, que pertenece a alguna de las víctimas del obús[18].

«Los traidores» era el título previsto para esta novela, y es sin duda el tema de la traición y de los traidores el que subyace en todo su transcurso: traicionan unos sus ideales políticos, otros la confianza que en ellos han depositado sus correligionarios; traiciona Lola su amor para salvar a su amante, y éste traiciona, primero, a Asunción ausente, luego, por ignorancia y ceguera, la lealtad sacrificada de su amante. Traicionan todos, en plena locura, vueltos contra sí mismos en la desesperación de ver acercarse irremisiblemente al enemigo triunfante: la figura del escorpión pudo correr entre las ruinas de Madrid esos días, a los pies de Soledad, la loca que, como símbolo de todos los locos irremediados e irremediables, se come a los suyos. El azar misterioso e inexplicable parece reinar como señor entre los restos de vidas y de haciendas. Y Aub consigue, con ese amontonamiento de encuentros azarosos y ese entrecruzamiento de imprevisibles salidas, crear en el lector la impresión exacta del caos en que, por primera vez, los personajes empiezan a sentir que no hay salida posible en el laberinto del tiempo histórico, ni del tiempo personal. Con su forma de em-

---

[16] CM, 254.
[17] *Ibid.*, 8.
[18] *Ibid.*, 256.

budo sin salida, *Campo de los almendros* confirmará la encerrona.

* * *

A esta altura de la creación aubiana se inserta un nuevo juicio crítico del *Laberinto,* importante, y que, a diferencia de los anteriores [19], fue emitido en los años 60, y tuvo en cuenta la novela que acabamos de analizar para establecer opiniones nuevas y renovadas sobre el conjunto de la obra. Nos referimos al estudio de Emir Rodríguez Monegal, crítico y profesor hispano-americano bien conocido, y ex-director de la revista *Mundo nuevo,* en la que ya había publicado una extensa entrevista con Aub realizada en 1967 [20]. En dicha entrevista, Rodríguez Monegal se presentaba como «viejo lector» de Aub, que «iba leyendo las novelas a medida que salían» [21]. Para explicar el problema de la aparición de *Campo de sangre* antes que *Campo abierto,* trastrocando así el orden cronológico de los acontecimientos históricos que en ella se narran, Rodríguez Monegal habla de una hipótesis de tipo informativo, que Aub le contradice aclarándole la cuestión con una simple anécdota. En cambio, Aub no habla de lo que para nosotros es evidente: la refundición de *Campo abierto* antes de su publicación, que se nos impone con evidencia casi irrefutable por el análisis estilístico y por las fechas que Aub da al final de su edición. Algunas preguntas de Rodríguez Monegal acusan una falta de relectura de las obras más antiguas de Aub en torno al tema. Así, cuando le pregunta por qué ha titulado su serie *El laberinto mágico,* Aub responde a la frase de Monegal: «Me he estado rompiendo la cabeza en ese laberinto verbal», con lo siguiente: «Porque Ud. no lee a San Pablo [22]. Yo tengo cierta debilidad por este señor y, desde luego, lo del *Laberinto mágico* lo tomé de él, igual que el título *Campo de sangre* deriva de una famosa frase de San Mateo» [23].

---

[19] V. cap. I, 4.

[20] Reproducida en E. R. Monegal, *El arte de narrar,* 21-48.

[21] *Ibid.,* 39.

[22] Ya hemos señalado el error de la transcripción o el lapsus de Aub: se trata de San Agustín, y no de San Pablo.

[23] *Op. cit.,* 45.

A esta respuesta de Aub replica Monegal: «Bueno, ahí pone Ud. un epígrafe que ayuda a los críticos». Dicha réplica supone un evidente descuido del crítico, porque, más que un epígrafe, toda una nota explicativa de *Campo cerrado* contiene ya la alusión, junto con el programa previo de la serie novelesca [24]. La sospecha se confirma cuando Rodríguez Monegal, resumiendo la historia de *Campo cerrado,* dirá poco después lo siguiente: «...en torno de él (López Serrador) crea el paisaje de comienzos de la guerra. Presenta a Rafael, ...sus vínculos con algunos obreros al comienzo de la guerra...» [25]. No hay que descalificar, por esta quiebra, las muchas y valiosas aportaciones del crítico como interlocutor de Aub y como estudioso de su obra, que hacen indispensable la lectura de ambos textos. En efecto, no sólo Rodríguez Monegal confirma con su autorizada opinión las de Alborg, Pérez Minik y Chabás, al afirmar del *Laberinto*: «Es el documento literario más vasto e impresionante sobre la guerra civil española que se haya publicado hasta ahora, y al mismo tiempo es el *roman-fleuve* más logrado de la literatura española contemporánea» [26]. Monegal, además, se manifiesta en oposición con las opiniones anteriormente emitidas, que «han enfatizado... el aspecto caótico de esta larga narración», e insiste:

> Así lo parece, acaso, cuando se la mira por primera vez. Pero una lectura más seria muestra que las líneas principales están firmemente dibujadas, que toda la estructura se sostiene y aguanta la prueba del tiempo, que la riqueza y cualidad de la escritura la hace sobresalir [27].

Y, a catorce años de distancia de la opinión contraria de Serrano Poncela, el crítico puede afirmar categóricamente: «En

---

[24] CC, 9.

[25] E. Rodríguez Monegal, *Tres testigos españoles de la guerra civil,* en *Revista Nacional de Cultura,* 182, Caracas, oct.-dic. 1967, 17.

[26] *Ibid.,* 16.

[27] Rodríguez Monegal, evidentemente, no tenía noticia de nuestro breve análisis del *Laberinto,* aparecido en 1961 («El español Max Aub», en *La Torre,* 33, Puerto Rico, 103-120). Allí sentamos una opinión en todo concorde con la citada de Monegal, especialmente en las págs. 111-12.

El laberinto mágico de Max Aub, la guerra civil española ha encontrado tal vez su más verdadero y creador testigo» [28].

Tendremos otras ocasiones de comentar el estudio del escritor hispano-americano a lo largo de nuestro trabajo. Quede aquí constancia, cuando menos, de una nueva opinión de valor, situada cronológicamente antes de la publicación de *Campo de los almendros.*

3. «Campo de los almendros»: el fin de la República en Valencia y Alicante [29]

> De esta última novela del ciclo, *Campo de los almendros*, podría darme el lujo de decir que hace quince o veinte años que la estoy escribiendo. ¡Es verdad! A medida que me encontraba con alguien, con alguna persona que había vivido en Alicante esos tres últimos días de la guerra, le preguntaba cuál había sido su experiencia. Si esto es escribir, pues entonces tardé quince años en escribirla. Pero no creo que a esto se pueda llamar escribir. En realidad, durante todo ese tiempo, yo amontonaba materiales [30].

Confirma Aub con estas palabras la preocupación por el episodio final de la guerra civil, cuya importancia estrictamente histórica, si se compara con las grandes operaciones de la guerra, o con el mismo episodio casadista, resulta insignificante. Tanto es así que el mismo día en que estaban todavía aislados aquellos miles de desesperados en el puerto de Alicante, esperando la llegada de los nacionales, desde el cuartel general de éstos se daba al mundo el parte final anunciando el término de la guerra. Pero, si el episodio no tiene significación inmediata para los Estados Mayores, no tiene por ello menos importancia simbólica, tanto por la psicosis de vencimiento que se apodera de los republicanos españoles con el fin de la guerra, como

---

28 *Loc. cit.*, 21.
29 México, Joaquín Mortiz Ed., 1968.
30 Aub, citado por E. R. Monegal, *El arte de narrar*, 43.

para la estructura misma del *Laberinto*, que, así vista, coincide en su forma y contenido con la tragedia de los vencidos.

El relato prosigue, según se ha indicado, en el punto mismo en que lo dejamos en *Campo del Moro*. Muertas las mujeres que componían el último y simbólico episodio de la novela anterior, el último personaje que dejamos viviendo en su tiempo novelesco es Dalmases. Éste, por su condición de enlace motorizado tenía en ella a la vez un papel simbólico y práctico de hilo conductor en el complejo narrativo, cosa que seguirá haciendo más claramente aún en la presente novela. Saldrá de Madrid al comienzo del relato, pasará por Valencia y llegará en fin a Alicante, donde su mujer, Asunción, lo espera desde hace días.

Dividido en tres partes el relato, la primera hace la crónica de los quince días finales de marzo en la ciudad de Valencia y sus alrededores. Está descrito, a través de la conducta, gestos y palabras de personajes históricos y de ficción, el ambiente para unos febril, de la desbandada, para otros frío y trágico; por no ver horizontes, unos deciden quedarse, otros lo hacen por cumplir misiones encomendadas, aunque alguno escape sin intentar siquiera su cumplimiento. Es la primera hora de la revisión de cuentas, perdida la última esperanza, no ya de victoria, sino de rendición honorable. Las discusiones y comentarios de los personajes giran en torno a los hechos políticos desencadenados por el golpe casadista y la actuación de su grupo, en torno a las razones de la derrota. Una postura estoica se va dibujando poco a poco, frente a otra desesperada de lucha por huir y sobrevivir, salvando la vida a cualquier precio, honor incluido.

Las últimas jornadas en España —o en este mundo, puesto que a penas nadie está seguro de poder salir vivo— se viven apurando cada minuto, conscientes unos de lo que pierden, otros seguros de estar perdidos. Desolación, angustia, desorientación, caos sin salida: laberinto. Entre todos, Dalmases, fijo en sus obligaciones de militante hasta la última orden, y a la vez obstinadamente seguro en su última decisión de reunirse con Asunción, es el único hilo tenso y persistente, la única voluntad firme en toda la primera parte de la novela. No deja el hilo de esconderse en tantos recodos como es usual en la andadura narrativa de Aub; por esos recodos conocemos nuevos —y menos nuevos— personajes con sus historias, todas ejemplares: la del archivero Villegas, ya conocido de *Campo abierto*; la de Paco Ferrís, joven intelectual desnortado y representativo; la de Juanito Valcárcel, hermano gemelo de tantos otros chamarileros y libreros-bibliófilos como pululan por el *Laberinto*. Una tristeza sin serenidad lo invade todo: personajes y ambiente. La sensación de estar al borde del hoyo final desata las lenguas, sin tapujos ni contención: insultos, desfachatez, desgarro lindante con la picaresca. Como en un barco que se hunde, la consigna es la de las ratas. Así transcurren los últimos días de Valencia. Igualmente se queman los últimos cartuchos pasionales: sexo, comilonas en las que se consumen las últimas reservas y los últimos jugos gástricos; apúranse las bodegas y llenan los últimos paraísos alcohólicos las horas de otro modo insoportables.

La desbandada general hacia el sur se completa entre el 28 y el 30 de marzo. Casado hace entrega de la ciudad, y sale de España en el último barco que deja el puerto de Gandía. Cuartero y Templado, en su deambular por la capital valenciana, son el coro de la tragedia con sus comentarios siempre apasionados o fríamente cínicos, alternando la forma peripatética con la epicúrea: mesa y cama cuando se puede, paseo siempre. Un coro que no se siente, ni mucho menos, al margen de la tragedia. Contraste evidente con el arbitrista Chuliá, nacido en la imaginación creadora de Aub al calor de *Las buenas intenciones,* y que reaparece aquí, a plena luz, en todo el apogeo de su fabulosa audacia e increíble fondo de ignorancia, que, más que despreciar cuanto ignora, lo da por desconocido. Es viejo personaje clásico de la pequeña historia de España, tan fecunda madre de arbitristas cuyas fórmulas están siempre dispuestas a transformar el mundo, con el curso de la gran historia. Inconsciente de que la última carta se ha jugado ya, o fingiéndolo, él solo entre todos, Chuliá. Fanfarrón hasta el final, exhibicionista, tonto y sin un pelo de ello. Su arbitrio, por descabellado que parezca al lector, es un pedazo rigurosamente histórico de la guerra: trátase de comprar la rebelión de las tribus marroquíes, a partir del Marruecos francés y de la zona de Tánger, para crear la diversión en la retaguardia enemiga y comenzar así la «reconquista» por el mismo lugar por donde se había iniciado el alzamiento. En las *Memorias políticas y de guerra* de Manuel Azaña, leemos este texto, de 1937:

> El proyecto de provocar la rebelión de los marroquíes en la retaguardia nacionalista tuvo como «autor y director» al subsecretario del ministerio de la guerra, Sr. Baráibar... fueron víctimas del doble juego de los moros, y... ciertos agentes de Baráibar andaban por Tánger fanfarroneando con fajos de billetes franceses [31].

Al trastrocar las fechas, situando el episodio en 1939, Aub no hace sino subrayar más lo absurdo de la empresa y, sobre todo, la incapacidad y fanfarronería de los agentes.

La segunda parte nos lleva, con los aspirantes a evacuados, a Alicante, final sin salida del laberinto por el que han circulado, con más, menos o ningún norte, los personajes reales e imaginados, o mejor, imaginarios, puesto que unos y otros son imaginados —puestos en imágenes— por el autor. Alicante: el puerto donde se hacinan los miles de seres que aún esperan salir, mar adelante, hacia una vida posible. Toda esta segunda parte no es sino el proceso colectivo, individuo por individuo, que lleva de la esperanza desengañada a la desesperación sin engaños; del creer en la vida posible fuera de España a la resignación de vivir —o morir— en esta España que, de repente, a los acordes de la Marcha Real, que suena desde el puente del primer navío de guerra nacionalista llegado al puerto, se les hace irreal, extraña, hostil, amenaza segura de muerte —bien sea de la vida, bien de las ilusiones—. Y a medida que el hilo sutil de la esperanza se rompe entre las manos de cada uno, desátase la reacción: unos se suicidan anticipando la muerte segura y temible con una muerte breve y sin incógnitas angustiosas. El primer

[31] Manuel Azaña, *Obras completas*, México, Editorial Oasis, IV, 613-17.

suicidio desencadena muchos otros en serie mimética, irrefrenable. Otros se desembarazan de cuanto poseen o les identifica, esperando así salvar el último bien: la vida. Otros en fin, fatalistas, aceptan lo que pueda venir, dejando al tiempo la final función de traer lo inevitable.

El largo proceso, que se desenvuelve en las doscientas apretadas páginas de la segunda parte, corresponde, en tiempo histórico, a veinticuatro horas de reloj. El autor, fiel a los sentimientos de sus personajes, las estira interminablemente, dando la sensación justa: una insoportable agonía que va cerrando cada vez más su cerco. Sirven al autor y a su propósito ciertas constantes, que vuelven periódicamente, como estructura unificadora de las diversas anécdotas y las mil conversaciones aisladas: el «ritornello» de la espera de los barcos cuya llegada se promete, se anuncia, se avista sin cesar y siempre en balde, hasta que por fin, ya cierta y visible la llegada, el único navío francés que ha acudido a la llamada de auxilio se ve forzado a dar media vuelta bajo la amenaza de la escuadra nacionalista, que se aproxima. Y el primer barco que entra en el puerto es esa unidad nacionalista de la que llegan a los republicanos los sonidos de las trompetas del juicio, bajo apariencia de himno.

El segundo estribillo, reverso del anterior esperanzado, es el de la preparación de las listas de embarque, cuya extensión va disminuyendo a medida que las noticias de los barcos que no llegarán disminuyen las posibilidades del número total de evacuables. La cuestión: estar en la lista, tener el pase; o no tenerlo, y no estar. Dilema a vida o muerte, que atenaza a todos. El temperamento de cada uno da ante esa piedra de toque, entre las del puerto, su dominante: se descubre, se toca fondo. Egoístas y solidarios, solitarios y camaradas; para unos es el «sálvese quien pueda», para los menos el «sálvese a quien se pueda». Y entre todos estos personajes que viajan de la última esperanza a la postrer congoja, Dalmases y Asunción recorren el camino inverso, de la angustia de buscarse a la realidad enajenadora del encontrarse. Ellos viven al fin su reencuentro ajenos al proceso de los demás, enajenados por el amor, aislados del tiempo y del espacio, sin sentir la lluvia o la fatiga. Vicente renuncia a su puesto en las listas de embarque al saber que Asunción no va a ser incluida en ellas. Una vez más Aub utiliza la técnica de los movimientos contrastantes. Los dos amantes acaban, hacia el final de la novela, saliendo en plena iluminación enajenada, fuera del laberinto, por gracia excepcional de su autor, compadecido.

Éste, siguiendo el procedimiento habitual, mezcla a los personajes y las personas, haciéndoles restituir un ambiente histórico veraz, en un tono perfectamente novelesco, es decir, poniendo en evidencia el ambiente verosímil de desorientación y angustia en que los últimos grupos de vencidos vivieron aquellas horas de la ratonera alicantina, y dando una unidad estética al abigarrado conjunto de seres cuyas únicas cosas en común eran ciertos sentimientos por todos compartidos y un físico contacto codo a codo. Precisamente la presencia de Asunción y Vicente subraya aún más, por su conducta excepcional, la comunidad sentimental de los demás, incluidos los más ejemplares testigos de la tragedia: Julián Templado y Paulino Cuartero.

El anuncio de la llegada de los italianos hacia la mitad de la segunda parte divide ésta en dos movimientos, ápice de una parábola narrativa cuya primera rama tiene como tónica la esperanza del embarque, mientras que la segunda tiene la contrapuesta de desesperanza; decreciente la primera, creciente la segunda, hasta su desenlace —el «golpe de gracia» que es la entrada del Vulcano en el puerto—. (Pregúntase el curioso lector por los secretos designios irónicos de la Historia —el azar de todos— que quiso fuese tal, y no otro, el nombre del barco que avisó a los vencidos de la realidad en que se encontraban: «Dejad toda esperanza, los que entrasteis».)

Retorciéndose a todo lo largo de esa curva narrativa, viven y se desarrollan los típicos zarcillos del relato aubiano: discusiones sobre los problemas esenciales del momento: la derrota, sus razones, su explicación (ya que no su justificación, que ellos no pueden ver), la Historia y sus sorprendentes laberintos, la naturaleza humana; van abriéndose también los paréntesis narrativos, en historias de personajes de toda calaña que han ido a dar al puerto; y cada uno de los personajes conocidos va desplegando en este final de laberinto los últimos recovecos de su personalidad: la fatua inconsciencia de D. José Burgos, la obsesión historicista de Juanito Valcárcel, variante enajenada de Don Leandro el archivero [32], el egoísmo desgarrado de Paco Ferrís, que, al final, dará la vida por salvar su pluma, dejando así escrita y sin escribir su más pura página de escritor; allí se acendra la manía de Valcárcel en locura, allí la lengua de Templado se destempla, malhablado como nunca, templándose Cuartero en su fe religiosa, al aguantar las tarascadas de su inseparable amigo y contrincante. El final, en forma de *cauda* —que recuerda el de *Campo cerrado*— nos da en dos epístolas y un monólogo la salida hacia los campos de concentración y la visión anticlimática del puerto vacío, a través del comentario de un pescador de caña, que ha entrado en él dispuesto a hacer su agosto, indiferente y ajeno a la tragedia que sobre el escenario ya vacío acaba de desarrollarse y del que quedan, como mudos testigos, las basuras y detritus humanos. El recurso puede tener cierta afinidad con el utilizado al final de *Campo del Moro*, en donde la enajenada Soledad mira, literalmente sin ver, la tragedia que ha ocurrido ante ella.

En un momento del relato, cerca ya del desenlace de esta segunda parte, Julián Templado, sentado cara al mar, se adentra en sus recuerdos, e imagina el presente de los ausentes. Y, de pronto, el autor, que se debate y ahoga bajo su personaje, abre con un desgarrón repentino el relato y se pone a hablar directamente y por su cuenta: de sus personajes, de su novela, de su amor y envidia por ellos. Las llama, a estas ocho páginas que ocupa su intromisión, «las páginas azules», por el color del papel en que tenían que ser impresas, en su inicial proyecto. Y termina sintiéndose, en 1966, como sus personajes al borde del mar alicantino en 1939: «sigo en el malecón, alargando una esperanza, inventando el humo de un posible barco, y no es más que polvo» [33].

---

32 V. CS, caps. V y VI.
33 CAL, 366.

La tercera parte —unas ciento veinte páginas— relata la historia de la diseminación de los acorralados en el puerto de Alicante hacia diversos lugares de concentración, a partir del campo que da nombre a la novela. La historia se hace a través de las suertes y muertes de un extenso número de personajes y por los relatos que algunos de estos van haciendo de las líneas más generales del acontecimiento. El autor se limita a narrar directamente los avatares de algunos personajes. Las más de las veces es bajo forma de confidencia a otros compañeros de infortunio, bajo especie de carta, de relato por un tercero, como se va componiendo —o mejor, descomponiendo— el panorama apocalíptico de los meses siguientes al primero de abril. Inserto entre los relatos desgarrados, el cuaderno de notas dejado por Ferrís —que se reproduce en veinte páginas— es leído por Templado, su heredero. Este cuaderno está constituido por un cúmulo de opiniones sobre los problemas del momento, plantea una serie de interrogantes fundamentales, y una descosida pero profunda meditación sobre la condición humana en general, y del escritor en particular. Muchas, si no todas, compartidas o debatidas en el fuero interno del propio Aub, espejo e imagen de su ficticia criatura. Puede fácilmente verse la identidad de puntos de vista con otros textos en que Aub habla directamente. Pero creemos que aquí bastará con un pequeño detalle, dejado por el autor (y no al azar) entre las notas de Ferrís. En un espacio donde se acumulan «datos y relatos posibles», el primero de los tales dice: «Don Manuel fue muerto de cualquier manera, a los tres días de la entrada de las tropas [...] en Madrid, porque, habiendo sido detenido por los rojos, fue absuelto»[34]. Es evidente que ese final de personaje sólo pudo haber sido escrito por Aub mismo: se trata, sin duda, de datos referentes al personaje de *Campo del Moro* Don Manuel el Espiritista, con el que Ferrís no tuvo nunca relación en ningún momento ni lugar grande o chico del intrincado laberinto[35]. Veremos, por otra parte, en nuestro estudio de sus ideas esté-

---

[34] *Ibid.*, 452.

[35] D. Manuel es el admirador de Dalmases y padre de Lola en CM.

ticas y literarias, cómo pueden utilizarse las opiniones expresadas por Ferrís en su cuaderno.

Los vencidos, salvo las raras excepciones cuya suerte no cuenta, aunque se cuente, van a pasar penas y privaciones, paralelamente a lo que les estaba ocurriendo a sus compañeros (aparentemente más afortunados) en Francia. Queda descrita en toda su desventura la labor de los delatores, intentando salvar sus vidas a costa de la piel de los antiguos compañeros de armas o de partido [36]. Igualmente se nos narra la poco piadosa labor de las comisiones de ciudadanos que acudieron a hacer la «saca» de paisanos entre los indocumentados de los campos, a fin de «darles su merecido». Mantiénese, y parece difícil, al margen de la imprecación el autor: desde el punto de vista de la eficacia dramática, la materia es de por sí tan cruda que la simple relación en forma de crónica de sucesos resulta suficiente para lograr la justa atmósfera trágica que busca dar el autor. El tono provoca una reacción suficiente, evitando caer en el melodrama en que tantos y tan desafortunados narradores de la guerra civil han ido a entramparse, dejando en ello los puntos, cuando no las plumas.

Como colofón a la novela, presenta Aub una *addenda* de cinco páginas en la que una lectora de *Campo de los almendros* se dirige al autor para rectificar un punto del relato, referente al gobernador de Valencia Molina Conejero. Estrechamente relacionada con el triste, narra la mujer a Aub los últimos días de su amigo, añadiendo muchos otros datos sobre Valencia durante los meses que siguieron al fin de la guerra. Bien pudiera ser esta privilegiada lectora antes de la cuenta D.ª Perpetua Barjau, la esposa del escritor, que vivió en Valencia, saliendo de España en 1946 [37].

Se ha de notar aquí, aunque volvamos a ello en nuestro estudio de la estructura del *Laberinto*, que la novela termina, con una vuelta completa al círculo, en el mismo lugar en que empezara: en Viver de las Aguas, donde los tres primeros persona-

[36] V. la historia de López Mardones, de la misma cuerda, en CS.

[37] Según Aub en EC, 9. En realidad, se trata de la cuñada de Molina Conejero, que informó a Aub del episodio.

jes que aparecieron en *Campo cerrado*, son los que protagonizan las últimas líneas: Don Blas, el tío Cola, y la sombra de Serrador, de quien se murmura, simbólicamente, que anda de guerrillero por el monte. Sólo el lector sabe que no es cierto. Y se habla del toro de fuego, que después de tres años de interrupción —en los que anduvo suelto por España—, volverá a correr por el estrecho recinto nocturno de Viver de las Aguas: las aguas del arroyo que, empezando en las primeras estribaciones del Laberinto, vinieron a morir al mar de Alicante.

IV

NARRATIVA EN TORNO AL ÉXODO, EL EXILIO Y LA POSTGUERRA EN ESPAÑA (1939-1967)

Reunimos aquí, para una revisión de conjunto, una extensa serie de relatos de dimensiones variables, a través de los cuales nos ha ido presentando Max Aub las peripecias del éxodo por Francia, su experiencia de los campos de concentración del sur de Francia y de Argelia, y la vida de los exiliados en Méjico, refugio del autor desde 1942. De las experiencias ajenas y de la imaginación moderadamente usada surgen los pocos relatos o la parte de algunos de ellos que sitúan la acción en la España de la postguerra. No siempre resulta fácil clasificar los relatos, aparecidos en diversos volúmenes y publicaciones, según los tres temas que hemos mencionado separadamente. En algunos, sobre todo los de mayor extensión, es posible encontrar dos y aun tres de los temas. En dichos casos, hemos clasificado el relato en un grupo determinado según la importancia de los distintos temas.

1. «CAMPO FRANCÉS» EN DOS VERSIONES

Reunimos en este primer apartado todos los relatos que tienen como principal escenario la Francia de los años 40 y el campo de concentración de Djelfa, en Argelia. Debían estos relatos constituir, según el designio original de Aub, una de las grandes novelas del *Laberinto*. Algunos de estos fragmentos fueron escritos, según indican las fechas, en la misma Francia y en Argelia. Otros, ya desde Méjico. El período de composición de dichos fragmentos se extiende, teóricamente, hasta la publicación de los fragmentos mayores en *Cuentos ciertos*, es decir, hasta 1955. Por esas fechas Max Aub parece haber desistido ya de la publicación de la novela en su forma primitiva. Lo que no quiere decir que abandone definitivamente el tema. En adelante, sin embargo, será de manera intencionalmente independiente, como en el relato titulado *El cementerio de Djelfa*. De otra parte, y en todo rigor, no podríamos afirmar que Aub haya abandonado definitivamente su proyecto hasta la publicación de *Campo francés* en 1965, título tras el que se imprime un texto más emparentado con el cine que con la narrativa tradicional, escrito y sin titular desde 1942, según indica al frente de dicha edición. El proyecto de novela se disuelve así definitivamente.

Aunque, por las fechas de composición, *Campo francés* se sitúa en un momento intermedio en el conjunto de los cuentos con el mismo tema, decidimos abordar inmediatamente su revisión, por la distinta cualidad de sus estructuras.

Como señala el propio autor, el texto fue escrito «en veintitrés días de travesía, de Casablanca a Veracruz, en septiembre de 1942» [1]. Posiblemente Aub intentó la filmación de una película a partir de estas memorias. La deducción, quizás arriesgada, la hacemos a partir de su comentario: «de ello saqué, en un momento de descorazonamiento, *Morir por cerrar los ojos*», es

---

[1] CF, 6. *Morir por cerrar los ojos*, drama en dos partes y seis actos, fue publicada en 1944. Las dimensiones originales de *Campo francés* son excesivas para que Aub se resigne a reducirlas a la longitud de un teatro en tres actos según los usos contemporáneos. Si es cierto que, como insinúa Aub en sus palabras introductorias y especifica luego R. Domenech: «esta amplitud de perspectivas escénicas responde... a exigencias que emanan de la materia elegida» (Introducción a la edición española de 1967), lo cierto es, sobre todo, que responde a exigencias del tratamiento original de la materia, más cercano al guión cinematográfico.

decir, una obra de teatro. Ese descorazonamiento que lleva a Aub a extraer del relato-guión una pieza de teatro nos parece poder interpretarse como una alusión a ese supuesto intento de filmación. La versión original viene acompañada por una abundante colección de documentos gráficos, con cuyas imágenes el editor parece haber querido compensar al lector por la ausencia de verdaderos planos filmados. Nos parece importante señalar que, contrariamente a las costumbres de Aub, de cuidar personalmente la edición, es Ruedo Ibérico, la casa editora, la que se anuncia como responsable de la selección de las imágenes [2].

Aub considera *Campo francés*, por su parte, como un híbrido de novela y cine, comparándolo con la hibridación de teatro y novela emprendida y explicada por Galdós en su prefacio a *Casandra*. Aub cree que las afirmaciones de Galdós son perfectamente válidas para su intento, teniendo cuidado de sustituir en el texto galdosiano la palabra teatro por cine. También es cierto que, desde el punto de vista del contenido anecdótico, se trata de un libro de memorias. Aub, en efecto, salvo sus tres personajes centrales, afirma no haber inventado nada. Los tres personajes, en su visión, no tienen más justificación que la de dar al lector «un hilo conductor para que siguiera con cierto interés el documento» [3].

Menos aceptable nos parece la afirmación de que no haya en esas memorias nada personal, pretextando haber sido «ojo»: «vi lo que doy, pero no me represento» [4]. Rózase aquí la cuestión prejudicial de la objetividad, sobre la que haremos las consideraciones pertinentes en la tercera parte de este trabajo, a la que nos remitimos [5]. La modesta pretensión de cronista es muy secundaria cuestión. No se trata de considerar la inventiva del autor en cuanto a la materia de su crónica, sino a la organización de la misma, y la autenticidad de la relación entre el autor y su materia.

---

2 CF, 2.
3 *Ibid.*, 6.
4 *Ibid.*, 6-7.
5 Ver el capítulo I de la tercera parte.

Resulta particularmente interesante comparar esta primera versión pensada para (o al menos en función de) el cine, con la segunda, en función del teatro. Dejando de lado por el momento las cuestiones estructurales [6], vemos ahora que, por regla general, Aub aumenta en su texto teatral la longitud de los papeles, la extensión de casi todas las intervenciones. Danos esto a entender que el autor, obligado a renunciar a una buena parte de sus «comunicaciones» visuales, no ha renunciado a comunicar, haciendo pasar al texto lo que el escenario teatral no le permitía conservar visualizado. Gana el texto teatral al cinematográfico en desarrollo ideológico manifiesto, aunque la intención en ambos sea idéntica y esté igualmente conseguida. Es curioso observar el notable cambio elaborado en la evolución de la pareja Julio-Juan (dos de los tres personajes imaginarios), que no se reduce a un cambio de nacionalidad. En la primera versión, Julio y su hermano Juan son húngaros de origen, radicados en Francia; en la versión teatral son hijos de españoles emigrados a dicho país. Por este cambio se dramatiza notablemente la indiferencia de Julio hacia la guerra civil española, que era más explicable en la primera versión. Del mismo modo aparece más motivada la distancia que le separa de Juan, su hermano en la primera, su mediohermano en la segunda versión. Por otra parte, la evolución de los personajes es mucho más fuerte y más motivada en la segunda. Julio pasa, en la primera, de su postura egoísta e indiferente a otra de rebelión que lo aproxima notablemente a la de su hermano, y muere al fin de modo heroico. De la misma muerte muere el Julio de la segunda versión: intentando salir del campo de concentración, pero esta vez por razón de puro egoísmo, después de haber cumplido con la ingrata tarea de ser el soplón de las autoridades del campo, cosa que está más de acuerdo con su egoísmo inicial. Su brutal individualismo está igualmente acentuado respecto de la primera versión, en la que se nos presentaba como un personaje ausentista y frío de puertas afuera, pero con ciertas virtudes burguesas de amor a la familia y al tra-

---

[6] Ver el capítulo II de la tercera parte.

bajo: ojos los suyos, pues, más dispuestos a abrirse a la luz de la realidad y que, en efecto, se abren ante su experiencia concentracionaria y la brutalidad de la policía, terminando en generosa rebelión contra el destino que el azar impone a la colectividad del campo de concentración. Esta evolución pasa, en la versión teatral, al personaje femenino, María, cuya relación matrimonial con Julio resulta no ser sino un sucedáneo de un inconfesado amor por Juan.

Ambas versiones, como bastantes de los relatos que veremos seguidamente, constituyen un abrumador expediente contra la postura ausentista de la burguesía francesa ante la guerra civil española, así como un proceso condenatorio sin apelación de la brutalidad y el cinismo de la represión policial del gobierno francés, y de la miopía —o la sumisión— del gobierno frentepopulista de Léon Blum.

El relato, seccionado únicamente por las múltiples indicaciones de cambio de lugar, puede, para el análisis y *grosso modo*, ser dividido en un preámbulo y tres partes. En el primero se dan unas breves escenas, de gran intensidad dramática, acerca del final del éxodo civil entre Cataluña y Francia. En la primera parte incluimos la presentación de los tres caracteres centrales; en la segunda se les introduce en la red de represión policíaca de París, ampliándose la trama en múltiples escenas de otros tantos personajes sometidos a la represión, y termina con las escenas del improvisado campo de concentración situado en el estadio Rolland Garros. La tercera parte se inicia con la evacuación de los refugiados y las marchas forzadas hasta llegar, diezmados, al campo de concentración de Vernet d'Ariège, en el que tiene lugar el desenlace trágico, por lo que respecta a la anécdota central, y en el que sigue desplegándose, según el procedimiento habitual en Aub, una extensa serie de personajes en acción, todos ellos dando, faceta a faceta, la visión de conjunto del infernal universo concentracionario.

Muchos de esos personajes y de esos problemas humanos se repiten, según una tendencia de todo el *Laberinto mágico*, en varios de los relatos que componen la serie siguiente, de los que pasamos a revisar aquí los dos más extensos, mientras damos en la nota sucinto resumen de los doce restantes[7].

---

[7] *Manuel el de la Font.* Escrito en el campo de concentración de Djelfa, en 1942, es un relato de veinte páginas, en que el protagonista que le da título se nos presenta desde su vida anterior a la guerra, «sin oficio y con mil beneficios», siempre inspirado en un programa de conducta que se resume en «¡Cada uno a lo suyo!». La historia de la revolución en su pueblo, en la que tiene un papel preponderante, nos vale una serie de escenas de justicia popular sanchopancesca, culminadas por una especie de juicio de Dios particularmente curioso, al que se somete a un presunto culpable. Manuel ha conseguido huir de un campo de internamiento en España para dar en un campo de concentración en Francia. Dentro de su mala suerte, Manuel sigue sacando partido a su situación:

> Es el único que ha conseguido, a fuerza de hacerse el tonto, salir del campo y trabajar en una alquería próxima, donde una viuda le emplea... A la tarde, de vuelta Manuel, va sacando de los innumerables bolsillos de un gabán que le viene como una tienda de campaña, huevos, pan, pastas de sopa y hasta ¡azúcar! que reparte concienzudamente entre nosotros.

Como los otros relatos aquí estudiados, constituye un fragmento del abortado *Campo francés* novelesco, y sólo adquiere su mejor sentido después de la lectura de los otros relatos del conjunto.

Alrededor de una mesa. Otro fragmento narrativo, cuenta un «caso» de la guerra civil, particularmente penoso, tal como lo recuerda uno de los refugiados españoles que se reúnen en un café de París. El relato, firmado en 1944, presenta con simpatía la inquebrantable fe cristiana de una familia de catalanistas que, después de haber salvado de la muerte cierta a un canónigo, es condenada a muerte por delación de éste, que no quiere dejar su piel en manos de los comunistas. Todos, a sabiendas de su conducta, confesarán con él antes de ir a la ejecución.

Una historia cualquiera. Se publica por primera vez en *Sala de espera.* Salvo correcciones menores, se presenta sin cambios en la segunda publicación. El narrador protagonista Luis Le Portillier narra la misma marcha que ya Aub ha presentado en *Campo francés,* aunque esta vez con datos concretos sobre el número de los componentes y las víctimas de lo que podríamos llamar «marcha de la muerte». El narrador es uno de los raros que llegan enteros y vivos a Toulouse. El lugar en el que se sitúa para relatar es el campo de concentración.

Los creyentes es un breve cuento irónico, cuya anécdota, ya utilizada en *Morir por cerrar los ojos,* ilustra el cinismo pragmático de los refugiados en un campo de trabajo, cuya indiferencia religiosa inicial se convierte en triple y simultánea devoción católica, protestante y judaica

Historia de Jacobo es, junto con *El limpiabotas del Padre*

---

ante la noticia de que al final de los servicios de culto respectivos se reparten alimentos. Quien lo narra es otro refugiado del grupo.

Enrique Serrano Piña, como los anteriores, fragmento del primitivo proyecto novelesco, ha aparecido tres veces entre las publicaciones de Aub, cada vez con un título diferente. En la lista facilitada por Aub a E. de Nora sobre los componentes del *Laberinto mágico,* la misma narración se cita dos veces, una con su título que aquí damos, otra con el título de *Otro.* Evidentemente, no se trata de dar trabajo y motivos de confusión a los eruditos, sino de un simple fallo de memoria. El hecho de que una tercera vez aparezca el cuento, con el nuevo título de *Vernet, 1940,* nos hizo pensar en una inconsciente y particular predilección del autor por el texto. No se trata, como en otros casos, de primeras versiones corregidas: el texto se reproduce ambas veces sin más cambios que el del título. El autor lo publica por primera vez en *Sala de espera* —título: *Otro*—, la segunda, en *Cuentos ciertos,* con el nombre del personaje. *Sala de espera* ha sido para Aub una especie de cajón de sastre en el que fue metiendo piezas en un acto, poemas y un sinnúmero de diversos retales críticos y narrativos. De ahí ha venido «pescando» para publicaciones posteriores, diversos textos que habían ganado, a sus ojos, calidad con el tiempo, y que merecían la difusión que la revista no había podido darles. Añádase la mala memoria del autor, y lo extraño es que el incidente no se haya repetido más a menudo. Quizás este último hecho es el que nos permite pensar en una inconsciente predilección, a pesar de las negativas del autor, consultado sobre ello:

> No es más que una prueba de mi mala memoria. Sencillamente me encontré con el cuento en *Sala de espera,* y no recordé que se trataba de la misma narración que *Enrique Serrano Piña,* y del brazo del olvido, lo di por tercera vez con otro título en *La verdadera historia* (carta del 14/VII/1964).

¿Cuál es el contenido narrativo de tan aireado relato? El narrador, trabajando en las letrinas del campo de concentración, traba amistad con el personaje, que le cuenta su historia durante la guerra civil, empezando por sus miserias durante la represión nacionalista en el campo andaluz, a comienzos del conflicto, y sus tribulaciones en el sur de Francia, víctima de policías, soplones y confidentes, que quieren utilizarlo en el mismo campo de concentración. En todo su pasado de desgracias y en medio de su presente de rudas privaciones y abusos, una luz en su recuerdo: sus tiempos de soldado en el frente del Ebro, que son «el momento de su vida». Y el personaje, hombre del pueblo, se nos muestra en toda su grandeza moral, en medio de la repugnante realidad:

> Bajamos a lavar las pesadas tinas de hierro. Los guardias acuden a ver si quedan limpias de zurullos: —Límpialo mejor, si no quieres que te obligue a hacerlo con la lengua. Cojo un manojo de hierbas y obedezco. Enrique Serrano Piña me ayuda,

Eterno el más extenso texto narrativo en torno a la vida de los exiliados españoles en país francés[8].

los pies en la mansa corriente: —Cuando volvamos allí no hay que afusilar a ninguno; aunque sé quién denunció a mi hermano: es de Sevilla. —¿Y si te lo encuentras? Me mira fijo, se encoge de hombros: —No caerá esa breva. Insisto. Sonríe con cara de niño: —Lo mandaré a Montpellier... o como se diga (pronuncia Monpeyé), para que vea lo que es bueno.

Historia de Vidal. Como la anterior, aparece por vez primera en *Sala de espera.* El narrador se dirige a un interlocutor amigo, que se supone antiguo camarada de infortunio, para recordarle al personaje: pobre habitante del campo de concentración de 1939 a 1942, hundido no tanto por los malos tratos, para los que no tiene ningún gesto de resistencia, cuanto por saber que su mujer, en Toulouse, se ha visto empujada a la prostitución para sobrevivir.

Un traidor. Nacida también en *Sala de espera.* Es la historia del tipo en quien se concentran las justificadas fobias de Aub: el que, para vivir, traiciona sus convicciones, participa en estafas vendiendo falsos pasaportes a los refugiados y vive de la delación cuando está en el campo de concentración.

Ruptura. Breve relato epistolar, reúne dos cartas cruzadas entre amantes: ella, libre en París; él, encerrado en un campo de concentración. A los lamentos y jeremiadas de Gabriela, Paco responde con tono cáustico, pidiendo a su amante menos «teatro» y más preocupación por las necesidades del detenido. El comentario escueto del transcriptor: «No hubo más cartas» es lo que justifica el título.

Playa en invierno. Hizo su primera aparición en *Sala de espera.* Fechado en febrero de 1941, plena época de redacción del plan primitivo de *Campo francés,* en Marsella, Aub no lo incluyó en la mencionada lista del *Laberinto,* seguramente por olvido. Meditación sobre un desierto paisaje de playa, cerca de Marsella. La contemplación del lugar invernal rememora en el espectador exiliado la visión de otra playa que pudo ser, y que es, en la sobreimpresión del recuerdo, la misma que está viendo, y como la está viendo. La única diferencia, que los dos niños andrajosos que pasan recogiendo maderas rodadas por el mar, hablan francés. Todo sin vida, muerto, para el exiliado. Sólo el recuerdo hace en la memoria un rinconcillo tibio, donde un niño dice al otro, en valenciano: «Che, anemsen, qu'es fa tard». Esa misma contemplación de la playa en invierno está descrita en *Campo abierto,* en términos parecidos, y otra vez en *La falla.*

[8] Apareció por primera vez en *Sala de espera* en 1950. Con modificaciones de estilo y supresiones muy interesantes para un estudio de los procedimientos estilísticos de Aub, aparece reeditado en *Cuentos ciertos,* de cuyo volumen ocupa más de cien páginas. Sabemos por una nota que, al menos en gran parte, fue escrito en 1941.

El autor utiliza el subterfugio acostumbrado de haber llegado a sus manos un manuscrito, obra del cuervo Jacobo, que ha dedicado su erudición y ciencia corvinas al estudio de los hombres y de sus curiosas costumbres. Como el azar ha querido que el ave vaya al campo de concentración de Vernet para realizar sus estudios sobre el terreno, la especie humana está descrita a partir de ese error del cuervo de ciencia, con el consiguiente efecto cómico sobre el lector. Jacobo describe las costumbres del campo de concentración como si, en efecto, fueran las de la especie humana entera y, con la ironía del autor de por medio, muchas de las conclusiones a las que llega, de lo particular erróneo, alcanzan la categoría de lo universal auténtico.

En la visión parabólica de Aub, el campo de los refugiados no es sino una condensación del mundo de los hombres. En su reproducción a escala, lo absurdo y lo cruel del otro se intensifican y ponen más al desnudo por la fuerza de la reducción. Todas las miserias y limitaciones de uno son reflejo fidelísimo de las del otro. Caricatura malintencionada del aparato científico de los filólogos es la manera detallada con que el editor del manuscrito, J. R. Bululu, estudia el texto a partir de la traducción de Aben Máximo Albarrón (en el que la deformación del nombre de Max Aub es transparente), tercera persona de la trinidad aubiana, como Cide Hamete de la de su amigo e inventor Don Miguel. Después de la cuidada presentación filológica del texto, incluyendo algunos regocijantes datos paleográficos, se van transcribiendo las notas del sabio cuervo. Establece éste su programa de trabajo mediante una enumeración de todos los temas que va a tratar, muchos de los cuales no aparecerán luego por ninguna parte. Ya avisa Bululu:

> Por lo visto, no tuvo tiempo de acabarlo; o no se trata más que del borrador del libro publicado en lengua corvina. El índice... promete más de lo que el texto da; lo que no es, por otra parte, achaque puramente corvino: el que no haya trazado índices sin mañana, que levante la mano [9].

---

[9] CCI, 147.

Después de varias consideraciones autobiográficas, pasa Jacobo al estudio de los hombres y sus costumbres en pequeños fragmentos temáticos dedicados a los intrigantes problemas que tan pintoresca fauna le plantea. De ese modo se pasa revista irónica y despiadada a los vicios del hombre, y se van señalando con indiferencia aparente de zoólogo las miserias y sufrimientos de los concentrados, como la conducta inhumana y patológica de las autoridades francesas. Como muchos otros escritos aubianos de estos años, apunta con sus explosivas cargas a los regímenes policiales en lo que tienen todos de inhumano, ya se vistan con capas democráticas, fascistas o de cualquier índole.

No es difícil entresacar de los estudios de Jacobo una ética y una estética de la especie humana. La segunda parte del tratado contiene las historias de unos cuantos ejemplares humanos del campo, cada uno con su nombre y su increíble existencia. Desde el más simple al más complicado de los seres, la vida limitada a que están constreñidos, o bien les acerca y solidariza entre ellos, o bien les distancia en proporciones que en la «otra» vida hubieran sido poco imaginables. De esa galería de personajes, algunos de los cuales se encuentran ya, como decíamos, en la versión aguionada de *Campo francés*, pasan del manuscrito corvino a la narración siguiente. También aquí aparece, con el nombre de Adalberto Muñoz, un primer esbozo del protagonista de la *Historia de Vidal*.

El limpiabotas del Padre Eterno[10]. Narración de dimensiones equivalentes a la anterior, se distingue de ella por la desaparición del tono irónico, aunque éste sea sustituido por otra forma de distanciamiento. En efecto, el personaje principal es un simple de espíritu. Y esa limitación interior del «Málaga» le hace, dentro de los estrechos límites del alambrado campo, el más libre de todos los que lo habitan, incluidos los guardianes. Limpiabotas de oficio, madrileño amante del mosto malagueño que le vale el mote, y muy satisfecho de su maestría artesana, sueña el Paraíso como el lugar en donde podrá poner sus modestos talentos, como el medieval juglar de Nuestra

[10] *Ibid.*, 255-364.

Señora, al servicio de Dios y toda su corte celestial, a la que no puede imaginar sino bien calzada.

Sus desventuras durante la guerra culminan en Francia y en el campo de Argélès [11]. Entre la gente que deambula por el campo aparece Paulino Cuartero, de quien se cuenta el poco glorioso episodio que le lleva al campo de concentración [12].

Las peripecias sentimentales y las desgracias que se ceban en el mísero limpiabotas nos llevan de Argélès al campo de Gours, del de Gours al de Vernet, y de éste a África, al campo de Djelfa. La vida —es un decir— en el campo norteafricano constituye una de las más sobrecogedoras descripciones de la bestialidad humana, hecha por Aub a costa de sus experiencias. En manos de dos semihombres —el «adjudant» Gravela y su capataz Jaime Ortiz, ex-anarquista—, los prisioneros son esclavizados para hacer un negocio con el producto de sus trabajos forzados. Se les castiga con una crueldad sádica, se les rebaja a la bestialidad para doblegar sus resistencias. Los intentos de huida se malogran. Y en esa vida sin esperanza, en la que los únicos y raros consuelos les vienen de los moros de tropa y del vecindario de Djelfa, va a consumarse el sacrificio simbólico de la víctima inocente:

> —Il sourit encore, ce cochon... —decía Gravela a Ahmed, sin ver que a éste, de pie, un paso atrás, le asomaban las lágrimas en los ojos.
>
> Era un hilo y sonreía, no le cabía más que la sonrisa. Horrendo de delgado, con los ojos abiertos, brillantes y salidos como birlas, las mejillas hundidas, abría su cajón a los pies del Padre Eterno [13].

---

[11] Su fidelidad perruna a Manuel el Barberillo, que va más allá de la muerte de éste, repite una pareja clásica de la novela de la que son ejemplos *Of mice and men*, de John Steinbeck y *Fiestas*, de Juan Goytisolo.

[12] CCI, 295-96.

[13] He aquí, resumidos, los relatos breves restantes:

Yo no invento nada. Escrito en diciembre de 1942, ya en Méjico, es otro fragmento de la vida de los refugiados en Djelfa, otra historia de la vida y sacrificio del inocente. Carlos Yubischek, el payaso de las bofetadas, en el que Gravela parece ensañarse porque, como el personaje del circo, aguanta todo impasible y sonriendo. Ya hemos visto en la narra-

2. Los refugiados en Méjico

A partir de 1944, aproximadamente, Aub empieza a reflejar, el país que le ha acogido, playa tranquila tras las borrascas

---

ción anterior que para Gravela la sonrisa era un pecado sin remisión. Y Yubischek acabará con la misma sonrisa. Gravela lo encierra finalmente en unas mazmorras húmedas hasta que muera. Todos los días le hace la visita antes de emborracharse. «El día que Yubischek murió, apareció por el campo silbando alegremente, como si le hubieran quitado un gran peso de encima. Al pasar lista nos dijo: —Supongo que no olvidaréis lo que le ha sucedido al cochino pequeñarra ese».

El título del relato es una variante de la misma afirmación explícita en el título del libro en que se recoge: *No son cuentos*, y que insiste en el carácter verídico de los hechos narrados por el autor, aunque revistan la forma narrativa de las ficciones.

Teresita. Es un curioso fragmento escrito en Cuernavaca (1944). Aunque, como todos los anteriores, relata la historia de un prisionero de los campos de concentración, se diferencia de ellos porque el plano del narrador y del grupo de sus auditores se sitúa ya en Méjico. La descripción del paisaje de Cuernavaca con que se inicia el relato es quizás la primera referencia a su país de adopción en su obra narrativa. El autor repite a su auditorio lo que la noche antes ha oído contar a Mrs. L., norteamericana posiblemente emparentada con la que protagoniza *El rapto de Europa.* Es la historia del homosexual americano llamado Teresita, que de bailarina en un café cantante madrileño, pasando por combatiente en las Brigadas Internacionales, termina su vida en Gurs. El autor-personaje interrumpe la narración cuando Mrs. L. habla de Denia, y dedica un recuerdo a Juan Chabás, y su primera experiencia de navegación a vela. La historia continúa después de la introducción a este tercer plano narrativo.

El cementerio de Djelfa. Aparecido en la revista madrileña *Insula*, veinte años después de la salida de Aub del infierno argelino, este relato viene a responder a la pregunta que el escritor, ya radicado en Méjico, se hace sobre lo que habrá sido de Djelfa, traída a su memoria por las noticias de la guerra de Argelia. Imagina una carta que un antiguo compañero del campo, Pardiñas, residente en Djelfa desde su salida del mismo, le escribe para responder a las preguntas que en su imaginación se hace el autor. Recuerda escenas y episodios del campo, rememora a Gravela, ahora miembro de la O. A. S., y le deja entrever su identificación con los argelinos. Los muertos del campo han sido desenterrados por los franceses para, en una fosa común, enterrar a los fellagas. La historia vuelve. «Ah, olvidaba decirte —o no quería, no lo sé— que me van a fusilar mañana ¡Qué, mañana!, hoy, dentro de un rato, porque dicen que mis manos olían a pólvora. Olvidan que nacimos así».

europeas. Veremos el tono de su narrativa, a partir de ese relato intermedio, adquirir cada vez más amplitud de intereses, como si la lejanía le dejase ver el bosque, mientras los árboles, uno a uno, persistieran vivos en el recuerdo. Y lentamente, a medida que la sala de espera se le va transformando en hogar, asoma una ironía desencantada, que se va posando poco a poco en un humor de la más clara transparencia. Cristal para mejor ver, no caperuza, ni ala de avestruz. Nos ocuparemos aquí de las narraciones que se refieren, de cerca o de lejos, al pasado español, al presente de trasterrado, a los tanteos hacia el futuro de España.

De cómo Julián Calvo se arruinó por segunda vez[14]. Relata una actitud más que una historia: la del español inadaptado a su nuevo país, siempre comiendo cocina española, bebiendo a la española, y queriendo llevar su industria sin tener en cuenta el carácter de sus obreros mejicanos, gente llena de supersticiones, frente a la que el rigor lógico del marxista se deshace inevitablemente al querer pasar por encima de su incomprensión.

Homenaje a Lázaro Valdés[15]. Representa el contraste entre el español obstinado en un enraizamiento del recuerdo, como Julián Calvo, y el desconocimiento de la realidad española en el que viven los hijos de los exiliados, que hablan de España, si hablan, desde un punto de vista que a los mayores les parece absolutamente irreal. Lázaro Valdés, triste catedrático de geografía, colega de Antonio Machado en los tiempos de Baeza, malvive en Méjico dando lecciones como tumbos. Pero importa en la narración la relación entre Valdés y su joven sobrino, cuya ignorancia sobre España le lleva a escribir a intención del muchacho dos ensayos que Aub «reproduce» aquí íntegramente y que constituyen el centro de la narración, tanto como su «tesis». Desarróllase en ellos la idea de que el falseamiento de las ideas viene de la falta material de contacto de los jóvenes con la tierra y la piedra de España: «No basta el oído, que se

---

[14] CMEX, 59-69.
[15] FF, 41-54.

engaña a sí mismo; no basta el recuerdo que no tiene donde asirse, y se vierte en el sentimentalismo y viene, sin darse cuenta, a cromo y fórmula, a espejismo y falsedad; ni el pensamiento que se enreda alrededor de su propio tronco, y a lo sumo se queda en las ramas» [16].

El segundo ensayo de Valdés, dedicado a Alfonso Reyes, y titulado «ejercicio retórico contra la juventud», es más bien defensa ilustrada de la madurez. Y de sus cualidades, como Aub las debe de ver en el retrato del espejo, en el espejo de los años: tolerancia, respeto de la opinión ajena, capacidad de perdón. De esta época de Aub surgiría la idea de una revista —*Los sesenta*— en la que sólo habían de colaborar los que hubiesen pasado ese cabo de la existencia.

La merced ausculta brevemente el fondo de algunos de esos españoles a los que, aunque «perjuraran lo contrario», «quince años de vivir en México les había cambiado del todo» [17]. Sólo sus tertulias en el café —siempre en el mismo, entre los mismos— les conservan la ilusión de ser los mismos de antaño. Aub nos presenta una de esas tertulias, compuesta de antiguos anarquistas siempre de vuelta al tema de España, y en la que un visitante casual lanza la bomba: ¿cómo en tantos años la C.N.T. o la F.A.I. no han lanzado una campaña de terrorismo en España, si creen que todo volverá a la normalidad el día que los dirigentes actuales desaparezcan? La respuesta de los interpelados es inmediata: no sería por falta de arrestos. Y pasan revista orgullosa de su largo y viejo historial de golpes y atentados famosos.

Al salir del café, el más sonado de todos ellos es incapaz de aceptar el reto de un insignificante mecapalero que le provoca llamándole gachupín. Cabizbajo, después de haber dado al hombre unas monedas para cerveza, comprende que «ya no era nadie, sino alguien: patrón».

La verdadera historia de la muerte de..., extenso relato que da su título a uno de los libros de narraciones de Aub, no es

---

16 *Ibid.*, 49.
17 *Ibid.*, 35-39.

sino una ampliación del tema de *La merced,* añadiendo un análisis más detenido de las tertulias de españoles en los cafés de Méjico, e introduciendo, además de la idea de que los exiliados no son ya sombra de sus pasados, la otra, aquí más subrayada, de que con un radical cambio de régimen todo se arreglará para los exiliados, que podrán volver triunfantes a España. Esta idea se presenta también como utópica, gracias a la ejemplaridad del relato. El protagonista, un «mesero» de café, mejicano, cuya paz ha sido turbada por la presencia de los españoles refugiados, gritadores, malhablados y poco espléndidos salvo en el gasto de saliva, ve, a la vez, cómo se van del establecimiento los buenos clientes nativos, que la garrulería española choca y desazona. El mesero, a fuerza de oír a los españoles el clásico argumento condicional de su repatriamiento, decide, frente a la inactividad de los propios interesados, tomar la iniciativa. Preparando todo minucia por minucia, emprende viaje a España para cometer el atentado clave. Todo se desarrolla según lo previsto y calculado. Págase el hombre un viaje de turista por Europa, para quemar sus ahorros y dar tiempo a que la tropa refugiada vuelva a España. Y a su regreso al café de Méjico, se encuentra no sólo con toda la peña de los habituales españoles que, como podía preverse por *La merced,* no se han movido de América, donde están ahora sus verdaderos intereses, sino que, además, se ha unido a ellos una nueva y nutrida promoción de refugiados del régimen recién desaparecido, que teniendo tantos recuerdos en común, se han reunido a los otros en fraternidad de griterío.

Humor amargo y resignado el de Aub, humor lúcido que siente en toda su triste verdad lo definitivo del asentamiento de los refugiados en Méjico, a pesar de todos los votos y apariencias contrarios.

Librada, relato publicado por primera vez en 1951 [19]. Nos presenta, a través de la anécdota de una pareja refugiada en Méjico, uno de los temas persistentes en la producción novelesca

---

[18] *Ibid.,* 36.
[19] SdeE, XXX, 1-16.

de Aub: la crítica de las estructuras del comunismo en tanto en cuanto partido político, apuntando particularmente a la contradicción entre su defensa de los valores humanos y la disciplina rigurosa que les lleva a no respetar a ningún individuo, así sea el más fiel y sacrificado servidor de la causa, si ello conviene al partido en un momento dado.

Ejemplifica el tema con el caso de Ernesto, militante comunista enviado a España para participar en la organización clandestina del partido y de la resistencia. Denunciado, juzgado y condenado a muerte a poco de su llegada, se transcriben las cartas que desde la cárcel escribe a Librada, su mujer, las de los suegros luego, que han podido visitar al hijo y le narran la parte de la historia que el prisionero no podía conocer. Por todos estos documentos el lector es llevado a la convicción de que Ernesto es un hombre intachable en su fidelidad a la misión confiada, y que ha resistido hasta su muerte sin manifestar nada que pudiera causar perjuicios a la organización del partido. La sorpresa es tanto mayor cuando se nos transcribe un editorial del periódico clandestino comunista en el que se destruye la memoria de Ernesto, acusándolo de quintacolumnista incrustado en los engranajes del partido, vendido al Foreign Office, y ejecutado por delación de éstos, después de haber dado los nombres de todos los miembros de la resistencia. El artículo se difunde en Méjico, y la viuda, tras su lectura, se da la muerte.

En el entierro, al que concurren tres exiliados amigos: un republicano tradicional, un socialista y un comunista, es donde se da lugar y ocasión para una enconada discusión sobre las «leyes» de la política en nuestro siglo. Defiende el comunista la infalibilidad del partido y la necesidad del «juego sucio»; muéstrase el republicano indignado por la flagrante falta de honestidad y de verdad, por las consecuencias inhumanas de esa política; el socialista, en fin, reconociendo la superioridad espiritual y moral de los principios liberales, admite que, ante las tendencias de la política en nuestros tiempos, esos principios llevan necesariamente a la derrota ante la conducta eficacísima de los regímenes de autoridad total e indiscutida. Sobre esa nota pesimista, apenas paliada por la irónica afirmación de que, habiéndolas desconocido, las nuevas generaciones no echarán de menos las ideologías liberales, termina la narración a la salida del cementerio.

Señalamos en el relato una de las escasas ocasiones en que Aub, utilizando el procedimiento epistolar, se permite reconstruir en su imaginación el regreso a España, aunque no para describirla en su situación —que desconocía—, sino para expresar los sentimientos del que, como Ernesto, pisa de nuevo la tierra de España después de largos años de ausencia [20].

El remate [21] es uno de los mejores relatos breves de Aub. Adquiere tonos cercanos a la dureza e implacabilidad de la tragedia, al tratar una vez más la relación entre las viejas generaciones y la joven, que, unida o no a ellas por lazos de sangre, permaneció en España, y pertenece a esa otra España posterior a 1939 que ellos no han conocido. Aquí la relación entre ambas generaciones está más trágicamente trazada a causa del parentesco de los protagonistas. Remigio Morales, escritor, exiliado, que, por haber rehusado su mujer salir de España, ha vivido solo en el exilio, consigue una entrevista con su hijo, al que dejara niño, en Perpignan. De esa entrevista vuelve el padre desesperado, al comprobar que su hijo le es completamente extraño en todo. Vuelve el joven a España, suicidándose el padre en el túnel que une Cerbère con Port-Bou: el mismo por donde saliera de España en enero de 1939.

Importante en la obra de Aub no sólo por sus valores literarios —quizás no sea su pieza más acabada en el género—, sino, sobre todo, por su perfecta presentación del estado de espíritu de su generación exiliada. Veinticinco años después, contemplan el olvido en que ya creen haber caído, y consideran que las

---

20 El relato se reprodujo en uno de los volúmenes de las *Obras incompletas*: HMM, 49-72.

21 Constituye por sí solo un número especial de SdeE (19-VIII-1961) conmemorando los veinticinco años de la desaparición de Federico García Lorca. Ha sido reproducido en HMM, 9-45. El tema del encuentro del exiliado con su familia lejana ya tiene en Aub precedente en una de las piezas de su teatro en un acto —*Tránsito*—.

jóvenes generaciones los tienen completamente ignorados. Y piensan en el enmascaramiento a que se ha sometido a la Historia, tal como ellos la vieron, no ya por parte de los historiadores de partido, sino por los mismos que se estiman objetivos o imparciales, influidos sin saberlo por la deformación sistemática que, en opinión del autor, se ha llevado a cabo con los datos históricos.

Tres parecen ser los núcleos a partir de los que se desarrolla el relato: un artículo de ABC —Sevilla— dedicado al elogio funerario del general Queipo de Llano; los encuentros del protagonista, no sólo con su hijo, sino con los españoles exiliados radicados en el sur de Francia y con algún joven profesor español de los que ocupan lectorados en las universidades francesas. A partir de este último encuentro se desarrolla el tercer tema: la ignorancia de que los literatos exiliados eran objeto en España hacia 1960. En torno al primer tema se relatan recuerdos de lo que fueron los primeros días de la guerra civil en Sevilla, en donde el narrador-personaje se sitúa en el recuerdo, levantando, en oposición a la imagen del general que ofrece el artículo, una contrafigura diametralmente opuesta. En torno al segundo y tercer núcleo se desarrolla la historia de Remigio, el triste escritor exiliado. Una última nota de discreta esperanza culmina el relato. El hijo de Remigio, al oír del personaje-narrador las palabras de su padre, sufre una transformación radical de sus sentimientos y opiniones [22].

---

[22] He aquí, resumidos, los restantes cuentos del grupo:

Reverte de Huelva. Un narrador, a la vez personaje y testigo, cuenta la historia de Reverte después de reproducir al comienzo una conversación motivada por una petición de firmas que circula entre los españoles exiliados de Méjico. La petición pide la amnistía para un hijo de Reverte, encarcelado en España. El narrador va a encontrar a un periodista, recién llegado a Méjico, que se ha negado a firmarla. Rememoran juntos al viejo novillero, «más bueno que el pan», de divertida historia, que llegó a reunir en su casa una familia apócrifa de cinco miembros. Todo es pretexto narrativo para el análisis de la curiosa situación política de los españoles exiliados, a los que veinticinco años de exilio no han bastado para unificar en lo más esencial. Siguen con las mismas rencillas, los mismos irreconciliables partidos, grupos y grupúsculos en los que ya estaban divididos durante la guerra, amén de las nacidas por estar afi-

Terminamos esta revisión de la narrativa de Aub en torno al tema de la guerra civil y sus secuelas [23] recordando uno de los brevísimos relatos de Aub, *La llamada,* que ocupa media

liados a una u otra de las asociaciones de exiliados como el SERE o el JARE. De acuerdo con cualquier cosa menos en juntarse para hacer algo por España, por su España, de miedo de que caiga el gobierno actual,

> ...y entonces, ¿qué? Porque lo único que les preocupa a esos jóvenes republicanos o socialistas de setenta años es quién va a ser subsecretario de Marina u oficial mayor el día de mañana.
> —¿Y no hay nada que hacer?
> —No, hombre, ni hablar. No le digo que no se puedan reunir unas fraccioncitas por aquí y por allí, pero lo gordo: la UGT, la CNT, los comunistas, los socialistas, ni hablar, no sea que le coman el mandado a Llopis y a la Montseny...

Este despiadado y satírico relato de las costumbres del exilio en política viene a unirse a los ya aparecidos anteriormente, y da cuenta de la postura desengañada de Aub, que sin duda no es exclusiva suya entre los intelectuales exiliados.

El baile. Relato de los acontecimientos en España al final de la guerra, presenta, así sea brevemente, en la sobreimposición del plano del narrador, un aspecto de la segunda guerra mundial, en la participación de los españoles en el *maquis* francés. Es un ex-sargento de las tropas nacionales, ahora luchador contra los alemanes, quien relata algunas escenas de dicha represión al narrador, su compañero de combate. Después de recordarlas, comenta: «Y pensar que, dentro de nada, nadie se acordará». A lo que, sin transición, el narrador encadena: «Él, desde luego, no. Cayó dos días después, estúpidamente, al asomarse donde no debía. Tampoco yo, la mayoría de los días». Por su contenido, con la excepción del plano narrativo sobreimpuesto, la narración podría ser un fragmento sobrante de la última parte de *Campo de los almendros.*

El testamento. El sobresaliente. Dos relatos que, por sus argumentos, uno extremadamente sencillo, el otro extraordinariamente complejo y sin solución, se oponen, diferenciándose también por su localización —uno en el Méjico de los exiliados, el otro en la clandestinidad de la oposición en la España actual—. Son dos ejemplos típicos de la estructuración del relato breve de Max Aub, como veremos en el cap. II de la tercera parte de este trabajo. Igualmente ejemplar es el breve texto *De los beneficios de las guerras civiles,* en el que la anécdota se reduce a una hipótesis de lo que hubiese sucedido si un hecho insignificante se hubiese producido de manera distinta a la que realmente ocurrió.

[23] Hay que mencionar igualmente la tercera parte de la novela *Las buenas intenciones,* que analizaremos en el próximo capítulo, en la que la guerra civil servirá a la vez de fondo circunstancial y de *Deus ex machina* del desenlace.

página de *Historias de mala muerte.* A pesar de su minúsculo tamaño, el relato es memorable. En esa media página administra el autor la píldora homeopática que resume todo el miedo pánico de los hombres —de un hombre— acumulado durante la guerra civil y sus coletazos. Es el hecho de no poder olvidarla lo que causa finalmente la muerte del desgraciado, víctima de la acuidad del recuerdo. La píldora, que, como decimos, quiere quizás curar con la misma medicina, nos resulta difícilmente asimilable. Algo así le ocurre a Torres con la cabeza del cordero, en otro memorable relato de Francisco Ayala [24]. El cuarto timbrazo (hubo tres durante la guerra) que el pobre hombre, al cabo de los años, oye en su sueño, y que le mata, está grávido de tantas cosas y tantos casos como para encarnar, simbólicamente, la perpetua alarma del hombre contra el hombre.

* * *

Si la crítica de las novelas que componen el *Laberinto,* en bastantes casos, muestra ciertas reservas respecto a algunos aspectos de la composición, en cambio se muestra unánime y sin restricciones en reconocer el extraordinario valor de los relatos y novelas breves que acabamos de revisar sumariamente. En la mayoría de los casos, las referencias a los cuentos son incidentales y no se extienden más allá del ditirambo clásico y brevísimo. Eugenio G. de Nora, dentro de los reducidos límites de su estudio de Aub, se limita a señalar la para él suprema excelencia de *El Cojo* [25]. Dos estudiosos en particular han abordado con cierto detalle la crítica de esta parte de la narrativa aubiana: J. R. Marra-López y J. L. Alborg, en sus ya mencionados libros. Ambos coinciden en señalar su interés, hasta el extremo de juzgar Marra *Cuentos ciertos* como «lo mejor que ha salido de la pluma de Aub en lo que a narrativa se refiere» [26].

---

24 *La cabeza del cordero,* Buenos Aires, Losada, 1949, 147-201.
25 *Loc. cit.,* 75.
26 *Narrativa española, op. cit.,* 198.

Alborg, de la misma colección, centra su interés particularmente en los dos relatos largos —*El limpiabotas del Padre Eterno* y la *Historia de Jacobo*—, coincidiendo con Marra en atribuir a este último el carácter de «obra maestra de corte quevedesco, perfecta de cabo a rabo» [27]. «La capacidad conceptista de Max Aub, cuyo modelo —para estas páginas— habría que buscar en el mismo Quevedo, puede explicar la densidad de este relato» [28].

Es significativo que la única opinión discordante en la valoración de estos relatos esté acompañada de un evidente error de información que hace suponer un desconocimiento de los textos a que alude. E. Rodríguez Monegal —que por su parte elogiaba sin reservas las novelas— afirma haber

> una gran diferencia de calidad y punto de vista entre las novelas y los cuentos que completan el ciclo. Los últimos fueron escritos y publicados durante la guerra o inmediatamente después. Su propósito central es el de persuadir, levantar la moral de los combatientes o liberar los sentimientos de frustración de los derrotados. Aun en el caso de estar artísticamente logrados (como pasa con *El cojo* de *No son cuentos*) su propósito más obvio de propaganda limita mucho el alcance estético. Por el contrario, las novelas fueron escritas con mayor perspectiva y a cierta distancia [29].

Podemos afirmar, sin temor a dejarnos llevar por la exageración de toda controversia, que ni una sola de las afirmaciones de Rodríguez Monegal en dicho párrafo, salvo la frase entre paréntesis, corresponde a la realidad. Hemos visto a lo largo del presente capítulo cómo los relatos breves y las novelas cortas, con la única excepción de *El Cojo*, escrita, ella sola, durante la guerra —justamente la única que valora positivamente—, han sido escritos después de *Campo cerrado*, de *Campo de sangre* y de *Campo abierto* (primera versión). Además, y en

---

27 *Ibid.*, 199.
28 *Hora actual...*, II, 118.
29 E. R. Monegal, *Tres testigos españoles*, 17.

buena parte, son fragmentos desprendidos de la redacción de dichas novelas largas o de otras del mismo ciclo.

Se trata de un error lastimoso, no tanto por la falta de información y de conocimiento de los textos así juzgados en un par de frases, ni por la precipitación y las dudosas premisas sobre las que el juicio se establece, como por la sombra que desfavorablemente proyecta sobre el conjunto de un trabajo que, como dijimos, es por tantos puntos digno de interés y de respeto. Estamos seguros de que las condiciones desfavorables de tiempo y de documentación en que la mayor parte de la crítica debe realizarse en este apresurado siglo constituyen el más grave peligro que hoy se cierne sobre la validez (sobre la perennidad no nos hacemos ninguna ilusión) de la crítica literaria contemporánea, tan bien armada, por otra parte, con nuevas ideas y fructuables teorías. Tiene Rodríguez Monegal, pues, una excusa para su error con la que no podremos contar nosotros, que hemos trabajado en situación óptima y con todo el tiempo necesario. Pero ésta ya es cuestión de limitaciones personales, y no de descuido.

Respecto de *Campo francés,* ni Eugenio de Nora, que tuvo noticia de dicho texto cuando aún estaba inédito, y que menciona como «narración libre en forma de guión cinematográfico» [30], ni ninguno de los demás críticos de la obra de Aub, se ocupa de él, ya que todos ellos publicaron sus trabajos antes de 1965, fecha de publicación del texto. Sólo Rodríguez Monegal hizo su trabajo con posterioridad, y hace mención de él como «un libreto cinematográfico», sin citar el título, basando su juicio global solamente en las cuatro novelas anteriormente publicadas [31]. Únicamente un breve estudio sobre *Campo francés,* aparecido en Méjico, ha llegado a nuestro conocimiento [32]. En él, Juan García Ponce encomia sin restricciones el libro, estimando que, a pesar de su concepción cinematográfica, «el lector puede sin ningún esfuerzo, como él lo desea, poner por

---

30 *Op. cit.*, 70, nota 21.

31 *Loc. cit.*, 16.

32 *Campo francés de M. A., testimonio y advertencia,* en *Siempre,* México, 22-VI-1966, xiii-xiv.

su parte la imagen que falta en el texto». Después de un análisis de la época y de la política que el libro vivifica, termina afirmando: «El poder para revivir ese pasado y hacerlo presente no es sin duda uno de los méritos menores de *Campo francés,* y nos entrega su verdadera dimensión».

V

LAS NOVELAS DE POSTGUERRA NO INCLUIDAS EN EL *LABERINTO ESPAÑOL*

Aproximadamente a partir de 1952, Max Aub ha cesado o disminuido notablemente el ritmo de su producción dramática, y sólo la historia de Alicante queda para completar su conjunto narrativo sobre la guerra civil. En esos momentos podemos situar el nacimiento de la total dedicación de Aub a la creación narrativa. En el espacio de diez años, durante los cuales Aub compone gran número de relatos breves y hace cortas incursiones en la crítica literaria, podemos, además, señalar la aparición de cuatro novelas que, si por el contenido narrativo no responden particularmente a un deseo de unidad o de coherencia, por la estructura y composición nos ofrecen una evidente intención, por parte del autor, de experimentar diversos tipos de novela, empezando por la forma clásica que, en la línea y bajo la advocación de Pérez Galdós, se concreta en *Las buenas intenciones*. Sigue con la forma que, hasta ahora, hemos considerado como propia de Aub (de la que *Campo abierto* es, a nuestro entender, el mejor ejemplo), pero esta vez dedicándola no a la recreación de momentos y sentimientos de la guerra civil, sino del ambiente y las vidas de los intelectuales españoles en los años veinte, dando origen a *La calle de Valverde*. Otra rama en los ensayos narrativos aubianos parte de *Jusep Torres*

Campalans, que por sus condiciones especiales de novela-límite, está quizá llamada a tener tan pocos imitadores como el *Ulysses* de Joyce, y tanta importancia como él en el futuro de nuestra narrativa. El aspecto más desenfadado de esta serie de ensayos narrativos nos lo dará, en fin, el peligroso juguete titulado *Juego de cartas.*

1. «Las buenas intenciones» [1]

La novela, escrita en 1953 y publicada al siguiente año, aparece con una significativa dedicatoria a Benito Pérez Galdós. Parece Aub haber querido escribir una novela según los cánones galdosianos del género. Incluso el giro de la frase da la impresión de haber sido trabajado en sus ángulos, hasta darles un aspecto más doméstico e impersonal, y el tono parece haber cesado en su conceptismo habitual para redondearse en párrafos de regusto castizo. Modéranse los juegos de palabras al mínimo, y el léxico se somete a los cánones de lo aceptado, huyendo del neologismo. La narración desata su historia por el hilo de un solo personaje, igualmente en contra de los usos anteriores, que caracterizan las precedentes novelas del *Laberinto mágico.* No llega tampoco a dejarse arrastrar por la tentación opuesta, de prendarse del personaje al extremo de dejar a sus interlocutores en la penumbra: todos los que hablan y viven en torno a Agustín Alfaro son igualmente personajes con todo su cuerpo y espíritu, no alejándose, tampoco en eso, de una línea perfectamente galdosiana.

Como escrita en el período anterior a 1960, la novela presenta todavía una división tripartita, al igual que los *Campos* del mismo período. La primera parte narra la historia de Alfaro, desde el momento en que, para salvar la tranquila inocencia de su madre, decide cargar con las consecuencias de un engaño paterno: el padre ha utilizado el nombre de su hijo en una correría amorosa con una muchacha del pueblo, Remedios. Ésta, convencida de la identidad civil del falso soltero, y habien-

[1] México, Editorial Tezontle, 1954.

do dado a luz un hijo suyo, lo lleva a casa de la supuesta «madre», solicitando su intercesión para legalizar la criatura en un casorio. Después de un simulado matrimonio con el auténtico Agustín, y un largo tiempo de convivencia «blanca», Remedios acaba enamorada del joven, y éste de su esposa de pega. La indecisión y los prejuicios del hombre hacen que la situación nunca llegue a resolverse en una acción concreta. Remedios decide, en consecuencia, desaparecer, dejando la criatura al cuidado de la «abuela». Agustín simulará la muerte y entierro de Remedios, para seguir conservando a su madre en su mundo de bondades. El fin de esta parte nos presenta a un Agustín consciente ya de su amor por Remedios, ahora que su situación ya no lo tiene.

De la parte segunda, los seis primeros capítulos relatan la huida de Remedios a Barcelona, su admisión como criada (pronto elevada a la categoría de amiga y confidente) de la entretenida de un opulento ciudadano, y víctima ella también de una desventura matrimonial provocada por las relaciones incestuosas de su marido y su suegra; la historia de esa mujer —Tula— nos vale un paréntesis narrativo de cierta extensión, a la manera aubiana. Es Tula la que convencerá a Remedios, que sigue su ejemplo.

Vuelve el relato a centrarse en Agustín, cuyas tardías gestiones para encontrar y recobrar a Remedios son todas inútiles. Algunos personajes populares que, en su calidad de parientes o amigos de ésta, aparecen aquí ya casi por última vez, han sido hasta ese momento una ocasión para describir, en la mejor tradición realista (de Galdós a Baroja), la vida de las clases populares madrileñas, y campear personajes emparentados por sus trazas y gestos con la Romualda y el Jacinto de *Campo abierto*. Acaba Agustín, por aburrimiento y lástima, casándose con Angelita, hija de una pintoresca pareja de relojeros de zaquizamí, dignos parientes del *Espejo de avaricia* en su irrefrenable pasión por las estrecheces. (Lo cual explica, en cierto modo, las de la triste Angelita, que, falta de materia con que cubrir sus frágiles estructuras óseas, no estaba en peligro de unirse al grupo de Tula y Remedios.)

Agustín se convence a sí mismo de estar haciendo una buena obra con sacar a la muchacha de las garras de sus padres. El viaje de novios por Andalucía, la instalación en Madrid y el parto de la enclenque, con que culmina un peligroso embarazo, llenan el centro de la segunda parte, completada por nuevas andanzas de Alfaro el padre. Sin la cómoda cobertura del hijo, acaba provocando el despertar de su esposa del limbo ignorante en que se ha mantenido milagrosamente hasta entonces. La buena vieja decide volverse a su Segovia natal, para vivir allí tranquila lo que le quede de existencia. Otras vidas y curiosos milagros: los de Chuliá, inventor y anarquista amigo de Agustín, al que luego tuvimos que ver en *Campo de los almendros*; los del miserable relojero y su escasa mitad y, en fin, los del estupendo librero y bibliomaníaco Lucas González, pariente tanto de D. Manuel el Espiritista —de *Campo del Moro*— como de los demás libreros y chamarileros que circulan por el *Laberinto.* Nótase en esta segunda parte algún relajamiento en la disciplina galdosiana que el autor parecía haberse impuesto en la primera, y que se manifiesta: *a)* en la extensión mayor y en la frecuencia de las historias marginales, que ocupan capítulos enteros; *b)* en la importancia que van adquiriendo los comentarios sobre la política y la sociedad de la dictadura primoriverista; *c)* en la elipsis estilística, en el juego de acepciones y demás características de la escritura, aunque sin llegar, ni de lejos, a la intensidad de sus demás novelas.

La tercera parte y última tiene como fondo la guerra civil, según un procedimiento utilizado en buen número de novelas contemporáneas, en las que la guerra constituye a la vez el banco de pruebas del temple de sus personajes, y el *Deus ex machina* que provoca el desenlace trágico, generalmente en los campos de batalla de España [2]. Este tipo de novela se caracteriza por no presentar el escenario de la guerra española hasta la parte del desenlace.

---

2 Recuérdense, por ejemplo, *Les raisins verts* de Pierre-Henri Simon, *Gilles,* de Drieu La Rochelle, *Ung ma verden ennu vaere* de Nordahl Grieg, o *Adventures of a young man* de John Dos Passos y *The watch that ends the night* de Hugh MacLennan.

Agustín envía su familia a Ibi, cerca de Alicante, confiándola a su mejor cliente. Solo en Madrid, sintiéndose completamente desligado de lo que ocurre a su alrededor, y sin poder ejercer su profesión de representante de comercio, entretendrá sus ocios con la hija de Lucas el chamarilero, Pilar, en un episodio evidentemente similar al de Dalmases y Lola en *Campo del Moro* y de Cuartero y Rosario en *Campo de sangre*:

> Fue la época más feliz en la vida de Agustín. Pilar le cuidaba como a un hijo, y él se dejaba querer queriendo. El recuerdo de Remedios le servía, difuso en la voz de su querida, como de un sostén ligero. La guerra le obligaba a una vida más cerrada y a un interés mayor por los sucesos diarios [3].

El azar se encarniza, una vez más, con los personajes aubianos: de la misma muerte que Rosario, por la metralla de una explosión, en plena ciudad, morirá Pilar. Ya sin norte, Agustín se ve paradójicamente aliviado con la movilización y el destino a un batallón de fortificaciones controlado por los anarquistas. Lo cual es buena excusa para Aub, siempre gustoso de relatar vidas y famas de los libertarios. En la desbandada final, Agustín se siente arrastrado de Cuenca a Valencia, y de ésta a Alicante, en el mismo trayecto que Dalmases, en busca también de su mujer, pero sin la menor intención, apolítico, de salir de España. En la noche de la catástrofe, Alfaro encuentra un refugio utilizable: una elegante casa de lenocinio a la que ya otras veces ha ido con su amigo y cliente de Ibi. El azar quiere que se encuentre allí con Tula, la compañera de Remedios, en una circunstancia cuyos detalles se repetirán en *Campo de los almendros*: Tula es la dama de compañía del arbitrista Chuliá, que va para Marruecos. Cansado de su compañera circunstancial, la ha dejado abandonada en Alicante. Con ella pasará Agustín la noche, y sólo al día siguiente acabará Tula por reconocer en Agustín al hombre cuya fotografía guarda siempre Remedios. Por ella sabe Agustín del persistente afecto que le guarda su amiga. Y suponemos que, como en el caso de Dabella y su

---

[3] BI, 272.

amiga de *La calle de Valverde,* Agustín habría ido a París, donde se encuentra, en su busca. Pero por Tula sabe también de la muerte de su madre en Segovia. Y esta noticia cubre todo lo demás, hasta el punto de no oponer ninguna resistencia ni intentar justificarse ante una patrulla de jóvenes «vengadores» que, en la primera madrugada nacionalista de Alicante, andan en busca de escapados del puerto, para reintegrarlos al campo de los almendros. Pareciéndoles la presa de poco interés, no se molestan en llevarlo tan lejos, dejándolo en el paseo de los Mártires con una bala en los riñones. Aub termina la novela con un epílogo de cínica amargura: el padre de Agustín, Don José María, es hoy un distinguido hombre de negocios, con despacho en la Gran Vía, acompañado de un nieto «que promete».

También en esta tercera parte de la historia el hilo narrativo de Alfaro se oculta a veces para dejar paso a otros personajes episódicos, particularmente el «Tellina», cuya majeza y portentosas aventuras lo unen a la galería de valentones de la escuela blasquista valenciana que Aub ha creado dentro del *Laberinto.* Recuérdense el Grauero de *Campo abierto* y el Victoriano Terraza de *Campo del Moro.* No por eso se acentúa, respecto de la segunda parte, ninguna de las características que distanciaban a ésta de la primera, en punto a ortodoxia narrativa. A ella tiene que forzarse, esforzándose, Aub, porque su carácter de creador le pide otra cosa: la suya natural, que es la laberíntica, la enredosa enredadera de sus *Campos,* como veremos al analizar las estructuras novelescas [4]. En este sentido, pues, debemos considerar *Las buenas intenciones* como una academia, un ejercicio de clasicismo realista, según la regla. Aunque, con camisa de fuerza, rebulla dentro de esos límites autoimpuestos la humanidad de su autor, precisamente ese rebullir es el que nos lo hace grato, dando temperatura cordial a la que de otro modo fuera helada academia. No sabemos si sería demasiado aventurado a este propósito traer de nuevo a colación la memoria de Picasso, rehaciendo las «Meninas» a su imagen y semejanza.

---

[4] Ver parte tercera, capítulo II.

Ni en Aub haciendo su pastiche galdosiano, ni en Picasso con su velazqueña academia, se delata la menor intención caricatural ni burlesca.

No fue seguramente un juego para Aub escribir *Las buenas intenciones*. En cambio es evidente la lección que el indeciso y abstinente Agustín ofrece a sus lectores, desde el título mismo de la novela, alusiva a un decir castellano revalorizado en nuestros tiempos. Título que nace de las mismas insinuaciones críticas que *Morir por cerrar los ojos*. En la obra teatral, el personaje que encarna la actitud ausentista no se salva —como se salva Alfaro, a nuestros ojos— por su inocencia inconsciente, y su desgraciado fin es más justo que el de Agustín, siendo el mismo. Es éste el condenado por confianza en la bondad humana, en las buenas intenciones de los hombres. Intenciones que, según nos deja el autor entender, no son sino un espejismo, un reflejo de su propia bondad, espejo a su vez, sin duda alguna, de la increíble inocencia de su madre. Roto el espejo —la madre—, rómpese el personaje sin remisión y sin protestas: prueba de que el resorte que le hacía parecer vivo entre los vivos no era otra cosa que el cordón umbilical, nunca roto en vida de la madre.

* * *

Los tres críticos que se han ocupado de analizar extensamente la obra de Aub dedicando alguna atención a *Las buenas intenciones* —Nora, Alborg y Marra-López— han redactado sus textos aproximadamente en el mismo tiempo, sin tener noticia de la opinión de los otros. Por ello es doblemente significativo que la unanimidad se haga únicamente en torno a determinados puntos evidentes: el galdosianismo intencional de Aub —galdosianismo al que podría también verse una alusión entre las posibles denotaciones del título—, la diferencia evidente entre estas novelas y las del *Laberinto español*, y el tema de las intenciones vanas. Pero contrastan en manera peregrina por lo que toca a su evaluación de la obra dentro del conjunto:

1) Nora considera la obra como un logrado intento de renovación «contra lo que podría creerse, dado lo personal de la fórmula narrativa y la solidez de construcción alcanzada en los *Campos* y relatos anejos»[5].

2) Alborg, por su parte, no cree que la novela «eclipse» ninguna de las obras precedentes, «pero no desmerece nada a su lado», y coincide, en cierto modo, con Nora, al considerarla como «una vertiente más de sus incontables posibilidades»[6].

3) Desentona totalmente el juicio de Marra-López, al estimar, partiendo de una posición tradicional, que «el mundo que presenta también está más estructurado y completo, por lo que brilla con mayor claridad», e insiste en que es una «superación de las anteriores»[7]. Con esta última valoración contrasta particularmente la opinión del profesor Robert Marrast, que, en el prefacio a la traducción francesa, afirma una forma de humor implícita en el carácter de *pastiche* que él atribuye a la novela[8].

2. «La calle de Valverde»

Escrita en 1959, no apareció sino dos años después en México[9]. Parte Aub de la idea de centrar su reconstrucción novelesca en torno a una casa de vecindad de la clase media acomodada, en la calle que dará título a la obra. Así, de las siete partes en que el relato se divide, la primera se dedica a los habitantes de la portería, con algunas alusiones a los inquilinos de las tiendas del inmueble, y se nos presenta la calle, en una primera descripción, como un islote del siglo XIX en el Madrid de nuestro siglo.

De esa portería nacen dos personajes de primera magnitud: Fidel Muñoz, que es cajista en un periódico, además de portero, y que pasará a las páginas de *Campo del Moro*, y su hija Marga,

---

5 *Op. cit.*, 75.
6 *Op. cit.*, 136.
7 *Op. cit.*, 192.
8 *Les bonnes intentions*, Paris, Stock, 12-13.
9 Seix y Barral debía ser originalmente el editor en España. Lo fue finalmente, varios años después, Delos-Aymá.

llamada a desempeñar en la novela una parte fundamental en las desventuras del joven Joaquín Dabella, opositor en ciernes e hijo de un ilustre magistrado y enredador, su homónimo.

En la segunda parte, prosigue Aub su designio inicial transportando el relato al piso «principal derecha», donde el relato de los amores de Paquita, hija mayor de un pintor de la generación de Sorolla —Miralles—, es el centro en torno al que se nos describe la vida en la corte de la clase media acomodada. A partir de esta familia se nos van retratando conocidos y amigos, y enredándose la madeja en historias transversales, con todas las ramificaciones típicas de la marcha en meandros que caracteriza a nuestro autor. Toda esta parte va bordada igualmente de anécdotas políticas —la acción se sitúa durante la dictadura de Primo de Rivera— y de pequeños retratos y escenas de la vida literaria. Los temas sociales del momento aparecen igualmente revividos a través de la trama, desde el hecho curioso de la aparición de *taxi-girls* en Madrid, hasta las noticias de boxeo o de toros. Sin duda ha querido Aub reconstruir el ambiente, el «tufillo de época» —por usar su expresión— en el que las vidas de los personajes transcurren, en el que se desarrollan sus actividades y se despliegan sus sentimientos y pasiones. Las acciones están dictadas por éstas y aquéllos, y aun por la voluntad de terceros: hay aquí personajes hechos sólo para obedecer y dejarse prostituir —como María Luisa, dueña de pensión, y su triste marido— y de los que se puede decir, como del protagonista de *Las buenas intenciones,* que no alcanzan la suficiente temperatura cordial para poder intentar un simulacro de vida por su propia cuenta. Frente a ellos, las voluntades fuertes y básicamente egoístas de Dabella padre, de la Sra. Miralles o del periodista Manolo Cantueso, dan el contrapeso. Y entre ambos extremos, bandeándose, los personajes que creemos más cercanos al amor de su autor: Fidel Muñoz y Dabella hijo, o el pintor Miralles, que no empujan y, no queriendo ser tampoco empujados, pasan su vida en quiebros más o menos felices. De un lado, cerebros calculadores como Isabel y Clementina, de otro, impulsivos como Cantueso o Paquita.

Ya por la tercera parte, parece como si el autor hubiese abandonado la artificiosa estructura arquitectónica por la que diera comienzo a su ficción. En su lugar, es al azar de los encuentros en paseos, tertulias de café o de sala de redacción, saloncillos, al que confía el devanar de las conversaciones de los personajes y la aparición de otros nuevos, cada uno de los cuales habla de sí y de los demás, dejándose tentar, como su autor, por el relato de cien anécdotas, del tiempo unas, las otras ficticias pero sintomáticas. Se deja el autor arrastrar por su gusto a presentar buen número de personajes anecdóticos, pintados de una vez, puestos allí con el instinto certero del que sabe la importancia de la pequeña pincelada para el efecto total, y en los que la imaginación se detiene como frente a los rostros de una gran composición velazqueña. Si bien por el gesto en que los sorprende, desnudos y en violencia las más de las veces, tienen mucho más de malicia goyesca, de negra socarronería, que de la ironía matizadísima del pintor cortesano.

Sólo en la cuarta parte aparece Victoriano Terraza, que ocupa este sector central de la novela. Es un retrato de autodidacta —como tantos levantinos famosos—, provinciano dispuesto a abrirse camino en Madrid, trabajando si no hay más remedio, pero arrimándose a sombras buenas mientras se pueda. El juego de las influencias le atrae: el presumir de estar al tanto de todo y el secreto le llevan, además de al periodismo y al mundillo de las letras, a la conspiración política. Pero es sobre todo el mundo de las letras durante aquella década lo que el autor va alzando vigorosamente ante su lector, a través de ese personaje-testigo, a la vez inocente y culpable, al que Robert Marrast ha comparado, por su ambición, con el Rastignac balzaciano, y ante cuyos asombrados ojos desfilan escritores empingorotados para los que trae cartas de presentación, y que se relaciona con los escritores de la que luego se llamará «Generación de 1927»: su vida literaria en cafés y en reuniones privadas, su ausentismo contrastante con los del 98 y con los de Marañón o Azaña. En sus tertulias se discute, sin duda, de todo. Mézclanse en ellas los personajes de ficción con los reales, según el procedimiento habitual, y entre ambos aparece el personaje que podríamos llamar «aficionado», es decir el que, siendo histórico, nos lo encubre su autor con un nombre imaginario, en el que a veces el seudónimo contiene resonancias del nombre auténtico. Algo tiene de clave, pues, esta novela, a pesar de las protestas del autor a sus amigos, a la manera de *Troteras y danzaderas*. Precisamente uno de los dos grandes personajes del mundo literario que Victoriano visita en su casa, Salvador Pérez del Molino, es el retrato más transparente de la serie, y en él queremos ver a Ramón Pérez de Ayala.

Aub insiste en que, salvo alguna rara excepción, «no hay retratos directos»... «no responden a nadie en particular». Lo cierto es que, al empezar esta visión del mundo literario por algunos retratos transparentes, el autor deja a su lector en una actitud de espera intrigada por reconocer a otras personalidades del mundo de las letras bajo los nombres de ficción. Juego intencional o no del autor, no deja el fenómeno de producirse en sus lectores, como consecuencia de dicha mezcla de personajes, particularmente cuando el retrato es mordaz. Es muy posible que el autor se haya inspirado en rasgos físicos, datos y hechos de distintas personas, para componer, al aire de su imaginación, esos personajes de nombres ficticios. Lo cual ayuda, aún más, a soliviantar la curiosidad del lector, que se traba la imaginación en el anzuelo, por causa del aparente señuelo. Resulta todo una especie de juego —cotilleo intelectual, mezcla de solitario y rompecabezas— que no será, por lo que vemos, del gusto del autor, pero que, insistimos, nos parece consecuencia del uso de esa baraja de tres palos. Y si se ha llegado al extremo de tomar al francés Barillon, su personaje, por el ilustre hispanista Marcel Bataillon, como algunos han hecho, acháquese tanto al juego como a la consonancia.

Transcurren muchos de los episodios del centro narrativo hilvanados por el episodio histórico conocido bajo el nombre de la «Sanjuanada», en la que personajes novelescos aparecen también mezclados a los históricos: un retrato de Fermín Galán, nada favorable en resumen, y que fuera histórico mercurio de la intentona, se mezcla con los de José Molina, el Dr. Juan Ruiz y su mujer Gabriela. Junto con este hilo dinámico del relato, la forma central está constituida por una visión estática contrastante del Madrid de 1926. Allí discuten, un poco a la manera de los *Campos*, socialistas, liberales, carlistas, militares, conservadores. Las cartas que Barillon escribe a «un su amigo» francés, por su agudeza, resumen la visión de un joven de formación francesa, como lo era en gran parte Aub, en su juventud de entonces.

Sigue Aub utilizando técnicas de contraste en la quinta parte de su novela. El fondo inmóvil de la dictadura, consolidado, al menos aparentemente, con su fácil triunfo frente a los conspiradores, es objeto de un lúcido balance. Y sobre esa inmovilidad se mueven y avanzan dos personajes de fábula: Molina y Dabella. El primero, al asedio de damas virtuosas, logra milagros gracias al azar de sus palabras. Menos afortunado el segundo, en tantas cosas gemelo de su antecesor Luis Álvarez Petreña, juega a Pigmalión con la que será su mujer, ayudado por su amigo el poeta y ensayista Aparicio, de fondo amargo que se nos va descubriendo en sus gestos y conversaciones, y cuyas ideas sobre la literatura y la condición humana nos transmite su autor con innegable complicidad.

Las dos últimas partes del relato dan ancho paso a los múltiples desenlaces, correspondientes a otros tantos nudos narrativos antes planteados: unos acaban en oscuros dramas de resignación; el de Aparicio, en un asesinato y un suicidio que asombran y ensombrecen la calle de Valverde. La historia de Dabella termina en tragicomedia, ya que su suicidio, también por amores, queda truncado y ridiculizado por la fragilidad y la sordidez de su instrumento suicida: la cadena del retrete, en cuyo suelo se parte la frente. Esto lleva a una explicación con el padre, por la que se descubre la íntima tragedia del joven, asustado de una criptorquidia que no sabe es hereditaria y —por lo que le jura el padre— sin consecuencias de ninguna especie.

Triunfa igualmente el arribista Terraza, que cambia su nombre por el más atractivo de Víctor, añadiendo una ese plural al apellido. Tras unos frustrados intentos de publicar en la

Revista de Occidente, simpática autocaricatura de Aub, acaba por renunciar a entrar en la «cuadra» orteguiana, y se le abren las puertas de la masonería homosexual, que, en un abrir de ojos, lo transforma en músico célebre y en escritor postinero, utilizando el mismo texto que le habían rechazado Jarnés y Vela.

La novela, tras largos e interesantes intermedios en que contertulios de todas suertes discuten viejas y nuevas teorías, entre las que destaca por su buen humor la de las zonas europeas del bicarbonato y de la aspirina, y tras una larga y discutida fiesta en Villa Rosa, lugar de encuentros a cerveza batiente, termina en París. Allí va Dabella a recuperar a su Margarita, con lo que, tras una breve e incisiva parada en el café de La Rotonde, donde conspiraban contra la Dictadura insignes literatos y militares, da término feliz a la novela. La última escena, con el desgarro aubiano que tanto le acerca a Valle-Inclán, es de tablado de marionetas[10].

Más que en su novela anterior, y renovando con mayor éxito las técnicas empleadas en los *Campos*, nos parece que Aub logra con *La calle de Valverde* una obra maestra de novela ambiental. Si la perfección mayor que, con respecto a los *Campos*, nos parece encontrar en ésta se debe al simple hecho de aprovechar una maduración y una reflexión consciente sobre la experiencia de las novelas de guerra, o precisamente al alejamiento en el tiempo, situándose en un momento histórico más remoto y a la vez menos encarnado en las pasiones políticas inmediatas del autor, como quisieran los que buscan incompatibilidades entre tales pasiones y las buenas novelas, es decir, los patronos de la «objetividad», es cosa que queda a la discreción de cada uno. Desde otro punto de vista, Juan Luis Alborg ve en *La calle de Valverde* precisamente la confirmación de la capacidad de escribir una gran novela sin recurrir al estímulo de «los móviles políticos» como «carburante». Para Alborg, como para Marra-López, la novela es el punto más elevado de la producción aubiana. Difieren, en cambio, ambos

---

[10] CV, 396.

críticos, al considerar Marra que «resulta una excelentísima novela superior en síntesis a las muestras anteriores», y estimar Alborg, por el contrario, que «no puede medirse en importancia con la trilogía de la guerra, porque la densidad y trascendencia de su tema es mucho mayor, y mucho mayor también la dificultad, bajo todos los órdenes, que exige su montaje».

Ya dijimos que *La calle de Valverde,* aun siendo una novela anterior en el tiempo narrativo al conflicto civil, nos producía la impresión de situar al lector para su más completa comprensión de los acontecimientos de la guerra y, en efecto, varios de los personajes de esa novela han desarrollado sus existencias en las dos novelas de la guerra escritas con posterioridad [11]. Pero de ahí a negar prácticamente al relato otro valor que el de pretexto «à mettre en scène des personnages qui ont vécu à l'époque où l'auteur lui-même fréquentait la capital de l'Espagne, les années vingt» [12], como pretende Robert Marrast refiriéndose a los valores novelescos de *La calle de Valverde,* va una distancia que a nosotros nos parece excesiva. No nos arriesgamos a seguir al erudito francés en su salto. Alborg, por su parte, y seguramente sin conocimiento de la opinión de Marrast, dice exactamente lo contrario sobre el carácter novelesco de la obra: «Como novela —pues que lo es esencialmente— (...) *La calle de Valverde* es una novela de una vez» [13].

Sólo la extraordinaria calidad satírica del humor que, más aún que en sus demás novelas, destila Aub en *La calle de Valverde,* consigue poner de acuerdo a todos los críticos. No seremos excepción en ello.

3. «Jusep Torres Campalans», novela

Al dar a luz, en 1958, la obra que iba a universalizar fuera del mundo hispánico su renombre, hasta entonces reservado a

---

[11] Introducción al capítulo II de esta parte.

[12] R. Marrast, prefacio a *Les bonnes intentions,* 10.

[13] *Op. cit.,* 124.

ciertas minorías eruditas europeas [14], gracias a las traducciones francesa e inglesa que se suceden en el espacio de tres años y provocan una marea de artículos periodísticos, nuestro novelista había logrado una especie desconocida de círculo cuadrado: un ejemplar surrealista de arte cubista [15].

¿Qué es cubista en el *Jusep*? Además de las reproducciones de cuadros y dibujos en los que Aub consigue perfectos ejemplares de arte de tal escuela, también es cubista, en amplio sentido, la intención de obtener una obra de perspectiva total, tal como la expone el protagonista para su propio arte pictórico:

> Lo que importa es la vida. Por eso hay que dar la misma importancia a todo y a todos los aspectos de las cosas, de los hombres. Darlos en conjunto, completos, procurando no olvidar nada. Por delante y por detrás, por arriba y por abajo. Una pintura total. Sin olvidar lo que nos funda: los objetos desde el punto de vista de Dios, que tiene mil ojos [16].

Tal intención corresponde al propósito mismo del cubismo, de la presentación total; por eso es escuela de un realismo intelectualizado. Éste, en sentido estricto, no es privilegio del siglo actual, como el mismo Aub nos lo advierte en un gesto de discreción pareja a la de su maestro conceptista, al transcribir, como primer epígrafe de su obra, el texto de Gracián en que

---

[14] No hay que olvidar, en efecto, que *Fábula verde* fue traducida y publicada en Bélgica en 1937, y que un artículo encomiástico de Paul Thomas la consagra en el *Journal des poètes* de ese año, que Jean-Louis Barrault estaba ya preparando la representación de *Narciso* al estallar la segunda guerra mundial y que una de las más prestigiosas revistas de literatura comparada —*Books abroad*— elogiaba sus libros desde 1945.

[15] La traducción francesa de 1960 fue editada por Gallimard, y la inglesa por Doubleday & Co., New York, 1962. Ambas recibieron una excelente acogida, y la americana se conjugó con una exposición organizada por la editorial en la Bodley Gallery con los «originales» de Campalans. Ejemplo de artículo particularmente importante para el éxito de la obra resulta el del novelista y crítico francés Max-Pol Fouchet en el *Express* de París (6 avril 1961).

[16] JTC, 226.

se menciona un intento pictórico inspirado en el mismo deseo de conseguir un realismo pan-perspectivista:

> Mas desconfiando mi pluma de poder sacar el cumplido retrato de las muchas partes, de los heroicos talentos que en v. m. depositaron con emulación la naturaleza favorable y la industria diligente, he determinado valerme de la traza de aquel ingenioso pintor que, empeñado en retratar una perfección a todas luces grande y viendo que los mayores esfuerzos del pincel no alcanzaban a poderla copiar toda junta con los cuatro perfiles, pues, si la pintaba de un lado, se perdían las perfecciones de los otros, discurrió modo cómo poder expresarla enteramente. Pintó, pues, el aspecto con la debida valentía y fingió a las espaldas una clara fuente en cuyos cristalinos reflejos se veía la otra parte contraria con toda su graciosa gentileza. Puso al un lado un grande y lucido espejo, en cuyos fondos se lograba el perfil de la mano derecha, y al otro un brillante coselete, donde se representaba el de la izquierda. Y con tan bella invención pudo ofrecer a la vista todo aquel relevante agregado de bellezas. Que tal vez la grandeza del objeto suele adelantar la valentía del concepto [17].

Si un relato biográfico es creación o recreación de un personaje, es evidente que un relato cuyo fin explícito sea presentar bajo todos sus ángulos un personaje que sea un pintor español de la época en que Picasso y otros «inventan» el cubismo, deberá presentar todos los datos que le conciernen: la biografía, la ubicación del hombre en su tiempo y circunstancia espacial, la reproducción de sus obras, el catálogo de las mismas, los testimonios y juicios críticos, los datos obtenidos en las entrevistas con el personaje y los documentos autógrafos del mismo. Todo eso introduce Aub en su *Jusep Torres Campalans*. Tan contemporáneo su héroe de Picasso como su creador lo es de Buñuel [18], su cuidado está sobre todo en la infraestructura y en

---

[17] De la dedicatoria de la tercera parte del *Criticón* al Dr. Lorenzo Francés de Urritigoiti.

[18] Aub ha colaborado con Buñuel como guionista, preparaba, con su ayuda, una biografía de tipo muy poco tradicional, como era de esperar de tal pareja de colaboradores.

la apariencia más externa que adopta el relato y por la que, como ya dijimos poco después de su aparición, «todo parece anunciar una monografía de arte»[19]. El recuerdo de la colección *Le goût de notre temps,* de Albert Skira, está cuidadosamente estimulado desde el formato, el tipo de ilustración, pasando por la inclusión de los anales —que vale por las *dates et concordances* de la colección suiza, los datos técnicos a propósito de cada pintura reproducida, la numeración misma de las páginas, al pie, y terminando por la sobrecubierta a varias tintas y la textura misma de la encuadernación en tela *canevas.*

Cada uno de los elementos aparentes de la realidad corresponde exactamente al modelo que el autor se ha señalado para la transcripción. Pero, como en toda obra surrealista clásica[20], todos esos elementos están presentados en una atmósfera de irrealidad obtenida por la dislocación, la deformación artera y sigilosa, más o menos perceptible para la mirada inadvertida, de todos y cada uno de esos elementos que sugieren la realidad y a la vez la deforman intencionalmente. Y nos parece evidente que, al examinarlos cuidadosamente, *ninguno* de los elementos antes mencionados, que servían para evocar el recuerdo de la monografía de arte, corresponde exactamente a ella[21]. Nada menos nos parece tener que exigir si el *Jusep Torres Campalans* debía elevarse del nivel de ingenioso *pastiche* al de recreación artística original. Las deformaciones, todas evidentes cuando, después de terminada la lectura y contemplación del libro y provocadas las primeras sospechas de impostura, lo revisamos de la cruz a la firma, se evidencian en todos los elementos de la seudo-monografía. Para no hacer excesiva la enumeración, nos limitaremos a algunos ejemplos que ilustren nuestro aserto.

---

19 I. Soldevila-Durante, *El español M. A.,* 119.

20 No teniendo mucha más formación artística que la de todo «peintre du dimanche» aceptamos los conceptos expuestos por Arnold Hauser en su *Historia social de la literatura y el arte,* versión española de Ed. Guadarrama.

21 Hacemos la comparación a partir del volumen de la colección que nos parece más adecuado para el efecto: el *Picasso* de Maurice Raynal, Laussane, Skira, 1953.

Además de las diferencias puramente materiales —el formato ligeramente distinto, por ejemplo— las que corresponden: 1) a los anales, como la intromisión de personajes ficticios entre los importantes hombres históricos nacidos en una fecha determinada. Así, Luis Álvarez Petreña aparece entre Jean Cassou y William Faulkner, entre los nacidos en 1897; 1) a los autorretratos de Aub y las caricaturas de sí mismo dispersas a lo largo de las supuestas creaciones de Campalans. Nos parecen seguras, cuando menos, las viñetas caricaturales de las páginas 190 y 193, el «neptuno» ubicado entre las páginas 128 y 129, y el «sabio» entre las 184 y 185, que pueden compararse con el «autorretrato del espejo» y el «autorretrato de memoria» aparecidos en la edición de *Cuentos ciertos* y de *Ciertos cuentos*, respectivamente [22].

Algunas máximas de la estética de Campalans en las páginas de su diario de 1912 apuntan a insinuar al lector el procedimiento, y pueden resumirse en una de ellas: «Si se junta lo supuesto verdadero con lo falso, dar pistas, dejar señales para que todos hallen el camino del alma» [23].

No podemos dudar del valor fundamental de dicha afirmación puesto que aparece apoyada por una de las tres citas puestas como epígrafe al libro. Hemos mencionado ya el texto y la intención de la cita gracianesca, e igualmente importante es la tercera, de Ortega, acerca de la identificación de la creación con el creador [24]. La segunda, que aquí consideramos, es de un supuesto Santiago de Alvarado, y dice así: «¿Cómo puede haber verdad sin mentira?» [25].

---

[22] México, Antigua Librería Robredo, 1955. No es casualidad, sino intención patente, que el retrato del espejo aparezca al frente de los cuentos que no lo son, tomados directamente de la realidad —el espejo a lo largo del camino—, y el de memoria preceda a sus cuentos de pura imaginación.

[23] JTC, 230.

Apunta, más claramente que ninguna otra, a lo mismo una de las últimas frases con que describe las circunstancias de la postrer entrevista de Aub con Torres. Se separan ambos, y Aub regresa a su fonda: «Al pasar frente al espejo del gran perchero le vi andando. ¿Qué había debajo de esa costra?» [26]. El pronombre *le* apunta a Jusep, pero lo que Aub ve al pasar frente al espejo es, evidentemente, la imagen de Max Aub mismo.

Reconocemos, desde luego, que una observación del texto menos prevenida que la nuestra, puede hacer vacilar al lector [27]. Es posible engañarse con el cúmulo de apariencias y el tono de perfecto y concienzudo investigador adoptado por Aub. Éste llega al extremo de 'falsificar' artículos de revista, cartas, referencias, fotografías de Campalans con Picasso, y otras de los padres del pintor, tomadas de una galería de retratos folklóricos. Así le ha podido suceder a un profesor y crítico literario, por otra parte tan notable como Juan Luis Alborg, quedarse en la incertidumbre de la existencia o el origen ficticio de Campalans. A pesar de tener en cuenta nuestras observaciones, después de la lectura del libro, decía:

> ¿Qué hay de cierto en todo ello? Los testimonios, referencias y cartas que se citan, para informarnos sobre el personaje, son de conocidísimos pintores o escritores; el libro tiene a trechos el carácter de una severa información. Y sin embargo, nos da en la nariz que no se trata sino de una genial superchería y que Torres Campalans es una soberana ficción y que no ha existido sino en la mente de Max Aub. Soldevila Durante, en el artículo citado, escribe —en las escasas veinte líneas que dedica a este libro— que se trata de «un pintor imaginario, pero menos», y asegura que «las pinturas son del mismo Aub».
>
> Como la impresión de verdad es, por otra parte, tan poderosa, escribí al propio Max Aub preguntándoselo; pero no me dio respuesta concreta, como yo pedía. Se limitó a remitirme un folleto de presentación para la edición francesa, firmado por Jean Cassou, que tampoco me sacó de dudas. Mejor dicho, Cassou no alude para nada a la posible ficción, salvo una frase

---

26 *Op. cit.*, 290.

27 Ya hemos dicho saber desde antes de su aparición que se trataba de una novela.

> misteriosa, que lo mismo puede suponer mucho que nada: «Or c'est là le véritable univers original de Picasso. Grâces soient rendues à Max Aub qui nous les restitue par la biographie de cet extraordinaire Campalans. Et tout s'illumine dès que nous admettons que Campalans est aussi possible que Picasso, et Picasso aussi hypothétique que Campalans». Si he de decir la verdad, preferiría que el libro fuese de punta a rabo —yo creo que lo es— una total mixtificación. Porque entonces me parecería aún más extraordinario [28].

Hemos citado extensamente lo que precede porque, como decíamos, nos parece resultado de una meditación sobre la obra que partía, no sólo de la simple lectura, sino de afirmaciones muy claras por nuestra parte y no menos deducibles de Cassou. A menos que el lector estuviera, como Alborg, bajo la tremenda impresión producida en él por la lectura del libro. El conocimiento de afirmaciones posteriores que contradecían su impresión no le bastaron a convencerse del carácter puramente novelesco de Campalans. No podíamos imaginar mejor homenaje al logro artístico de una creación integral que esta confusión del crítico, a quien la visión simultánea de las cuatro caras del pintor le dio la impresión de una realidad superior a la realidad diaria: de un superrealismo.

Que *Jusep Torres Campalans* sea o no calificable y clasificable como novela es una cuestión que se asimila al dilema de las nivolas de Unamuno y de los sonites de Manuel Machado. El *quid pro quo* que consiste en tomar el *Arte poética* de Aristóteles por una retórica normativa, cuando no es más que una feliz comprobación de la realidad literaria observable y viva en su tiempo, es, como se sabe, historia vieja que remonta, cuando menos, al siglo clásico del teatro francés y que, como se ve, es manía prácticamente imposible de rematar, porque está en la base de todas las pasadas y futuras querellas de antiguos y modernos. Limitémonos aquí a repetir la nunca bastante recordada frase de Giordano Bruno, personaje de la devoción aubia-

28 *Op. cit.*, 127-28.

na, y por la cual, si no la Inquisición por sus herejías, lo hubiera quemado vivo el cónclave de la ortodoxia literaria francesa, de haber coexistido con ella: «La poesía no nace de las reglas, sino que las reglas derivan de la poesía; y así existen tantas normas cuantos son los buenos poetas» [29].

Así, lo que importa saber es si Aub, al escribir su obra, creyó o no haber escrito una novela. Para conservar a su libro la necesaria ambigüedad, Aub no pudo acogerse —ni ahora por ello tampoco el crítico— a la simple receta implícita en la definición estricta de Camilo José Cela, que afirma ser novela todo lo que se publica con expresa mención de serlo. Pero posteriormente Aub ha afirmado repetidas veces que el *Jusep* tiene categoría novelesca, y así se lo reconocen implícitamente Eugenio de Nora, Marra-López y Alborg [30]. Aub, en su *curriculum vitae,* lo titula inequívocamente novela. Cabría preguntarse si Aub, al llamar luego novela a su libro, no hace sino aceptar la interpretación de la crítica, no habiendo pensado en un principio haber hecho sino un divertido *pastiche,* con lo que se prepararía para mañana la eterna vuelta del cuento de «Cervantes, ingenio lego». Por suerte, disponemos de un documento que resuelve toda duda: la carta que, al día siguiente de terminar su redacción, nos escribía Aub, y en la que se excusaba de su silencio por «el empeño en acabar una nueva novela que, tal vez para Ud., sí lo sea. Ayer le puse punto final a mi *Jusep Torres Campalans* y hoy le escribo» [31].

Si hacemos una cándida definición del libro, podemos decir que se trata de una larga ficción en prosa e ilustrada, en la que se relatan y presentan la vida y la obra de un pintor creado por la fantasía del escritor. Así definido, ni el más cerrado retórico vacilaría en etiquetarlo de novela. Que la presentación de los materiales sea enteramente distinta de la habitual no puede plantear sino problemas de renovación genérica.

---

29 *Eroici furori,* I. En Hauser, *op. cit.,* I, 384.

30 «Explosión del género novelesco» (*op. cit.,* 76); «biografía novelada» (*op. cit.*), 205.

31 Carta del 20 de septiembre de 1957.

Max Aub ha escrito un modelo ejemplar de obra abierta, en la que la participación del lector es, no sólo esperada, sino exigida por la contextura misma del relato. Los múltiples acercamientos que la obra permite en su intencional polivalencia no son sino consecuencia de esa apertura fundamental: «Historia de un pintor imaginario... proceso de un cierto arte contemporáneo», como dijimos en 1961[32]; «ingenioso recuerdo histórico y crítico», como dirá Marra-López en 1963[33]; «pretexto para reflejar con vigor una parcela de la vida catalana a principios de siglo, y unos cuantos aspectos esenciales de la evolución del arte moderno», según Nora[34]; «magnifique canular» para Robert Marrast[35]. Otras tantas y primeras consecuencias de una exégesis que, en nuestra opinión, no hace sino empezar.

No olvidemos en fin que, como experiencia original, ni es la primera ni será la última vez que el autor hace obra partiendo de un modelo al que parodiar y, de esta técnica paródica, se va elevando trascendiéndola y dándole una nueva dimensión, según una antigua receta que Aub recibió posiblemente del autor del *Quijote* y que han recibido igualmente, no sabemos a través de qué caminos, los novelistas del *nouveau roman*, como lo asegura recientemente el profesor Antonio M. Risco[36]. Por lo que toca a Aub, recuérdense su texto paródico de erudición antropológica que es la *Historia de Jacobo* y, en el género de la erudición antológica, sus *Antologías traducidas*[37], en las que, recreándose, reconstruyendo todo un mundo de autores con sus obras poéticas estrictamente de época, repite la hazaña del *Jusep*. No va en ello —nos confirmaría el propio Aub seguramente— mucho más allá que el padre de Abel Martín y de Juan de Mairena.

---

32 *Loc. cit.*, 119.
33 *Op. cit.*, 205.
34 *Op. cit.*, 76.
35 *Op. cit.*, 9.
36 En su conferencia *Azorín y el «nouveau roman»* en la Université Laval, Québec, 1969.
37 México Ed. Universitaria, 1963 y en *Papeles de Son Armadans*, Palma, mayo 1966, vol. CXXII.

4. «JUEGO DE CARTAS»

Novela epistolar y retrato de un hombre en ciento ocho breves cartas [38]. En cada una de ellas hablan sus firmantes a propósito del difunto Máximo Ballesteros, muerto, al parecer, repentinamente. Algunos aluden a las circunstancias de la muerte, considerándola como suicidio unos, otros como asesinato perpetrado por su mujer, celosa. El médico certifica en una de las cartas que Máximo ha muerto de una trombosis coronaria. Quedamos en la incertidumbre. Unos lo recuerdan como hipócrita, egoísta, incapaz de afectos y de generosidad. Otros como buen amigo, siempre dispuesto a los favores. Apenas se pueden sacar algunos datos concretos sobre su existencia: que amó a muchas mujeres, que muchas de ellas le amaron y otras se entregaron a él por gusto; que era hombre poco comunicativo, especialmente con los hombres: todos ellos, cuando se interrogan, parecen ignorar lo que Máximo hacía en esta vida. Odio y amor en todas las cartas, muy raras las que denotan indiferencia, pero que parecen encubrir igualmente uno u otro de los sentimientos citados. En ningún caso desprecio, que, como dice uno de los «epistolantes», es lo contrario del amor, y no el odio.

Por muchos conceptos se asemeja el personaje a su creador, a partir de su nombre. Otra cosa sería compararlo con alguna de sus criaturas favoritas, acercándolo, por ejemplo, a Julián Templado, con el que presenta gran semejanza.

Juego de cartas, que estamos quizás considerando mucho más en serio que su propio autor, nos parece consecuente con las tendencias renovadoras del género narrativo que defiende, en la práctica, Max Aub, como ya se ha visto a propósito de *Jusep Torres Campalans.* En *Juego de cartas* nos complace ver el paradigma de la obra abierta, es decir, de una obra cuya cualidad fundamental es la de presentar un mensaje esencialmente ambiguo. Para realizar esta ambigüedad, que parece ser

38 México, Ed. Alejandro Finisterre, c. 1964.

su valor fundamental, Aub recurre a la presentación desordenada de los elementos que la constituyen, dando al lector la posibilidad de interpretaciones diversas del texto. Ya comprendemos que en sus límites, una obra de arte deja de serlo cuando la intervención del receptor del mensaje —en nuestro caso el lector— asume una importancia que podríamos estimar como fundamental a la obra. Mejor dicho, deja de ser obra de arte del primer autor para serlo de su intérprete. En cierto sentido, es el principio de autoría el que se ve replanteado en un mundo cada vez más socializado, en el que los valores individuales, por la fuerza de las cosas, van perdiendo puestos en la escala estimativa, en favor de los valores colectivos, presentes, por ejemplo, en las obras fundamentales de la Edad Media, y razón, entre otras, del anonimato de tantas de ellas.

Juego de cartas, en su mismo título, es ya portador de una ambigüedad nacida de las dobles acepciones de cada uno de sus términos (*juego*: 'conjunto homogéneo disponible' y 'objeto de diversión'; *carta*: 'naipe' y 'misiva'). La misma ambigüedad se mantiene en toda la obra, puesto que las misivas se nos presentan al dorso de los ciento ocho naipes que constituyen dos juegos de cartas o barajas. Los juegos de naipes son reproducción de originales realizados especialmente para el caso por el mismísimo Campalans, el otro yo de Aub, el yo artista de la materia pictórica. Viene ahora a devolver el servicio que el Max Aub escritor le rindiera, ayudándole a dar origen a la novela del pintor y colabora con sus diseños al nacimiento de este retrato mosaico de Máximo Ballesteros, cuya identidad próxima con el novelista está ya señalada no tanto por la anécdota como por el prisma multicolor del carácter que el creador nos ofrece de ese su espejismo. El juego que Aub propone a sus lectores tiene un mínimo de reglas. En realidad, la única es la del azar, como en la mayoría de los juegos de naipes y como en la vida del hombre, que los hizo a su imagen y semejanza:

> Se baraja, corta y reparte una carta a cada persona que toma parte en el juego. La primera a la derecha del que dio lee su texto, luego el siguiente, hasta el último. Después, el primero saca una carta del monte formado por las que quedaron,

> la lee, y así los demás sucesivamente, hasta acabar con los naipes. Puede variarse el juego desde el principio dando dos o tres cartas, a gusto de los jugadores, con la seguridad de que el resultado será siempre diferente. Es juego de entretenimiento; las apuestas no son de rigor. Permite, además, toda clase de solitarios [39].

Y terminan sus sucintas instrucciones afirmando: «Gana el que adivine quién fue Máximo Ballesteros». Tanto como decir que es un juego sin ganador o en el que todos ganan, ya que todas las interpretaciones de quién, cómo o por qué fue Máximo Ballesteros están basadas en los mismos elementos: los juicios y opiniones acerca de él, que se desprenden de las breves misivas. La interpretación, de ese modo, sólo puede quedar orientada por el azar que dispone la lectura de unas opiniones y puntos de vista antes que los otros, estableciendo, en cierto modo, inevitables y determinadas modalidades prejudiciales. Por eso es, sobre todo, la reacción personal e individual de cada jugador (en una palabra, su eco, determinado por su propia estructura, por la disposición de su receptividad) el factor fundamental en la interpretación que de las circunstancias y del *puzzle* hará cada participante. Y se ofrece, a la vez, como labor colectiva, con preferencia a la lectura personal, solitaria. Lo que supone un estímulo a la discusión interpretativa, a una participación colectiva semejante a la que puede provocar la representación de una pieza de teatro épico-didáctico, como lo son muchas de las obras en un acto de Max Aub, que él mismo calificaba de «escala teatral para mejor comprender nuestro tiempo» [40]. En ellas, como en *Juego de cartas*, el autor propone una cierta situación tensiva, ofrece sus datos con desprendimiento épico y, sin presentar solución, eleva ante sus espectadores la interrogación interpretativa, a la que ellos mismos deben responder.

---

[39] Las reglas aparecen impresas en la funda en que se contienen las cartas del juego.

[40] SdeE, I, nota inicial.

VI

LOS RELATOS DE POSTGUERRA NO INCLUIDOS EN EL *LABERINTO ESPAÑOL*

Aquí reunimos todos los relatos de Aub que no tienen como tema ni fondo la guerra civil española y que, por consiguiente, no fueron incluidos en su lista del *Laberinto mágico*. Estos relatos, cuya extensión varía notablemente, desde la condensación en breves líneas hasta las mayores dimensiones del cuento y de la novela corta, han sido publicados en muchos casos en revistas, antes de ser coleccionados en volúmenes dedicados exclusivamente por Aub a tal género. Un primer intento de agrupación de todos estos relatos, aparecidos entre 1948 y 1968, a partir de los motivos que en ellos sirven de base argumental, propondría a nuestra atención tres tendencias diferentes: el tema mejicano, el exótico-legendario y la actualización de temas mitológicos. Todos los relatos que no entraran en ninguna de estas tres categorías podrían reunirse en un cuarto grupo, compuesto por pequeñas instantáneas de la vida cotidiana, unas veces con dimensión satírica o cómica, otras con dimensión netamente trágica. Y, entre ambos extremos, todas las situaciones intermedias imaginables.

Renunciamos, sin embargo, a este tipo de presentación, dejando, por supuesto, constancia, al inicio de cada análisis particular, del grupo en que nos parece más fácil incluir el relato en cuestión. Para no repetir hasta el cansancio las frases en que dicha pertenencia temática se haría constar, nos limitaremos a señalarla por una cifra, de uno a cuatro, en un paréntesis inserto a continuación del título del relato, según el orden siguiente: (I) tema mejicano; (II) tema exótico-fantástico; (III) tema mitológico actualizado; (IV) instantáneas de la vida cotidiana.

Nuestra renuncia a presentar el análisis de los relatos agrupándolos por dichos temas responde, en primer lugar, al temor de que, dejándonos llevar por esa comunidad temática subyacente en los relatos, pasemos por alto el hecho, a nuestro parecer fundamental, de que todos ellos han sido concebidos como unidades perfectamente independientes desde el punto de vista artístico, cosa que, en general, no se aplicaba a la mayoría de los inspirados en la guerra civil y en sus secuelas. En segundo lugar, los relatos de temas comunes han sido escritos en momentos muy alejados unos de otros, y sólo nos hemos sentido autorizados a analizarlos en grupo cuando el autor ha decidido reunirlos en un volumen intencionalmente temático, como es el caso de los *Cuentos mexicanos.*

Por estas razones, y habiendo extraído ya del conjunto los relatos que tocaban la guerra civil, procederemos a analizarlos siguiendo el orden de los volúmenes en que fueron reunidos por el autor. Una presentación de los relatos por riguroso orden cronológico, que tendría la ventaja de permitir una observación minuciosa del proceso evolutivo en la técnica narrativa, punto por punto, es a un tiempo poco práctico e irrealizable por el momento. En efecto, al estudiar la narrativa aubiana técnicamente, ésta nos aparece como ya muy definida desde sus primeras realizaciones de postguerra, y, por otra parte, sólo raras veces Aub menciona al final de sus narraciones la fecha de composición, a diferencia de lo que acostumbra en las novelas.

Procedemos, pues, a una revisión de los relatos cortos de Aub por orden de publicación de las colecciones, empezando por *Algunas prosas,* y no por *Sala de espera.* En efecto, ésta es una colección que tiene todo el aspecto externo de una revista literaria de creación, que podríamos, como tal, considerar y analizar en su conjunto como un trascendental *pastiche*, uniéndola a *Jusep Torres Campalans*, a *Juego de cartas*, *Antología traducida* o a *El correo de Euclides* [1]. Pero la heterogeneidad de su contenido, por una parte, y, por otra, el hecho de que todos los relatos allí contenidos hayan sido luego reproducidos en una u otra de las colecciones que vamos a revisar, nos inclina a ocuparnos de su contenido narrativo a través de estas últimas.

1. «ALGUNAS PROSAS» [2]

Aparecido en 1954, reúne una serie de relatos breves que, en su mayoría, habían aparecido en las distintas entregas de *Sala de espera*. La fecha que, en esos casos, aparece junto al título del relato no corresponde necesariamente a la de composición, sino a la de publicación en dicha revista. Analizamos aquí catorce de los dieciséis textos, habiendo ya analizado, entre los relatos del exilio, el titulado *Playa en invierno*, y considerando el último —*Recta retórica*— como prosa no narrativa.

La gran serpiente (II) (1948). Dos impresiones distintas han podido fundirse en este relato que narra el inesperado giro que toma una intrascendente tarde de caza. El perro del protagonista-narrador, en vez de cobrar la pieza cazada al vuelo, empieza a estirar de entre unos brañales la cola de una serpiente interminable. Dos obreros la van devanando en grandes bobinas. La tierra va vaciándose de su entraña, la gran serpiente. Y ante la catástrofe inminente, el cazador dispara contra los obreros. Al reabsorber la serpiente, el mundo recobra sus dimensiones y su consistencia. Las dos impresiones a que hacíamos alusión podrían ser: *a)* la visión de un pájaro extrayendo de la tierra un gusano, con su pico, y *b)* la observación de un grupo de obreros trabajando en la instalación de cables sub-

---

[1] Se trata de un breve «pastiche» anual de periódico, que Aub hacía llegar a sus amigos en las Navidades, y en el que se fabrican estupendas serpientes de mar.

[2] México, Los Presentes, 1954.

[3] Ver *Del tiempo justo de la descomposición*.

terráneos. Añádanse especias de humor y fantasía, apóyese la imaginación en el viejo mito de la serpiente-tierra, dejemos incluso a los marxistas la posibilidad de inventar simbolismos a partir del tiro contra los obreros, y obtendremos, así una sucinta anatomía y fisiología posibles de un relato aubiano.

Trampa (II) (1948). Seleccionado este relato para su antología de mejores páginas, nuestra impresión de que la selección era ilógica se basó en una primera lectura del relato [4]. En efecto, el cuento nos parecía atípico dentro de la imaginería narrativa del autor. Preguntándonos el porqué de la aparente contradicción, y después de una lectura más detenida, fuimos comprobando que sólo el tono de misterio constituía un elemento inhabitual. La atmósfera de pesadilla, el final sin final, que deja al personaje monologante en su trampa, puede resultar una excepción. En cambio, por el mismo análisis llegamos a dos conclusiones que justifican la selección. Pone el relato a su personaje en una situación que podemos llamar laberíntica sin abuso del término. Pero aquí, caso único, el personaje que circulaba en el laberinto sintiéndose como dentro de sus límites —«¿Por qué no había seguido derecho, corredor adelante? Ahora estaría libre, por el corredor, en la luz» piensa el personaje— [5], ha caído en un pozo dentro del laberinto. Puro azar: «Por no pensar, por no fijarse, por no andar con pies de plomo. Cogido, al azar» [6]. El personaje intenta poner orden dentro del caos en que amenaza hundírsele el pensamiento. Recurre a razonamientos, a argumentos de orientación y de situación. A conjuros. Todo inútil: «Bien, he aquí el orden. ¿Pero para qué sirve, si he caído en una trampa?». Sin embargo, no ceja. Mantenerse en pie le parece extremadamente importante. «Si se sienta uno en el suelo está todo perdido». Dentro del texto no aparece explicación plausible de la afirmación. ¿Hemos de suponerle una intención simbólica? Sentarse en el suelo equivaldría a ceder, a abandonarse al destino. Segundo problema: la alusión a Dios.

---

4 *Mis páginas mejores,* Madrid, Gredos, 1966, 220-22.
5 AP, 12.
6 *Ibid.*, 14.

«La razón de la trampa. Nadie lo podía prever más que yo. Entonces ¿hay que creer en Dios sólo cuando se cae en una trampa?». Nueva apertura a la interpretación del relato como una transposición de la condición humana, llevada a un callejón sin salida. La única esperanza del recluso, en conclusión: «La salvación vendrá de afuera. Es vergonzoso, pero sin remedio. Entonces ¿hay que esperar, sentado en el suelo? ¿Y si me olvidan? *Las sabandijas que están encovadas en la pared*» [7].

La última frase, subrayada por el autor, resulta, por el hecho mismo, imposible de considerar a la ligera. La frase no parece encadenar lógicamente con la acuciante pregunta que la precede. Podríamos suponer que, en este monólogo interior que constituye el relato entero, la frase no representa sino la transcripción de la impresión visual del monologante, la presencia del plano real ante los ojos, como contrapunto de la expresión mental, e independientes una de otra. Pero en ese caso el subrayado nos parece injustificado. El subrayado, por consiguiente, señala la continuidad con la pregunta. Más problemática es la interpretación de la frase de acuerdo con su cualidad mixta de imagen visual y de respuesta a la pregunta. ¿Quiérese decir que si le olvidan acabará como las sabandijas encovadas en la pared? Encovadas sabandijas en una pared descrita antes, en dos ocasiones, como lisa. Esta incongruencia parece tenerla presente el personaje, puesto que, acto seguido, encadena con otra incongruencia contextual, explicitándola: «Y de dónde viene la luz, si no hay resquicio que le deje paso?». Sigue una última frase, con la que acaba el relato, y que tampoco tiene explicación inmediata: «Lo espantoso era que había perdido la voz». ¿Espantoso porque, esperando la salvación del exterior, sólo su voz podría convocar al deseado liberador? (Señalemos que en el relato, cada vez que el personaje monologa, el autor abre un paréntesis. El último, abierto en la página 14, queda sin cerrar, suponemos que por descuido o errata. Lógicamente el paréntesis debe darse por terminado en la penúltima frase, y la última sería, pues, del narrador.)

---

7 *Ibid.*, 16-17.

Las encovadas sabandijas, la luz no explicada, las flores de las que, en su cólera, decide «no dejar una sana». Otras tantas presencias enigmáticas a las que Aub no nos tiene habituados. Es cierto que ha escrito otros relatos fantásticos, como veremos más adelante, pero en ninguno de ellos se produce esa presencia inquietante de la razón sin razones. Nos explicamos: en ningún relato fantástico se pretende racionalizar la fantasía: las cosas son como son en ese mundo del que la razón está ausente e ignorada, mundo pre-racional. En cambio, en *La trampa* estamos de lleno en un mundo racional interno que se enfrenta con unos imprevisibles e irrazonables límites externos que sobrevienen de pronto. Y es eso, creemos, lo que provoca esa condensación de la inquietud en que baña todo el relato.

Si nos atenemos a la definición de lo trágico que Aub da más adelante [8], podríamos atrevernos a interpretar *Trampa* como símbolo, o mejor, alegoría, de la tragedia humana, no de la tragedia como arte. «Las auténticas tragedias carecen de antecedentes, ni tienen razón de ser. Suceden de repente y embargan». Y eso justificaría, dentro del contexto alegórico, los elementos no racionalizables por parte de la víctima de la tragedia. Y el autor, al no interpretarla, decide por una vez suprimir la dimensión o plano del contemplador, que convierte la materia bruta y brutal de la tragedia humana en obra de arte. Compárese, como ejemplo útil, el primero de los relatos extraordinarios de Edgar. A. Poe —*El pozo y el péndulo*—, para comprobar las diferentes dimensiones a que nos referimos. *La trampa* sería el equivalente perfecto del relato de Poe, al que se le hubieran suprimido las razones de su presencia en el calabozo y la posibilidad de actuar, siquiera sea ilusoriamente, contra los designios de sus torturadores.

Recuerdo (IV). El narrador, un negro innominado, recuerda cómo a la edad de 13 años interrumpió el idilio de su vecina de 25, Margarita, echando por las bardas al jardín en que ella se encontraba con Sóstenes —su pretendiente— un gran trozo de carne cruda que se interpone entre los amantes. El mismo

---

[8] Ver nota 3.

narrador, al recordarlo, no comprende cómo aquel pedazo de buena carne de res pudo deshacer la boda. Relato de situación, de imaginarse la escena que ni el mismo narrador ha podido presenciar, escondido del otro lado de la barda. Nos parece evidente que si el narrador ignora las razones, el autor las imagina.

El fin (II). Relato de una pesadilla, en que la víctima se traga un número: el seis. Se le atraganta éste, intenta vomitarlo, y vuelve a su cama aceptando morir asesinado por el seis, al que siempre ha detestado. El otro número que podría haberse tragado, según piensa el personaje, es un cuatro. Termina el relato descartando definitivamente la responsabilidad del cuatro: «El 4 siempre es inocente» [9]. Si alguna clave puede explicar el relato, confesamos paladinamente nuestra más completa ignorancia.

Amanecer en Cuernavaca (IV) (1944?). El narrador se despierta en una casa rodeada de huerta, al amanecer, y su retina transmite minuciosamente al contemplador toda la variedad de color y de formas del lugar. Mientras el observador se complace mirando, apuntan también, con el amanecer, los primeros hilos de su pensamiento, y se hace con su cuerpo a la gozosa presencia y a la existencia sin demasiada cuenta de lo que le ocurre. Y, en el último instante del texto, el contemplador se dice: «Como si fuese en Aragón o en Cataluña». Una vez la memoria ha sobreimpreso los colores de su recuerdo al dibujo que la retina graba cara al presente. Sólo por la frase final sabemos, pues, que es un español el protagonista de la contemplación: el autor.

Turbión (IV) (1944?). Descripción de un chubasco torrencial, contemplado por un narrador que parece estar situado en el mismo lugar desde el que se describe el *Amanecer en Cuernavaca*. La breve descripción mantiene una perfecta curva narrativa, desde el tempo lento que corresponde al manso caer de las primeras gotas, que levantan el olor de la tierra, pasando por el *crescendo* con la intensidad del fenómeno descrito, hasta

---

[9] *Op. cit.*, 22.

el *fortissimo* del turbión en su apogeo. Y después de un *staccato*, el *maestoso* del sol y el azul celeste, restableciéndose de nuevo el olor de la tierra, ahora empapada de frescura. La *coda, scherzosa*: un perro que asoma, unas faldas arremangadas. Y prosigue la vida interrumpida por la furia del meteoro.

Trópico noche (IV). Nocturno de un insomnio, calma chicha que achicharra al hombre de clima templado, no hecho a la pesada atmósfera de la tierra baja y costera del Pacífico tropical. Se siente extraño a todo, y una impresión de hostilidad por parte de su nueva circunstancia hace aún más insoportable el agobio del calor. Ruidos, roces, luces, bultos en la media luz, olores, alimañas de la noche, vegetales, el latido mismo del propio corazón, el correr de una gota de sudor, todo adquiere dimensiones de opresión insoportable bajo el peso insistente del calor todopoderoso. El sueño toma cuerpo a los pies de la cama, como serpiente enroscada en sí misma. La última visión del insomne: la serpiente, que ya le cerca, envolviéndole. Tanto este relato como los dos anteriores pueden igualmente clasificarse como de la categoría (I), puesto que están ubicados en Méjico.

Ese olor (IV) (1948). Monólogo narrativo de un obseso, huyendo del olor que le acosa, del olor de una carroña que, una vez agarrado a él, no le suelta, exasperándole. Toda la finura sensorial de Aub se despliega en estas dos páginas, mientras la víctima del olor se agita, hace y argumenta consigo mismo, para desembarazarse de su pesadilla olfativa. No podía aquí faltar la faceta visual de la sensibilidad aubiana, como para demostrar su dominio sobre el conjunto de sus facultades sensoriales: el olor tiene color. Y la descripción del rojo que se le atribuye es una pieza tremenda, de «tremendismo».

Homilía de la noche del Año Nuevo (1 de enero de 1950) (IV). Medita el autor en la noche del nuevo año, noche envuelta en paz, que suscita en su contemplador un goce inusitado, haciéndole invocarla para que siempre permanezca con él, incluso en medio de la agitación de la ciudad y los días. Una paz que el autor se guarda muy bien de confundir con el sueño: «Nada duerme. Es la paz viva, ese aire que, por otro buen nombre, se llama esperanza»[10]. El breve texto, salvo error, es el único dedicado a Perpetua, su esposa. *Honni soit qui mal y pense.*

Esa (IV). Breve descripción de la apariencia exterior de una joven mujer. Los rasgos del retrato coinciden, en más y menos, con los de varios personajes femeninos descritos por Aub. El hecho de figurar una vez más aquí, ocupando lugar independiente, nos confirma que el autor, como Julián Templado, ha «imaginado una figura bastante precisa de la mujer que quería»[11].

Juan Luis Cisniega (I). Anterior a 1948, apareció como *José-Luis Cisniega* en *Sala de Espera,* y se incorporará, en su tercera salida, a los *Cuentos mexicanos.* Por ello lo clasificamos de ambiente mejicano, por lo demás poco aparente. Retrato de *self-made man,* tiranillo de pegujal y tejas abajo, dominador de su territorio de veinte leguas. Los demás trabajan por él. Las minas descubiertas en su territorio le llevan a emigrar, lares con penates, a otro territorio más tranquilo: No le importaban los millones, «lo que quería era mandar». «Lo malo es que allí tropezó con Juan Luis Cisniega —el otro— dueño, a lo que él decía, de aquellas tierras, y murió a sus manos, en un duelo»[12]. Microcosmos que en la rebotica de su autor vale, en su reducción a escala mínima, por tantos ejemplos de más alzada. La distancia los hace iguales a todos en los gemelos vueltos del revés que son la socarrona contemplación del autor: de ahí la identidad de los nombres, subterfugio alegórico que luego utilizarán Juan Chabás en *Fábula y vida* y Goytisolo-Gay en *Las afueras.*

Elogio de las casas de citas (IV) (1948). Gracias al fácil procedimiento de ofrecer a la descripción del relato una variante disyuntiva a ciertos detalles, logra el autor una tipificación, una «ejemplaridad» al relato de un encuentro de placer en una casa de tal. Si por una vez respeta el escritor la «asepsia sentimental» que preceptuaba la escuela deshumanizante, es precisamente

---

[10] *Ibid.*, 41.
[11] CS, 37.
[12] AP, 46.

aquí, en donde, por la fuerza de las cosas, no se mezclan los sentimientos con los sentidos, que bailan gozosos en su libertad provisional. Puesto que este respiro puramente sensorial es posible gracias al sistema burgués que mantiene tales casas, por una vez también el autor hará un elogio de la linfa de tal sociedad, terminando: «Decidme si conocéis algo más perfecto, ¡Oh maravilla del dinero! »[13].

Del tiempo justo de la descomposición (IV). Breve imaginería sobre lo bien fundado de la natural descomposición de los cuerpos: ni la pulverización instantánea, ni la incorruptibilidad; ésta, por demasiado embarazosa; aquélla, por no dar tiempo a los allegados a habituarse a la idea de la muerte. De este humor macabro se pasa a una conclusión de consecuencias imprevisibles, por una definición de la tragedia comparable a esa muerte por pulverización instantánea, y con la distinción entre tragedia humana y tragedia como obra de arte. Las consecuencias, en cuanto a la explicación de ciertas técnicas narrativas de Aub, especialmente de sus relatos breves, son importantes. La impresión que pretenden levantar sus abruptos finales se basa, precisamente, en esa azarosa y súbita imprevisibilidad de lo trágico.

2. «Ciertos cuentos»

Reúne esta colección catorce cuentos y dos novelas cortas que, por su temática, se presentan en contraste con los relatos publicados simultáneamente en *Cuentos ciertos*. El simple cambio de posición del adjetivo nos indica la diferencia de perspectiva de los relatos, confirmada por los autorretratos de Aub que aparecen con ellos.

La lancha (II) (1944). Historia de Erramón Churrimendi, a cuya vocación marinera se opone una irremediable tendencia al mareo. Su única riqueza, un inmenso roble junto a su choza. Sueña una noche que monta en barca, hecha con el roble, sin marearse. Obsesionado con su sueño, abate su árbol, no sin

---

13 *Ibid.*, 54.

tener clara sensación de crimen. Hecha la barquita, saldrá a la mar sin marearse. Lejos ya de la costa, el árbol-barca empieza a rezumar agua dulce, que Erramón es incapaz de achicar.

El relato fantástico tiene una inspiración animista evidente, y da a las relaciones entre el hombre y la naturaleza vegetal un carácter de fraternidad que el hombre va a traicionar. Su crimen recibe castigo inmediato, homogéneo al crimen, tanto si se interpreta el agua como la savia-sangre del árbol como si se la considera las lágrimas del hermano árbol. La presencia, aquí como en *Uba-Opa* o en *Los peces blancos*, del antropomorfismo es evidente [14].

Uba-Opa (II). Relato que, a la manera de los cuentos folklóricos, se caracteriza por un animismo total, dentro del que resulta normal la comunicación del hombre con los animales, y pesan sobre él, ominosas, las prohibiciones de potencias oscuras a cuyo dominio es imposible huir, a pesar de todos los esfuerzos. En ese mismo mundo fantástico los hombres son sobrehumanos en sus proezas, que se explican si consideramos al héroe como síntesis de todo su pueblo, y sus hazañas como una transposición de los esfuerzos del mismo a lo largo de su historia pasada. Así se entiende que el héroe nade en el océano durante meses antes de arribar a una tierra desconocida, y que repita otras dos veces el trayecto, la tercera vez acompañado de su prometida. La leyenda tiene, como tema central, la explicación del origen de las diferentes razas a partir del mito: los blancos no serían sino los descendientes de Uba-Opa, que perdió en el viaje el color negro, por haberlo realizado contra la voluntad de los dioses. Una emigración paralela, en dirección a oriente, por tierra, da la raza amarilla, compuesta de negros decolorados por el sol. La traducción del *Decamerón negro* a las lenguas europeas en los años 30 (*Revista de Occidente* lo dio a conocer en España) podría haber originado este relato aubiano.

La gabardina (II). Relato de inspiración y ambiente románticos. Una muchacha muerta hace cinco años aparece en un

---

[14] Ver parte tercera, capítulo VI de nuestro estudio.

baile de máscaras para bailar una noche entera con el joven Arturo. Éste no sabrá hasta el día siguiente, al ir a verla a su casa so pretexto de recuperar su gabardina, prestada la noche anterior a Susana, que la muchacha lleva muerta años. La anciana tía de Susana se siente obligada a acompañarle al cementerio para mostrarle la tumba, a cuyos pies encuentran la buscada gabardina, cuidadosamente doblada. Tema y desarrollo parecen absolutamente becquerianos, hasta el final, en el que una *coda* burlesca rompe el círculo mágico del relato. Después de muerto el romántico joven

> ...la gabardina pasó de mano en mano, sin deteriorarse. Era una de esas prendas que heredan los hijos, los hermanos menores, no cuando les quedan pequeñas a los afortunados o crecidos, sino porque no le sientan bien a nadie. Corrió mundo... Acabo de verla, ya confeccionada para niño, en La Lagunilla, en México —que los trajes crecen y maduran al revés—.
>
> La compró un hombre triste para una niña blanca y ojerosa que no le soltaba la mano.
>
> —¡Qué bien le sienta!
>
> La niña pareció feliz. No se hagan ilusiones: se llama Lupe [15].

La falla (II-IV). Relato de ambiente, en el que se combinan: *a)* la descripción de la «Cremà» en la noche valenciana de San José; *b)* unas notas marginales del narrador sobre su presencia en esa noche con un amigo y su pintoresco profesor, que hace trascendentales observaciones pedantes sobre el fuego y el hombre, y *c)* la historia de Arturo Carbonell, fontanero, hombre seguro de sí mismo, que, por no dar su brazo a torcer, lleva a su hijo a ver la fiesta cuando los fugaces monumentos ya se han hundido entre las llamas. Desesperado y contrito de sentir la silenciosa tristeza del hijo, lo lleva a pasear por la playa solitaria. El mar apacigua a padre e hijo con su presencia: «Quien lo liberaba era el mar: el agua, enemiga del fuego. Además, la noche solitaria, la playa, imagen misma de la noche, era una manta que lo apagaba todo: siempre se puede rena-

---

15 CIC, 46.

cer»[16]. Un solitario tranvía los reintegra a la ciudad. Y al llegar a la calle en que el retraso anterior se había consumado, aparece frente a ellos la falla que va a ser quemada. Lo fantástico se mezcla aquí, pues, con lo cotidiano, en un deposorio presidido por la victoria de la comunión universal sobre los factores limitantes del hombre —en este caso, sobre el tiempo—.

Los peces blancos de Pátzcuaro (II). Leyenda que, como la anterior en la diferenciación de razas, quiere explicar los orígenes de las migraciones orientales hacia América, a través del noroeste. El animismo ya señalado en los precedentes relatos se repite aquí. La historia se reedita en *Cuentos mexicanos*, sin variantes.

El silencio (IV) (1952). Un estrecho brazo de mar, tres millas de ría, separan a un viejo pescador de orilla y a su única hija, casada con uno «del otro lado». La historia narra la treta de silencio con que la hija fuerza al padre a atravesar la ría para saber de ella. Tiempo después, el silencio del padre es interpretado por la hija del mismo modo. Al fin cruzará la ría para saber que su padre había muerto nueve meses antes, dejando mandado que no se la avisara.

Apenas unos trazos de astucia campesina y marinera, una breve descripción de las costas inglesas, constituyen el relato en el que la presencia ominosa del mar no acaba de concretar su amenaza latente. Un brazo de mar, sin embargo, es bastante para separar los seres que se aman. El mar, quizás vale la pena señalarlo, está presente en cinco de los seis primeros relatos de la colección.

La ingratitud (IV-II) (1952). Una vieja que vive en una casilla al borde de la carretera, en un escenario semejante al de *El cojo*, deja ir a su única hija con el joven cosario que trata con ella. Pasado algún tiempo sin noticias de su hija, meditando en la ingratitud, al borde del camino, con la esperanza de verla llegar a lo lejos, queda convertida en árbol, un árbol que parece «una vieja ladeada en el borde del camino»[17]. Breve y

16 *Ibid.*, 56.
17 *Ibid.*, 84.

bellísimo relato, tan desnudo y escueto como la pobreza de la mujer, tan pobre y despojada ésta como el pedazo de monte en que vive, y con el que acaba de integrarse enteramente transformada en ese árbol que parece una vieja, y que es posiblemente el motivo inicial que provoca el nacimiento del relato. Una vez más, naturaleza y ser humano se identifican en una comunión universal, a partir de una concepción unanimista del mundo.

La bula (IV). Relato bien poco reverente para la práctica católica de la bula. Un matón, provisto de una de tales, que promete bendiciones *in articulo mortis*, mira la bula al morir tras una vida constelada de asesinatos, y Dios tiene que sentarlo a su diestra «no pudiendo desautorizar a su representante» [18].

El árbol (IV). Despropósito malintencionado sobre la importancia del azar en el destino de las gentes. Un árbol cortado desencadena una serie de acontecimientos más o menos relacionados con el incidente. La «pochade», de apariencia absolutamente intrascendente, hace burla del azaroso destino en un tono parecido a *Las sábanas* [19]. En cierto modo, es una desenfadada aplicación de un postulado unanimista.

La espina (IV) (1952). Reincide en el tema del árbol, si bien en sentido inverso. No todas las consecuencias de un acto intrascendente, sino los cientos de azares necesarios para que la espina de una determinada trucha venga a clavarse en un punto preciso de la encía del bisabuelo del narrador. Cierra el cuento la alusión a la importante consecuencia del insomnio provocado por el dolor de la espina: «Extendió la mano derecha, rozó el camisón de batista de mi bisabuela María. Pero ésa es ya la historia del nacimiento de mi abuelo Federico; el primero que atravesó a nado el canal de la Mancha, así se guardara el acontecimiento secreto...» [19 bis].

La verruga (IV). Como los anteriores, otro cuento de insignificancia convertida en algo trascendental. Una inocente

---

18 *Ibid.*, 88.
19 V. p. 180 de este estudio.
19 bis CIC, 101.

verruga, que su dueño cree suprimir cortándola, resurge más y más grande a cada ablación, hasta comerse entero a su propietario. El padre guarda la gran verruga en casa, que parece un enorme pedazo de piedra pómez. Como el árbol de *La ingratitud*, la observación de la gran piedra puede haber sugerido la invención del relato.

El matrimonio (IV). Una moribunda da una última vuelta por el salón de su casa, contemplando los tristes objetos inútiles que adornaron sus cuarenta años de vida matrimonial. Cuando su marido interviene para hacerla volver a su lecho,

> se le volvió cara a cara, lentamente, lo miró fijo durante un momento, que se hizo larguísimo al hombre, y luego —remontándose a una cima inesperada y feroz de desprecio— dejó caer unas palabras como un hacha: —¡Quieto! No te he querido nunca.
>
> Y se volvió, todavía derecha, al dormitorio, a acostarse y morir en la cama donde había cohabitado más de cuarenta años con aquel señor. Fieles ambos como perros vigilados [20].

Una vez más, al insistir en el tema de *La vida conyugal*, la visión transparentemente pesimista de Aub a propósito de sus malcasados se repite acerba.

La pendiente (IV). Autobiografía de un burgués cuya convivencia con la gente del hampa le lleva, por afición y curiosidad, a participar en sus hazañas criminales. Hará suprimir a su cuñada, que le molesta, luego mata al servicial asesino con la ayuda de María, su amante, y por fin liquida a ésta cuando empieza a insistir demasiado en irse a vivir al campo, entre los animales, cosa que él detesta. «Desde entonces vivo feliz. Acaban de condecorarme, y estoy tramitando un título pontificio» [21]. El final, perfectamente triunfante para «el malo», opone en toda su crudeza la realidad a la consoladora ficción. Hemos visto otros destinos parecidos en la narrativa de Aub: recuérdense particularmente los del padre de Alfaro y del Tellina, en *Las buenas intenciones*.

---

20 *Ibid.*, 113.
21 *Ibid.*, 125.

Los pies por delante (IV). Historia de un bailarín de flamenco que mata a su protector, un distinguido marqués que quiere hacer uso abusivo de su persona. Veinte años de penal, y acabar muriendo en el tajo, al sol de María Santísima. Un encofrador amigo le improvisará un ataúd. Con las prisas, toma mal las medidas, y quedan los pies de sobra. Los sierra el buen carpintero para no echar a perder la caja. El motivo de los pies queda así mantenido desde el título hasta el fin del relato, que habría que identificar con otros como *El cojo,* cuyo protagonista es también un antiguo artista de café flamenco. Hombres del pueblo que guardan dentro una indestructible punta de hombría de bien, contrastando con la sociedad corrompida por el abuso del poder. Hay en el relato, como en muchos otros de Aub, notas que ligan al escritor con la tradición clásica española que luego se ha dado en llamar «tremendismo» y que, en su forma moderna, por la descripción desgarrada y *formalmente* indiferente de la miseria humana, entronca con la corriente existencialista europea.

Pequeña historia marroquí (IV). Relato basado posiblemente en la experiencia personal de Aub, durante los días pasados en Casablanca antes de tomar el barco que debía llevarle a Méjico. La vida en una residencia campestre donde hay reunidos 300 judíos en espera de embarcar para América, contrastada con el odio que manifiesta contra ellos la mujer a cuyo cargo está el servicio. Se reproducen los comentarios de parecido tipo oídos en una tertulia a la que asiste el personaje-narrador. Pero esta vez el prejuicio racial es a propósito de los árabes, a los que se les achaca un particular gusto por lo ajeno y por la mentira. La historia queda cortada en un momento cualquiera, una vez conseguido el ambiente, para pasar a otra que se encadena con ella, oída en una tertulia de petainistas en Casablanca:

Historia de Abrán. Tono bastante distinto del habitual aubiano. Podría considerársele como una imitación de los apólogos morales de las colecciones orientales, en los que la buena fe de un honrado sastre es traicionada una y otra vez por su mujer, por un mercader, por un experto en brujerías y, finalmente, por la ley de los códigos. Enlaza el final del relato con el anterior, ya que el narrador del primero asiste al juicio con que termina la historia desgraciada del pobre Abrán. Las últimas páginas ofrecen una breve descripción de la vida musulmana en Casablanca. Un poema de John Parkinson Murray, traducido por un escritor español de nombre alemán —Max Aub, por ejemplo— completa el relato. El poeta Murray, en espera de que nos desmientan, tiene perfecto derecho a ser incluido entre los autores de las *Antologías traducidas* de Aub.

Confesión de Prometeo (III). El relato más extenso de la colección, se basa en el mito trágico griego, utilizado en varias actualizaciones contemporáneas, que Aub explota igualmente tanto en detalles de la acción mítica como en la identidad y palabras de los personajes. Cuenta Aub la historia-confesión de un nuevo Prometeo, que nos parece sin duda inspirada en la historia del científico Rosenberg. Su entrega de secretos atómicos, propiedad de «los nuevos dioses», a los soviéticos, restablece, en su intención, el equilibrio entre las fuerzas mundiales, alejando así por el momento la inminencia de una nueva guerra mundial.

Una vez más la buena formación clásica de Aub y su conocimiento del teatro greco-latino le sirven para actualizar ciertos mitos o, mejor dicho, para revelar el paralelo evidente entre lo nuevo y lo viejo. Dentro de la visión del mundo como eterna vuelta, ésta, y no la opuesta, es la dimensión que pone de relieve este tipo de correlación. El pie forzado de la tragedia clásica y su adaptación a la forma de una novela corta no deja de producir ciertas distorsiones o discordancias en la fluidez y uniformidad narrativas, que sólo el lector consciente del pie forzado puede inclinarse a aceptar.

3. «Cuentos mexicanos (con pilón)»

Se coleccionan en este volumen los relatos unidos por el común tema mejicano, inspirados por la tierra de exilio de Aub, a la que, como todos sus compañeros, ha acabado por volverse en un momento de su existencia, para contemplarla con ojos de escritor, sintiéndose identificado con ella. Analizamos aquí diez de los doce relatos en esta colección incluidos, remitiéndonos al capítulo IV para el análisis de *De cómo Julián Calvo se arruinó por segunda vez,* y a la colección *Algunas prosas* para *Juan Luis Cisniega.* A estas narraciones incluidas en la edición de *Cuentos mexicanos* pudo el autor añadir al menos otros tres relatos de *Algunas prosas*: *Amanecer en Cuernavaca, Turbión* y *Trópico noche* que, con el comienzo del relato *Teresita* —de *No son cuentos*—, tienen en común una visión fresca, todavía de extranjero, del nuevo paisaje de Méjico, que ya no veremos repetida en los relatos que vamos a analizar a continuación.

Queda fuera de nuestro propósito analítico el «pilón», compuesto de nueve poemas, entre los que destaca el *Salmo para la primavera del Anáhuac.* Por ser todos los relatos de tema mejicano, no los cifraremos uno a uno, como los de las otras colecciones.

Homenaje a Próspero Mérimée. Así titulado por el parentesco indudable de la anécdota con el famoso relato de Mérimée, *Carmen.* Relato breve, en el que la violencia del desenlace sorprende por su intensidad tanto como por la rapidez fulgurante con que se produce. Al terminar de manera tan veloz, el contraste se hace tanto más rotundo cuanto moroso era el tempo del resto. Ya hemos señalado que es éste el tipo de desenlace trágico que Aub prefiere. Los temas del relato: pasión como un torrente subterráneo, sorda y fatal, violencia en su desembocadura, muerte como mar al que irremediablemente va a dar el relato. La anécdota, ambientada en un lugar campesino durante el régimen de Porfirio Díaz. El lugar, situado al pie de la Sierra Madre, es el último refugio adonde ha llegado e intenta sobrevivir una partida de bandoleros arrinconada por el acoso de los rurales.

Memo Tel. Otra historia de violencia, esta vez gratuita, nacida de las brumas del alcohol y concretada por la historia de Guillermo Tell, que un hombre de confianza de Pancho Villa narra a un coronelito de la partida. Desafíos, «rajamientos», miedos y tequila se suceden hasta que se desencadena la violencia, dando lugar a la muerte de tres de los protagonistas: la primera, víctima del juego de destreza de Guillermo Tell —con una naranja como objetivo—, y las otras, a consecuencia de la primera. También en este relato se acelera el ritmo en el momento del desenlace. Pancho Villa en persona pone fin al conflicto triunfando en el juego allá donde el coronelito fracasara. Quien relata la historia es el que sirvió de soporte a la última experiencia, y conserva desde entonces un corazón averiado.

El caballito. Historia de una desventura acaecida a un cura español en Méjico que, como su compatriota Julián Calvo, no quiere tener en cuenta el diferente carácter de los mejicanos. Empeñado el cura en contrarrestar la adoración idolátrica de sus feligreses indios por el caballo de San Martín, que sólo tiene equivalente en la del apóstol Santiago matamoros, cabría aquí decir, mejor que nunca, que los buenos cristianos del país adoraban a estos santos por la peana. Casi doscientos poblados mejicanos, todos ellos citados escrupulosamente por el cura en el relato, están bajo la advocación de Santiago. Se explica por la persistencia de la impresión que en los indios primitivos causó la aparición de las tropas cortesinas a caballo. Cuando el buen cura decide quemar en la plaza el caballito de San Martín, los indios están a pique de lincharlo. Repatriado, morirá de la coz de un caballo, condigno castigo a su incredulidad equina.

La censura. Un malentendido causado por la intercepción de un correograma del tirano a uno de sus hombres de confianza (intercepción que ha sido obra de la propia censura del tirano, siguiendo el reglamento) hace creer al tal que se está complotando contra su vida. Mete en la cárcel al inocente destinatario del mensaje, para saber, al cabo de seis años, que el hombre ha sido víctima del equívoco. No lo libera, por miedo de que, ésta vez de verdad y con motivos, su antiguo hombre de confianza se pase a la oposición. Construido el relato a partir del final, sólo a su término conoce el lector la absurda minucia que motivara el drama. Las alteraciones en el tiempo que aparecen en su estructura permiten la terminación del relato en la forma abrupta e inesperada que hemos visto caracterizar los anteriores relatos de la colección.

Los avorazados. Brevísima historia de un atraco montado de acuerdo con la presunta víctima. Uno tras otro, los participantes se entrematan para quedarse con el billetaje, resultando así una breve caricatura del tema clásico de las novelas policíacas: «*crime never pays*».

El Chueco. Relata la historia de la venganza de un marido burlado. Se deja el Chueco condenar a muerte por el asesinato de su mujer, asesinato que él mismo ha simulado. La mujer no ha hecho sino abandonar el hogar con su amante, huyendo felizmente a todas las pesquisas del marido. Éste espera que la mujer acuda para aclarar su inocencia. Así ocurre, aprovechando el ingenioso burlado para hacer verdad el supuesto crimen.

La hambre. Provocada por la sequía que se abate sobre un lugarejo llamado La Capilla, apenas tres familias resisten en él. Pascual Moreno hará un viaje de cincuenta leguas para cambiar su último bien —los aretes de su mujer— por víveres para los suyos. Al regreso, otro le quita cuanto lleva. La familia Moreno, desesperada, hace arder la casa, convirtiéndola en su pira funeral. Termina el relato entre la indiferencia de los demás y culmina con el absurdo: al día siguiente la lluvia termina con la sequía, y los otros vecinos los entierran por el olor y por los zopilotes [22].

La gran guerra. Como en *Los peces blancos*, se reúne en este relato el motivo mejicano con el legendario. Las serpientes hablan de sí mismas con acentos bíblicos, de su larga historia, de su presencia en las civilizaciones más diversas y remotas, de Oriente a Occidente. Hablan de cómo han sido empujadas a la exterminación por el avance del cemento en Norteamérica. Organízanse en una ofensiva final a vida o muerte, reuniéndose más de cien millones, y asuelan los Estados Unidos, de sur a norte, partiendo en dos el país. Un narrador testigo relata el

---

22 CMEX, 76.

terrible avance de las serpientes, que nada puede detener. El relato, a diferencia de los anteriores, se sitúa en un futuro hipotético.

4. Otros cuentos

Consideramos en este postrer cajón de sastre diferentes relatos, procedentes de las colecciones ya utilizadas en sus partes que conciernen a la guerra civil española: analizaremos seis relatos de *La verdadera historia,* dos de *Historias de mala muerte* y, por último, los *Crímenes ejemplares.*

Las sábanas (IV). Como otros relatos anteriormente examinados, esta historia se reduce a seguir en el tiempo las vicisitudes de un objeto y las consecuencias desencadenadas por las relaciones entre él y las personas que lo rodean. En este caso se trata de la historia de unas sábanas nunca estrenadas, que pasan de baúl a baúl —o, como Aub dice, de mundo a mundo, y del Viejo al Nuevo—, siguiendo a una familia de exiliados, hasta que el tiempo las carcome allá por los años de 1988. Los descendientes seguirán recordando las ya míticas sábanas, cada vez más vagamente, hasta 1997. «Luego se olvidaron del todo». Más que en los relatos anteriores del mismo tipo, se transparenta aquí el sentimiento unanimista a que aludíamos en *El árbol,* y ese recuerdo de las sábanas que, como las ondas concéntricas que provoca la piedra en el estanque del tópico, va haciéndose más difuso, hasta perderse su traza, es el equivalente perfecto de las últimas páginas de *Mort de quelqu'un,* ejemplo clásico de unanimismo que Max Aub tuvo bien presente, y no sólo en este relato [23]. No en balde está dedicado a la memoria de Jules Romains.

Salva sea la parte (IV). Trátase de un relato en torno a una situación repugnante. Practica Aub, intencionalmente, un feísmo atrabiliario, que resiste el parangón con los más agresivos intentos de Cela. Gira la narración en torno al sexo de una triste

---

[23] Jules Romains, *Mort de quelqu'un,* Paris, 1911, especialmente los capítulos VII y VIII.

beata cincuentona y escurrida, víctima inesperadamente sorprendida por una comezón insoportable y sobrehumana en el lugar físico de su virginidad. Sus obsesiones, sus remedios caseros, sus oraciones desesperadas, sus consultas de confesionario, sus sueños, se suceden en espeluznante y grotesca sarta, hasta el suicidio final, empalada, por do más picado había. Esta D.ª Gloria López Murguía es pariente indudable de D.ª Virtudes Menchaca, de cuyas estrecheces, conocidas por *La calle de Valverde*, son éstas caricatura cruel [24].

El monte (II-IV). Si no hubiésemos decidido incluir entre la obra narrativa de Aub sus *Crímenes ejemplares*, se podría decir que es éste el más breve relato suyo, pues se extiende en diez escasas líneas. Al levantarse una mañana, ve Juan que el monte frente a su casa ha desaparecido. A la mujer del narrador le parece muy bien: «Así podremos ir más de prisa a casa de mi hermana» [25]. Sólo alcanzamos a ver en este cuento un ejemplo mínimo de situación inesperada, que provoca, contra lo previsible, una reacción que pudiera esperarse sólo en un caso sin importancia. Y del contraste entre el estímulo y la respuesta surge el absurdo.

Personaje con lagunas (IV). Breve retrato de una usurera, cuyo aspecto físico recuerda a la tía Remedios de *Campo de sangre* y a la tía Concha de *Campo abierto* y *de los almendros*: una mujer terriblemente obesa, inmovilizada en una sillita baja.

Leonor (IV). Apareció este relato por primera vez en *Sala de espera*, se reproduce en 1960 y se incluye, con varios apéndices del mismo tono divertido, en la última edición de *Luis Álvarez Petreña* [26]. Lo analizamos a partir de ésta, considerando a la vez todos los nuevos aditamentos en ella incluidos. Desde la primera versión se atribuye la obra a Petreña. Un emigrado en Méjico ha dejado los papeles a M. M., editor de ellos. El nombre de Petreña aparece al principio del manuscrito, y la fecha de Zaragoza, 1931.

---

24 CV, 215.
25 FF, 131.
26 SdeE, II, 1950; FF y LAP (1965).

No vamos a entrar en el detalle de los datos bio-bibliográficos en torno al cuento, haciendo un juego erudito que, precisamente, está fomentado cómicamente por Aub, con sus notas, prefacios, adendas, nota final y demás caricaturas del aparato con que los estudiosos de la literatura solemos amenizar nuestras largas horas de trabajo. En realidad, todo ello constituye otro cuento cómico de cuyo rebozo sacamos la historia de Leonor, propiamente dicha, sea ésta o no el mismo personaje causante de la muerte de Petreña, aunque, literalmente hablando, no puede serlo, puesto que Laura aún seguía soltera a su muerte. Pero ello no es óbice, puesto que Aub intenta embrollar —ese es el cuento— todas las pistas para uso de eruditísimos. *Leonor* es un regocijado y cruel retrato de ese tipo y actitud femeninos que el pueblo llano denomina con una sonora y poco púdica voz que el curioso lector leerá en el acróstico del soneto estrambótico que encabeza la historia. Las iniciales del supuesto autor del soneto, L. de G., apuntan naturalmente a Luis de Góngora, de cuyo estilo es caricatura el poema. Quince de los breves capítulos describen al padre, al marido y a trece de sus amantes en potencia, pero sin acto. Enamórase al fin la mujer de su gato, Abelardo. Complemento del relato es una breve nota escrita por Leonor, que, después de haber leído el manuscrito, se burla del autor diciéndole que no ha entendido nada de su auténtica manera de ser. Que no la ha conocido, en cualquier caso, es lo único seguro.

La sonrisa. Este breve relato forma con el siguiente una pareja de incursiones en el «tercer mundo» contemporáneo, sin equivalentes en el resto de la obra aubiana. Ambos aparecen en *Historias de mala muerte.* El que ahora nos ocupa está ambientado en el oriente asiático, en la península indochina. El autor parece querer introducir al lector en los recovecos laberínticos de la mentalidad oriental, y sus intentos de afrontar las implacables intervenciones del azar para vencerlo a fuerza de previsibilidad. En el breve espacio del relato no deja Aub de salpimentar la superficie irónicamente.

Sesión secreta es el segundo de dichos relatos. Historia de ambiente africano post-colonial, perfecta «pochade» que, desgraciadamente, no parece querer serlo sino en apariencia. Intenta reflejar consecuentemente la situación de auténtico desespero en que podría encontrarse la humanidad de aquí a pocos años. Aub se basa en datos rigurosamente científicos para imaginar una sesión de un parlamento africano en la que el representante del país en la O.N.U., después de elaboradas y pertinentes observaciones sobre la situación demográfica del continente y sus repercusiones en el problema de la alimentación, sugiere la modernización de la antropofagia como solución. El discurso viene aderezado con atinadas comparaciones entre la mentalidad progresista y racionalista del hombre occidental, heredero de la tradición greco-latina, y la del mundo negro africano, vitalista y sentimental. Se trata de aplicar los métodos de preparación, enlatado y etiquetado del producto con el que se cree resolverán el problema de la supervivencia y se abrirán nuevas perspectivas halagüeñas para la balanza de pagos con la exportación de la superproducción. Este sí podría llamarse por antonomasia humor negro, si la historia no tuviese un fondo tan cruel que deja poco ganosos de tomarla a chiste. Hamamí Numaru, el autor del proyecto, será, por un azar casi previsible para un lector asiduo de Aub, la primera materia prima utilizada en la inauguración de la primera fábrica del producto.

Crímenes ejemplares es un anecdotario en torno al tema del homicidio sin premeditación y, en general, con alevosía por parte de la víctima. Aparecieron sus primeros ejemplos en *Sala de espera,* a partir del segundo volumen, y han sido publicados en libro, incompletos, en 1957, precedidos de una confesión del autor [27]. Aunque todos los crímenes sean, por naturaleza, trágicos para sus víctimas, éstos de la pluma aubiana lo son particularmente si seguimos su propia definición de la tragedia. En efecto, la provocación, por parte de la víctima, no requiere normalmente una tan violenta réplica. La agresión cae como el rayo del cielo azul, siguiendo la técnica ya señalada para el

---

27 Edición del autor. Otros crímenes han aparecido en *Papeles de Son Armadans,* Palma, vol. CI, 1964, 194-212.

relato breve de Aub. Podemos afirmar sin abuso que los crímenes son relatos en los que la historia se reduce al mínimo para centrar el interés en el desenlace. La brevedad de éste, al no quedar contrastada con la extensión normal de la exposición y el nudo, pierde en intensidad todo lo que gana en sorpresa, y la extremada violencia de la acción, al no corresponder a ningún precedente lógico, provoca la comicidad. En la justificación que precede a la edición en volumen, habla Aub precisamente del «tono absurdo» empleado en estos mini-relatos, y que él atribuye a falta de aliento «para hacerlo a la pata la llana» [28]. En realidad, los autores de los crímenes, cuyas confesiones en primera persona son el contenido exclusivo de cada historia, no razonan su homicidio. Dan, sencillamente, la «reconstrucción del crimen», contando cuál fue el acto, la palabra o la situación que les impulsaron a la reacción violenta y fatal. Aub presenta a veces dos crímenes seguidos con «catalizadores» diametralmente opuestos: «Le maté porque era más fuerte que yo», frente a «Le maté porque era más fuerte que él» [29]. Ello es prueba final de que los móviles no tienen una justificación exterior, racionalmente previsible y objetivable: son auténticos auto-móviles.

* * *

Ya hemos procedido a una revisión de la crítica en torno a los relatos breves de Aub, a propósito de la guerra. Salvo en los casos en que, como Eugenio de Nora, retroceden momentáneamente ante el trabajo que comporta un estudio minucioso de los cuentos, los críticos persisten en la misma unanimidad por lo que respecta a las restantes narraciones de Aub recogidas en los volúmenes que acabamos de desmenuzar. Marra-López ha hecho una relación bastante completa de los relatos ya aparecidos en el momento de redactar su libro, interesándose particularmente por aquellos que corresponden a su tema cen-

[28] *Crímenes, op. cit.,* 11.
[29] *Ibid.,* 60.

tral de estudio: el exilio y sus consecuencias. Por ello pasa por alto los relatos fantásticos, mitológicos y cotidianos para detenerse únicamente en los de ambiente mejicano, por ser éstos consecuencia de la expatriación del escritor. Alábalos el crítico por la concentración sintética y la identificación del autor con los personajes, identificación que llega en algunos relatos —dice— a la perfección, demostrando «una vez más su condición de gran escritor» [30].

Alborg es bastante más explícito en cuanto a los motivos de su admiración por Aub cuentista. Detiénese en analizar la estructura de algunos relatos, apreciando el efecto intensivo producido por la brevedad de los desenlaces, y subraya: «Las narraciones (...) están (...) rigurosamente calculadas; son como aparatos de precisión, en los que cada palabra cumple su función estrictamente» [31]. Se refiere aquí a las narraciones breves de *Ciertos cuentos.*

Señala Alborg, en fin, respecto a los *Cuentos mexicanos,* la limpieza con que Aub evita caer en el «cromo intolerable», quedando en «pintura profunda». Y selecciona entre todos ellos a *Memo Tel* como «de verdadera antología» [32].

---

30 *Op. cit.,* 204.
31 *Op. cit.,* II, 120.
32 *Ibid.,* 122-23.

SEGUNDA PARTE

VISIÓN DEL MUNDO Y PROBLEMÁTICA HUMANA A TRAVÉS DE LA OBRA NARRATIVA

INTRODUCCIÓN

> Los que juzgan las obras por el concepto del mundo de su autor, se equivocan de medio a medio[1].

La advertencia que Max Aub hace a sus críticos a través de las palabras del escritor Ferrís, las tendremos muy en cuenta a lo largo de esta segunda parte de nuestro estudio. Es evidente lo absurdo de una empresa crítica que pretendiera establecer un dictamen valorativo de una creación literaria a partir de la originalidad de sus concepciones filosóficas. Las pretensiones de la literatura no son básicamente las del filósofo. Lo que no quiere decir que el filósofo no pueda ser a la vez un excelente escritor —debe serlo, para mejor entendimiento— ni que el escritor, interesado en su condición de hombre por las cuestiones radicales de la antropología filosófica, no pueda reflejar sus preocupaciones y sus problemas en la obra de ficción. Y si se le considera como recreador de personajes, parece evidente que, al ir a plantar en sus escritos figuras enteras de verdadera apariencia, puede legítimamente darnos a conocer cuáles son sus problemas filosóficos y de qué manera se manifiestan

---

[1] CAL, 435.

en sus monólogos y sus polémicas con los demás personajes que con él cohabitan el mundo de la ficción.

Puesto que el objeto de nuestro estudio es el Max Aub novelista, no consideramos necesario insistir en las relaciones cada vez mayores, a lo largo del siglo pasado y el presente, entre poesía y filosofía, por lo que se refiere a las formas de la creación poética y de la sistematización filosófica. Nos parece más importante, en cambio, señalar cómo toda una rama de la especulación filosófica durante este período, la más abundante y la de mayor importancia para mejor comprender nuestro tiempo, se ha consagrado de manera casi exclusiva a la existencia del hombre, dejando de lado la cuestión de su esencia, puesta en entredicho al extremo de llevar la especulación por el camino indicado, ya que, si se le puede negar la naturaleza, resulta imposible negarle una historia.

Es ese aspecto histórico del hombre el que constituye el centro de la especulación del existencialismo: el hombre inscrito en el tiempo. Pero, si el tiempo es el asiento o la circunstancia fundamental sobre la que se desenvuelve la vida del hombre, no se tratará tampoco de profundizar en la noción física del tiempo, sino en la noción antropológica del mismo. El problema de la esencia, una vez más, de las cosas, aparece como inoperante e insignificante para el filósofo en tanto en cuanto nada añade a la cuestión práctica de la existencia del hombre en el mundo. Este existencialismo básico de la especulación filosófica ha acentuado el acercamiento entre la literatura y la filosofía que tan notable nos parece hoy y que, posiblemente, sea una de las características fundamentales de la historia de la cultura en nuestra época.

Podemos afirmar que son los filósofos literatos de nuestro tiempo los que contribuyen a consolidar ese acercamiento de literatura y filosofía. Schopenhauer, Kierkegaard, Nietzsche, Bergson, de un lado, y de otro Dostoievski y Tolstoi, van preparando el advenimiento del tipo de escritor doblado de filósofo como Unamuno o Rilke. Y la filosofía existencialista de hoy cita tanto a Nietzsche o Bergson como a Hölderlin, Kafka o Proust. Es hoy Jean-Paul Sartre, a nuestro entender, un ejemplo típico de esa hibridación. Como Unamuno, goza Sartre de capacidad para dar existencia corpórea a sus especulaciones, posiblemente de mayor alcance que las de nuestro cordial filósofo español. Ese difícil equilibrio de facultades es sin duda poco común. Pero existe otro tipo de escritor, representado en la Francia de los años cincuenta por Albert Camus, cuya esencial preocupación por las relaciones entre las ideas y la conducta hacen de él un existencialista práctico, por no alcanzar sus facultades especulativas el nivel suficiente para la sistematización o la renovación de la filosofía antropológica.

Compensada ampliamente esa carencia por la alta temperatura cordial, la pasión que le identifica con los problemas fundamentales del hombre en el mundo, y el dominio total de la palabra, este tipo de escritor puede llegar a tener mayor importancia que el filósofo literato en la sensibilización de la sociedad para los problemas planteados y en su orientación por el camino de las soluciones, más o menos problemáticas, propuestas por el filósofo.

A este tipo de escritor nos complace asimilar a Max Aub, cuyo preciso conocimiento de la especulación existencialista contemporánea sólo tiene parejo en su arte para vivificarla en la problemática del grupo quizás más importante de sus personajes de ficción, y con los cuales no nos parece aventurada la hipótesis de una comunión sentimental por parte de su creador. A tal conclusión nos lleva el análisis de los textos escritos y publicados por Aub al margen de su creación literaria en prosa y verso. Estos textos, cuya importancia se equipara sin dificultad con las *Actuelles* de Camus, para el lector español, lo son igualmente para descubrir, si no la identidad, sí la fundamental comunidad del escritor con los Templado, Molina, Torres Campalans o Ferrís, o con Rivadavia, Cuartero, Dabella y otros personajes de su mundo de ficción.

Otra cuestión bien distinta es la importancia de Aub en la evolución de la problemática española. No necesitamos insistir demasiado en la situación de ignorancia que, por razones ajenas a las cualidades de su obra, ha sido y sigue siendo la característica de las nuevas generaciones españolas respecto a él. Conociendo, por otra parte, la importancia de Camus en la formación de esas mismas generaciones, no es arriesgado extrapolar lo que pudo significar para ellas. El reconocimiento que la joven generación exiliada ha hecho de la labor orientadora de Aub en sus años de formación en Méjico no hace sino confirmar las dimensiones del vacío dejado en la evolución del pensamiento español y de sus formas literarias por la ausencia involuntaria de hombres como Francisco Ayala, Segundo Serrano Poncela y Max Aub.

Procedemos aquí a una observación sistemática de esa visión del mundo que se nos ofrece a través de la diversidad y la multiplicidad de los personajes aubianos, y nunca directamente por el autor, que, como verdadero creador, guarda silencio y deja hablar a sus criaturas. Y si todo arte es, en buena parte, espejo, así venga del Callejón del Gato, no podrá menos de reflejarse en él su creador, que aun sin querer, se deja algo de sí mismo en el barro de sus criaturas. Si más tarde, en la tercera y última parte de nuestro trabajo, consiguiéramos establecer que los principios y aun los mitos o símbolos en los que se fundamenta la estructura de los textos narrativos de Aub coinciden con los explícitamente sentidos y vividos por sus personajes, la prueba de la integración del creador con sus criaturas en una compleja unidad supraindividual quedaría hecha. Quizás con ello pudiera llegar al espíritu de esa compleja criatura multiforme la credibilidad de la trascendencia a la que aspira y por la que, quiéralo o no, suspira.

Hemos procurado sistematizar el ingente número de notas que, a través de la lectura de la obra narrativa de Aub, se nos ha ido acumulando. Para ello, después de varios intentos de división basados en diferentes polarizaciones temáticas, hemos decidido finalmente agruparlas según una estructura que nos atreveremos a llamar antropocéntrica y que, a nuestro entender, corresponde mejor a los procesos de cristalización propios a la obra de Aub. El hombre es el centro de la preocupación especulativa de sus personajes, y en particular, el hombre intelectual en cuanto creador de arte. Al entendimiento de esas unidades, general y particular, corresponde una serie de cuestiones a la escala del mundo: qué es, cómo es el hombre, cuáles son sus facultades y límites en su espacio y en su tiempo, en su sociedad. Por su importancia particular, las cuestiones relativas al *homo hispanicus* y al mundo de las artes y las letras se consideran en capítulos separados.

I

EL HOMBRE EN EL ESPACIO

Los sentidos parecen orientar al hombre del *Laberinto*; pero, respecto a una realidad externa al hombre, éste ha comprendido que «nos engañan los sentidos desde que nacemos», aceptando que «los fenómenos naturales no son perceptibles con exactitud» y que existe una «infinitud de otros que se nos escapan por esa misma imperfección [1]. Pero, si los «sentidos engañan a la razón (...) la razón devuelve la fineza» [2]. Los sentidos pueden presentar una realidad diferente de la que piden los sentimientos. «La verdad está adentro» —dice Templado— pero «¿qué es adentro, lo que veo y me rodea, o lo que siento?» [3]. Y, a su vez, «los sentimientos no tienen nada que ver con la razón», afirma Ferrís [4]. La razón estimula a la acción, afirma Fajardo en un fragmento meditativo que el comunista converso borda sobre el cañamazo argumental del *pari* pascaliano, y que Serrador pondrá a prueba; esa acción, en cambio, tienden a frenarla los sentimientos. Así lo afirman y lo prueban dichos personajes [5].

---

1 CAL, 435.
2 CS, 411. Cf. «Los sentidos engañan» (CA, 418).
3 CAL, 170.
4 *Ibid.*, 168.
5 CA, 419-20.

La postura de Templado, intentando equilibrar los datos de la razón con los impulsos del sentimiento, que le lleva a mofarse de los ortodoxos absolutistas del racionalismo, parece corresponder en el fondo a la opinión de su propio creador: «No entra la razón en estos sentimientos, pero los sentimientos influyen en las razones tanto como éstas en aquéllos. Y ¡ay de quien lo olvide! [6].

El hombre se orienta, de ese modo, en un mundo limitado por sus sentidos, por lo que éstos sean capaces de alcanzar y de aprehender; por naturaleza, no puede saber si los límites de sus sentidos coinciden con los del mundo. Entretanto, dentro de las facultades propias, vive en un mundo de progreso ilimitado. «Creo en un más allá de lo que podemos percibir. Es primario. A medida que pasa el tiempo, el hombre agranda el mundo» —afirma Riquelme— [7]. Y ese optimismo humanista lo comparte Aub:

> Es evidente que la percepción se hace a través de la razón, con el apoyo de la ciencia, su trasunto; la intuición puede ser su sangre, su impulso y su orientador ciego, valga la paradoja, pero nada más [8].

De ese sentimiento de insatisfacción ante el poder de la percepción y de la razón, cuando es contrastado con las proyecciones e impulsos de la intuición, puede surgir un pesimismo y un fatalismo al que se dejan llevar personajes como Ferrís, o produce simplemente una sensación de estar desorientado, que se manifiesta en el símbolo del laberinto. Es lo que hace que Cuartero replique a la explicación racionalista de Riquelme: «Entonces vivimos en un laberinto mágico». La misma sensación se produce en los personajes a lo largo de las novelas. Así Serrador, acercándose por vez primera a la gran ciudad, «se representa Barcelona como un enrejado de calles infinitas y

---

[6] CAL, 445.

[7] CS, 482-86; CC, 221. Lázaro Valdés equipara sentimentalismo y falsedad, aclamando los sentidos, particularmente el de la vista (VH, 49).

[8] CAL, 285.

por ellas una multitud corriendo sin casi mover los pies» [9]. O Lola Cifuentes, a quien «el aire se le había vuelto laberinto» [10].

En cuanto a las funciones de los distintos sentidos, es sin duda el de la vista el que se nos presenta como base del asiento del hombre en el mundo, según Lázaro Valdés: «No hay bien como el de la vista, ni cosa más certera», idea que comparte plenamente Cuartero: «Desde Heráclito se sabe que los ojos son mejores testigos que los oídos. Superioridad del teatro y de la pintura» [11]. La apología del ver y el mirar como secreto de su felicidad es el tema de uno de los monólogos interiores de Templado. He aquí algunas frases del mismo:

> Creo en lo que veo, en eso voy más allá que el Santo que necesitaba meter el dedo. Me basta ver, por eso soy de tan buen conformar. Me basta con las formas, que las esencias las destilo yo solo, con los colores (...). Todo lo veo, todo lo tengo. ¿Qué más puedo pedir? Tengo el sentido de la propiedad en la vista. Me basta ver una cosa para saberla mía. No hay más propiedad que la vista: que Santa Lucía me la conserve... [12].

Como en su personaje, la descripción visual es la dominante en la escritura de Aub, tanto por el color y sus matices como por el gusto del contraste entre los colores, o entre las luces y las sombras. Eso explica lo que podríamos calificar de fitofilia, evidente en la obra de Aub desde los comienzos de su obra narrativa: el mundo vegetal es el que le ofrece mayor variación de colores y matices con una infinita variedad de formas y transformaciones. Desde *Fábula verde,* cuyo personaje central es una fanática «vegetariana» por razones de estética, que acaban, naturalmente, en alergias insuperables, podemos afirmar que en cualquier texto de Aub es posible descubrir esa emoción de la contemplación visual, hasta el extremo de poder intentar la caracterización de un estilo visual específico [13].

---

9 HH, 48.
10 CA, 514.
11 CS, 204.
12 *Ibid.,* 480-81.

Explícase así también el gusto por la pintura, que comparten Templado, Villegas, Cuartero, Miralles, Campalans, y tantos otros personajes del *Laberinto,* y que se manifiesta en múltiples discusiones sobre ese arte. A esos gustos había de corresponder, evidentemente, el de la fotografía y el cine, a cuyos procedimientos debe tanto el estilo de Aub. He aquí, a título de ejemplo, dos descripciones coloristas que, en punto a matices, no desmerecen de las más exquisitas de los modernistas:

> Julianillo, lo que te gusta son sus ojos, el color de sus ojos. Miel, moscatel maduro, cotilla de avispa: ojos color avispa: amarillo trinitario, amarillo oscuro de alhelí melado, naranja aterciopelada.
>
> —¿No sabéis cuál es el amarillo trinitario?: el color de sus ojos, un color caliente, rayadillo de pez, verdezuelo, no: ámbar oscuro. Entre el ópalo girasol, el cromo rojizo, el anaranjado y el pardo claro existe una faja de color trinitario, un cierto color pensamiento caliente y espeso: el propio color de sus ojos, que no sé cómo es, amarillo rojizo, dorado; las niñas negras, hondas y mías [14].
>
> De antuvión apercíbese el radiador del coche: el chófer apaga las luces. (...) Por el perfil levantino del horizonte surge un fulgor bayo como gargantilla del oscurísimo añil de los montes. Por la quebrada nace, por crisopeya, un nuevo tinte para el caparazón. (...) Por sobre el amarillo se sonroja delgadamente el horizonte y el cielo bajo se cubre de un rubor subido, del balaje al rubicela [15].

El oído, por contraste, se nos aparece como el sentido menos importante entre los diversos ventanales del hombre al mundo. No se trata, evidentemente, de un mundo sin sonido, ni mucho menos. En la constante dialéctica de los personajes, el habla establece la constante presencia del sonido, pero si se observa detenidamente la cualidad de las alusiones a sonidos, veremos

---

[13] Cf. Parte tercera, cap. III. Véanse algunos ejemplos de descripción de tipo visual en CC, 32-33; CA, 328-29; CS, 313, y relatos enteros como *Amanecer en Cuernavaca, Fábula verde,* o *Yo vivo.*

[14] CS, 205.

[15] *Ibid.*, 314.

que, salvo rara excepción, todas se refieren a ruidos, gritos. Las voces se sienten subir y bajar de volumen, pero no se hacen referencias a su timbre. Y aun en las raras observaciones sensoriales en las que se alude a la música, se trata de matices de intensidad. En un solo caso observado sobre un timbre, el matiz se usa en un contraste de tipo metafórico, debilitándose así su valor inmediato:

> En la noche fría aquel hilo de voz de un hombre moribundo era la vida. El contrapunto de la lluvia, sostenido por los irregulares intervalos de la ventisca, sonaba como entrada de los más graves instrumentos de cuerda sobre la carrocería de la ambulancia [16].

No resulta sorprendente que no se hable de música como se habla de pintura en el *Laberinto*. Dice Templado: «No me gusta la música. La pintura sí» [17]. Y confirma Max Aub, en 1953:

> No quiero dejar de decirle que no tengo oído de ninguna clase: oí, años y horas, música, para ver si aprehendía; ha sido el fracaso más doloroso de mi vida. No soy poeta, tal vez por eso [18].

Las sensaciones táctiles de calor y frío son frecuentemente manifestadas por los personajes y por el narrador, pero no creemos que pueda señalarse particularidad alguna ni en los matices ni en las frecuencias. Conviene, en cambio, señalar la abundancia de las sensaciones táctiles referentes a materias líquidas: lo acuoso, lo húmedo, lo viscoso y gelatinoso son motivos cuya frecuencia nos parece superior a la media. Véase, como ejemplo, la historia de la muerte de Puga en un barril lleno de ranas, durante las guerras carlistas, relatada por su nieto en *Campo de los almendros*. He aquí otros breves párrafos en los que se aprecia el mismo aspecto de sensibilidad:

---

16 *Ibid.*, 281.
17 *Ibid.*, 481.
18 Carta de Max Aub, 31-XII-1953.

> Si hablo, la boca se me llena de cieno, de líquenes, de algas grises y negras, lacias lacinias, madre del pus verderón y del humor negro. Tengo ocho años y ya tenía una mano de cristal; la culebra está muerta, en medio del camino, la cabeza reventada, despachurrada, machacada, los ojos sueltos [19].
>
> Estaba la accidentada tumbada en un sofá, los ojos en blanco, jipiando. La nariz enorme, amoratada y sanguinolenta. Puro cirio el color de la cara con algunos manchones pardos. La chambra jamerdada, húmeda, cruzada sobre unas ubres gelatinosas, derretidas [20].
>
> Olor oleaginoso y lento del naranjo. Naranjas amargas y dulces, pesadas como senos, primaveras. No mondarlas, exprimirlas y chuparlas hasta la última gota de jugo... La boca pringosa y las manos pringosas [21].

A veces se combinan en curiosas sinestesias, como el «olor oleaginoso» del fragmento anterior, o se habla de «un silencio gelatinoso», de una humedad rancia [22].

Traspasado de sensaciones táctiles y visuales está particularmente el largo monólogo de Templado en la escena de alcoba con Mariquilla, de la que citamos un breve ejemplo:

> La pelusilla de tu cogote templado. Tu lengua, el grueso girón saburroso y calenturiento de tu lengua, el húmedo graneado partido en dos como hoja de rosal de tu lengua, el insípido humor de tu boca, la dura corona mortuoria de tus incisivos sobre la áspera madurez ardiente de mi lengua [23].

Después del sentido de la vista, son los del gusto y el olfato los que aparecen con más frecuencia en las experiencias sensoriales de los personajes aubianos. Los mencionamos ambos juntamente no sólo por la íntima relación fisiológica entre lo olfativo y lo gustativo, sino por la primordial derivación gastronómica de que procede la parte más abundante de esta sensibilidad. Todos los personajes tienen, desde Margarita-Claudia,

---

19 CC, 98.
20 CS, 333-34.
21 CA, 79-80.
22 CC, 97; CS, 331.
23 CS, 166-68.

una extraordinaria afición por los manjares y las bebidas, no siendo raras las descripciones en las que color, forma, olor y sabor se combinan con el tacto para describir un alimento. Desde la simple fruta mordida, o la elemental ensalada de escarola y tomate, a la perdiz provenzal, pasan ante los ojos del lector las más extraordinarias descripciones sensacionales que recordamos en nuestra literatura. Punto culminante, tempranamente alcanzado en la obra de Aub, son los cuatro estupendos capítulos del olor de la cocina, del pescado, de la carne, de los espárragos y de las rosas, pertenecientes a *Yo vivo*. He aquí una parte del primero:

> Los batiborrillos pierden lo fundamental, sólo cuajan los olores de lo sencillo. Aliento de la sartén, con el aceite hirviendo que, en un instante, convierte lo crudo en comestible. Enrique percibe el vaho, por algo tienen ventanas las narices, y aun alas para trasmitir, velocísimas, el ardimento al estómago. Ventea la comida, se le hace la boca agua. Se deja penetrar por el agradable aplacimiento. Suave conformidad del presente del aire con el futuro tangible, del olfato con el gusto. ¡Cómo se introduce e interna el aroma hasta los ojos, figurando lo servido, mientras el oído, a su servicio, atiende al ligero crepitar de lo que se fríe! Con el olor no hay engaño, lengua universal, pupila siempre abierta, sin tacto que valga: Llega, envuelve, se introduce, penetra, embarga, asciende al cerebro, se anuda en la garganta llevando en pos de sí a los demás sentidos [24].

Si el ámbito de las sensaciones satisface las aspiraciones somáticas del hombre laberíntico, es evidente que la contrapartida del placer —el dolor— será la serpiente de tal paraíso. Tan evidente es esa realidad para todos ellos que, al comentar Templado el triple fusilamiento con que comienza *Campo de sangre* diciendo que «los hombres temen el dolor, no la muerte», la irónica respuesta de Rivadavia es: «Cuida las meninges, no te pierdas por original» [25]. En el monólogo de la madrugada,

---

[24] YV, 29-30.
[25] CS, 12.

Templado vuelve a insistir en la misma idea, contrastándola esta vez con la satisfacción de existir:

> A mí me sale todo por una friolera, y ya pueden caer albardas. Pero si me pisan un callo, tengo cólicos o me muerdo la lengua, me tengo por el más desgraciado. «Nunca me ha dolido tanto». Amigo de los estupefacientes: todo menos el dolor. (...) Y teniendo en tanto la vida, lo mismo me da la muerte, que para mí forma parte de la vida, porque no puede haber dos cosas en el mundo [26].

Es precisamente eso lo que le reprocha Riquelme: «A tí lo único que te importa es el dolor. Desde el momento en que nada te duela, lo demás te tiene sin cuidado. (...) Aceptas que te fusilen, pero no que te torturen» [27]. Pero hasta el dolor puede ser considerado por su lado positivo: la resistencia al dolor templa a los hombres, les sirve de enseñanza, estimula la inteligencia y la imaginación. Y para Paulino Cuartero, católico, el dolor purifica y castiga al pecador [28].

El hombre, pues, respecto a sus dimensiones espaciales, parece perfectamente adaptado a la tierra en que vive y contento con los medios de entendimiento y de comunicación que le relacionan con ella. Si en un principio cree, como su autor, en la absoluta adaptación, dentro de un cuadro sin otras sombras que las que sirven para mejor hacer resaltar los valores de la luz, un primer momento de inquietud sobrevendrá al sentir, con Luis Álvarez, que la perfección de las facultades intelectuales no corresponde a la otra. Si puede todavía salvarse del pesimismo y del suicidio, el hombre deberá hacerse a la idea de los límites del laberinto y de su posibilidad de progresivo ensanchamiento con el tiempo. Se dedicará de nuevo, pues, a explorar las prácticamente ilimitadas posibilidades que se le ofrecen dentro de sus límites actuales, confiando en el futuro, sintiéndose unido a los otros hombres que con él comparten esa visión, esa confianza, esa difícil satisfacción.

---

26 CS, 479. Cf. la conversación con Lola Cifuentes, *Ibid.*, 212.
27 CM, 74.
28 CS, 297; HMM, 80; CIC, 220.

II

EL HOMBRE EN EL TIEMPO

El hombre del *Laberinto* se plantea en un momento u otro de su existencia las cuestiones fundamentales acerca de sí mismo, de su inserción en el tiempo, de su pasado, su presente y su porvenir. Ya en *Campo cerrado* Serrador recapacita de manera ejemplar acerca de estas cuestiones. Empieza situándose en el principio, «por cero», a partir del postulado cartesiano. Existencialista sin saberlo, observa las fallas del cartesianismo, manifestando su insatisfacción ante el sistema. Al preguntarse qué ha sido para sí mismo, se siente obligado a responderse: «Nada», porque nada queda de lo hecho por él. Mirando al futuro, sólo se pregunta lo que debe hacer, no lo que él será, considerando que sólo será lo que haga y deje hecho. No sabiendo ni crear ni construir, no le queda, a su entender, otro camino que la destrucción: «Dicen que nacer y morir son una misma cosa. Vamos a verlo, y hacer y deshacer. Si destrozo una cosa tiene que renacer; luego si aplasto, creo» [1].

Este hombre del pueblo que cree en la persistencia del ser por lo que deja, tiene, al otro extremo del *Laberinto,* en el *Campo de los almendros,* la contrapartida del intelectual. A Ferrís le parece inútil preguntarse por qué se vive, contentán-

---

1 CC, 113.

dose con el para qué. «Vivir para vivir lo mejor que pueda». Y, al preguntarse a sí mismo, retóricamente: «¿Qué es lo mejor para ti?», responde: «Ya te lo he dicho. Ser como se es, ser como soy, ser como era, ser. Punto y basta» [2]. Ferrís no crea, a su vez, por dejar algo, por sobrevivir, sino para hacerse a sí mismo:

> Escribe uno para poder vivir. Si no escribiera no viviría. Escribo siempre. Escribí siempre —en las condiciones más difíciles, aun cuando me era imposible, como ahora. Escribo. Aun cuando no escribo, escribo. Escribo para acordarme de lo que escribo, necesito escribir para poder vivir [3].

Entre ambos, el intelectual comunista, Fajardo, al intentar adaptar, como indicábamos, el «*pari*» de Pascal al futuro de su hombre, se pregunta —y se responde—:

> ¿Qué le quedará en limpio, a la hora de la muerte, al que diga: «que me quiten lo bailado»? No se lo quitan, no. ¿Para qué? ¿Qué huella deja lo bailado? Y el hombre sólo vive por su jacilla. El que no tiende a esto, al poder, al amor, a la gloria, no vive. Y si vive, ¿cómo ha de vivir sin pensar en un mundo más justo? El afán de poder es el afán de justicia [4].

«Hoy no es hoy, sino la semilla de mañana», afirma Templado [5]. Dentro de esta postura eminentemente orientada desde el presente hacia el futuro, cabe apenas plantearse problemas acerca de la dimensión del pasado. El «de dónde vengo», o el «qué he sido» no angustian al hombre laberíntico, para quien el pasado alcanza sus límites allá donde tocan las últimas raíces de la memoria. Es ésta la que permite acumular las experiencias y servirse de ellas. «El escritor vive de la memoria, por ella se hace», afirma Max Aub [6]. Memoria del tiempo pasado, aunque inútil si no se tiene el valor de hacerla remontar al presente,

---

2 CAL, 451.
3 *Ibid.*, 450.
4 CS, 484.
5 CS, 298.
6 HH, 77.

para «pintarlo». Lo confirma Jusep Torres: «Somos tiempo y pintamos tiempo. Pintamos este momento en este momento. ¿Qué de raro que los demás no nos entiendan? ¿O que nos entiendan a su manera, en su tiempo?» [7].

Esa admiración por la memoria, pozo sin fondo del que el escritor, el hombre, extrae las piedras negras hasta la superficie del presente, dándoles las luces de la imaginación, les viene a los hombres del *Laberinto* desde un pasado lejano que conocen bien:

> ¡Grande es la potencia de la memoria! Hay un no sé qué de pavoroso en su profunda e infinita multiplicidad. ¡Y eso, es el espíritu, y eso, soy yo mismo!... Recorro en todos sentidos ese mundo interior, vuelo en él acá y allá, lo penetro tan lejos como puedo, sin encontrarle nunca los límites... La memoria recoge todas las sensaciones en sus vastos retiros, en sus secretos e inefables repliegues para poderlos llamar y recoger de nuevo en caso necesario [8].

Esa es, nos parece, la primera y primitiva acepción del *Laberinto mágico*: la memoria, tal como queda descrita en las páginas memorables de San Agustín, a cuya deuda se manifiesta, ya desde el título, reconocido el autor. De la misma fuente viene a los hombres del *Laberinto* esa sensación de la memoria que caracteriza, por ejemplo, Remigio, personaje del *Remate*:

> Hay un compartimento donde descansan (¿descansan?) algunas imágenes claves de nuestra vida, un escondrijo del que tenemos la llave; sabemos lo que hay adentro, no lo dejamos salir. Si se escapan, ¿quién las vuelve a encerrar vírgenes? [9].

Es hacia atrás, hacia el pasado, por donde se va forjando la eternidad, piensa Molina, en la noche de la Sanjuanada:

> El mundo va haciéndose a medida del presente; segundo a segundo queda según lo hacemos, para que escojan los que

---

[7] JTC, 227.
[8] S. Agustín, *Confesiones,* X, viii, 17.
[9] HMM, 34.

> siguen, yo mismo. El pasado está a la disposición de los que viven en Marte dentro de equis años. ¿De cuántos? Preguntárselo a... La eternidad está detrás, no delante. Frente a nosotros no hay más que el vacío, que llenamos a la medida del tiempo. Responsables del mañana, echamos a volar semillas a todas horas: todas buenas, aun las malas [10].

«El tiempo no borra, sino que añade», dice de otro modo Lázaro Valdés [11]. Por esa realidad creadora del presente, en un momento de euforia, puede el protagonista meditador de *Yo vivo* negar la realidad del tiempo, pasado o futuro, para concebir el presente como puro ritmo:

> Presente del presente. El presente: clarísima luz del sol que le hiere los párpados, color y calor de sus párpados. No existe el tiempo, sólo el día y la noche, la vigilia y el sueño, los párpados cerrados y abiertos. Ritmo. Pero aun cuando los tenga abiertos, los cierra de cuando en cuando para velarlo todo con el licor del sueño. Ritmo alterno [12].

La realidad del tiempo como energía del hombre y a su servicio; pregúntase Prometeo N. cómo ha podido vivir la humanidad sin contar con el tiempo para medir las cosas:

> El descubrimiento del *quantum* de acción de Planck, en 1900, es la razón de mi mundo... He nacido con el principio de la relatividad, es decir, cuando la ciencia volvía a ser del hombre y no de la naturaleza. (El tiempo) desaparecía como observador imperturbable, entraba a formar parte de la vida misma, era otra forma de la energía [13].

---

[10] CV, 236.
[11] VH, 52.
[12] YV, 15.
[13] CIC, 196-97. Aub dice en otro lugar, hablando por su cuenta, la importancia que tuvieron los descubrimientos de Planck para la evolución de la humanidad, explicando la teoría de los *quanta* y sus consecuencias einsteinianas. Y concluye: «De hecho, el hombre consigue lo que buscaba desde hacía siglos: la piedra filosofal que le permite convertir la tierra en oro» (HH, 148).

Por eso Templado, en el nocturno del Madrid sitiado, puede exclamar:

> La destrucción —sea del tiempo o del hombre— es la expresión máxima de la fuerza del hombre y del tiempo. ¿Qué diferencia hay entre ambos? Ninguna. Por el hecho de ser hombre somos tiempo; el tiempo es hombre. Hecho a su medida, a su imagen y semejanza [14].

Si el pasado no tiene influencia sobre el presente, ni éste sobre el porvenir, como afirma Prometeo N. haber aprendido de la ciencia, el hombre por primera vez sería dueño de su destino, desde Demócrito: «Con el descubrimiento y escudriñar de la radioactividad empieza una nueva era» [15]. En esa nueva era, «en la macrofísica de los átomos y de los *quanta,* ocurre a cada momento algo imprevisiblemente nuevo. No sé cómo los hombres, al enterarse de ello, no brincaron de gusto y se pusieron de acuerdo» [16]. Pero el hombre sigue apegado, por costumbre, al pasado, se fía ante todo de su memoria. Así, en una conversación entre Templado y Ferrís, éste afirma: «El hombre es su memoria. ¿Te figuras un mundo sin memoria? No. La memoria es la base de la humanidad». Pero reconoce que «recordar, si se piensa un momento, es monstruoso: es la muerte —lo muerto, lo pasado— que determina en todo momento la vida» [17].

¿Qué significan, en ese contexto, la muerte y la vida para el hombre del *Laberinto*? Para el intelectual encerrado en su pesimismo, ninguna diferencia entre ambas:

> Lo único vivo es la muerte. ¿De qué vivimos si no? No hay más que el presente preñado de lo pasado y lo porvenir. El pasado, ¿no ha muerto? El futuro, no habiendo nacido, ¿no es muerte?... Somos muertos andando sobre muertos, viviendo muerte [18].

---

[14] CM, 70.
[15] CIC, 197.
[16] CAL, 104.
[17] CV, 299-300.
[18] CM, 195.

La misma conclusión se envuelve en un tono optimista en boca de un hombre del pueblo, Banquells, a quien la contemplación de un reloj de arena le lleva a comprender que «lo mismo daba, la vida seguía, la muerte se volvía vida, era la vida misma, iguales derecho y revés; no existía el tiempo, sino él», en afirmación equivalente a la de Enrique, el protagonista de *Yo vivo.*

No solamente ocurre que el riesgo de la muerte, el conocerla, dé valor y sentido a la vida, como afirman en distintos momentos de *Campo de sangre* Lola Cifuentes, el archivero Don Leandro o Cuartero, católicos [19]. Para algunos, sencilla y simplemente, la muerte no existe, sólo es, para Don Piscis, el espiritista de *Campo cerrado,* «una broma del tiempo» [20]. Templado acepta la realidad de la muerte, porque no cree en ella [21].

> La muerte no es más que un accidente, porque nuestra vida sigue viviendo a través de los espacios. Un día, un ser cualquiera, establecido en un planeta cualquiera, un día cualquiera, dentro de un cuatrillón de años cualquiera, en que le llegue la luz de la tierra, podrá, quizá, con unos aparatos, ver esta escena que está aquí pasando entre nosotros. Para siempre vivos, a través de los universos [22].

Por eso puede decir que no le importa su fin. Porque no cree que lo haya. La misma idea que Templado repite en dos lugares distintos, la comparte, en más o menos, el creador del *Laberinto,* como la expresa en sus «Páginas azules»: «Sabe el autor que la muerte no pasa de ser un artificio retórico, como la palabra fin; no hay fin, no hay muerte, pero los libros se acaban porque se tienen que acabar...» [23]. La verdadera muerte del individuo está, a la manera unanimista de pensar el autor, en el olvido de los hombres: «La gente existe mientras vive.

---

19 CS, 211, 289, 369.

20 CC, 83. Lo mismo piensa el Anacoreta: «Yo no hago penitencia ni creo en la muerte» (*Ibid.*, 65).

21 CS, 408.

22 *Ibid.*, 452 (Cf. nota 13).

23 CAL, 360.

Luego, empieza lentamente a morir en los demás. Desaparece, teñida de sombras, en el olvido»[24]. De esa misma corriente de pensamiento unanimista le llega a Serrador la convicción de que vivir es actuar, hacer algo. Que «pensar es defenderse contra la vida y contra la muerte», hundirse en el pasado, «cosa gris y triste, quieta y melancólica»[25].

Por consiguiente, si la consideración de la muerte como fin del individuo se supera, para considerarla como un acto que puede ofrecerse para que la vida de la colectividad continúe, Molina puede replicar a Aparicio:

> ¿El destino, la muerte? ¡Qué ridículo! Precisamente lo contrario: el destino es la vida; lo que queda. ¿Que desecha mucho para hacerse? Más desovamos. La continuidad, ese es el destino; no el asolamiento. La infecundidad, la mariconería están al margen[26].

Más evidente aún resulta para los revolucionarios, que entienden o intuyen, según sus alcances, que no hay que confundir la vida con sus vidas personales, que «la vida cobra sentido por la manera de perderla, o de jugársela»[27]. De ellos aprende Serrador las ideas con que cierra su meditación metafísica, en términos existenciales:

> —¿Qué justifica mi vida?
> —La idea, la presencia, de mi cuerpo en el mundo.
> —¿Qué merece que la sacrifique?
> —La vida de los demás, la mía inclusive[28].

En cambio, si morir por los hombres le parece justo, ir a la muerte o llevar a otros a morir por ideas, le resulta absurdo. Eso le opone a gente como Salomar, que afirma:

---

24 *Ibid.*, 363.
25 CC, 237.
26 CV, 233.
27 CC, 78-80.
28 *Ibid.*, 114-15.

—A mí no me interesan los hombres, sino las ideas.

—¿Y en nombre de esas ideas los lleva a la muerte?

—¡No será tanto! Pero ¿qué quedaría de ellos si murieran en la cama?

—Su vida.

—A mí la vida no me importa.

—A mí me tiene sin cuidado la mía, pero me importa mucho la de los demás. Morir por ellos es hermoso; por una idea, grotesco [29].

Así lo comprende también Lledó, el intelectual «de balcón», que ve pasar la vida sin tener el valor de chapuzarse en ella: «...para mí, no hay cosa que me enternezca tanto como ver a un hombre jugarse la vida por sus semejantes, sin buscar enriquecimientos. ¡En serio!» [30]. Sin embargo, ni las luminarias de la Revolución son fuerza suficiente para empujarle del saber al hacer: «No le dé vueltas. Mucha de esta gente que anda por ahí a tiros no sabe por qué lucha. Yo, que lo sé, estoy en casa. Si a eso no lo llama usted cobardía... Y no me importa la muerte» [31].

Los males de la revolución, por otra parte, los aceptarán precisamente por la esperanza del bien futuro. Así, a la desesperación de Braña, escritor de la *Revista de Occidente,* a quien han matado a un hermano por un trágico error, opone Templado:

> ¿Que sale un canalla? ¿Y qué? Se muere —lo cual no importa para que haya vivido—. Y la vida, la fuerza de la vida, puede más que todo. (...) El sol acaba teniendo razón de los detritus [32].

Por su parte, los voluntarios del Quinto Regimiento —formación comunista durante la guerra civil— están lejos de luchar por «una concepción científica o lo que sea, del mundo», según uno de ellos afirma:

---

[29] *Ibid.*, 132.
[30] *Ibid.*, 157.
[31] *Ibid.*, 226-27.
[32] CA, 298.

> No. Creen en un mundo mejor. Están seguros de su existencia y dan su vida, no por su patria, es decir, un pasado, sino por el futuro, del que están absolutamente, ¿me oyes bien?, absolutamente seguros [33].

El hombre aubiano, consciente de sus inevitables límites temporales, para no caer en la tentación de auto-destruirse gratuitamente, en un mundo absurdo y sin significación para él, busca instintiva o conscientemente la salvación en la trascendencia. Así, según la tradición, puede vivir en la fe y la esperanza de una vida sobrenatural, que a la vez justifique su conducta en el mundo. No es ésta la postura que adopta, ni con mucho, la mayoría de los habitantes del *Laberinto,* pero desde el *Limpiabotas del Padre Eterno,* con su fe primitiva de débil de espíritu, hasta el intelectual católico, consciente de su fe y de sus problemas, como Paulino Cuartero, toda una galería de cristianos, que justifican su existencia en la vida sobrenatural, aparecen en las páginas de la gran obra. Cuartero es, sin duda, el personaje a cuyo través nos da el autor más detallada cuenta de la problemática cristiana. Y es, quizá por eso mismo, el menos auténtico de sus personajes, quizá porque el autor, aun sintiendo una evidente simpatía por él, es incapaz de penetrar realmente en su interior, incapaz de «meterse en su piel», en su vida y pasión de cristiano «de izquierdas» [34]. Lo cual no quita para que su creador, como sus más encontrados contrincantes y amigos —Fajardo, o Templado— lo estimen y respeten, y aun, en ciertas ocasiones, lleguen a manifestar la envidia que les causa su estabilidad religiosa. Así, Riquelme, discutiendo con Cuartero de la posibilidad de una alternativa entre ser creyente y optimista, o materialista y pesimista, por la vía intermedia de dar cualidades divinas a la materia, se ve reprochado de retrotraerse a Voltaire y Rousseau con su «vago deísmo»:

---

33 *Ibid.*, 351.

34 Cf. especialmente, para Cuartero: CA, 500-501, 507-508, 515-17 y CS, 489-92.

—O a Unamuno. ¡No quiero morir! Don fulano de tal no quiere morir, don fulano de tal grita que no quiere morir porque espera que su grito sea inmortal. Es infantil: yo quiero la luna.

—Carbonero...

—No, viejo, sino de vuelta a lo tuyo. Decídete de una vez: cree en Dios y en la virginidad de María y quédate tranquilo.

—¡Quién pudiera! [35].

No es Riquelme el único en buscar esa solución de síntesis entre la tesis y la antítesis. Así, el pintoresco «Maestro» Don Piscis:

> Aquí estamos los que creemos que esta copa y esta cucharilla son Dios. Y enfrente tenemos a los que creen que Dios las ha creado de un bufido [36].

Es notable la frecuencia con que los personajes del *Laberinto,* cristianos o no, mencionan a Dios, aunque en muchos casos sea bajo la forma de diversas imprecaciones o comparaciones irónicas. Las imprecaciones más frecuentes, por su intención, se podrían ejemplificar con la de Remigio, el desencantado intelectual exiliado:

> —Si creyera en Dios... Aún podría justificar tanto mal sobre España, con tal de salvarla eternamente. Pero no creo. ¡Si creyera! ¡Cómo lo insultaría! ¡Cómo lo llenaría de lodo tal como me llena de dolor! [37].

Es cada vez más frecuente, a medida que avanza el *Laberinto,* la presencia del problema de Dios, tal como lo plantea Remigio, y que en *Campo de los almendros* da origen a una curiosa y cerrada discusión en la que se afrontan, por turno, dos ateos:

---

35 CA, 516.
36 CC, 88.
37 HMM, 27. Cf. igualmente las más brutales de Terrazas y del «Gordo» (CV, 319; CC, 104-105).

—¡Qué terrible sería que Dios existiera, para los que creen en él! Para nosotros, los ateos, no tiene mayor importancia. Si es, no tenemos la culpa de no creer en él. La culpa, de los creyentes que, estando en el secreto, en posesión de la verdad, no ajustan su vida a su ley [38].

Un científico creyente, y el periodista que le interroga:

—¡Pero un biólogo como usted!

—Mire, muchacho: la ciencia creció y vivió al amparo de Dios, y seguirá adelante bajo su manto —y su mantillo— [39].

Cuartero y Templado, con el avinado arabista Miñano, que establece una distinción entre él y su amigo católico:

—El mundo es una mierda y no vale la pena hacer nada por él.

—Es exactamente lo contrario de lo que pienso —proclama Cuartero.

—¡Bah! Usted cree en Dios y yo soy católico, apostólico y romano —espeta el arabista sirviendo más vino de mejor año—. Moriré con el cielo asegurado, mientras usted se joderá en el exilio, pidiendo limosna en los atrios. A menos que se haga monje ortodoxo, pastor protestante o algo por el estilo [40].

Interviene más tarde Antonio Beda, músico por afición y polifacético, estableciendo una pintoresca relación entre Dios y las dictaduras: «Todos los que creéis en Dios sois, a la fuerza, partidarios de una dictadura, de la que sea. Dios es omnipotente, ¿no? ¿Entonces? Si queréis, volved por otra» [41].

Quizás la más estrecha identidad entre la opinión del autor y la de sus criaturas esté en estas palabras desesperadas de Ferrís:

Este es el lugar de la tragedia: frente al mar, bajo el cielo, en la tierra. Este es el puerto de Alicante, el treinta de marzo de 1939. Las tragedias siempre suceden en un lugar determinado,

---

38 CAL, 159.
39 *Ibid.*, 160.
40 *Ibid.*, 167.
41 *Ibid.*, 170.

en una fecha precisa, a una hora que no admite retraso. El cielo está cubierto porque tiene vergüenza de lo que va a suceder. Dios es el responsable de las desgracias humanas, aunque en su indiferencia no lo quiera reconocer. Quiero dejar sentado esto de una vez, no volveré a mencionarlo porque no vale la pena. Lo mismo da, para el hombre, que Dios exista o no: la pena es idéntica [42].

* * *

A la trascendencia religiosa se opone, como solución al deseo del hombre de ir más allá de sus límites biológicos, la trascendencia humana, «no por eso menos trascendente», en afirmación del propio autor [43]. En la obra se traduce tempranamente este sentimiento. Ya Petreña afirmaba que «uno no es más que lo que escribe; aún mejor: yo quisiera ser lo que quisiera escribir» [44]. O: «Sólo existe lo que se hace: lo que piensas, como si no», afirma Fajardo. Y confirma Bordes: «Creo que el hombre queda por lo que hace, por su obra» [45]. A esas afirmaciones añade Dalmases la dimensión de la colectividad, al insistir en que «lo que vale del hombre es su relación con lo demás, su trabajo» [46]. Creen en un futuro mejor para el hombre, y a él dedican su esfuerzo y trabajos. La fe en el progreso por la razón, y el socialismo científico. A cuyo efecto, Templado puede ironizar con Dalmases: «Si crees en la razón eres un ser religioso»:

---

42 CAL, 270-71. Compárense esas frases de Ferrís con la nota de Aub en su diario de Cuba, a propósito de su identificación con Camus (EC, 52). Cf. también, entre otras, las siguientes referencias o alusiones a Dios y a la religión: CC, 65, 88, 104-105, 160, 251-52; CA, 418, 437-39; CS, 12, 20, 58, 120, 124-25, 155, 319-21, 331, 370, 407, 471-72, 477, 490; CIC, 198, y *Limpiabotas*, passim.; CM, 93, 177; JTC, 266-67, 271, 275; CV, 211-13, 378; HMM, 29-32; CAL, 52, 360, 377, 379, 402, 428-29, 438, 444, 452, 456, 475.

43 HH, 35.

44 LAP (1965), 64.

45 CS, 473; CV, 384.

46 CAL, 267.

> No me salgas con que eres ateo: además de que se puede ser ateo y profundamente religioso. Los que no lo son no creen en nada, y menos en la razón. Los que se educaron en una religión y siguen fieles a ella no lo son racionalmente. (...) Ahora bien, si tú crees en la razón, es irracionalmente. (...) Nada puede probarte la razón sino tu sinrazón, tu creencia, tu fe. Únicamente los que dudan de todo, y lo primero de la razón, son irreligiosos[47].

Y, oponiéndose abiertamente a la opción comunista, insiste poco después:

> Yo te diría que los hombres valen más que lo que producen y más que lo que su relación ofrece. Es muy fácil decir, como tú, que lo único que cuenta es lo que va de ti a mí, que lo otro no cuenta para el mundo. Más bien aseguraría lo contrario: lo único que vale es lo que no se cuenta, lo que no cuenta, lo que no se dice. Tu manera de enfocar el mundo, de valorizarlo por su solo producto es deprimente y despreciable[48].

Para el escritor, para el artista, la obra de arte será, dentro de la trascendencia humana, su modo de quedar, cosa que los hombres del *Laberinto* saben no ser creencia de hoy: a la afirmación de Bordes, ya citada, observa Santibáñez: «Ya lo dijo Horacio». Y empezando por el trágico Álvarez Petreña, que afirmaba: «Mi única salvación, mi único deseo vital era salvarse por las letras, y lo he perdido»[49], todos los artistas, todos los escritores que circulan por el mundo novelesco de Max Aub corren tras la obra que les dará esa supervivencia que buscan, unamunos que no pueden acabar de esperar en una trascendencia de orden teológico. Quizás por eso Fajardo puede decir a su amigo Cuartero, como un reproche: «Alguna vez dijiste que escribías para salvarte», a lo que responde, contritamente, el escritor católico: «Era verdad... el sarampión...»[50]. El problema de la trascendencia se complica para el creador, cuando se plan-

---

[47] *Ibid.*, 266.
[48] *Ibid.*, 267-68.
[49] LAP (1965), 70.
[50] CS, 472.

tea la cuestión de las características que debe tener su arte para alcanzar esa trascendencia terrena. Si se exceptúa la arquitectura, a la que se reconoce la posibilidad, por naturaleza, de cumplir a la vez con el principio de la utilidad y con los postulados estéticos de su creador —alcanzando sin problemas graves la categoría de arte popular— todas las artes y las letras se plantean ambos objetivos como difícilmente conciliables: «De las calzadas romanas lo que cuenta todavía hoy son los puentes. No por lo que sirven o sirvieron, sino por hermosos» [51]. Para el creador, en cuanto tal, su misión básica es hacer obra bella, y como Bordes, el viejo periodista de Valencia, no tiene «más que este pequeño problema: Unamuno, Jiménez se pueden morir tranquilos con lo hecho a cuestas. Aquí quedan, más o menos; yo creo que más. ¿Pero yo? Todo lo que escribo es mierda...» [52]. «El que sabe, sabe... El arte está en hacer bien las cosas [53].

El problema está, cuando se contempla el arte no como simple estimulante de placer sensorial, de elevación sentimental, e, intentándose alzar del nivel estético, se plantea la cuestión de su utilidad: el viejo dilema de lo útil y lo agradable. La reacción ante este dilema, por parte de los artistas, está representada, de un lado, por Ferrís y Campalans:

> El arte no tiene nada que ver con la utilidad, como no sea la arquitectura y aun, allí, porque se trata de un arte aplicado que además de útil puede ser hermoso, porque la utilidad puede ser hermosa, pero no por eso es una obra de arte. Un par de calcetines es un buen ejemplo. No confundir nunca el arte con el buen gusto [54].
>
> Algunos quieren hoy un arte de tenedor, cuchara o cuchillo. Para ayudar a digerir cuanto antes. Que sea útiles —no útil— que sirva. O que tienda, en sí, a hacer mejor a los hombres. La inocuidad e iniquidad de estos supuestos es obvia. ¿De verdad creen que *Edipo Rey, Hamlet, Las meninas,* la sinfonía

---

51 CAL, 114; cf. nota 53.
52 CV, 384.
53 CA, 371.
54 CAL, 435.

> 41 de Mozart, o la séptima de Beethoven —para no andar discutiendo— se hicieron con fines benéficos? [55].

Por otra parte, el artista comprometido, el artista dedicado a una ortodoxia de partido, insiste en el sometimiento del arte a la causa, al ideal. Habla Lugones, mejicano:

> La pintura forma parte integrante de un movimiento de conjunto que se desarrolla de acuerdo con un anhelo político de carácter universal. Si la pintura no tiene ideas, ni es pintura ni es nada [56].

La réplica de Laparra, pintor hondureño, es para situar el arte en el lugar que le asigna el comunismo:

> ¿Qué es el arte, la literatura, para un comunista? No, no me contestes. Te voy a citar a Lenin. Aguántate: «es una parte ínfima, una ruedecilla, un pequeño tornillo del gran mecanismo del partido, una parte integrante del trabajo organizado, planificado, del Partido». No me digas que no: o te digo de qué tomo es, y aun en qué página está escrito. Ves tú: eso me parece bien, perfecto, si quieres...
>
> —Entonces...
>
> —Pero para un comunista: para un obrero, para un ingeniero. Pero eso no puede satisfacer a un escritor, a un pintor, a menos que deje de serlo y venga a convertirse en comunista, es decir: que se decida a sacrificar lo suyo en pro de la construcción de un mundo nuevo. Todo lo que no sea eso será hibridismo, jugar con dos barajas: como tú [57].

Todo lo cual evidencia otro nudo de la cuestión, a saber, si el artista, para hacer buen arte, ha de ser un hombre de ética. A todos les parece que no es así, porque el artista vive de su arte, y por ello hace lo que le encargan, literalmente vendiéndose. Y su conducta personal no tiene relación con el valor de su obra:

---

55 JTC, 227.
56 CA, 375.
57 *Ibid.*, 377.

> ¿Qué se hace con la sinceridad, la honestidad, la virtud? Muchas cosas, pero no arte. El arte está en hacer bien las cosas, pero no en las cosas en sí. Esas déjalas para otros menesteres.
>
> —¡Me vas a decir que el artista no tiene nada que ver con el hombre!
>
> —Poco, hermano, poco. Hubo por ahí cada cabrón, y cada marica ante los que nos quitamos reverentes el sombrero [58].

La última cuestión controvertida, que suscita Renau al decir que «hay que llevar la pintura al pueblo», es la del gusto de las masas en arte, a la que Laparra responde rotundamente, negándoselo: «¿Y quién te ha podido hace creer —un sólo momento— que el pueblo tiene buen gusto?... A los más les gusta el sentimentalismo y el melodrama, como le gusta a la burguesía y le gustó a la aristocracia» [59].

La paradoja wildeana, de que el arte es más importante que la vida, es, pues, absolutamente falsa. No lo es, a primera vista, más que para los propios artistas. Y aun así, bien mirado, sigue en su falsedad, ya que, como hemos visto, o el arte sirve al artista para comer, para vivir, y por la vida lo hace, o le sirve para inmortalizarse, es decir, para mantenerse en vida más allá de sus límites mismos.

A propósito de la relación del hombre con la sociedad en la que vive volveremos a tener ocasión de considerar algunos nuevos aspectos de estas cuestiones controvertidas.

---

58 *Ibid.*, 371. Cf. abundando en lo mismo: JTC, 273; CV, 297.
59 *Ibid.*, 375.

III

EL HOMBRE EN SU SOCIEDAD

Del mismo modo que el que hemos convenido en llamar «el hombre del *Laberinto*» se interroga sobre el hecho de su inserción en el tiempo y en el espacio, se plantea en un momento de su vida novelesca la cuestión de su existencia en lo que podríamos llamar el espacio humano, en relación con los otros hombres. De ese modo, en el planteamiento de sus incógnitas fundamentales, Serrador puede preguntarse: «¿Con quién estoy?». Y su respuesta es situarse en uno de los tres grupos en que, según su esquema, se divide la humanidad [1].

El hombre del *Laberinto* experimenta la necesidad de comunicar con el otro, forma quizás la primera del impulso a la humana trascendencia. Manifestada en la amistad, en la atracción amorosa, esa tendencia comunicativa está compartida por hombres y mujeres del *Laberinto*, de manera aparentemente indiscutida y que, en Templado, se lleva al extremo de una metamorfosis con sus interlocutores, falseando la propia identidad en una forma abierta de mimetismo:

> Soy falso —piensa Julián— y ella falsa conmigo. Ya sin remedio. Se engastan unas personas con otras, según un cierto clima, sin posibilidad de desaparejarse. Con Hope soy de una

---

[1] CC, 111-12.

> manera, con Riva de otra, con Cuartero y Fajardo es con quienes me parezco más a mí mismo. Cada vez que vuelvo a tropezarme con quien sea hay un punto de escape del muelle de mi manera de ser que deja paso a una postura idéntica a la que adopté con él las veces anteriores [2].

Y, sin embargo, observando al cabo de las páginas los contactos humanos entre los personajes del *Laberinto*, se va desprendiendo poco a poco la impresión de que, salvo en momentos excepcionales, generalmente de carácter heroico o apasionado, la comunicación deseada no se acaba de establecer. A pesar del río conversacional que constituye una de las pistas del *Laberinto mágico*, los personajes aparecen a menudo como encastillados en sus monólogos alternados; llega a ocurrir raras veces que se señale la que a nosotros nos parecería inevitable indignación ante las opiniones más ofensivas —por antitéticas— manifestadas por unos frente a otros. Ello ocurre incluso en personajes de naturaleza particularmente biliosa como Templado o Ferrís. Y precisamente los momentos de más alta temperatura comunicativa parecen coincidir con el silencio, en las situaciones en que, por un peligro, una agresión, una pasión que afecta a los presentes, se siente el codo a codo de los hombres, todos ellos sometidos a los mismos límites y condiciones. Diríase que, efectivamente, el sentimiento de la amistad, el gozo de la unión amorosa, la exaltación de la fraternidad humana, se hace en una comunidad de silencios, que subrayan otra comunidad de sensaciones, sentimientos, pasiones.

Algunos personajes, sin duda, se presentan a nuestra consideración como víctimas preferidas de la soledad, hundidas en la sensación de vivir incomunicados, de hacer signos en un desolado mar de hielo. Álvarez Petreña es el prototipo de ese fracaso de la comunicación, que lo abocará al suicidio: «todo ser es incomprensible para los demás»: he ahí su obsesión [3]. La idea se repite, una y otra vez, hasta el trágico desenlace:

---

[2] CS, 209. En ese sentirse más identificado con Cuartero se distinguen, según dijimos, el autor y el personaje.

[3] LAP, 40.

> Estoy solo, Laura, solo en la más espantosa soledad, con un reloj que me marca el tiempo. Solo, solo sollozo esto que tú podrás comprender, esto que tú puedes sentir quizá dentro de ti, pero que no me puedes comunicar, como yo no puedo comunicar a nadie esto que siento, ni a mí mismo, a través de este espejo blanco[4].

Dabella, el tímido, aislado de su padre viudo, se siente en una soledad de la que sólo lo sacará el frustrado intento de suicidio:

> Siempre había pensado que los hombres vivían en compartimentos estancos —no era imagen suya sino de Molina— y que, a lo sumo, se podían comunicar con los demás dando golpes en las paredes de sus celdas: a veces se entendían, generalmente no[5].

La misma idea la había tenido Max Aub, personaje de la misma novela, e intentaba ponerla en práctica literaria:

> —Me acordaba de Max Aub, un escritor joven, de Valencia, aunque no lo creáis.
>
> —¿Y?
>
> —Piensa escribir, o está escribiendo, una novela en la que, al final, cada uno de los personajes, cada uno por su lado, en su jaula, se vuelve loco. O hablan para sí, que viene a ser lo mismo[6].

En la relación amorosa entre hombre y mujer, dos niveles distintos parecen tener diferentes suertes en el *Laberinto*. El puro comercio sexual no parece plantear problemas. Así Templado con sus múltiples Mariquillas y Mercedes, así Riquelme y Manuela, así el innominado protagonista del *Elogio de las casas de citas,* viven sus experiencias al nivel modesto que buscan —felicidad de querer lo que se puede, y tener lo que se quiere—. Pero si la busca del «otro» va complicada con la

---

[4] *Ibid.,* 78.
[5] CV, 112.
[6] *Ibid.,* 386.

pasión consciente o inconsciente de durar, de hallar un punto de fusión, de trascender en formas extremas y durables, el fracaso y la tragedia amenazan y acaban por ocurrir. Así terminan trágicamente los amores de Paulino y Rosario, así Terrazas y Rosa María, Marta y Aparicio, Alfaro y Remedios. La situación agrava sus caracteres cuando, en contra de la humana y humanitaria ley que exige la rapidez en el desenlace trágico, la pareja persiste unida —desunida— por largos años de convivencia matrimonial. Así el drama cotidiano angustioso de Daniel Miralles con su terrible mitad. Así el tormento de Paulino Cuartero con su esposa, Pilar, cuyo odio es reflejo de su incomprensión, de su convicción de no llevar la vida que sus supuestas prendas personales merecían; Cuartero, por su parte, se muestra incapaz de penetrar la dura corteza defensiva, salir de su hábito solitario. Su monólogo en la noche, tras las mil veces repetida discusión al borde de la cama conyugal, es uno de los más desolados momentos del *Laberinto,* precisamente porque, a su lado, la otra soledad discurre paralela e igualmente inconsolable. Consuélase —triste ayuda— el escritor pensando en sus personajes, sus hijos ficticios, ya que los reales comparten la agresividad materna, que en ellos se escuda [7].

De cualquier modo, es posible que la sensación de soledad sin remedio que al lector del *Laberinto,* de lejos, le sobrecoge, no sea sino una falsa impresión. De lo contrario, habría que esperar más suicidas de los que en efecto se salen del laberinto por la puerta gordiana, o lo intentan: recordamos a Petreña, al innominado ahorcado del teatro Eslava —en *Campo abierto*—, a Dabella, fallido, a Aparicio y al triste marido cornudo de *La calle de Valverde,* a Lola, en *Campo del moro...*

Templado asegura que «a la fuerza ahorcan y el suicidio es un callejón sin salida», prueba de que los viandantes del *Laberinto* suelen mantener despierta la esperanza de seguir circulando, y de hacerlo en solidaridad posible, aunque ésta sea pasajera e intermitente [8]. Por eso, el único momento crítico del

---

7 CS, 416-23.

8 *Ibid.*, 12.

Laberinto es la encerrona en el puerto de Alicante: delante el mar, en torno las tropas enemigas, dispuestas a penetrar en el recinto, manteniendo alzada, en suspenso, largo *suspense,* la espada, en la postura del vizcaíno sobre don Quijote: muerte. Los ríos van a parar al mar. Y en ese callejón sin salida es donde los suicidios se multiplican, en una postrera forma de unanimismo por exterminación.

El motivo de la incomunicabilidad, que el mismo Aub se pregunta si no será «hija del liberalismo» [9], es una constante en su obra desde los comienzos, y el pesimismo de un Petreña, que no es único, le lleva a dudar incluso de la «comunicación de los sentimientos ni consigo mismo» [10]. Piezas enteras del teatro aubiano en su primera época, anteriores al *Luis Álvarez Petreña* (—*El desconfiado prodigioso* y *El celoso y su enamorada* son respectivamente de 1924 y 1925—) ya repetían dolorosamente, bajo apariencias de farsa, el mismo motivo [11]. Sin embargo, un motivo puede siempre ser tratado como un calcetín, volviéndolo del revés, y es curioso y significativo ver que, muchas veces, el que se obtiene así es tan plausible y tan defendible como el anterior. Así, la duda de Petreña la volverá al revés Campalans, sacando de la soledad la compañía:

> —Nunca se está solo, sino consigo mismo y con Dios. El hombre nunca calla. Un monólogo siempre es un diálogo. Siempre se habla con alguien, aunque sea consigo mismo que, en ese momento, es *otro.* Por eso nadie puede ser, de verdad, ateo. Siempre hay otro [12].

Existe, por otra parte, en todo el *Laberinto,* una presencia constante de la amistad, sentimiento aparentemente contradicho por la insistencia del motivo de la incomunicabilidad. La amis-

---

9 Carta de Aub, 7 de enero de 1958.

10 LAP, 76.

11 Cf. *Teatro incompleto* (1930). El hecho de que los temas estuvieran directamente inspirados en el teatro de Crommelynck, como ya señalábamos en nuestra tesis de licenciatura (1954), y en el Marcel Achard de *Voulez-vous jouer avec môa?,* no es ciertamente óbice al enraizamiento del motivo en Aub: problema de época.

12 JTC, 266.

tad aparece evidente en las relaciones entre los hombres del *Laberinto*; entre las mujeres la solidaridad parece establecerse casi en silencio, como entre las amantes de los diversos personajes amigos en *Campo del Moro*, cuando el azar dispone así que se reúnan. Excepcionalmente, la amistad entre hombre y mujer puede existir, sin que el amor sea estorbo: más bien suele ser la consecuencia inevitable: así ocurre con Hipólito y su madrastra en *Geografía*, con Dalmases y Asunción, la «pareja» novelesca por antonomasia en la obra entera de Aub; así ocurre entre Terrazas y Rosa María en *Campo del Moro*, con Aparicio y Marga en *La calle de Valverde*, con Templado y Teresa Guerrero. La amistad se considera, en la escala de sus valores, por encima de la fidelidad de partido. Así los amigos de Jorge Mustieles, después de haber puesto a prueba su temple, simulando condenar a muerte a su padre, dejarán a éste en libertad, a sabiendas de su complicidad antirrepublicana. Dalmases romperá la fidelidad a la consigna del Partido para ayudar a Asunción en sus inquietudes. La diferencia estriba en que los comunistas de Dalmases no son los radicales de Mustieles, y el primero deberá pagar al Partido por su transgresión. No perteneciendo a la obediencia comunista, Farnals, que ha ayudado a un amigo nacionalista a escapar a Francia, tendrá que recibir las reprimendas acerbas del comunista Gaspar Requena, su amigo, y soportar sus veladas amenazas. Farnals, socialista, tendrá que reconocer —en su fuero interno— que la razón está de parte del otro —como Templado en una situación semejante—, y, sin embargo, pone su sentimiento por encima de la razón. La discusión de Farnals y Requena, como su equivalente entre Fajardo y Templado, se extiende ampliamente sobre la cuestión, en un afrontamiento de puntos de vista que quedan, como en todas las conversaciones del *Laberinto*, sin solución, es decir, sin que ninguno de los contrincantes acepte la opinión del otro, o intente ponerse en su lugar siquiera [13]. Dialéctica que, a diferencia de la abstracción de Hegel, no llega a pasar nunca a la síntesis, partiendo del afron-

---

13 Cf. CA, 85-95.

tamiento de una tesis y una antítesis. Queda la obra abierta al lector, que hará, si es que puede, tal síntesis. Por su parte, entre los «liberales» de que Farnals es modelo, o Templado, y los «fanáticos», la conclusión —no la síntesis— es diferente. Los primeros aceptan la existencia de los segundos, y aun el advenimiento de la dictadura del proletariado. «Pero no contéis conmigo para establecerla. Tengo demasiado respeto por los demás, queriéndolo para mí» [14]. Así se expresa Templado. Fajardo, en el lado opuesto, no es tan conciliante: «Lo malo es que no podremos acabar con todos los que creéis en la moral de los sentimientos».

Si, en algún momento de excesiva amargura, la idea de que «las amistades de los veinte años son las verdaderas, las que resisten», que implica la existencia de la amistad, se ve contradicha en un mismo relato —*El remate*— por la negación de toda amistad «entre nosotros españoles» [15], lo cierto es que en el *Laberinto* los hombres tienen trato amistoso constante, y que el mismo Templado, tras la acerba observación de Fajardo, está seguro de que la amistad entre ellos persistirá [16]. Señalemos, de paso que la opinión del creador, como tantas otras veces, coincide con las de su criatura:

> Creo, además, en la amistad; me repugnan esas personas para quienes lo político priva lo personal. Mientras los seres respeten las leyes humanas, mi deseo, tal vez incumplido, y no por mi culpa, es poder seguir diciendo: mi amigo Malraux, mi amigo Ehrenburg, mi amigo Hemingway, mi amigo Medina, mi amigo Regler, mi amigo Marinello. La revolución al precio de abandonar lo humano, no vale la pena [17].

¿Podemos intentar resolver la contradicción señalada en el *Laberinto* entre incomunicabilidad y amistad? Creemos que sí, que se trata de una apariencia de contradicción. Conviene ante todo poner en claro qué es, cómo se manifiesta la amistad entre

---

[14] CS, 400. (Más o menos lo mismo dice Farnals en CA, 95).
[15] HM, 13 y 78.
[16] CS, 404.
[17] Carta a Roy T. House (1949), *apud* HH, 43.

los personajes, y para qué la usan o les sirve. Los amigos del *Laberinto,* intentamos resumir, comparten sensaciones y sentimientos, pero prácticamente nunca coinciden en sus puntos de vista. Se encuentran en torno a una mesa, opulenta o frugal, pasean por los nocturnos callejeros de la ciudad o bajo las estrellas del campo abierto, se aprietan dándose calor en los campos de concentración. Y se buscan continuamente, como para sentirse existir por el solo hecho de ponerse frente a los demás dialécticamente. Hacen de la necesidad vital una virtud sentimental. Y diríase que son sobre todo los contrarios los que se buscan, y que, aún más, siguiendo una táctica hecha célebre en España por Unamuno —que no hizo sino dramatizarla en una frase— se oponen por principio a las opiniones expresadas por los amigos: «¿De qué se trata, que me opongo?». Es lo que piensan. Y, sin decirlo, su actuación en los diálogos es siempre la misma. De ahí que no haya sino rara vez dos opiniones iguales en torno a una mesa. No podríamos, en cambio, decir lo mismo de las fobias que, ahí sí, acierta el triste Remigio al decir que unen a los españoles en una forma de comunidad. Creemos ver confirmada nuestra interpretación en varios pasajes del *Laberinto.* Cuartero, quejándose de su soledad, afirma: «Me duele sentirme solo, teniendo la seguridad de que podría no estarlo. Me duele no tener más amigos que tú y Templado». Está hablándole a Fajardo, y añade: «Me hacéis falta para poder hablar de lo que quiera sin pensar en lo que puedan decir. Me duele el no poderme abandonar» [18]. Lo mismo va a confirmar Templado al querer convencer a Cuartero de la imposibilidad de la soledad:

> El hombre no puede sentirse solo porque no está solo. No me mires así, porque con ese hecho de mirarme incrédulamente me estás dando la razón. Tú no eres tú sino lo que me pareces a mí, y a mi vez yo soy —para ti— el que te parezco [19].

Y concreta más adelante: «Esa amalgama, ese machihembrar continuo, esa ligazón constante, viva, que discurre y discurre,

[18] CS, 329.
[19] CA, 418.

pasa y piensa, y pesa: Ese soy yo. (...) Ligado a todos y cada uno. A ti y a este 7 de noviembre que está naciendo, y a Dios»[20].

Evidentemente, el hombre es él y su circunstancia —o su circunstancia y él, laberinto de espejos—. Es evidente, así al menos nos aparece, que amistad, para los hombres del mundo novelesco aubiano, es sinónimo de comprensión, de generosidad. A eso alude Paulino Cuartero: dichos sentimientos son compatibles con la diversidad de las opiniones. Y es amigo de alguien porque está unido a él a pesar de esa diversidad. Unido, decíamos, a un nivel sentimental, sin razón ni justificación mayor que la de ser así. Por eso los personajes del *Laberinto* no confunden a los colegas y a los correligionarios con los amigos. Cuando Serrador se siente integrado con los obreros de Barcelona en la mañana del 19 de julio de 1936, siente haber abandonado su soledad («estar de acuerdo conmigo mismo es estar solo») por la fraternidad o la solidaridad[21]. Éstas nacen de una comunidad de acción. Los amigos siguen siendo otra cosa. Pueden ser —seguir siéndolo— falangistas, como antes de su conversión política. Por ello, cuando se rinden los nacionalistas de Capitanía y Salomar se desliza entre la multitud, sin su camisa azul, para huir, Serrador guardará silencio, y no intentará detenerlo[22].

El hombre, por su existencia individual y su vida dentro del grupo a que pertenece, se encuentra en una encrucijada dialéctica sobre distintos problemas, ante los cuales se le exige optar, por su condición misma, entre dos soluciones contrapuestas, sin que, aun en el caso de desearla, le sea posible o, menos aún probable, una solución de síntesis. La libertad puede oponerse a la igualdad, el individuo a la comunidad, la personalidad a la cultura. ¿Cuál será la opción del hombre laberíntico? Pero estas cuestiones se ven reducidas todas a un plano secundario en el momento en que se plantea la cuestión previa: ¿Puede el hombre optar? ¿Es la voluntad del hombre o es el

---

[20] *Ibid.*, 419.
[21] CC, 221-22.
[22] *Ibid.*, 241.

destino el que decide su conducta? La vieja querella del libre albedrío y de la predestinación se reduce aquí a los límites de la trascendencia, pero sigue planteando básicamente el mismo problema, que nos parece constituir —si queremos buscar uno— el centro temático del *Laberinto*, y aun la causa formal del mismo.

Pueden separarse cuatro elementos o puntos en el dilema, tal como se presenta a los hombres del *Laberinto*:

a) ¿Somos —o no— producto del azar, de la casualidad? ¿Lo es el mundo? La respuesta de la mayoría es afirmativa. Quizás sea Templado el personaje más representativo de esta opción: «A mí me gusta el mundo como es: Diverso e intransferible. Lleno de sorpresas e hijo del azar» [23]. Riquelme, cuya posición es seguramente la más representativa de una cierta forma de optimismo cientifista moderado, le acusa incluso de adorar la casualidad, mientras que él simplemente la acepta [24]. Otra posición intermedia es la del católico Cuartero:

> Me hace gracia que intenten explicar el mundo —la marcha del mundo humano— con teorías marxistas o de otro sexo, o con números, hechos, fechas, y no digamos el «estaba escrito» o el destino, mejor el «predestinaje», señalado con «índice de fuego» por el Señor. El hombre es demasiado complicado para reducirle a seguir un camino trazado de antemano por unas leyes, por enrevesadas que sean. Eso será bueno, tal vez, para la materia. Pero el hombre es algo y aun mucho más. Soy uno y otro, pienso de una manera u otra, según me duelan las muelas o no [25].

Y en el extremo opuesto, en su falsa adoración de la causalidad, D. Manuel el Espiritista: «No hay casualidad, sino causalidad»... «es uno de esos argumentos que repite mecánicamente...» [26].

---

23 CA, 434. Cf. CA, 298.
24 CM, 190.
25 CAL, 425.
26 CM, 66.

Abundan los momentos de discusión entre defensores de ambas tendencias extremas: así Hope, cuya opción es semejante a la de Templado, frente a Gorov:

> —Todo llegará —dice Gorov.
> —Todo es demasiado. ¿Eres lo que eres porque quieres? ¿Escogiste tu cara, tu voz, tu inteligencia? No. Te lo dieron. Y ahora me vas a decir que escoges. Obedeces, y gracias.
> —¿A quién? ¿A qué?
> —¡A la puñetera casualidad!...
> —Pero admitida esa casualidad, ¿vas a negarme que puedo escoger?
> —¿Escoger qué? Al lado de lo que te obligan a aceptar, ¿qué cuenta? [27].

b) Los acontecimientos que intervienen en la vida del hombre torciendo sus proyectos son, sin duda, un elemento de imprevisibilidad. En cambio, parece libre, frente a una disyuntiva, de hacer o no hacer, o de hacer lo contrario: (Habla Serrador) «Siempre se puede escoger. Uno escoge siempre. Aunque no quiera. Vivir es escoger. Siempre se puede hacer lo que no se hace. No se hace lo que se quiere: lo que se escoge» [28]. (Habla Molina) «No tiene remedio, la vida es así; no nos manda, nosotros determinamos» [29]. (Y Templado) «Eso del viceversa es la gran cosa. Porque puedo hacer esto *u* lo otro, pero no todo lo que quiero» [30].

El progreso del hombre se nos presenta como una lucha constante por desentrañar el azar, haciéndolo previsible:

> ¿Cómo quieres llamar a algo que fue no debiendo ser, a algo que sucede cuando parece determinar que no debiera ser? ¿Casualidad? No, es minimizarlo. ¿Azar? Estamos en las mismas... ¿Por qué no quieres aceptar que se pueda vivir de milagro? Luego se amontonan y se dan forma... A medida que pase el tiempo, el hombre agrandará el mundo. Y lo seguirá

---

27 CA, 454-55. Cf. *ibid.*, 479-80, entre Villegas y Cuartero.
28 CC, 114.
29 CV, 210; *ibid.*, 236.
30 CM, 78.

agrandando cada día más, gracias a la ciencia. No hacemos más que empezar[31].

Al fin y al cabo el hombre lucha contra la casualidad. Todos sus esfuerzos van encaminados —desde que es— a eso. «La casualidad no tiene conciencia ni memoria», dijo no recuerdo ahora quién. Pero el hombre sí. El hombre lo es justamente por eso, porque tiene conciencia, y la tiene porque tiene memoria. El hombre tiene *precedentes*. Es lo único que tiene. Es la única raíz de su grandeza. Se mantiene sobre sí mismo, todo decanta de él[32].

c) Las consecuencias de poner una opción en obra, o su contraria, aparecen igualmente imprevisibles *a priori*, aunque a continuación, una vez ocurridas, puedan explicarse. Esto se aplica tanto a las previsiones meteorológicas como a la vida del hombre según la visión rilkeana. Precisamente este aspecto de la previsibilidad del futuro se complementa con la idea de no aceptar el azar a la base de los acontecimientos[33].

d) ¿Está escrito nuestro destino futuro, personal? Así lo cree Templado, y Rivadavia explica con ello el gusto de las gentes por los horóscopos, quiromancias y cartomancias, recrudecido en momentos particularmente azarosos, como la guerra civil:

—El recrudecimiento de videntes, echadoras de cartas, se debe a la inestabilidad de las instituciones —dice Rivadavia—. Pesimismo, jóvenes. Inseguridad y creencia en la fortuna; parto del mundo, paso de una época a otra (...).

—Yo creo en el destino, en la fatalidad, en las líneas de la mano, en los horóscopos, en el hado, en la fortuna —dijo Templado—. Y en el padre de todos: Don Azar[34].

---

31 CA, 511-14.

32 CA, 447. Cf. en CIC, 196, la opinión de Prometeo N.: «La causalidad pasó a la historia con la discontinuidad».

33 Cf. CA, 479-80.

34 CS, 119-20.

En cuanto al gusto por los juegos de azar, a gana o pierde, no creemos que contradiga al deseo humano de superar el azar haciéndolo científicamente previsible. El juego no es sino la forma de luchar contra él, propia de la mentalidad pre-científica, que persiste, como otros arraigados atavismos, en nuestro siglo científico a medias, del que presencias como la del azar no han sido, con mucho, excluidas [35].

Creemos que el fundamento temático —como sus reflejos estructurales— de las novelas de Aub es básicamente la cuestión de la intromisión del acontecimiento en la vida del individuo y de la sociedad, junto con el de la interpenetración de estos dos polos del mundo. El acontecimiento, forma concreta que corresponde a las abstracciones de «azar», «casualidad», «destino», y que se ve condicionar a la historia. Y el problema puede resumirse en saber si esa intervención azarosa del acontecimiento existe, si no es una ilusión frente a una realidad de puro determinismo. ¿Existe realmente la libertad del individuo para decidir en su opción? La respuesta de los personajes del *Laberinto,* como ya hemos podido observar, está bien diferenciada. En cuanto a su autor, no consideramos representativas dos afirmaciones de Aub a propósito del azar y de la impotencia del hombre. En el primer caso, el prefacio a *Crímenes ejemplares,* dice: «¿Qué hemos labrado? ¿Qué hemos arado? Sólo queda el juego, que depende del azar. Hay quien, feliz, no se cansa de jugar. Yo sí» [36]. La afirmación, hecha en 1956, se opone al «último mito», al de la grandeza humana, que «sólo se mide por lo que pudo ser». Y añade, desesperadamente: «No vamos a ninguna parte, el gran ideal es, ahora, la mediocridad; vencer los impulsos». Dicha desesperanza parece venir a reemplazar una visión más optimista expresada en 1949: «No soy pesimista para el más adelante. Creo en el progreso; todo, la ciencia y la cultura lo abona. Lo único que hace a veces desesperar totalmente a algunos es lo corto de nuestros medios de observación».

35 Aunque a veces aparenten pretensiones científicas, piénsese en los múltiples intentos de «combinación» para ganar en los juegos de azar.

36 CE, 12.

No creemos que se trate sino de una desesperanza pasajera, en el primer caso. El segundo, en efecto, se repite en un prefacio de 1967, que insiste en el optimismo a largo plazo: «Durante mi vida... quedó patente un mundo mucho más viejo del que nos suponíamos; lo que refuerza mi esperanza de que, aun habiendo cambiado poco durante lo que viví, pueda hacerlo, en bien, en lo que no veré» [37].

Otro texto de Aub («el hombre es un ser perdido, prendido del azar e inoperante»), que aparece en la carta a R. T. House, en 1949, no nos parece (a pesar de la presentación contextual, que puede inducir a error), sino un resumen o cita del pensamiento heideggeriano, que Aub precisamente afirma no compartir [38].

Quizás la síntesis entre los elementos antitéticos de la incomunicabilidad y la solidaridad o fraternidad haya que buscarla en ese punto de fusión entre los individuos en el que nace el grupo: esa unión en torno a una tarea común, que puede ser lo mismo la labor de un grupo de científicos en un laboratorio, que la unión de los hombres más dispares reunidos por la guerra en un campo de trabajos forzados. No se trata de una unión fraguada por la razón (que no daría más resultado que el equivalente exacto a la suma de las unidades) sino sentida, intuida, y que multiplica las consecuencias de la acción, sus alcances. Por eso pueden ser amigos, y colaboradores, los hombres que no comparten las mismas opciones frente a los dilemas básicos de la condición humana. La creencia de que, como afirmaba Jules Romains, la realidad psíquica no es un archipiélago de soledades —idea base del unanimismo— subyace en esos sentimientos del grupo, que se oponen al pesimismo solitario de los intelectuales del *Laberinto* en sus horas negras [39]:

> Les individus (...) sont saisis dans une condensation d'unanime qui a ses limites et ses pouvoirs propres, dans une ébauche d'individualité plus extensive que la leur, qui est celle du

---

[37] HH, 13; *ibid.*, 10.

[38] *Ibid.*, 35.

[39] Jules Romains: *Petite introduction à l'Unanimisme* (1925), en *Problèmes d'aujourd'hui*, Paris, Kra, 1931, 149-82.

groupe. Et tout leur psychisme en subira, plus ou moins obscurément, la loi [40].

Parece evidente que, dentro de este contexto, se iluminan más claramente las ideas que los personajes expresan sobre libertad, justicia e igualdad, sobre verdad y mentira.

La oposición entre libertad e igualdad toma cuerpo en la más concreta disensión entre anarquistas y comunistas, según se desarrolla en las páginas del *Laberinto*:

—Vuestra política es sentimental y palabrera, que tanto monta.

—¡Para los pies! Nosotros queremos la libertad y la igualdad para todos. Con la dictadura del proletariado, o séase el partido comunista, reducís a nada la libertad.

—¡Moléis palabras! Para un comunista el problema de la libertad no existe, porque queda resuelto desde el momento en que se es comunista. El ser comunista es olvidarse de sí mismo. Y vosotros sois el individuo y base de la burguesía. Os une el mismo sentimiento de eso que llamáis libertad y que es libertinaje: ¡Todo para mí y el que venga detrás que arree! [41].

Para el tercero en discordia, el falangista Salomar, es imposible gobernar el mundo sentimentalmente. Por eso opone «a la igualdad, jerarquía; a la libertad, disciplina» [42]. La misma doctrina de oponer disciplina a libertad atribuye Templado a los comunistas, como vía, junto con la cultura, para llevar a la sociedad a la nueva condición de hombres [43]. Y tras la experiencia de la guerra, hablando Templado y Cuartero, se saca la conclusión: «La libertad perece siempre a manos del primer viento, flor tan delicada que pasa a cualquier soplo... La libertad sólo es de adentro» [44].

A esa libertad interior se refiere sin duda Max Aub, hablando por sí, en su corto ensayo *De la literatura de nuestros días*:

---

40 *Ibid.*, 168.
41 CC, 108.
42 *Ibid.*, 132.
43 CS, 67.
44 CAL, 455.

> La libertad, por el hecho mismo de ser escritor, es consanguínea al individuo; sin esa libertad no se es escritor. Porque no debemos confundir el escritor con el propagandista. (...) Muchos escritores ganan así su sustento. Esos empleos no son incompatibles con la condición de escritor —de novelista, de poeta, de dramaturgo— pero nada tienen que ver con ella [45].

Para la libertad y la igualdad —«remedos de la justicia»— en el mundo actual y futuro, he aquí la opinión de Aub en 1949: «no es difícil discernir lo que preferiríamos: una vida donde se pudieran conjugar la libertad y la igualdad. Mas la historia reciente nos ha demostrado que, a lo que parece, son incompatibles por ahora» [46].

Prometeo N. reclama la justicia, Templado se burla de ella, porque sin bases, sin un hombre esencialmente bueno, no puede darse. Así, no hay justicia sino justicias, cada uno la suya [48]. Y los revolucionarios afirman:

> No se puede llegar a la Igualdad y a la Libertad por el camino de la Igualdad y de la Libertad... Para llegar a la democracia, si es que se puede llegar, hay que cargársela [48].

«Si crees que la justicia es de este mundo», objeta Rosa M.ª a su amante comunista. «Precisamente porque no lo creo, la busco» responde Victoriano, neo-tertulianista [49]. Si la noción de justicia puede oponerse a la noción de verdad, como ocurre en una de las discusiones entre Templado y Cuartero, es precisamente porque Cuartero habla de las justicias en plural, mientras que su amigo singulariza. Y respecto a la verdad, la confusión es la misma entre ambos [50]. Max Aub, en sus ensayos, las singulariza y casi las identifica: la búsqueda de la verdad de cuan-

---

45 HH, 159.
46 Carta a Roy T. House, en HH, 39.
47 CIC, 199-201; CA, 445-46.
48 CC, 86.
49 CM, 94.
50 CS, 476-77.

to existe a través de la razón. «Las catástrofes son eventuales y el afán de justicia, eterno» [51].

En esa situación singularizada serían imposibles las confusiones actuales de verdad y mentira que los personajes del *Laberinto* observan en la realidad contemporánea, y que algunos practican. Así Victoriano Terrazas antes de su conversión comunista, que descubre que la mentira vale tanto como la verdad, si los demás la toman por ésta: «Mintiendo puedo llevar a la gente a donde quiera, porque, además, tengo la verdad a mano para recurrir a ella cuando me convenga» [52]. Y aún más pretendía Petreña: convencerse de la verdad de su propia mentira, tartarín consciente y voluntario [53]. Frente a ellos se alza Templado negando valor de verdad a la verdad incompleta: «la verdad adulterada ya no es verdad sino verdad chirle, engaño, verdad a medias, verdad a cuarto, de poco más o menos, dispuesta a venderse: la verdad no entera, mentira» [54]. En cambio, desde el punto de vista de la estética y del lenguaje, estrictamente hablando, la oposición verdad-mentira queda neutralizada, inoperante:

> —¿Hay alguna virtud que asiente más la condición del hombre que decir algo a sabiendas falso dándolo por verdadero? Inventar mentira, y que los demás la crean. Dar algo basado exclusivamente en sí, y que lo tengan por bueno. Forjar de la nada. Mentir: única grandeza. El arte: expresión hermosa de la mentira. La verdad, monda —si existe—, no es hermosa, dígalo la muerte. La vida humana: posibilidad de mentir, de mentirse. El arte y la política, las más altas expresiones del hombre, están hechos de mentiras [55].
>
> Dicen, además, que en el principio fue el Verbo; no es cierto; fue inventado después de la primera rebelión. ¿Qué necesidad tienen de hablar personas que están de acuerdo y con la eternidad por delante? No, el Verbo fue reacción dolosa de quien todos sabéis. Con la palabra nació la mentira, el gran bien o el

---

51 HH, 37, 44.
52 CV, 180.
53 LAP, 35.
54 CS, 481.
55 JTC, 228-30.

gran mal —hay opiniones— de nuestro tiempo. Contra ella, sólo la fuerza, pero cuando mentira y fuerza se alían, la vida de los hombres se hace difícil... [56].

Tampoco es pertinente la oposición verdad-mentira al nivel político en nuestro mundo:

> El problema es más hondo. No se trata de comunistas y no comunistas: están forjando una nueva moral. O si quieres, desde tu posición, la falta de moral tal como todavía la entendemos. Esa carencia había sido hasta ahora privilegio de príncipes —de los de la sangre, y los demás— y ha pasado a ser, como no podía menos, a principio de los más, cuando éstos han llegado al poder. Ya no hay verdad ni mentira, sino lo que sirve; a esa luz, el mundo es otro [57].

Es a esa luz a la que, frente al enviado soviético Gorov, Don Guillermo de los Santos, el Excelentísimo Señor, aparece en su postura de quijote liberal y decimonónico, como ridículo a los ojos de la «nueva moral»:

> —Lo peor es mentir. Y aun callar, que, sabiendo, es peor todavía que tergiversar la verdad.
>
> —Pero usted, señor Ministro, ¿qué quiere?: ¿Ganar la guerra o perderla?
>
> —Mire usted, amigo Gorov: la verdad siempre acaba por vencer.
>
> El escritor miró al señor Ministro con compasión, que en nada se traslució en su rostro: todo él de piedra. Don Guillermo de los Santos, pequeño, erguido, con su melenita blanca al aire, tras la mesa de su despacho, adoptaba una postura heroica, perfectamente natural en él.
>
> —Si lo que quiere usted es acabar ante el paredón, no tengo nada que decir —comentó el periodista soviético.
>
> —No, de ninguna manera, al contrario. Pero ¿por qué no se ha de poder vencer enarbolando la verdad?
>
> —Así, a primera vista, no hay razón... contra la razón [58].

---

[56] CCI, 214.

[57] Cf. CA, 459-61.

[58] Cf. *Campo del Moro*, passim. Especialmente 62, 169, 171, 211, 249; CC, 64-65, 118, 145, 178-79; CA, 97, 495; CAL, 14, 266, 449; HMM, 20-22.

Las formas prácticas de la mentira, sin embargo, como la traición, son el objeto central de la meditación de una obra entera de Aub —*Campo del Moro*— y aparece en otras de sus obras. La afirmación que ya aparece en *Campo cerrado*, «Siempre se es el traidor de alguien», puede tomarse como la opinión más representativa de los personajes del *Laberinto*, y de la cual todas las demás no son sino glosas obsesivas. El hecho, bastante claro a nuestra observación, de la motivación particularmente intensa del escritor respecto de dicha cuestión, todavía hace más clarividente su postura no sectaria, que le distancia de las afirmaciones perentorias —y erróneas, por simplistas— de Jean-Paul Sartre en tiempos no muy posteriores (1947): «Quelles que soient les circonstances, en quelque lieu que ce soit, un homme est toujours libre de choisir s'il sera un traître ou non» [59].

Nos parece bastante aceptable la posibilidad de polarizar las opiniones extremas —en favor del individuo o de la comunidad, de la personalidad o de la cultura, de la libertad frente a la justicia— de un lado en el hombre estético, del otro en el hombre ético y científico. En efecto, el problema de fundar una comunidad en la que los hombres conserven su individualidad y a la vez compartan los valores, las ideas, las creencias, es fácilmente resuelto, en teoría, por los hombres de ciencia, pero no por los artistas. Éstos, contemplando la frecuente y aparente dicotomía entre los valores de la cultura y del individuo en nuestras sociedades contemporáneas, sienten la necesidad de tomar partido, considerando los valores como antitéticos y cegándose a la posibilidad de una síntesis, que la teoría puede probar, pero que la experiencia espera todavía ver confirmada en los hechos. Y para el hombre estético, puesto en esa postura, no parece quedar otra solución que oponerse a los valores comunitarios, defendiendo el individualismo, que le permite su originalidad de creador [60].

---

[59] CC, 107. Cf. J.-P. Sartre, *Théâtre*, Paris, Gallimard, 1947, prefacio, escrito para la edición.

[60] Cf. sobre esta cuestión, el importante trabajo de Roy H. Pierce «The Poet as person», en *The Yale Review*, XLI, 3, marzo de 1952.

Si Max Aub es, por la cantidad e importancia de su obra, un creador, su formación particularmente rigurosa hace que su personalidad esté dividida entre ética y estética. Y si el Max Aub pensador propone en sus ensayos, y especialmente en *El falso dilema* (que, en su propia opinión, es síntesis de todos los demás), una solución que concilie lo aparentemente inconciliable en la praxis —«variando las condiciones, las bases, es posible suponer un futuro mundo socialista, con economía socialista, que encuadre un Estado liberal donde la libertad no sea un eufemismo»—, en su obra literaria, por el contrario, sus personajes se debaten sin alcanzar en ningún momento esa claridad de opción. Max Aub, su creador, se debate con ellos [61].

---

[61] HH, 53. También es muy posible que si los personajes —algunos de ellos— hubieran tenido que escribir «El falso dilema», lo hubieran escrito como Max Aub...

IV

POLÍTICA E HISTORIA EN EL *LABERINTO*

La inserción de los grupos humanos en el tiempo y en el espacio, sus acercamientos y disensiones, sus luchas por y contra el poder, que conforman política e historia, ocupan un importante lugar en las preocupaciones del hombre laberíntico, situado en un momento crucial de la historia de su comunidad. Veremos aquí la problemática de orden general, dejando para el siguiente capítulo las relativas a España y los españoles en particular.

La tendencia más general entre los hombres del *Laberinto* es la de reconocer un carácter cíclico a la Historia, y de ahí, utilizarla como un saber en función del presente. Por lo que se refiere a dicho carácter cíclico, los personajes traen a la memoria acontecimientos del pasado, generalmente citando fragmentos de historiadores o documentos de época para evidenciar su paralelismo con las situaciones en que se encuentran. Así, a propósito de las implicaciones internacionales de la guerra, y en la fecha aniversario de la muerte de Riego, se reproduce el pacto de Verona, que Cuartero muestra a sus amigos [1]. El archivero D. Leandro cita de memoria fragmentos de las historias que relatan la toma de La Galera por las tropas de D. Juan de

[1] CA, 455-59.

Austria. Las coincidencias con la lucha por Teruel durante la guerra civil sorprenden tanto a los nacionalistas sitiados, que alguno de los auditores de D. Leandro se deja llevar en su acción por el influjo de tal paralelismo [2]. El mismo personaje recuerda al historiador Ibn Jaldún, estableciendo un paralelo entre ciertas teorías sobre el determinismo geográfico del musulmán y las de Bolívar [3].

Un paralelismo semejante se hace con la toma de Alcázarquivir y los últimos días de Madrid durante la guerra civil [4]. La época de Isabel II y la de Alfonso XIII son vistas desde un mismo ángulo por los contertulios de *La calle de Valverde* [5]. En su cuaderno de amarguras, Paco Ferrís, llegado al último recodo de su laberinto, insiste en la idea cíclica de la Historia:

> (Hablando de la situación sin salida en Alicante). No es nuevo en la historia, al contrario: se ha repetido, de una manera u otra, en todos los paralelos, bajo cualquier meridiano, en condiciones evidentemente distintas... Todos estos que se dan importancia porque han tomado parte en una guerra, como si se diferenciaran de los demás... Infelices isabelinos, infelices güelfos, infelices cualquier cosa. Mejor dicho: infelices carlistas, por vencidos —nos separa un siglo de 1836 a hoy—, para volver a ser derrotados. (...) ¿Por qué no creer en el progreso o en la vuelta eterna? [6].

Un personaje abocado a la misma situación que Ferrís, Juanito Valcárcel, extremando la idea del retorno, y comparando la guerra española con la Revolución francesa, en una obsesión que hereda de D. Manuel el Espiritista, acaba creyéndose en esta última. Se toma sucesivamente por Saint Just, cuyo histórico discurso recita estentóreamente ante el asombro de los que le rodean, se siente émulo de Robespierre, anuncia la llegada del Anticristo, y acaba por creerse el propio monstruo del Apo-

---

2 CS, 291-98.
3 *Ibid.*, 298.
4 CM, 123.
5 CV, 273.
6 CAL, 448-49; cf. también CA, 386.

calipsis: Napoleón redivivo, adoptando su postura en el ataque del puente de Arcole[7].

Si son la mayoría, no todos los personajes del *Laberinto* están de acuerdo en la noción del carácter cíclico de la Historia, aunque los disidentes sean minoría. Así los dos personajes innominados que discuten sobre la cuestión, comparando dos series de fechas históricas (1834-1836-1839 y 1934-1936-1939) correspondientes a las guerras carlistas y la última guerra civil[8]. Pero entre todos los personajes aubianos, Torres Campalans es el que da el testimonio anti-histórico más neto:

> La arqueología me tiene absolutamente sin cuidado. Me interesan los chamulas tal y como son, Aub. Las piedras, para quien las quiera. La Historia, Aub, con todo y su mayúscula, es un mal hereditario que hace más víctimas que cualquier epidemia[9].

La disidencia puede manifestarse, de manera condicionada, como lo hace Cuartero frente a Templado, por considerar que los documentos históricos son infieles a los hechos:

> —Lo que sucede es que así se escribe la Historia: a base de recuerdos e ideas, tan faltos de base, o tan falseados los unos como las otras.
>
> —Los documentos no mienten— dice Templado.
>
> —Sólo se refieren a lo económico. Y también mienten. O a la alcurnia. Y ahí, ¡para qué os cuento! Que si fulano fue hijo de perengano... En los documentos nunca hay hijos de puta. Y Dios sabe que son incontables[10].

Más que en el valor del documento, cree D. Leandro, en postura diametralmente opuesta a la de Campalans, en el testimonio o huella perenne de la piedra, de la arquitectura, testigo de

---

7 *Ibid.*, 321-22, 336, 377, 385, 432.

8 *Ibid.*, 234-35.

9 JTC, 267.

10 CAL, 237. El falseamiento premeditado de la Historia, cara al futuro, se achaca, como ejemplo, a la Historia de la Revolución Soviética, de Stalin (HMM, 70-71).

la Historia, que es «la memoria del hombre»: «No hay más edad que la de las piedras, capitán. Ni más civilización que la de la arquitectura: la huella construida. Lo demás, cuentos: no cuenta»[11].

De la interpretación posterior de esos testimonios surge luego una visión de la Historia que es más útil para el presente que cualquier intento de reproducción «objetiva» del pasado. Por eso puede decir Julián Templado que «únicamente cuando han pasado, los vivos dictaminan sobre los muertos», e injustamente para éstos[12]. De ahí la idea, que explica con detalle a Riquelme, de la imposibilidad de saber cómo se juzgará la conducta de los presentes en el futuro histórico:

> —El futuro se puede adivinar o predecir, pero ¿quién el presente? Te explico: es lo que es, está ahí como lo veo, como lo ves. Mas ¿cómo será para un historiador dentro de uno, dos, diez siglos? El pasado es siempre lo que dictaminan los presentes; en el futuro el pasado será el presente. Así se escribe siempre la historia. ¿Qué vivimos?, ¿esto de ahora o lo que dirán que fue dentro de cincuenta, cien, mil años? Guerras hubo perdidas que aseguran ganadas; los ingleses dan por victorias sobre los franceses algunas de las que éstos tienen por suyas. Ciertos malos pasos vergonzosos se borran en un idioma mientras son recordados con gloria en otros, sin contar que las historias —no hay historia sino historias— suelen escribirlas los vencedores. ¿O crees que en Covadonga, si hubo tal batalla, sabían que principiaban la Reconquista? ¿Quién sabe si empezó ahora otra guerra de treinta años? No se sabe nunca lo que se hace ¡figúrate si podemos saber qué estamos haciendo para las entendederas de los de mañana![13].

Los términos en que se expresa Templado, como las ideas que manifiesta, hacen de él, sin duda alguna, un fervoroso lector de *La guerra y la paz* de Tolstoi.

La práctica de la Historia como lección de conducta es sentida por personajes de toda índole. «No tenemos más agarra-

---

11 CS, 280.
12 CM, 71.
13 *Ibid.*, 73-74.

dero que la Historia» —afirmaba Barragán, linotipista ilustrado, en lo que, con menos retórica, coincide con las opiniones del intelectual Ferrís [14]. Lo mismo repite, machaconamente, Don Leandro, el archivero, para quien, en su visión cíclica de la Historia, «el mundo rueda y no cambia» [15]; «la Historia trae desengaños, capitán. Desconsuela esperanzas, pero asienta voluntades» [16]; «la Historia es saber lo que han hecho los muertos y lo que hacen los vivos en función de los muertos» [17].

Una cuestión se plantean en más de una ocasión los personajes del *Laberinto,* como se la planteaba Tolstoi en las últimas páginas de su novela: ¿Quién hace la Historia? «La Historia la fabrican los que empujan el mundo» —afirma Hope— «y esos pertenecen lo mismo a una clase que a otra» [18]. Para Don Leandro, la cuestión no es generalizable: «Hay quien cree que la Historia es cuestión de señores. Yo no sé nada de los otros pueblos, capitán. Aquí la Historia es cuestión del pueblo» [19].

Pero si la Historia es movimiento, así sea de noria, ¿cuáles son los móviles? Es la cuestión que se plantean los hombres del *Laberinto,* y a la que responden todos, o poco menos, directamente: el poder, el gusto por el poder: «La voluntad de poder es amalgama de todo. La electricidad positiva que une todos los átomos. Mandar» —afirma Hope, en su argumentación de *La calle de Valverde.* Y la voluntad de poder —sigue el concierto— tiene su camino hacia él en la fuerza. «Los sistemas políticos prueban su excelencia por la fuerza»... «La fuerza, no hay como la fuerza»... «No hay más fuerza que la fuerza», afirman Rubio, Gorov, Miñano [20]. Y como tal, puede pasar tranquilamente por encima de la justicia, de la razón, del honor, para llegar a sus fines [21].

---

14 CA, 447; CAL, 104.
15 CS, 293.
16 *Ibid.*, 292.
17 *Ibid.*, 297.
18 CV, 381.
19 CS, 298.
20 CA, 459; CAL, 164; CC, 130-31.
21 Cf. CA, 460-61; CS, 477; CAL, 140, 168-69.

Pero esa fuerza —física, se entiende— para algunos tiene su tendón de Aquiles. Así, Prometeo N., para quien la bomba atómica es «la piedra filosofal del poder», no deja de sentir que el exceso de fuerza «ciega la razón y la hace vulnerable»[22]. ¿Está la fuerza en la fuerza, o está la fuerza en las ideas? «Las ideas mueven piedras —afirma Don Leandro, Monsieur Jourdain del marxismo—. La apología de la violencia, la delación, la hipocresía, que ha hecho de ellas vigilancia, deber, sacrificio», se atribuye a la interpretación materialista de la Historia. Así lo afirma Castillo, ex-comunista:

> Los Cruzados, o los hombres del XVIII y del XIX, se engañaban acerca de sus fines: en su mayoría creían, inocentemente, que iban a librar la Tierra Santa de la presencia de los infieles, o que luchaban para imponer la Igualdad y la Libertad. Ahora nadie se engaña acerca de los fines y mienten con los medios[23].

A pesar de todo, Cuartero, viendo luchar a su pueblo, no puede dejar de sentir un optimismo histórico: «Me solevanta ese hálito y empuje de los más por una vida mejor. Toda una multitud hambreada de sabiduría. Me importa ese afán y no sus resultados»[24]. Max Aub mismo comparte ese moderado, esperanzado sentimiento de un movimiento del hombre hacia adelante:

> O la historia tiene sentido, o no lo tiene. O el hombre, por el hecho de serlo, tiende y va hacia su fin por medio del progreso o, por el contrario, las generaciones se siguen sin fin y sin fin alguno. Creo, con toda razón, en lo primero, base indestructible de mi optimismo y de mi repudio de esa filosofía existencialista que tuvo tantos capitanes y a Spengler por profeta. Creo, lo repito una vez más, en el progreso, en el arte y en la amistad[25].

Jusep Torres, glosando a Aristóteles, afirmaba que si el hombre es un animal político, la política es la entraña misma

---

22 CIC, 212, 217.
23 HMM, 71.
24 CA, 496.
25 HH, 33-34.

de nuestro ser, y la expresión misma del hombre [26]. Al afirmarlo, tenía presente una concepción de la política como arte de gobernarse la comunidad, y necesidad de vivir en ella. A otra acepción de la política —los medios para acceder al poder y para persistir en él— alude sin duda Max Aub al afirmar: «Si hay un hombre nuevo, el día de mañana, cosa que está por ver, se deberá más a la ciencia que a la política» [27].

Dentro del mundo conflictivo en que los hombres del *Laberinto* se encuentran situados, el apoliticismo es inconcebible [28]. Aun así, no faltan los apolíticos como Braña, el escritor para el que no hay más política que la literaria: luchar con los demás escritores «para ser el primero». Lo cree ser también el menos patético y más ridículo filósofo ambulante Don Servando el pascaliano, nuevo Hamlet García, para quien lo único que cuenta es «saber lo que es el hombre»... «el hombre frente al mundo, frente al universo, frente al infinito», pero a quien le tiene sin cuidado la Historia, y que, en lugar de mirar en torno suyo, estudia su problema pasando por la criba, una y otra vez, los textos pascalianos [29].

La política, en sus versiones concretas, no significa lo mismo para todos. Para los burgueses no es —dicen— sino función de sus necesidades; para los obreros, unos gestos concretos y casi maquinales —«leer la *Soli* y cotizar»— o hacer todo lo posible para mejorar sus condiciones de trabajo, según explica crudamente el tipógrafo Muñoz a su futuro yerno Dabella, intelectual en agraz. Para éstos, por el contrario, bien comidos, la política no es sino un problema moral de sobremesa. Y para los comunistas, la política es lo que la teología para los hombres medievales: todo. En eso se distancian de los socialistas, como ya vimos en el enfrentamiento entre Farnals y Requena [30].

---

26 JTC, 214.
27 HH, 154.
28 CC, 155.
29 CA, 296-302.
30 Sobre los burgueses: CC, 160; falange: CC, 189; intelectuales: CC, 160, CS, 405; comunistas: CA, 355, 495 — vs. socialistas: CA, 90-95; obreros: CVV, 259-60, CC, 67; CS, 410.

Sea «historia del poder y el espíritu», como quiere Lledó, «arte de tontos para listos», según Don Ramón de Bosch, o «una cuestión de pasillos», como glosa ambigua e irónicamente un capitoste de industria a Walter el suizo, la política de estos tiempos no tiene como base de su praxis los valores morales [31]. Ya mencionábamos que la verdad es inválida en ese dominio, y si a algún personaje le ocurre, ingenuamente, tomar la lección moral de los tribunos políticos como norma de su quehacer, podrá acabar diciendo con el triste Remigio Morales:

> Nos enseñaron a ser decentes clamando que la porfía en los ideales es una virtud esencial; que la libertad vale más que todo, que cualquier cosa debe sacrificarse a la honradez; y ahora, porque cumplí esos mandamientos lo mejor que pude, me han borrado del mapa. Si me hubiera quedado en España o vuelto en seguida, seguramente sería alguien. Y no soy nadie. Ser decente ni viste ni sirve [32].

No engañan los hombres, en cambio, al cuervo Jacobo, observador imparcial y objetivo —el único, *et pour cause,* de todo el *Laberinto,* junto con el árbol de *Enero sin nombre*— que anota así su observación:

> *De la política.* Definición: Arte de dirigir.
> Medio: Hacer de la hipocresía virtud. (Los que no lo logran se llaman sectarios, parciales, fanáticos, o papanatas, crédulos, cándidos).
> Ejemplo: ¿Quién, fulano? Es un cabrón.
> Entra fulano: ¡Querido fulano! ¡Tanto tiempo sin verte! ¿Dónde te metes? [33].

Lo saben y lo afirman tanto el falangista Salomar como los socialistas Santibáñez, González Moreno, Molina Conejero. Lo apoya Ferrís en su cuaderno. Lo remachan Morales y el ruso Gorov, comunistas: Cuenta la fuerza. Y si el pueblo desprecia

---

[31] CC, 160, 166, 197.
[32] HMM, 32.
[33] CCI, 209.

en ocasiones al político, acentúa Salomar, es por su inestabilidad, por no saber mantenerse en el poder, prueba de debilidad.

El dilema entre la acción y la inactividad está resuelto, pues, apenas se plantea. No hay más camino hacia el poder que la acción, «lo que me pide el cuerpo», según dice González Cantos, el amigo de Durruti: «Lo que importa en la lucha es ganar, como sea»[34]. Serrador espera todo de un mundo de acciones heroicas[35]. Y el mismo Álvarez Petreña, desde el fondo de su sopa de letras, siente envidias y se muere de deseos «de una vida de lucha, de lucha terrible donde uno saliera victorioso al fin y a la postre...»[36]. Y quizás pensando en una acción sin trascendencia, en una acción por la acción, a la manera de los personajes de Baroja, que parecen no buscar en ella más que el desahogo de una vitalidad aherrojada en la vida ciudadana, se avergüenza de su arrebato, y termina diciendo: «Igual que un niño de trece años, igual que un niño».

¿No será, por el contrario, la quietud el bien, y el movimiento el mal? —se preguntó un momento Templado, sin creer en ello. Apoya Cuartero la negativa: el hombre es sus obras, no sus intenciones —siguiendo a Hegel—. («Hegel no tenía idea de la propaganda», apostilla irónicamente)[37]. En la acción continuada, Asunción puede olvidar el paso de los días y las estaciones. Durante dos años —«¿o ya eran tres?», se pregunta— «no le había importado el mundo, sino su organización»[38].

En el mundo del *Laberinto,* la acción toma casi siempre el camino de la violencia, frente al del trabajo, que, con todo y su dureza, no todos consideran, como quiere Federico Morales, un castigo. Con él «ganan los hombres la vida». Y ese criterio los distingue de los que no trabajan, según el esquema bipolar del Anacoreta: «Todo el sentido del mundo de hoy cabe en dos frases dichas o mejor desdichas: Ganarse la vida, dicen los pobres. Matar el tiempo, dicen los ricos. Lo oís cada día y no

---

34 CC, 72-79.
35 CC, 117, 237.
36 LAP, 24.
37 CS, 126, 191.
38 CAL, 21.

os suena» [39]. El hombre afirma su derecho al trabajo frente al «señorito», que, para el obrero, es «un hombre que tiene trabajo y no trabaja» [40]. Gustavo Rico y Amorim reprochan el endiosamiento del trabajo, que lleva a olvidar su condición de medio, «embruteciendo así al hombre»; la visión del trabajo como bíblico castigo se opone así a la concepción idealista que lo considera «honra del hombre» [41].

Max Aub habla, desde 1937, como sus personajes socialistas: «El hombre inventó el trabajo y éste a su vez nos ha moldeado. Lo demás es parálisis, podredumbre y muerte». Y en 1946, en otro de los textos recogidos en *Hablo como hombre,* concreta: «Nada se pierde, si es trabajo». Sin embargo, la acción se manifiesta en violencia, las fuerzas se gastan en la lucha armada como forma de acceso al poder o de represión de las revoluciones. Templado, llevado a una trinchera del barrio madrileño de Usera por el entusiasmo contagioso del pueblo, resume:

> —Que la gente se mate así, desde siempre... Entre las civilizaciones que sean, burdas o refinadas, siempre la guerra. Matar, entrematarse, por esto o lo otro. Eso sí, cada vez mejor y más generalmente, a medida que hay más gente. Por el poder, únicamente por el poder. Que lo llamen como quieran. Por el poder. Por poder hacer lo que uno cree que es debido, lo que le es debido. Sin más ley. Por el poder de la clase obrera, por el poder de los poderosos, por el poder de los portugueses, por el poder de los panaderos, de los militares, por el poder del poder [42].

La guerra se considera básicamente en dos aspectos dentro del *Laberinto*: apologéticamente, como forma de la acción, con todo lo que crea entre los hombres de solidaridad, por su capacidad de atajar, ganándole el tiempo al tiempo en la evolución de la Humanidad. La guerra revolucionaria, particularmente, como injusticia necesaria y previa para acceder a la justicia. Por

---

39 CC, 64.
40 CA, 358-59.
41 *Ibid.*, 361-64; 497-98. Cf. CIC, 208.
42 CA, 503.

el contrario, la guerra antirrevolucionaria, o la guerra como padecimiento, se ve denigrada sistemáticamente. Sus aspectos de horror, de muerte, desolación y exilio, son descritos con la misma intensidad dramática que los anteriores. Ambos aspectos se resumen en la frase de Prometeo N.: «...la guerra cuando no se hace y sólo se padece es profundamente desagradable»[43].

La paz a toda costa, por otra parte, el orden por la imposición indiscutida de la autoridad, son objeto de parejo rechazo por los hombres del *Laberinto.* Policías y pacifistas reciben de ellos, junto con los delatores y soplones que forman su inevitable cortejo, las más sangrientas ironías, las más crudas exposiciones en la picota satírica.

Salvo en una alusión de Campalans a propósito de la primera guerra mundial, todos los comentarios y generalizaciones que se hacen en el *Laberinto* sobre la guerra, están inspirados en las guerras civiles de España. Trataremos aquí de esas generalizaciones.

Los momentos en que la lucha armada establece una unión entre los combatientes, ésta aparece como el resultado de un compartir situación, acción, entusiasmo, y no como consecuencia de consignas patrióticas: los combatientes no posan nunca en gesto de héroes. La guerra es la forma más arriesgada de la acción humana, y como en todas sus formas, entre los equipos que ponen su vida en juego para vencer los obstáculos y alcanzar el objetivo, se desarrolla una misma fraternidad del peligro que conocen igualmente bien los mineros de fondo o los pescadores de altura. Así se establece esa forma de unanimismo que quizás hubiera repudiado el pacifismo de Jules Romains, pero que se acepta en el *Laberinto,* con algunas excepciones, como la de Cuartero: «Me duele no tener amigos... La guerra engaña, creí ganarlos y salí trasquilado»[44].

Pero Cuartero ha trabajado siempre en labores de retaguardia, en las que el peligro no se manifiesta. En la acción armada, propiamente, surge esa colectividad supra-personal, ya en *El*

---

43 CIC, 203.
44 CS, 329.

cojo, en *Cota*, en *Una canción*, y no solamente entre los hombres, sino entre éstos y la tierra. Por eso puede decir Templado que «lo bueno de la guerra es que le vuelve a uno a dar un baño de polvo, de barro, de tierra, que el hombre olvida fácilmente con tanto inodoro» [45].

Serrador, desde el quicio de una casa, contempla a los combatientes en las calles de Barcelona, y ve esa unión fraguarse en el grupo:

> Siéntense unos; los heridos y los muertos no cuentan; porque no son ellos, sino su unión, su relación, su deseo; palpable en las manos, en sus barbillas; ante todo en sus ojos, en su piel luciente y cansada de tres y cuatro noches veladas; sírvenles las balas de sueño, los traquidos de noche y silencio. Tienen su vida en la mano, la pasan, la notan, saben por qué viven. Son, están; no son ni fulano, ni mengano; están todos a una; ligados, enraizados, enlazados en esta mañana, gloriosa de sol, por los tiros que ya suenan por todas partes [46].

Lo mismo siente Templado entre los que luchan porque «les han atacado, y por algo más... la dignidad», y a los que se une con el sentimiento de llenar el vacío que le separa, como intelectual, de los hombres del pueblo. Exactamente como Tchen, el personaje de *La condition humaine*:

> Il n'était pas des leurs. Malgré le meurtre, malgré sa présence. S'il mourait aujourd'hui, il mourrait seul. Pour eux, tout était simple: ils allaient à la conquête de leur pain et de leur dignité. Pour lui... sauf de leur douleur et de leur combat commun, il ne savait pas même leur parler. Du moins savait-il que le plus fort des liens est le combat. Et le combat était là [47].

La guerra es motor y aceleración del cambio —«Con la guerra se cambia más aprisa que con la paz. Extraño cultivo», afirma

---

45 *Ibid.*, 41.
46 CC, 219-20.
47 André Malraux, *La condition humaine*, Paris, Gallimard, 1933 (ed. rev., 1946, 76).

Templado—, y el tiempo, por la exaltación y la acumulación del trabajo, se acelera igualmente: «El tiempo en la guerra no vuela: desaparece, de tanto quehacer». Y Asunción, ya la hemos visto, no ha sentido el paso de los años[48].

La guerra estimula y mejora la especie, afirma Templado tras un bombardeo —y lo confirmará luego durante otro en el que nada es mediocre; sírvele de ejemplo su abuelo:

> —El abuelo era gran comedor y entendía como nadie de carne de pescados. Tenía el orgullo de sus carpas y cada cuatro o cinco años les echaba lucios, porque sin eso, con la pereza de la buena vida la carne de las carpas se iba reblandeciendo, perdiendo calidad. Los lucios son unos pesívoros terribles, y por salvar las escamas, doña carpa se iba meneando ligera la cola, dándole firmeza y gusto a las mollas[49].

La guerra despierta en el hombre su exaltación ante todo juego de azar: estar o no estar en el lugar en que caerá la bomba o por donde pasará el obús, medir sus fuerzas, su habilidad frente al enemigo. La guerra, como el juego, tiene sus reglas, que se respetan más en el frente que en la retaguardia, aunque posiblemente tienen más que ver con la ética ficticia del *fair play* que con la moral cristiana y el precepto de respeto al prójimo. Frente al cristianismo, la exaltación de la fuerza, del *homo ludens,* es una constante histórica que el nazismo tomó por su cuenta durante tales tiempos, como recuerda Templado[50]. Él mismo recuerda, tras el bombardeo, la expresión de la lotería —«No nos ha tocado»—. Y en el *Campo de los Almendros,* un año más tarde, comenta con Rafael Saavedra:

> Sí, es mucho más fácil vivir durante la guerra; (...) Ahora algo se juega por ti, cada día en que andas metido, algo que te empuja, que te levanta: la posibilidad de perder, ¿comprendes? Ahí está el quid. Te has metido en algo y puedes des-

---

48 CAL, 21.

49 CS, 15-16. Cf. HMM, 79.

50 CS, 155. Otros enunciados: «En la guerra, más que nunca, la ética no cuenta en la manera de llevarla» (CS, 404); «La guerra es el reconocimiento del derecho a robar y matar» (CAL, 162).

> peñarte en la pérdida. Todo el gusto del juego está en la ruina, en la amenaza. Si hubiésemos tenido la certeza de ganar, entiéndeme, la certeza absoluta de *ganar*, ¿qué ganaríamos? Nada. Y de perdidos, al río [51].

Otros personajes del *Laberinto*, como el gigantón sin nombre, con cuya bárbara acción se termina la última parte de *Campo cerrado*, o Manuel García Cienfuegos, protagonista de *La ley*, parecen actuar por motivaciones semejantes, de *fair play* [52]. En este último caso, la reacción se produce de manera imprevista para el personaje mismo, y para el lector resulta igualmente imprevisible. Y es que otra de las «virtudes» de la guerra es esta que aquí se ejemplifica de descubrir las personalidades, resolviendo la incógnita del «nadie sabe lo que lleva dentro» con la que se despiertan a la inteligencia los hombres del *Laberinto*. Así se «descubren» a ellos mismos y a la admiración de los otros los apacibles mariquitas como Felipe —citado en *Campo de sangre*— o como «Teresita», el protagonista del cuento, que «murió como un hombre» [53]. En sentido contrario, descubren su miseria interior individuos como el penoso Jorge Mustieles o el escurridizo Claudio Luna [54]. «La guerra en sí es otra cosa. Te ves como nunca te habías visto». Es esta una afirmación de Templado que resume la idea con la sentenciosa concisión que le caracteriza [55].

La guerra, en fin, parece poner en segundo plano al arte, revelando su gratuidad, su inutilidad, según opinión no discutida del arbitrista Chuliá, que «parece un personaje de Baroja», como comenta Cuartero. El arte es, además, imposible durante la guerra: «La guerra limita la imaginación»... escribe Ferrís en su cuaderno.

---

51 CAL, 70. Cf. J. Huizinga, *Homo ludens*, Paris, Gallimard, 1955, 150-52. La guerra total parece haber terminado con la dimensión lúdica de la guerra, según el erudito holandés.

52 Cf. CC, 244-45; CIC, 30-31.

53 CS, 106; NSC, 121-28.

54 CA, 99-180; *ibid.*, 203-43. No es necesario aportar más ejemplos; tanto abundan en el *Laberinto* que el lector advertido podrá hallarlos sin dificultad.

55 CAL, 102.

> Durante la guerra no se puede escribir nada que valga la pena porque no existen, no pueden existir, modas. Y todos dependemos —si de calidad artística se trata— de ellas. De la moda sale todo. Yo, por ejemplo. Sólo los genios calan más hondo, en algún momento, o la instituyen [56].

De la guerra revolucionaria, que es siempre «obra de jóvenes», en opinión de Prometeo que Aub confirma años después en Cuba, dícese en este último lugar: «...nace como la poesía a hombros de seres de veinte años. Si se logra, pervive, pase lo que pase: la francesa, a pesar de Napoleón, la rusa, a pesar de Stalin, la china, a pesar de quien sea, como queda la mexicana a pesar o tal vez por la muerte de Carranza o de Villa» [57]. El suizo Walter, como buen teutón, cree haber acuñado la fórmula definitoria y definitiva de la revolución: «La deciden los jefes, la hace el pueblo, la consolida la burocracia». Se refiere, naturalmente, a una nueva burocracia, con total supresión de la anterior. «Sin eso, la burocracia acaba siempre merendando a los revolucionarios» [58]. Y Farnals, criticando esa estabilización burocrática de las revoluciones, objeta al comunista Requena, en una visión más pesimista que la del suizo:

> ¿No has pensado nunca que toda política vencedora, toda revolución triunfante ha determinado una burocracia que acabó ahogándola? [59].

Los aspectos negativos de la acción armada se reducen, como indicábamos, a uno: el punto de vista del que padece, de la víctima, y por ello los blancos predilectos y obsesivos de los hombres del *Laberinto* son:

1) La represión policial en tiempo de paz como de guerra, con toda su secuela de campos de concentración, de torturas

---

[56] *Ibid.*, 439.
[57] CIC, 206; EC, 22-23.
[58] CC, 166.
[59] CA, 89. Cf. también una discusión sobre las revoluciones mantenida por Hope con Araquistáin y A. del Vayo en CV, 380-81; CA, 296.

físicas y morales, de ejecuciones sumarias, y su intencional estímulo a la delación y la traición;

2) Los bombardeos de la retaguardia. Creemos absolutamente innecesario citar ejemplos textuales de lo que avanzamos. Obras enteras del *Laberinto*, como *Campo francés* y *Cuentos ciertos*, y buena parte de otras —*Campo del Moro, No son cuentos, Historias de mala muerte*— están dedicadas a la narración y los comentarios en torno a tales hechos y problemas de la guerra. Ya hemos hecho en la primera parte del presente estudio una descripción suficiente de sus contenidos anecdóticos [60]. Limitémonos aquí a mencionar la evidente coincidencia de las opiniones del hombre del *Laberinto* con las de su creador, en estas cuestiones. En primer lugar, la historia personal de Aub en los primeros años del exilio está marcada por la falsa delación de un traidor, cuya personificación novelesca creemos ver en el tipo de López Mardones, y cuyo verdadero nombre silencia el escritor incluso cuando trata directamente la cuestión en su diario de *Enero en Cuba* o en su carta al Presidente Auriol, a propósito de la denuncia [61]. Todo el horror de ese mundo en que la bajeza llega a tal exaltación, está resumido en otro pasaje de la carta de Aub a R. T. House:

> Creo que es absurdo discutir, hoy, acerca de la primacía de la esencia o de la existencia. No hay duda que las ideas que ahora mueven al mundo nacen de las condiciones existentes. Razón de la importancia primordial de lo político, que es inútil intentar esquivar. Pero, por otra parte, tampoco es posible —de ninguna manera— aceptar que lo político destruya en el hombre todo sentimiento personal. El hecho horrendo de un padre denunciando a su hijo, un amigo a otro, viniendo a ser lo común, amaga convertir el mundo en un inmenso cuartel policiaco, y hacer del espionaje una virtud cardinal [62].

---

[60] Sobre policía, cf. igualmente: CS, 445, 462, y la pieza teatral *No* (Tezontle, 1954). Sobre sufrimientos físicos, cf. las escenas en los hospitales de Riquelme (CA, CM).

[61] EC, 94; HH, 59-65.

[62] HH, 39.

Y su postura de novelista político se concreta, coincidiendo con la definición de su personaje Templado, en una frase de dicha carta: «¿Qué es el intelectual no comunista sino un hombre para quien los problemas políticos son ante todo problemas morales?» [63].

A pesar de esa visión de la violencia, desnuda de todo falso misticismo, que se desprende de la obra de Aub, parece evidente que para los hombres del *Laberinto* la violencia es en cualquier caso preferible a la actitud pacifista, no porque no se aprecie la paz, sino porque el pacifismo puede ser un precioso instrumento bélico del agresor, una cortina de humo con la que desorientar a la víctima antes de caer sobre ella con mayor impunidad. Así, desde *Campo cerrado,* los fascistas reconocen la utilidad del pacifismo:

> Todos estos idiotas que preconizan la paz eterna son nuestros mejores aliados... Hay que darles siempre la razón, aunque nos los carguemos después: ¡retahila de masones y judíos! Pero desarman a las masas, y las aduermen. Los capadores del siglo. Ante ellos me quito el sombrero y barro el suelo [64].

Idea que, desde su posición contraria, confirmaba Aub en 1943: «En nuestra época el pacifismo es el más cruel de los engaños» [65].

* * *

Podría compararse la posición política del escritor, en su estrategia de motivaciones para la obra, con la que Kenneth Burke atribuía a Mannheim definiéndola como «documentary perspective on the subject of motives» [66]. En esa perspectiva, acepta no sólo el desenmascaramiento —«debunking»— marxista de los motivos burgueses, sino el contra-desenmascaramien-

---

[63] *Ibid.,* 41. Cf. CS, 405.
[64] CC, 167.
[65] HH, 17. Cf. igualmente: CS, 23-24, 38, 161, 289-90; CAL, 494; JTC, 111.
[66] Kenneth Burke, *The Philosophy of Literary Form,* New York, Vintage Books, 1957, 111.

to de ciertos motivos proletarios por parte de los burgueses, y que constituyen lo que la imaginación popular ha personificado en «el tío Paco con la rebaja». Hay que añadir que Aub transparenta una evidente simpatía por los motivos proletarios, aportando a ellos, de sus orígenes burgueses, el ideal de la libertad. Es este tercer frente socialista de alianza entre justicia y libertad el que representa Aub, como ya hemos indicado, y que caracteriza los aspectos políticos e históricos de su obra.

Es posible poner en duda la oportunidad de conceder tanto lugar a las cuestiones políticas en la obra literaria. Max Aub, consciente de esa objeción, que no es de hoy, ha querido salirle al paso con algunas observaciones pertinentes: «La política es poesía... el destino social de los hombres es materia tan trágica como la que más» [67]. Y en su carta a R. T. House:

> Mientras el hombre ha podido creer que la libertad y la igualdad eran compatibles, ha escrito novelas. Cuando se ha convencido de la incompatibilidad se ha acogido al ensayo, que es, al fin y al cabo, una de las maneras de la propaganda. A nosotros, novelistas... sólo nos queda dar cuenta... en crónicas más o menos verídicas [68].

---

67 *Heine*, 19. Cf. *ibid.*, 110-11.
68 HH, 40-41.

V

EL *LABERINTO ESPAÑOL*

> Si un escritor se empeña en no ser hombre de su tiempo, sin vuelo necesario para serlo de todos, ni es hombre, ni es escritor.
>
> (*Hablo como hombre*, 17).

«Dar cuenta de la hora en crónicas más o menos verídicas» es uno de los motivos que empujan la mano del escritor sobre su espejo blanco. Aub ha cuidado siempre de reproducir, con fidelidad a sus fuentes de información, la parte —gran parte— de historia contemporánea que hay en su obra narrativa. Lo que no quiere decir que la fantasía del escritor no haga lo que le toca, con espejos multiplicados o deformadores. Pero cada vez que un acontecimiento de la historia pasa por las páginas de su narrativa, cada vez que los hombres con nombre en la Historia circulan por ellas, el creador se constriñe a la labor concisa de documentalista, y lo que nos dice en su carta confirma la intención y la veracidad de sus procedimientos. Hablando del episodio de *Campo del Moro* en que, a través de Dalmases, el lector asiste a la última reunión del gobierno Negrín en la tierra de España, dice:

> Referente a este episodio quiero contarle una cosa curiosa. Como siempre, procuré atenerme, para el *back ground* de los Campos a la verdad de los hechos. Basado en diversos libros

> y en el testimonio de Álvarez del Vayo, aseguré que en la última entrevista del todavía presidente del consejo con los jefes comunistas, estaba presente Ercoli —es decir Togliatti—. Al publicarse el libro de Hugh Thomas acerca de la guerra civil, Togliatti publicó un artículo muy agrio, en contra, asegurando que él no había vuelto a ver a Negrín desde mucho antes. Coincidió la publicación del artículo con mi estancia en Nueva York y la revisión de las segundas pruebas del libro. Me apresuré a quitar el nombre de Ercoli. Pero unos días después ví a Vayo que me juró y perjuró que Togliatti estaba presente en esa última entrevista. Con lo que, al regresar a México, restablecí la versión primera. Pero meses más tarde, al hablar de ello con Juan Rejano, éste me aseguró que en aquella fecha Togliatti estaba con él, creo que por Cuenca, y que desde luego no había asistido a la reunión. Así se escribe la historia y, por lo menos yo, mis novelas. En la segunda edición, si es que la hay, quitaré el nombre de Ercoli... [1].

Este gusto por la precisión del dato confiere valor testimonial para la Historia de España a la obra de Aub. Pues de España, y en torno a ella, se habla y se discute, teoriza y devanea entre los hombres del Laberinto, españoles o enamorados de la Península.

Sobre su propia condición de españoles meditan los personajes en un permanente autoanálisis, adoptándose alguna vez una perspectiva algo distinta, sin ser «objetiva», cuando hablan los extranjeros como Hope, Walter o el erudito Barillon.

1

La relación del español con su contorno y asiento físico es extremadamente sensorial, biológica. El español del *Laberinto* siente su enraizamiento con la tierra, de la que se nutre, y que lo conforma física y aun mentalmente. El determinismo geográfico llega a extremos que sólo explica el entusiasmo senti-

---

[1] Carta del 14 de julio de 1964. La misma anécdota ha sido reproducida por E. Rodríguez Monegal en *El arte de narrar,* donde se reproduce la entrevista de Aub con él en marzo de 1967.

mental y gastronómico de los teorizantes, exacerbado por la puja de afirmaciones entre contertulios, como es frecuentemente el caso. Un determinismo regional y nacional de esa especie es el que entusiasma a Templado y Rivadavia, aunque el determinismo sea de ida y vuelta: «El hombre transforma la naturaleza y la naturaleza transforma al hombre» —explica Templado—. A la teoría de la unión basada en el idioma —Cuartero— oponen Rivadavia y Templado la filiación a la tierra: «Los americanos, hechos de su tierra, nosotros de la nuestra. Se prueba con los hijos. Hijos de español nacidos en ultramar, tan ultramarinos como el primero. Si no, Martí» [2].

En esa hipótesis, el hispanista incapaz de entender la comida española no puede aspirar a entender lo español. Y por el contrario, los habitantes de España acaban todos siendo españoles. «Se es del país del cual se comen las entrañas a gusto. El único nacionalismo que admito es el de los excrementos. ¿Quién más español que el Greco, el Padre Nieremberg o el obispo Gelmírez?» [3].

De la lucha con la tierra para transformarla, nace el amor por ella, que manifiestan los hombres del *Laberinto,* cada uno según su entendimiento, desde la sencillez cuasi arbórea del Cojo, hasta la escarolada fantasía de Templado.

Los hombres del *Laberinto,* como su creador, conocen bien la tierra de España, y la viven y narran en su extrema variedad, de Galicia a Alicante, de la costa cantábrica a Andalucía, y del país catalán al centro castellano de la España moderna: Madrid. A pesar de la variedad, sólo la tierra de Valencia es sentida y descrita con tanta pasión como corresponde a la nostalgia del creador desterrado, y que hace justas, sin exageración, las afirmaciones de J. L. Alborg, hablando particularmente de *Campo abierto*:

> ...hay en su fondo, como paisaje que envuelve a sus figuras, una presencia permanente del alma de la capital levantina, que Max Aub recoge con tanta delicadeza como exactitud. Es una

---

[2] CS, 114.
[3] *Ibid.*, 115.

> Valencia, claro está, en trance de excepción, pero sus hombres llevan consigo el sello inequívoco de su tierra y su sabor y atmósfera son los eternos, por lo que yo casi diría que Max Aub viene a ser aquí en cierta medida el novelista de Valencia, ese novelista que la ciudad mediterránea no ha conseguido tener en estas últimas décadas [4].

A la zaga viene, inmediatamente, la visión del país catalán, que es telón de fondo de buena parte de *Campo cerrado, Campo de sangre, Jusep Torres Campalans,* y relatos cortos del *Laberinto* como *Lérida-Granollers 1938, La espera,* y la historia de Tula en *Las buenas intenciones.*

En fin, Madrid, igualmente sentida por sus personajes de *La calle de Valverde,* buena parte de *Campo abierto* y casi todo el *Campo del Moro,* así como la primera mitad de *Las buenas intenciones.* En particular, la visión de Madrid se distingue de las otras dos por la presencia menos importante del país circundante que, a diferencia de la huerta valenciana o la tierra catalana, la encierra sin penetrarla. En cambio, la visión de la capital de España adquiere una curiosa dimensión en la visión desprendida del estudiante francés Barillon, que nos vale observaciones sociológicas y generalizaciones sobre los españoles, pero no sobre el país físico. Eso le diferencia del americano Hope, amante de los caldos del terruño [5].

2

Importancia, de todos modos secundaria, tiene esa presencia de la tierra de España, respecto a la que en el *Laberinto* se concede a la condición del hombre español en sus dimensiones temporales y en su diálogo entre individuo y comunidad. Es

---

[4] *Hora actual de la novela española,* II, 96. En Valencia o su reino se sitúan igualmente los dos primeros capítulos de CC, el comienzo de la historia de los Terrazas en CV y CM, así como todo el capítulo en *Las buenas intenciones* donde el Tellina relata su Valencia blasquista, y CAL entero.

[5] Cf. CV, 241-52; 365-71.

indudable que para los hombres de la ficción novelesca existe una peculiar manera de vivir, de ser y de estar que caracteriza al español, en general. Y aunque no falte alguna precaución contra las generalidades [6], es esa visión sintética la que suele predominar entre ellos, cuando la conversación se desparrama en busca de explicaciones a los hechos y sentimientos de los españoles, que han llegado a serlo no tanto por una inserción en el espacio de la península como por amalgama de pueblos y civilizaciones.

Particularmente, a la transformación operada en el pueblo peninsular por la conjunción de las formas de vida romano-cristianas, germánicas y semíticas, se da una importancia equivalente a la que, paralelamente, y por los mismos años de composición del *Laberinto,* daría la historiografía española. Se iba afirmando por entonces la después debatida visión de la realidad histórica de los españoles, obra de Américo Castro, y cuyo equivalente, al menos por los orígenes en la obra de Aub, hay que ir a buscarlo a la obra de los orientalistas del Centro de Estudios Históricos, como Julián Ribera, y al descubrimiento de la obra de Henri Pirenne. Aub tuvo posiblemente noticia de la obra que luego iba a fascinarle de tal manera, en la recensión hecha —ironía del destino— en la *Revista de Occidente...* por Claudio Sánchez-Albornoz en 1929, y en la que se atribuye a la presencia del Islam en la Península el haber seguido España caminos distintos de las restantes naciones occidentales [7].

Desde *Campo de sangre* en adelante, las observaciones de los personajes aubianos que buscan en la presencia árabe en España explicación a aspectos del carácter y de la historia de los españoles, son ciertamente abundantes. Ejemplar y documentada es, particularmente, la lección de historia que, en función del presente y del gozo de la erudición, da al capitán Fajardo el archivero de Teruel D. Leandro Zamora, prototipo de arabistas. Fúndase su teoría en los mitos taurinos:

---

[6] CS, 113.

[7] *Revista de Occidente,* Madrid, 1929, XXIV, 4. Nótese, para subrayar la coincidencia de Aub y Castro, que CS fue escrito entre 1940 y 1942, y publicado en 1945. La 1.ª edición de *España en su Historia* es de 1948.

> Coge usted un mapa y traza usted la línea del toro. Todo lo que encierra es musulmán, bereber, cabileño, mudéjar, moro, árabe, beduino o español, como lo quiera usted llamar. Lo demás son historias de renos o ciervos: cuernos partidos. Cuerpos fríos. Nosotros somos calientes y secos, que diría Aristóteles [8].

Se alimenta el hilo de su teoría con otra de ejemplos de la Historia de España, desde los oscuros orígenes de Teruel y de su nombre, hasta la guerra civil. Don Leandro cree en la lección de la Historia, como hemos visto, y en las «entrañas nómadas» explica lo que ve como constantes del carácter español, sea el individualismo, el sentido de la justicia, la agresividad que hace buena la opinión de los antiguos «que llaman a nuestra nación pródiga de la vida y anticipadora de la muerte... Por estas pequeñas frases se alegra uno de ser español» [9].

El estilo retorcido —«el floreo, la manera figurada, la metáfora triplicada»... en literatura; Churriguera, el plateresco, el mudéjar en arte— se explica igualmente por lo musulmán, como se justifican las fobias anti-liberales por no haber sido la idea del liberalismo traída por el camino de Oriente, sino por los franceses [10]. Y si el anarquismo tiene tan fuertes raíces españolas es porque «no va nada de los anarquistas a los agarenos» [11]. Para D. Leandro, como para Unamuno, la guerra civil es endémica en España, y ello le satisface. Cita a Larra, cuya actualidad sorprende, para justificar los excesos del pueblo en la guerra [12].

3

El español, ante la muerte, adopta una actitud altanera, manteniéndose firme: la vida por la opinión, actitud que Tem-

---

8 CS, 280.
9 CS, 295.
10 *Ibid.*, 299.
11 *Ibid.*, 305.
12 *Ibid.*, 307-8. Cf. otras alusiones al semitismo hispánico en CA, 304, 380, 385; CV, 183; CAL, 301-2, 352, 433, 454.

plado atribuye particularmente al castellano, pero que ejemplifica con la muerte de tres españoles, ninguno de los cuales es de la Meseta [13]. «Llevamos en la sangre cierto sentido orgulloso de la muerte, como si esta fuera una empresa personal», confirma el juez Rivadavia [14]. Lo remacha Cuartero en su nocturno creador, al considerar que las palabras de Pascal («Les hommes n'ayant pu guérir la mort, la misère, l'ignorance, ils se sont avisés, pour se rendre heureux, de n'y point penser») no pueden aplicarse de modo alguno a los españoles: «Al español, la muerte: un comino» [15].

Una larga serie de ejemplos de esa indiferencia o altanería ante la muerte la dan los personajes del *Laberinto,* desde los tres con cuya ejecución se abre *Campo de sangre* hasta la de Pardiñas en *El cementerio de Djelfa.* Aunque, haciendo justicia a la verdad, una de las muertes más impresionantes por su estoicismo sea la de Yubischek, el ex-combatiente de las Brigadas, en *Yo no invento nada* [16].

¿Qué ven los españoles más allá de la muerte para afrontarla con ese gesto? Don Leandro no cree en el catolicismo de los españoles, entendido como ortodoxia romana, y su «anarquismo» religioso le parece evidente:

> Aquí siempre hemos tenido en menos a los intermediarios: caciques o curas. Recurrir a la acción directa nos ha parecido siempre más digno de hombres. El misticismo no es más que la acción directa del cristianismo para con Dios.
>
> —Santa Teresa pistolera —piensa Fajardo.
>
> —Todos nosotros más luteranos de lo que a primera vista parece. Pero referente a lo del libre albedrío, ni hablar. Más ternes que el Papa [17].

Pero, al sentirse morir, Don Leandro pide el auxilio de un confesor. —«Cree Ud. en Dios...», se inquieta el comunista. Y la respuesta de Don Leandro: «¿En quién, si no?».

---

13 CS, 16-17.
14 *Ibid.,* 21.
15 *Ibid.,* 194.
16 Cf. NSC.
17 CS, 301-309. Sobre el anticlericalismo, cf. CAL, 57.

> —Puesto a otorgarle una religión, dijo Fajardo, más me lo hubiese figurado panteísta o mahometano.
>
> —El monoteísmo es cuestión de orgullo, capitán. Puestos a hablar con Dios, que sea el único. El Olimpo era un salón. Si los hebreos no llegan a figurárselo, Dios hubiese sido español. No hay más esperanza que la desesperanza [18].

Y la muerte misma de Don Leandro es ejemplo de su hispánica tesis:

> Don Leandro Zamora se murió al día siguiente, solo, a rostro firme, dándose cuenta; como un hombre: recibiendo [19].

4

Entre las preocupaciones del español en el *Laberinto,* se señala la de su relación con los otros. El diálogo entre el individuo y la comunidad española es sin duda su problema más importante.

La manifestación de esta inquietud toma generalmente la forma de una discusión entre varios personajes sobre los caracteres y temperamentos españoles, y sus consecuencias en cualidades y defectos. Y por ser la discusión siempre motivada por la situación catastrófica en que se halla la convivencia entre los españoles, el análisis va necesariamente a resaltar los defectos para buscar una explicación a la coyuntura.

Nos parece posible reducir todo el comentario a una misma hipótesis básica: que el español está fundamentalmente dominado por su temperamento, por sus fuerzas sensoriales y sentimentales, hasta el extremo de teñir la razón con ellas, o si se prefiere la paradoja, a razonar con los sentimientos. En esa perspectiva, el individualismo del español parece defecto solamente al nivel racional: incapaz de objetivar al *otro,* de otorgarle más existencia que la física, de ponerse en su lugar.

---

18 CS, 319-20.
19 *Ibid.*, 326.

Para el español, lo que cuenta es la convivencia en punto a sentimientos, poniendo por encima de la política —razón del grupo— la amistad —sentimiento del individuo—. Y por ello, cuando el español se pone en movimiento, no son las ideas, sino los sentimientos los que le mueven, no son los partidos, sino los jefes.

He aquí, progresivamente y uno a uno, los aspectos que nos han permitido construir esa hipótesis egocéntrica del *homo hispánicus* en el *Laberinto*.

Al egocentrismo pueden asimilarse las formas de reacción del español frente al otro, que son, sucesivamente: simplista, irracionalista, cruel, impaciente, expeditivo, antilegalista, antifeminista, envidioso [20].

En política respeta únicamente la manifestación del valor que se impone al suyo; es enemigo de partidos, de la autodisciplina individual y de grupo; *caudillista*. De las formas de acción, siendo perezoso, acepta difícilmente las que representan una continuidad y una ascensión progresiva y lenta hacia un fin, prefiriendo las formas directas y violentas de imposición, incluso en el amor.

El anarquismo encaja perfectamente en su concepción del mundo, y el desprecio por la razón se manifiesta en su relación con los intelectuales. Aplaza, de cualquier modo, indefinidamente, la acción, sobre todo cuando exige la cooperación, prefiriendo desahogar su agresividad biológica en palabras. De ahí que el español sea palabrero, y orador en política [21].

Por las mismas razones puede explicarse su desmedido orgullo, su sentido del honor, el poner la honra por encima de la

---

[20] Simplismo: CAL, 516-17; irracionalismo: CS, 158-59, CV, 184; crueldad: CS, 21, 66; impaciencia: CS, 66, CV, 181; antilegalismo: CS, 123, 288, 302-3, 308; CV, 268, 185; envidia; CV, 181; antifeminismo: CS, 117-18, CV, 292-93, 384.

[21] El valor: CS, 122; antipartidismo: CM, 81, CC, 227, vs. comunismo CAL, 55; caudillista: CS, 120; pereza, trabajo: CV, 181, 366, CAL, 54 (cf. HH, 117), CA, 361; acción y violencia: CV, 184, CS, 122; —en amor: CV, 249-50, 368; anarquismo: CS, 301, 309-12; —y los intelectuales: CS, 123-24; el idioma, las palabras: CS, 91-92, 286; palabrería: CC, 143, 155; oratoria: CC, 143, CS, 21.

vida. Y al no poder objetivar al otro, menos aún a sí mismo, las formas intelectuales del humor le son ajenas, limitándose a los niveles de la risa biológica y a la sátira despiadada de lo ajeno [22].

Por su razonar sentimental se explican ciertos aspectos de su desprendimiento y de su capacidad de perdón, de olvido, así como su fidelidad al clan. Y al no establecer las líneas de su actuar sobre coordenadas racionales, sobre medidas, el español resulta desmedido en todo, en su grandeza como en su pequeñez, en sus vicios como en sus virtudes. El español es, en una palabra, por lo que se desprende de los hombres del *Laberinto*, un pueblo dramático que puede aliar sin escrúpulos el máximo furor ético con la praxis más amoral [23].

5

Los acontecimientos de la Historia de España en nuestra época están relatados con la fidelidad a los datos y a la observación que ya hemos mencionado en repetidas ocasiones. Recuérdese, una vez más, el hecho de que Aub estuviera recogiendo documentación y testimonios durante casi veinte años antes de ponerse a redactar las dos últimas novelas del *Laberinto*.

La Historia pasada, también queda dicho, se trae a las páginas de sus novelas como castigo y documento para los hombres que en ellas viven. Por eso se habla de la conquista de América, de la intervención del azar en los destinos dinásticos de España, del reinado de Fernando VII, que Aub considera como el origen inmediato de los problemas de la España contemporánea, de la pérdida de las colonias como causa de un complejo colectivo de inferioridad [24].

---

[22] Honra, honor: CA, 330-39, CC, 143, 190-91; CS, 17, 66, 120, 288, 304-305; CAL, 457 (cf. HH, 56); orgullo: CV, 221-22, CS, 22, 122 (cf. HH, 100); honradez, vergüenza: CV, 189-192, 244-45, 369; humor: CV, 387.

[23] Desprendimiento: CV, 223-24; incapacidad de objetivación: CC, 144; desmedido: CC, 227-28, CS, 21-22.

[24] Cf. HH, 150-51.

A partir de la época de la Dictadura de Primo de Rivera, hasta el fin de la guerra civil, la observación directa, el testimonio, la información y los documentos son la base de la visión que de la Historia de España se hacen los habitantes del *Laberinto.*

A la Dictadura se dedican numerosos comentarios y conversaciones en *La calle de Valverde,* por la que circula la pequeña historia de los últimos años de la monarquía [25]. A la segunda República corresponden las páginas de *Campo cerrado,* que en ella tienen su base histórica. La última y más breve parte relata, como ya vimos, el desarrollo de los combates por la posesión de la capital catalana en julio de 1936.

A los distintos acontecimientos de la guerra civil y de sus postrimerías, se consagra el resto de las páginas del *Laberinto mágico* propiamente dicho. De la participación en ella de los hombres políticos, de los partidos, de las clases, del Ejército y de la Iglesia, se nos da buena cuenta en estas novelas.

Con el fin de no extender desmesuradamente nuestro estudio, nos limitaremos a remitir al lector al índice de materias y referencias incluido en apéndice a nuestro estudio, y por el que le será posible guiarse en el *Laberinto* en busca de datos, hechos, personajes, grupos y estamentos.

Por las innumerables páginas de este laberinto español que es la obra narrativa de Aub, el conjunto abigarrado de rostros, palabras y acciones desfila ante los ojos del lector, acompañado por el comentario del coro. La gran tragedia colectiva se nos presenta, en efecto, en esa doble dimensión del hecho y del comentario. El coro está formado por el grupo de Julián Templado y sus amigos, al que se une, aquí y allá, la voz de alguno de los actores de la tragedia. En ella participan, por su parte, los componentes del coro, creándose así una malla narrativa dramática en la que los personajes son a la vez, o sucesivamente, agonistas y corifeos, como el autor mismo es, a la vez, creador y criatura de su *Laberinto.*

---

25 CV, 95, 77, 125-28, 237-38, 266-68, 278-79, 391-93.

La discreción con que Aub, cuando toca el tema, trata del presente español, de la España de la postguerra —y que ya señaló Marra-López— es una prueba más, por abstención, de la manera con que Aub pretende ceñirse a la veracidad histórica, y que contrasta fundamentalmente con la postura de otros exiliados españoles en Europa y en América[26].

Por lo que respecta al futuro de España, Aub no se ha tomado nunca permiso para predecir ni fantasear, a diferencia también de, por ejemplo, Ramón J. Sender, de cuya imaginación futurista es resultado *Los cinco libros de Ariadna*[27].

Actitud distinta es la del Aub español, ensayista político y hombre de partido, cuya visión personal de la guerra, del presente y de un posible futuro para España, aparece ante el lector menos advertido en las esclarecedoras páginas de *Hablo como hombre*. A ellas, honradamente, debe el crítico limitarse cuando quiere saber cuál es el pensamiento político de Max Aub, hombre de carne y hueso, en torno a los problemas de España. Ahí habla Aub como es, sin artes, sin tomar distancias, sin el humor que caracteriza su obra literaria. Y es ese sentido del humor, ese no tomarse nunca demasiado en serio, guardando una distancia entre él y su obra, el obstáculo mayor para que el lector español pueda ver al escritor a través de ésta. A las desengañadas palabras finales de Aub en el prefacio a sus textos sobre España corresponde evidenciar su consciencia y su tristeza de tal realidad: «Lo que más me ha gustado es escribir; seguramente para que se supiera cómo soy, sin decirlo. Creí que lo adivinarían. Una vez más me equivoqué»[28].

Por su parte, los personajes del Laberinto, por boca de su portavoz, el corifeo mayor de la tragedia, Julián Templado,

---

[26] J. R. Marra-López, *Narrativa española fuera de España*, 206-13. Cf., como ejemplo contrario a Aub, *La raíz rota*, de Arturo Barea.

[27] Nueva York, Ediciones Ibérica, 1957. No podemos considerar el memorable relato de *La verdadera historia de la muerte de F. F.* como otra cosa que una tragicómica humorada acerca del carácter español, cuyas consecuencias en el futuro —como lo fueron y lo son para el pasado y el presente— de España son previsibles y quién sabe si inevitables.

[28] HH, 12.

ponen el epílogo a su historia al salir del puerto de Alicante hacia la nada, hacia el principio; su interlocutor, lógicamente, Cuartero:

—Aquí se acaba un capítulo de la juventud del mundo.

—¿Qué quieres decir?

—A veces domina el empuje hacia algo nuevo, o que lo parece; otras, los más y las más, se contentan los gobiernos —y las gentes— con administrar —bien o mal— lo que tienen. Ahora, todos, quisiéramos o no, empujábamos hacia algo nuevo.

—Con el tiempo retoñaremos.

—Sin duda ¿Pero cuándo? A veces te envidio.

—Eso nos pasa a todos, con todos. Depende de las horas. Ahora le envidio a él.

—¿A quién?

—¿A quién ha de ser? A Ferrís.

—Era capaz de cualquier cosa.

—Sí. Ahora sólo de pudrirse [29].

---

[29] CAL, 404-405.

VI

EL MUNDO DE LAS ARTES Y LAS LETRAS

Los múltiples intereses artísticos de Max Aub, su extensa formación literaria y su profundo conocimiento de las letras españolas y extranjeras, habían de reflejarse necesariamente en una obra narrativa como la suya, en la que ninguno de los intereses y preocupaciones del hombre contemporáneo está ausente. Esta intención de testimonio total coincide con su visión unanimista del ser humano tanto como con su voluntad resignada y consciente de cronista. La parte de su obra ensayística dedicada a estos temas es la mayor y la más importante, y en ella encontramos, junto a una eficaz labor de antologista y comentador, excelentes ensayos sobre poesía y novela [1].

Este profundo conocimiento de la Literatura, esta experiencia del trato con las letras se manifiesta constantemente en su obra narrativa. Mucho mejor que en su «academia» de erudición que es su *Manual de historia de la literatura española*, y en la que, por necesidad del género, se ve forzado a tratar de todos los autores y de todas las épocas y géneros, se manifiestan en sus propias novelas los gustos literarios del escritor, sus afectos y sus fobias artísticas.

* * *

[1] Cf. la bibliografía de las obras de Aub.

Ya hemos visto hasta qué punto resulta difícil separar la ficción de la historia y la crítica de arte en el *Jusep Torres Campalans.* Es éste un relato ejemplar, por el que circula, en zapatillas, la persona y la sombra de Pablo Picasso, y en el que las ideas sobre arte, sobre pintura, forman parte integrante de la ficción. Pero Picasso y su recuerdo aparecen igualmente en el resto de su obra narrativa, desde *Campo cerrado* —en donde se le cita, con el Greco, como ejemplo del subjetivismo español, y como objeto del odio de Hitler—, hasta el *Campo de los almendros,* en donde se habla del simbolismo animal del «Guernica», pasando por *La calle de Valverde,* en donde el pintor Miralles, su antiguo colega, recuerda a los maestros españoles del malagueño de París [2].

Es sobre todo en esta última novela donde, a través de Miralles, ficción inspirada en un pintor valenciano, se habla de la pintura española de los años veinte: de Sorolla, Regoyos, Zuloaga, Solana, y dos entonces jóvenes valencianos, Genaro Lahuerta y Pedro Sánchez, que ilustraron la *Fábula Verde* de Aub [3]. Otro pintor es personaje del *Laberinto,* con su nombre y su cargo: José Renau, Director de Bellas Artes durante la guerra, y que ilustraría después la edición mejicana de *No son cuentos* [4]. Bobadilla, otro pintor, que forja la celebridad musical de Terrazas en *La calle de Valverde,* es un retrato genérico, cuya identidad sería inútil especificar, por la abundancia de los posibles modelos.

* * *

[2] CC, 144, 151; CAL, 301, 433; CV, 274, 376. Una descripción del «Guernica» por Aub —sin duda la primera en su historia— aparece en HH, 14-15.

[3] CV, 41, 45, 165, 274, 376-77. D. Daniel Miralles aparece en CA con el nombre de José Torner, viviendo en la misma calle de Valverde. Preguntamos a Aub de quién era realmente trasunto dicho personaje, puesto que, por propia confesión, así era. Pero, manteniendo una intencional ambigüedad, nos dice: ...«si no me equivoco, se trata de Rigoberto Soler, un pintor valenciano que se fue a las Baleares» (carta del 10 de febrero de 1969). Cf. CC, 160-62; CA, 369-79.

[4] Cf. CA, 265-68, 371-81, 403; CM, 72; CAL, 182, 214.

Hemos visto someramente la cuestión de las motivaciones trascendentales del artista en su creación, y a ese propósito vimos cómo se planteaba la cuestión de la utilidad de la obra dentro de un contexto social dado. El intelectual, aun en el caso de salir de su glorioso aislamiento, tomando partido, comprometiéndose con una causa política, corre el riesgo de ser considerado no más que como simpático observador, desde la ventana de su torre. Es límite el caso ya señalado de Lledó en *Campo cerrado*. Pero, sobre todo, destaca la impresión causada en la clase obrera —cuando el compromiso del escritor se fragua con los movimientos políticos populares— de que el intelectual, burgués por su origen o su condición social, está en favor de ideales —justicia social e igualdad— más que sentirse solidario de hombres a cuya clase no pertenece. Los obreros sienten claramente esa incomunicación que los separa del intelectual, y así lo expresan claramente Serrador y González Cantos:

> Para esos cantamañanas, un cuadro, un museo, son más importantes que la vida de un obrero. ¡Si todavía lo dijo Azaña el otro día! ¡Sí, hombre!: que le importaban más las «Mininas» (el hablador atropellaba las palabras adrede) que otra cosa cualquiera. Y la gente lee eso y no se indigna, ¿y nosotros vamos a pegarnos y morir por eso? [5].
>
> ¿Qué sabéis vosotros los intelectuales de nosotros los obreros? (...) Si alguno de vosotros salió de nuestra entraña se le olvidó, vuelto traidor, o mejor cobarde (...) Os tienen sin cuidado nuestra situación verdadera, nuestra porquería, nuestra hambre. Vosotros lo apreciáis en general, y con anteojos y guantes. Eso lo siente el pueblo: por eso recurre a la violencia... [6].

Quizás por esa sensación de no cumplir limpiamente con las exigencias de su conciencia en la práctica humana, el intelectual se enzarza en las páginas del *Laberinto* en enfurecidas discusiones sobre la función social del arte, sobre la obligación del compromiso con el presente, con la sociedad. Los comunistas como Lugones o Gorov llegan a exigir la sumisión del in-

[5] CC, 73.
[6] *Ibid.*, 145.

telectual al extremo de no encontrarle ningún inconveniente a la supeditación a las consignas políticas. Gorov encuentra normal que el arte se resigne a la mediocridad para poder estar al alcance de todos:

> La calidad ¿para quién? —cortó Gorov— ¿Para las minorías selectas? No, compañero, la calidad ya vendrá después, si viene. Se puede sacrificar en pro de un mundo nuevo, de un hombre medio nuevo, de un hombre general. Las exquisiteces tuvieron su tiempo. Ahora los inteligentes tendrán que servir a los demás. Importa lo que sirve [7].

Max Aub, por su parte, no está muy lejos de compartir la idea de Gorov, al dar por hecho que nuestro fin de siglo está lejos de ser «una época dorada de las Letras»; «Llega al poder una nueva capa que no puede colegir de buenas a primeras la calidad o lo auténtico. Y, querámoslo o no, nos toca servirla» [8]. Esto escribía en 1943. Y veinticinco años más tarde, la idea del distanciamiento entre la masa lectora y el escritor contemporáneo le hace llegar a la misma conclusión, pero ésta se distingue de la precedente en que, en lugar de la mediocridad, prefiere aconsejar el silencio:

> Si se dejara de escribir libros durante cien años, libros de literatura, no pasaría nada. Si dejaran de construirse casas durante el mismo tiempo, sería una catástrofe. Claro está que multiplicado por siglos podría ser otra cosa, porque tal vez no se necesitaran casas; pero eso está fuera de nuestras capacidades de observación... Lo que necesita el Tercer Mundo... son casas, escuelas, y conocer los libros ya publicados. De verdad creo que lo mejor para él sería que dejara de publicarse lo que escribimos. (...) Si esperamos que «el pueblo» sea capaz de entender a Picasso, a Claude Simon, o a Elizondo, sólo nos queda ir a cortar caña... Y si los Butor, los Paz, los Robbe-Grillet siguen escribiendo sus genialidades cada vez estaremos más lejos los unos de los otros, hablando por señas [9].

---

7 CA, 453.
8 HH, 19.
9 EC, 13-14.

Por otra parte, el hecho de estar el escritor comprometido con la sociedad en que vive, de tomar partido, parece inevitable en el mundo actual. Y puede consolarse considerando que, según las palabras de Salomar: «No hay gran escritor sin cárcel o destierro» [10]. Idea que repetirá el cuervo erudito, más tarde, al observar a los hombres en el campo de concentración:

> El encierro es buenísimo para la condición humana, la mejora. Para lograr los mejores suélenlos encarcelar durante cierto tiempo. Sus más famosos ejemplares han pasado por esta escuela superior, ejemplo: Cervantes, Dostoievski, Jesús, Galileo, Swift, Robespierre [11].

Todavía en 1969 Max Aub viene a apoyar estas afirmaciones al decir que «la literatura de estas últimas décadas, sobre todo la de los jóvenes, no es comparable a la de la generación anterior (Malraux, Hemingway) porque ninguno de ellos (Cortázar, Fuentes) ha estado en la cárcel o en trance de muerte violenta» [12]. Conviene, sin embargo, señalar que los más expertos entre los hombres del *Laberinto* en cuestiones literarias, cuidan muy bien de exceptuar, en la regla anterior, a los poetas. Salomar completaba su frase antes citada de este modo: «Digo escritor y no poeta. Los poetas son bichos raros que lo mismo cantan en invernaderos que en muladares» [13].

Conviene notar que Aub utiliza los términos *poeta* y —sobre todo— *poesía* en dos acepciones distintas. Sin tener en cuenta este doble uso de los términos, se puede intentar descubrir contradicciones que no son sino aparentes. Para Aub, poeta y poesía son unas veces equivalentes de escritor y literatura, y otras,

---

10 CC, 154.

11 SE, III, 25, 5. Es curioso observar que una de las supresiones realizadas por Aub para la reedición del Ms. Cuervo en *Cuentos ciertos* afecta todo este párrafo. Seguramente, conociendo el humor de Aub, se hizo para que no le pudiéramos reprochar la misma intención tendenciosa que a los gallegos aspirantes a humoristas, que afirmaban ser el humorismo una exclusividad del país céltico.

12 EC, 20.

13 CC, 154.

en sentido restringido, de poeta lírico y lírica. En esta segunda acepción ha de tomarse la citada afirmación de Salomar, como la siguiente: «Los poetas no tienen nada que ver con las circunstancias, se adaptan a las que sea y, si son buenos, las cantan bien» [14]. Otro tanto piensa Santibáñez al afirmar en *La calle de Valverde* la falta de escritores: «Poetas sí los hay, dicen. Pero eso, en fin de cuentas, no cuenta. Siempre los hay, mejores o peores. Estos cancionerillos de Alberti o del García Lorca están bien, al estilo de Juan de la Encina o de Gil Vicente; no le hacen daño a nadie» [15]. Pero Santibáñez, al hablar así de los poetas, está haciendo una salvedad mental, que luego se desvela al oponer lo que él llama poesía de «diversión» de un lado, y de otro la poesía comprometida, que para él es la verdadera poesía. Es así como puede reconocer un «cierto arte» y aun un «arte cierto» al Góngora de las *Soledades,* hablando con José M.ª de Cossío, pero añadiendo: «No me quitéis mi gusto, que pertenece a Quevedo» [16].

A este concepto de la poesía parece oponerse el de Aparicio, trágico personaje de la misma novela, para quien la poesía «está sola, completamente sola. Como todos», y cada verso es «siempre un milagro». «La poesía —insiste— debe ser inútil o no lo es. La poesía no debe servir para nada ni a nadie». Ni palabras rimadas ni música: «Dar la vida» [17]. Para Aparicio, cuyo poeta preferido no existe más que en su imaginación —en una significativa fusión de Bréton y Valéry— lo importante es, pues, dejarse llevar por el demonio interior:

> La enajenación, la insania, la melancolía, el delirio, la chaladura, lo irracional, los caprichos, la extravagancia, el ser lunático, las manías —dejando aparte el frenesí—, el sacar de quicio, el trastornarse, perder el seso, estar fuera de sí son —para

---

[14] *Ibid.,* 153. A esto se refiere seguramente Aub en sus páginas azules cuando dice: «Los poetas son otra cosa: gente de suerte» (CAL, 365).

[15] CV, 188.

[16] *Ibid.,* 189. Para Julio Gómez «el Gordo», dermatólogo y poeta —¿Domenchina?—, la poesía es «decir las cosas de tal manera que haya que adivinarlas, valgan o no la pena. Todo está en el engaño» (CAL, 394).

[17] CV, 172-74.

mí— inseparables del concepto que tengo de la poesía. Hay otras: no me interesan [18].

¿Es a ese tipo de poesía al que se refieren Salomar y Santibáñez al separarla de la circunstancia? Al otro concepto se refiere Templado al señalar con un gesto de la cabeza, durante un bombardeo, «el cielo de donde baja la muerte», y murmurar: «La poesía» [19]. Porque «la verdadera poesía es tragedia», como afirma Ferrís en su cuaderno [20]. Y Aub, en su introducción a *Campo francés,* especifica: «La poesía —es decir, la literatura— es la relación... del hombre con la muerte» [21]. Cuando el mismo Campalans habla de poesía, creemos que está hablando de poesía lírica tanto como de pintura, y aun de novela: «La poesía es la edificación exterior de un mundo plantado en nuestras entrañas, con los materiales que pone a nuestra disposición lo que nos rodea» [22].

De cualquier modo, queda pendiente una cuestión importante. Si, en efecto, admitimos que el escritor no puede eludir su circunstancia, hasta el punto de poder encontrarla en la literatura de evasión, como el negativo de un positivo no revelado, ¿por qué el compromiso del escritor ha de ser contra la sociedad en que vive? ¿No se integraron a ella Lope o Goethe? Aub se responde a su cuestión retórica: «No hay por qué hacerse cruces. En raras ocasiones el hombre —el escritor— ha podido fundirse totalmente con su tiempo, es decir: no estar en contra, como fue el caso de Lope o Goethe» [23].

Para ciertos personajes-escritores en el *Laberinto,* de los que puede servir de ejemplo Santibáñez, no hay más que dos tipos de novelas, ambas con un mismo fin: crear vida, sostenerla contra el paso del tiempo: «a veces (...) surge de las historias,

---

18 *Ibid.*, 294-95.
19 CS, 511. Aparicio, en otra ocasión, identifica poesía y muerte, como Templado y Aub (CV, 299-300).
20 CAL, 448.
21 CF, 7.
22 JTC, 226.
23 HH, 157.

de los seres; otras del autor mismo, representado a través de fantoches que hablan igual, con idénticas preocupaciones...» [24].

A esta visión se opone la de Ferrís, que, por el hecho de la fijación de los personajes en el papel, identifica la novela con la muerte: «Todos los personajes están muertos, son muertos. Que resuciten en los demás es otro problema, pero se les puede volver a matar, como si me pusiera ahora a escribir sobre el Quijote, si es que algo nuevo se me ocurriese a su salud» [25]. A esa misma fijeza inamovible de la novela —compárese la libertad escasa del lector frente al texto descriptivo con la del actor frente al teatral— se refiere Cuartero, e identifica personajes novelescos y cadáveres, como Ferrís [26].

La idea de la novela como espejo, que ya Aub citaba al iniciar su *Laberinto mágico,* para plantearse el problema de la transcripción no edulcorada del diálogo, puede adoptar dos formas, según el espejo se enfrente con los personajes, excluyéndose el creador, o, a la manera de Velázquez, el espejo abarque criaturas y creador. Por eso puede afirmar Salomar que «un novelista pacato escribe novelas pacatas», y al afirmar que el escritor «puede desnudarse pero que es imposible hacerlo con los demás», Ferrís no deja más solución que la de pintar a sus personajes por «lo que les recubre; aunque sea la piel...» o meterse en la piel de los demás, es decir, tomar el lugar de los personajes, dándoles a ellos la propia interioridad del creador. Con lo que regresamos a la teoría de Santibáñez, antes citada [27].

«Para escribir una novela hay que dejar de ser», afirma Ferrís. No dejar de ser quien se es, sino dejar de vivir, para vivir en los otros, en otro tiempo, en otros espacios, aunque con los mismos móviles y, sobre todo, los mismos sentimientos. No se trata simplemente de encontrar un argumento y seguirlo. «Los argumentos se venden a real», y la mediocridad acecha al novelista que se limita a seguirlos, sin vivirlos por dentro. «Pue-

24 CV, 270.
25 CAL, 434.
26 CS, 191.
27 CC, 9, 154; CAL, 105.

de ser divertido... jamás grande»[28]. Lo que importa es la vida, haciéndose. Y la tentación del diablo cojuelo se apodera del escritor: «el novelista que pudiera convertirse en mosca y supiera taquigrafía, buen novelista sería»[29].

La opción que se le presenta frente a su materia, según la entiende el propio Aub, cada vez que quiere pasar de sus notas «taquigráficas» a su novela, a rehacer la vida, es que para dar toda la dimensión de la vida a sus personajes, debe escoger entre ellos, dedicarse a dos, tres, uno. Renunciar a todo lo que sobra, a los miles de personajes que —como mosca laboriosa— ha seguido, y a los que se le presentan sin ir tras ellos:

> (El autor) quiso escribir una novela pura —tal como fue la de Asunción y Vicente, que se buscaron, entrecruzaron y que sólo se van a entrever llevados por corrientes que les llevan al Campo de los almendros[30].

Pero la voluntad del autor es impotente en estos tiempos de crisis en que vive, en los que el silencio de la Historia, tanto como su sistemática falsificación, que siente, le fuerzan la mano. Y debe dejar constancia de todo sobre el papel, a riesgo resignado de dejar en crónica lo que había de ser «novela pura»: «lo que importa es que quede, aunque sólo sea para uno en cada generación, lo que aconteció y lo sucedido en Alicante estos últimos días del mes de marzo de 1939»[31].

En cuanto a Ferrís, no podemos dejar de pensar que se equivoca al plantearse la existencia de dos únicas maneras de escribir —«desnudarse o emperifollarse»—, disyuntivas. Su glosa es como sigue:

> El escritor —el angustiado— intenta echar de sí cuanto le puede hacer aparecer vestido. Cuanto más desnudo, mejor. Hay otra manera —tan ilustre— que requiere toda clase de adornos y abalorios. La historia manda y hay —como no puede menos de ser— épocas de confusión en que creyendo desnudar-

---

28 CAL, 436.
29 CS, 331.
30 CAL, 361 (páginas azules).
31 *Ibid.*, 363.

se, y aun echar las tripas, el artista no hace más que enredarse en telas de araña. Añade... que uno puede desnudarse pero que es imposible hacerlo con los demás. Para pintar a otros se tiene que recurrir a lo que les recubre; aunque sea la piel [32].

En realidad —y aquí el paciente observador no puede evitar echar su cuarto a espadas— no es una disyuntiva, sino un movimiento en dos tiempos: el Carnaval y la Cuaresma, el «travesti» y el azote sobre las espaldas desnudas; el pecado y la penitencia. Ambos siguiéndose uno a otro, como el día y la noche, como sístole y diástole. Claro que, en esta «época de confusión» —ya hubo otras—, el que cree desnudarse en penitencia puede de improviso darse cuenta, mirándose en el público, que se lo toman por *strip-tease.*

Y después de esta breve crisis del cronista, no podemos menos de abrir un inciso para citar lo que los personajes del *Laberinto* piensan de la crítica y de los eruditos:

¿Quién habla de la poesía? El que no entiende. El que sabe, calla; no juzga... De la poesía sólo se puede hablar desde puntos de vista antipoéticos. ¡Distinguir entre fondo y forma! ¡Inválidos! [33].

—Saber de vinos... ¿Qué sabe de ellos sino el que no entiende? Sólo los borrachos podrían opinar y, claro, callan saboreando.

—Pasa igual que en la literatura —contesta Cuartero—: opinan los eruditos y los pedantes [34].

Si el crítico cree que, huyendo de la pedantería, puede refugiarse en una más respetada categoría de erudito, he aquí la opinión de Terrazas:

—Un erudito... es un ser que busca una ficha para restregársela en las narices a un compañero. Bueno, lo de compañero es un decir. Lo mismo da que el dato sea importante o no. Lo que cuenta es el hallazgo, y que rectifique una aseveración cual-

---

32 CAL, 105.
33 CV, 173.
34 CAL, 172.

> quiera de otro. Entonces ¡oh gloria! miel sobre hojuelas. No os importa saber sino rectificar, acumular cagaditas de mosca, puntos suspensivos: donde dijiste K, es KK. Falseados por la base, cerrados, encajonados, encarcelados, miopes de nacimiento. Y oléis mal porque no tenéis ni tiempo para lavaros, no sea que llegue otro antes y cace el gazapo... [35].

* * *

Si para Don Pedro Mourlane Michelena, a su paso por *La calle de Valverde,* los orígenes de la novela hay que buscarlos en la mujer —Oriente, sol, sexo—, para Cuartero, autor dramático, la novela, con el teatro, nacen «poco más o menos juntos de las cenizas de lo épico y de las canciones; cuando los pueblos ponen casa» [36].

Idea ésta que comparte con su maestro Galdós —en su prefacio a *Casandra*— para explicar lo incestuoso del cruzamiento entre teatro y novela, «fatigados de andar solos en esquiva independencia». La idea le llega a Aub por Cuartero, puesto que su prefacio a *Campo francés* (ejemplo de novela intensa o de cine extenso) es posterior al nacimiento de la comedia de su personaje [37].

La hermandad de novela y teatro aparece de manera evidente en el fácil paralelo de las ideas sobre la novela ya expuestas y las que sobre el teatro va desarrollando Cuartero en el extraordinario capítulo onceno de *Campo de sangre.* En él, una teoría del teatro y un breve resumen de su historia se imbrican en el monólogo interior de Cuartero, quien, a partir de la anécdota que el dibujante Sancho le ha relatado durante la cena, va imaginando una comedia.

Como la novela, la comedia, el teatro es un espejo: «Todos sentados frente a mí, boquiabiertos y yo boquirroto. Darles el maná. Poner un espejo en vez del telón de boca... Se levanta el

---

35 CV, 320.
36 CS, 178.
37 «El cine, o la novela con embudo», dice Cuartero (CS, 179).

telón. Yo: espejo de mil...»[38]. «¿Quién ha dicho «El teatro, espejo del mundo»? ¿Lo ha dicho alguien? No es un descubrimiento. El teatro, espejo de su público»[39]. «El problema está en reflejar la vida o crearla. Crear la vida reflejándola; sacar las figuras del espejo. Darles bulto. Narciso al revés. Verse y sacarse»[40].

Como en la novela, dados los elementos de partida —la idea o la anécdota, el marco o el mundo—, es el problema darles vida, que les falta. El teatro es los personajes en acción, hablando, y el autor, como el novelista, ha de entrar en la piel de sus personajes, para hacerles vivir: «Esta comedia no puede ser buena porque yo nunca me meteré en la piel de Don Ignacio»[41]. Personajes que, como los de la novela, pueden venir «de lo vivo a lo pintado», como Sancho Panza, o de «lo imaginado a lo pintado», como Don Quijote. El problema básico está en «crear un personaje humano. Ni cómico ni dramático»[42].

Se diferencia de la novela en cuanto sale de lo escrito para corporeizarse en los actores, sobre la escena, «con voz de verdad, con sangre de verdad, como si su alma fuese de verdad». El teatro escrito es por ello solamente *Teatro incompleto*. Así titulaba su primera colección de piezas en un acto cuando decidió editarlas sin previa representación[43]. Aunque, en opinión de Cuartero, «Hebbel se equivoca cuando dice que el destino de un drama es siempre ser leído», lo crudo para el dramaturgo es que su teatro sólo podrá salvarse si queda impreso. Y Cuartero señala la hipocresía de Lope asegurando que no le importa el porvenir de su teatro, «galleando indiferencia hacia la posteridad» y luego haciendo prólogos, preocupándose de la buena lectura de sus versos, no pensando en otra cosa que en la posteridad[44].

---

38 CS, 176.
39 *Ibid.*, 190.
40 *Ibid.*, 177.
41 *Ibid.*, 193.
42 *Ibid.*, 186.
43 *Ibid.*, 176-77. Cf. *Teatro incompleto*, Barcelona, 1930.
44 CS, 189-90.

Pero el teatro depende, mientras vive, de su público mucho más que la novela. Cualquiera de éstas puede editarse, como se imprime cualquier drama o comedia. Todo es cuestión de un editor, o de unos dineros —pocos—. Pero el teatro, no pudiendo vivir sin escenario, debe doblegarse a su posible público, o resignarse a una representación de cámara. No se trata para Cuartero de «claudicar» —palabra que puso de moda Ramón Gómez de la Serna cuando no tenía de qué —sino de dar a su público los sueños que necesita, y dárselos de manera que le diviertan. No es la vida sueño, ni teatro. El teatro lo es. Y «el teatro evoluciona según los sueños de los hombres». El escrito para el teatro debe tener presente a su espectador: decirle las cosas de manera que las entienda, a la primera, porque en el teatro no hay manera de volver a ver u oír, el tiempo no es reversible como la página de la novela. Las cosas que se dicen: de una vez y para siempre, si están bien claras. Y si no se es capaz, repetirlas, insistir más adelante. «El público a veces las coge al vuelo, otras no. Curarse en salud. Más vale que sobre. Siempre está uno a tiempo de recortar» [45].

No sólo lo que se dice, sino la acción en la escena debe ser bien visible, de tamaño natural. «El microscopio no sirve para la escena» [46]. Los sentimientos mismos deben desplegarse *físicamente,* hacerse visibles. El público está acostumbrado a que le expliquen las cosas —piensa Cuartero—. Razón del fracaso de Unamuno: no el contenido, sino el prescindir de explicaciones: «desprecio de lo externo» [47].

Por su parte, el público español pide sueños claros, en los que enajenarse, desecha la ambigüedad propia a la novela. «El pueblo no echa las cosas a broma». Reír o llorar: aquí no cabe el «humor inglés». No faltan ejemplos en el *Laberinto* de hombres del pueblo fascinados por el teatro. Recuérdese a Banquells, obsesionado por la escena del reloj de arena del *Tenorio,* al

---

[45] CS, 194.

[46] CS, 184. Problema éste resuelto por el cine, en el que la distancia del espectador al espectáculo varía a voluntad del creador. Razón, por cierto, de la difícil adaptación del actor y del teatro al cine.

[47] CS, 183.

«Grauero», el matón, frente a *La verbena de la paloma,* al carbonero de Moranchel, el montañés castellano que durante la guerra civil puede realizar su sueño viejo de ver teatro [48].

El dilema que se plantea Cuartero para el espectador —ser juez o parte en el drama— es un problema de intelectual. Para el pueblo no hay duda. El Anacoreta, hablando como él dice «en alto sentido», afirma no haber cosa peor que el teatro como espectáculo: «Sentarse para perder el tiempo y ver cómo trabajan los demás, es el colmo de la hediondez» [49]. Y Serrador, por su lado, se complace en imaginar un teatro en el que no habría espectadores. Y ser en la vida como en ese teatro imaginario, el gran psicodrama del mundo [50]. Pero Serrador toca ahí los límites entre el arte y la vida: El mayor teatro la guerra —piensa Cuartero—. «Cuando todo el público es actor, se acaba el teatro» [51].

* * *

Dánse algunos grandes rasgos de la historia del teatro europeo, desde la Edad Media. «El teatro de la Edad Media: pintura, retablo». Para analfabetos, de la misma manera que «pictura est quaedam litteratura illiterato», según Estrabón [52]. La Celestina: «Ese sí que es un drama. No un drama: Ni una novela. ¿Qué es? [53]. Se habla de la transfusión vital entre la Contrarreforma y el teatro» [54].

Pero, sobre todo, el teatro de los años veinte y treinta de este siglo, la vida de los actores, el mundillo de rebotica en los camerinos, la industriosa y ciega condición del actor español, sin más escuela que la tradición ni más guía que el aplauso. La presencia de los extranjeros por los tablados españoles, la

---

48 CM, 194-95; CA, 142-47; CS, 184-85.

49 CC, 65. A esta visión del teatro se parece la de Jacobo, el cuervo erudito (CCI, 168-69).

50 *Ibid.*, 114.

51 CS, 182.

52 *Ibid.*, 190.

53 *Ibid.*, 196.

54 *Ibid.*, 182.

burla de la comedia conversacional: «¡Acción, acción! Una comedia sin acción ¿qué es? No caer en la tentación de decir cosas ingeniosas por el placer de decirlas» [55].

Del teatro durante la guerra civil, la socialización de los locales, la incautación de las iglesias para las representaciones —«¿Por qué no? Vuelve el teatro a donde salió», según siente Mustieles—, los teatros ambulantes, las condiciones de trabajo de actores y directores en Barcelona, controlados por el Comité económico del Teatro, de todo ello da su visión de primera mano Max Aub a través de los personajes de su *Laberinto* [56].

En dos ocasiones, el teatro sirve de fondo a un drama entre personajes de la novela: Asunción y Vicente, mientras M.ª Teresa León dirige los ensayos de *La Numancia,* dirimen y ponen en claro su existencia sentados al fondo del patio de butacas. Y Jorge Mustieles asiste en el teatro Ruzafa de Valencia, a pesar suyo, a *La verbena de la paloma,* buscando al Grauero, encargado de matar a su padre. Este último episodio constituye una breve obra maestra de «perspectivismo y contraste» [57].

El conocimiento de las obras y los autores españoles y europeos se manifiesta en las numerosas conversaciones sobre tales temas, que abundan en las mesas de café del *Laberinto.* La enumeración sería demasiado larga, y merece un estudio distinto. Creemos haber contribuido a la preparación de tal estudio con el índice de materias y personajes que ofrecemos en apéndice. Ya queda en nuestra introducción considerada la parte quizás más indispensable para el entendimiento de Aub: su situación dentro de su generación. El resto, con ser importante, queda relegado a un segundo término.

---

55 Habla Aub de teatro; no lo aplica a la novela, a fuer de gran wildeano en la materia. Cf. CS, 68-82, 180, 183, 380-82; CV, 17-18, 389-90.

56 CA, 21-34, 112-13, 254, 402-7; CS, 68-80, 142-43, 178, 496. Aub fue secretario del Consejo Nacional del Teatro en Valencia —1937— bajo la presidencia de Antonio Machado; anteriormente director de «El Buho», teatro universitario de Valencia. *Pedro López García,* uno de sus «autos» de circunstancias, fue estrenado en la iglesia de los Dominicos de la misma ciudad.

57 CA, 142-47, 402-407.

TERCERA PARTE

PROBLEMAS TÉCNICOS Y ESTRUCTURALES DE LA OBRA NARRATIVA AUBIANA

INTRODUCCIÓN

Vamos en esta tercera y última parte a intentar un análisis detallado de las estructuras del relato aubiano, desde el nivel del léxico hasta el del conjunto de la obra, reservando algunos aspectos particularmente significativos para la explicación del *Laberinto mágico* —una entre tantas posibles—, con la que pondremos fin a nuestro presente estudio.

Empezaremos por debatir en nuestro primer capítulo una cuestión de carácter previo. Es cuestión controvertida entre los diferentes sectores y opiniones del mundo literario y político, y que quisiéramos situar en nuestra propia perspectiva; quizás se logre así mejor entender nuestra interpretación del *Laberinto mágico* y, en parte, la valorización positiva que no puede menos de interferir en nuestra exposición analítica e interpretativa. Esta valoración queda tan al margen de nuestras intenciones como fuera de nuestro alcance la posibilidad de evitarla. Digámoslo, en fin: la cuestión previa no es otra que la de la «objetividad» del escritor y del relato.

Pasaremos luego a considerar la construcción del relato breve y de la novela aubianos, ciertos aspectos de su lengua y su estilo, y algunas particularidades de su construcción de personajes. Veremos, en fin, cómo reelaborar nuestro análisis en una interpretación del conjunto, que ocupará los dos capítulos terminales.

A esta interpretación se pueden y se deben aplicar las conclusiones que se desprenden de nuestra cuestión previa sobre el debate subjetividad-objetividad, con que iniciamos este tercer y postrer tranco de nuestro estudio, y que viene a decir que toda verdad literaria es subjetiva. Con ello, según nuestro entender, es inútil acusar al autor o a su intérprete de subjetividad: toda objetividad es subjetiva, o, si se prefiere, toda subjetividad es objetiva. Y, por consiguiente, con la convicción de que el tópico dilema adolece de falsedad, creemos que el principal achaque que, a modo de sambenito, pudiera colgarse a nuestra interpretación, sería el de no ser subjetivamente verídica. Si, en efecto, ésta no correspondiese a una auténtica reacción dentro y frente a la obra de Aub, no sólo toda la máquina imaginaria montada en la nave de espejos por la que hemos hecho pasar su obra narrativa, sino el más material y concreto de los objetos narrativos considerados en ella, serían resultado de una hueca falsedad.

A esa estrecha relación cordial entre objeto y sujeto interpretativos corresponde la exigencia de verdad —de autenticidad— que con nosotros mismos hemos querido mantener.

I

LA CUESTIÓN PREVIA: OBJETIVIDAD O SUBJETIVIDAD DE LA OBRA LITERARIA

Es común en el mundo de las letras contemporáneas, ante la exigencia de objetividad en la obra literaria, una evidente preocupación, y aun cierta inquietud de conciencia. Si el escritor emprende la creación de una obra situada en el pasado, se le reclamará fidelidad al contexto histórico material u objetivo, y sufrirá el reproche de anacronismo si las interferencias del mundo contemporáneo, contra su voluntad, se hacen evidentes dentro de su evocación de ese otro mundo histórico. Si los datos objetivos referidos no corresponden o contradicen los conocidos por la historiografía, y no se basan o justifican en una investigación histórica previa, el autor se verá tachado de infidelidad a la «verdad histórica». Pero, a pesar de ambos reproches, si la obra literaria conseguida en tales circunstancias de anacronismo o infidelidad logra establecer un mundo coherente de ficción, cuyas partes se sostengan en una estructura de características evidentes, y consigue estimular en el lector esa identificación gozosa o ese trascenderse en la obra que hacen de ésta una «pieza maestra», sus lectores tenderán a olvidar cordialmente ambos defectos como cuestión secundaria o cantidad no significante.

Cabe distinguir en estas reacciones frente a la obra literaria dos tipos de exigencia distintos, que se refieren a dos formas de verdad en literatura: la primera, correspondiente a los elementos descriptivos procedentes de un mundo objetivo exterior a la obra, del dominio común, y, por consiguiente, contrastables con los datos de una ciencia; segunda, la correspondiente a las acciones, ideas y caracteres de los personajes de la obra literaria, que no tienen correspondencia con la realidad antes mencionada: cualquier ser humano tiene una conducta y manifiesta caracteres cuya validez no se discute por referencia a una verdad preexistente, y sus ideas y opiniones son aceptadas, discutidas, rechazadas por los demás en función de las propias, y no a partir de datos científicos irrefutables, que exigirían un consenso universal y reducirían las posibilidades de oposición discusiva al límite de la imposibilidad. A ese nivel, cuando se pide «la verdad», no se hace sino reclamar la autenticidad, la consecuencia entre la esencia —o existencia— y la apariencia, entre el ser y el estar, entre la potencia y la actitud.

Pero hay que preguntarse por la posibilidad de un informe objetivo en el primer tipo de elementos descriptivos a que acabamos de referirnos, distinguiéndolos de la verdad de autenticidad. La escuela formalista rusa indicaba ya en algunos de sus trabajos recientemente exhumados la imposibilidad de la objetividad científica, por la génesis misma de la selección del tema entre el número infinito de los posibles, y señalaba que es el elemento emocional en la relación entre el escritor y su tema lo que estimula el interés del lector, a partir de la simpatía o la antipatía sentida por el autor [1]. El tono frío del informador es lo que se pide tradicionalmente a la ciencia, pero no se espera de la novela. Y sin embargo, la exigencia de objetividad es un hecho en el mundo contemporáneo. Si analizamos la cuestión de cerca, nos parece ver que dicha exigencia adquiere toda su fuerza en el caso de que la obra literaria trate un tema con implicaciones en la actividad sociopolítica

[1] B. Tomachevski, *Teorija literatury* (1925) apud *Théorie de la littérature,* Textes des Formalistes russes, Paris, Ed. du Seuil, 1965, 266.

contemporánea. En efecto, si no se considera substancial el ajuste de la narración de Ramón J. Sender en torno a la historia de los catalanes en el reino de Bizancio, tal como hace en su novela del mismo nombre, a la supuesta realidad histórica de la famosa expedición, en cambio se le exigen cuentas por la deformación de los hechos cuando en *Los cinco libros de Ariadna* su visión de la Rusia estalinista no corresponde a la verdad tal como la entienden sus detractores. Frente a los cuales, otros vendrán a decir que tal visión está llena de verdad y gracia satíricas, porque coincide con la que ellos tienen. Son, pues, las implicaciones actuales extra-literarias de la simpatía o antipatía previas del autor respecto a su tema, lo que lleva a reclamar la objetividad por parte de aquellos cuya actitud emocional se opone a la adoptada por el autor.

La escuela psicoanalítica, por su parte, siguiendo una idea kantiana, ha desarrollado la creencia de que la comprensión no es sino un conocimiento adecuado a nuestras intenciones, con lo que, al descubrirse su carácter inter-relacional, puede un comentarista de la escuela como Cahen exclamar: « ¡Adiós, bellas ilusiones de objetividad y de absoluto! » [2]. Es precisamente la intervención de diversos mecanismos psicológicos, como el olvido, la represión, la distorsión y la proyección lo que hace decir a Meyerhoff que la memoria es proverbialmente vaga, ambigua y falible [3]. Ya Ernst Cassirer había demostrado igualmente la base convencional de toda objetividad de carácter científico a partir de ciertas premisas subjetivas que permiten construir, a partir de los datos inconstantes e indeterminados de la percepción, el concepto empírico de verdad [4].

Con respecto a la literatura, más concretamente, no otra cosa nos viene a decir Claude-Edmonde Magny al afirmar que la pretensión naturalista de resucitar el mundo por medio de un amontonamiento de detalles de los que el artista está riguro-

[2] Apud C. G. Jung, *L'homme à la découverte de son âme,* Paris, Petite Bibliothèque Payot, 197, nota.
[3] Hans Meyerhoff, *Time in Literature,* Berkeley, Un. of Cal. P., 18.
[4] E. Cassirer, *Philosophy of Symbolic Forms,* II, 33-35; 48-51.

samente ausente es lo más alejado del espectáculo ofrecido diariamente por el universo: nunca se ve un objeto por todas sus partes a la vez, ni por un ojo exento de pasión. Si fuera realmente indiferente —añade— sería ciego: el objeto pasaría inadvertido, no percibido, la absoluta imparcialidad equivaldría a la ceguera, y el lector de la novela o de la descripción no vería, en fin de cuentas, nada [5]. Precisamente ahí toca Mme. Magny, a nuestro juicio, la verdadera razón por la que tantas descripciones naturalistas y realistas según la regla estricta no son vistas, literalmente, por el lector, que salta por encima de ellas, como Cantueso, el personaje aubiano de *La calle de Valverde*: «Demasiada descripción. ¿Qué me importa a mí cómo era la pantalla de aquella sala?» [6].

El arte, concluye Mme. Magny, no tiene como función el presentarnos la «realidad» —noción mítica entre las míticas—; tiene que resucitar, por el contrario, para nosotros, la apariencia [7].

Al nivel del lenguaje, Amado Alonso y Raimundo Lida llegaban en 1936 a la misma conclusión, al decir que no era el objetivismo filosófico, sino el psicológico, el que contaba, es decir, «el mayor o menor grado de participación emocional del narrador en lo narrado», opinión que coincide con la ya mencionada del formalista ruso Tomachevski. Y concluyen: «En el uso vital y en el artístico del lenguaje... la palabra no es mera designación del objeto, sino tensión entre sujeto y objeto» [8].

Aun filosóficamente, conviene replantear nuevamente el problema de la exigencia de objetividad. ¿Es ésta entendida como una actitud objetiva del escritor? Si es así, la actitud objetiva puede considerarse, primeramente, como perteneciente al objeto en sí, y no a nuestro pensar o sentir. ¿Y cómo adoptar la actitud del objeto sin convertirse en cierto modo en el objeto

---

5 C. E. Magny, *Histoire du roman français*, Paris, Ed. du Seuil, 1950, 336.

6 CV, 383.

7 *Loc. cit.*

8 A. Alonso y R. Lida, *El impresionismo en el lenguaje*, Buenos Aires, Instituto de Filología de la Universidad de B. A., 1936, 219-21.

mismo? Pero el objeto es sólo *objeto* con relación al *sujeto* que lo hace «objeto» de sus actos. Quiérese decir que adoptar la actitud del objeto es dejar de serlo para ser sujeto. La actitud del sujeto es siempre subjetiva, y su naturaleza consiste en proyectar su acción en el objeto. Pedir objetividad al sujeto del acto literario es, pues, obligarlo al silencio, a la pasividad, al abandono del acto literario mismo. Devenir su objeto es simplemente hacer del objeto sujeto —y del sujeto objeto—. ¿Es el juego de los espejos, al infinito? Es el silencio contemplativo. Lo que el creador busca en su criatura es siempre su imagen y semejanza. Según el relato bíblico, no otra cosa hace Dios al crear el centro y eje de toda su obra de creación. Todo lo demás del universo ha sido creado en función de ese centro —que es su imagen— y para su servicio. Lo único que no puede hacer el hombre —como tampoco su creador— es ser otro del que es. Y ese trascenderse imposible es lo que el Creador parece haber querido hacer con su criatura; pero pesa sobre ella la prohibición de gustar el fruto del árbol de la ciencia; puede verse ahí la prohibición, hecha a la criatura, de intentar, a su vez, la trascendencia, el acto creador. Habiéndole dado su Creador vida eterna, no necesita, pues, pro-crear. El deseo de trascenderse, de ser como Dios —es decir, creador— trajo consigo, según el relato bíblico, la caída de una legión angélica y, más tarde, por su instigación, la del hombre de la situación paradisíaca.

Contradicción, pues, básica e insoluble: persistir eternamente en sí mismo, sin trascender, o trascender a costa de la persistencia personal. Contradicción que se plantea siempre a todo creador en pujanza: la trascendencia o el silencio. Pedir, pues, objetividad al creador es negarle, en realidad, el derecho a la creación.

Lo perteneciente al objeto en sí, fuera de nuestro pensar o nuestro sentir, es precisamente lo que nunca podremos, en cuanto sujetos de creación, alcanzar, puesto que nos es *ajeno*. Intentar imponer al creador el punto de vista de su objeto es, literal y literariamente, alienarlo. No tenemos más medios para conocer lo ajeno que nuestro pensar y nuestro sopesar. Conocer es, ya, subjetivar. Comunicar ese conocimiento, trascenderlo por un acto creador, es un acto subjetivo en su génesis, y solamente objetivo en su resultado, en el objeto ya creado, que es, ciertamente, objeto para la subjetividad de sus contempladores, incluido entre éstos su propio creador, que toma, en modo cierto, una distancia respecto a esa proyección de su subjetividad, de la misma manera que, al asediar lo objetivo, lo exterior a él, su circunstancia, no podía hacer otra cosa sino buscarse fuera de sí. Aunque no, *estar* fuera de sí, petición implícita en la exigencia de objetividad y que es —no vale la pena insistir— sinónimo de enajenación, de locura. (Según el común sentir, la verdad se oye en boca de los locos). Esa enajenación, colmo del arte interpretativo, es una exigencia cuya perfecta realización es imposible a menos de una auténtica psicopatía, de una auténtica destrucción de sí mismo, de la que no han faltado ilustres ejemplos en la historia del teatro. De cualquier modo, el intérprete de la creación teatral no es el sujeto de la misma ni el espectador a cuya contemplación gozosa se presenta.

En efecto, el placer estético no consiste en estar en la piel del otro, sino en sentirse, re-conocerse o conocerse a sí mismo en el otro, cuando a este otro se le siente como protagonista, o, por el contrario, en conocerse ajeno al otro, cuando éste es reconocido como el antagonista. Pero es bien sabido que protagonista y antagonista no son más que las formas dialécticas que adopta un conflicto sentido por su creador, que toma partido por una de ellas, proyectando la otra fuera del campo dialéctico, del que la primera tomará posesión. Es relegar —en la medida que se puede— al desván del subconsciente, al enterrado del inconsciente, lo que de sí mismo se considera indeseable.

Por otra parte, en Filosofía, «objetivo» se dice de lo que existe realmente, fuera del sujeto que lo conoce. Precisamente, pues, su existencia real es ajena al sujeto que lo conoce, es algo que el sujeto no podrá hacer suyo, ni dar cuenta de ello, a menos que lo haga objeto de su conocimiento, con lo cual deja de ser objetivo según la definición filosófica. La misma oposición que sustenta la exigencia de objetividad en el creador artístico es simple polarización de los dos elementos dialécticos de cuyo diálogo va surgiendo, como del diálogo de las agujas tejedoras el tejido de cada ser humano individual. No está hecho éste de otra cosa sino de la materia previa a él mismo, de la materia objetiva que se va tejiendo en una disposición particular, en cierta forma cada vez más determinada, cada vez menos libre de posibilidades estructurales, por la imposición del tejido ya estructurado, cuyas líneas de existencia individual se van definiendo cada vez más. Lo objetivo nos informa, conformándose progresivamente la nueva materia objetiva a la estructura que ella misma ha operado. Nada de lo que viene a integrarse en el individuo puede hacerlo de manera independiente a su estructura interna. La distinción sujeto-objeto es la distinción entre materia ajena y materia integrada. Mientras permanezca ajena, y en la medida en que es así, la materia objetiva no puede en absoluto participar del individuo, y éste es tan ajeno a ella como ésta a él. ¿Cómo objetivar, es decir, cómo crear lo no asimilado, lo no hecho semejante a sí? La simple comprobación de su existencia ajena al sujeto no puede ser, pues, un acto creador, y en nuestro problema concreto, no puede haber creación literaria en el simple resultado de una comprobación de disimilitud. No otra cosa viene a decir Francisco Ayala al afirmar, en *Histrionismo y representación*, que «lo ajeno sólo se entiende apelando a las claves del propio ser, y, por lo tanto, en aquella medida en que lo ajeno aparece, no como distinto, sino como idéntico» [9].

En la perspectiva humana del escritor, el dilema objetividad-subjetividad puede tomar el aspecto equivalente de la libertad estética frente al compromiso político o de partido. Ya consideramos en la segunda parte de nuestro trabajo la actitud que respecto a este dilema político adoptan los personajes aubianos, los «intelectuales» del *Laberinto español*, para quienes tal disyuntiva viene motivada por el conflicto armado y se resume, por ejemplo, en el cambio de postura de Terraza hijo en *Campo del Moro* (el ex-arribista explica a Rosa María lo que la guerra

---

9 *Loc. cit.*, 178.

ha significado para él: un momento de opción ineludible ante la llamada de la justicia):

> No se podía escoger, escogiendo. No había más que un camino, así perdieras cuanto había que perder. A ojos cerrados, empujados hacia adelante, con el pueblo... Hay ocasiones... en que no hay términos medios. Y esas ocasiones son, además, los resquicios —o las encrucijadas— por las que el mundo da un paso adelante [10].

La postura de Terraza es tanto más significativa cuanto que su situación de pre-guerra era en cierto modo equivalente a la de Petreña, que decía:

> ¿Qué hago yo en esta vida por cuyos intereses no me intereso? ¿Qué me importa a mí del marxismo por el cual andan mis amigos revueltos? [11].

Y un poco más adelante, hablando de los lujos de la sociedad de consumo, añade:

> Todo eso lo conseguirás, Laura, si los comunistas te dejan [12].

Para ellos, el comunista no era, pues, sino el aguafiestas de la parranda. Y Terraza, durante la guerra, abraza precisamente el comunismo en busca de la justicia, a pesar de creer que «no es de este mundo», y precisamente por eso [13].

Aub, por su parte, distingue entre la opción humana y la literaria:

> No hay duda de que al darse cuenta del mundo que le rodea, el hombre toma posición. No hay vuelta de hoja, ni manera de huir. Cualquier evasión es una postura definida [14].
>
> Nunca creí que hubiera tantos intelectuales revolucionarios (no acabo de convencerme de ello: conozco a alguno). Son

---

10 CM, 92-94.

11 LAP, 37.

12 *Ibid.*, 41.

13 CM, 94. A la misma idea, tardíamente sentida, responde el deseo de «servir» expresado repetidas veces por Ferrís en su cuaderno: CAL, 441, 444-45.

14 HH, 38.

simpatizantes, «hombres de izquierda»; entonces ¿por qué emplear la palabra revolucionario? ¿Revolucionario de qué? Partidarios, a lo sumo. Yo les pediría a los verdaderos revolucionarios que se dedicaran a hacer la revolución, porque debe de ser una labor que deja poco tiempo libre, y el ser «escritor revolucionario» más difícil todavía, a menos que consista —además de decirlo— en escribir algún poema o pronunciar un discurso, si es necesario [15].

Lo cual no se contradice con su previa afirmación: «Toda obra literaria está escrita en contra de los poderosos... Toda literatura, si es, es rebelde o elegíaca. Toda literatura, si es, es crítica» [16]. Dentro del *Laberinto mágico,* aunque situándose en un tiempo anterior a la primera guerra mundial, las conversaciones entre Campalans y el viejo anarquista francés Forestier son significativas para entender el dilema planteado al artista:

—Una cosa es la acción y otra el arte.

—De acuerdo, pero el hombre es uno ¿no? No puede ser al mismo tiempo hombre de acción y artista sólo interesado en el arte ¿no?

—Entonces ¿sacrificar lo uno a lo otro?

—Necesariamente, ¿no?

....

—¿Pero crees en un arte... proletario?

—No, creo sencillamente que si un pintor tiene la suerte de interesarse por el porvenir de los hombres, tiene que pesar para él más la política que el arte ¿no?

—Pero el arte lleva ahora...

—Pintores hay muchos, habrá más, con tiempos mejores, ¿no? Lo que importa es acercarlos, no perder tiempo.

—¿Los artistas lo pierden?

—Y lo hacen perder ¿no? Asaltar un cobrador de banco es más importante, para el progreso de la humanidad, que pintar un cuadro ¿O no?

—¿Por bueno que sea?

—Por bueno que sea. También escribí versos... [17].

---

15 EC, 43-44.

16 *Vuelta y vueltas al Quijote,* 55.

17 JTC, 159-60. Vid. también JTC, 125, 130, 233.

Ahora bien, si, como dice Maurice Blanchot, «la littérature n'accepte jamais de dévenir moyen», el problema del compromiso del escritor es falso cuando quiere resolverlo haciendo de su oficio literario la moneda en que pague su buena conciencia[18]. Darse esa buena conciencia ciudadana poniendo su arte al servicio de la política nos parece un recurso tan fácil como fútil. Porque el escritor al margen de la acción política no puede hacer de su literatura una voz auténtica, sino un eco. Y ese eco, por su misma marginalidad y su carácter específico, en nada contribuye a la causa política que pretende apoyar, nada añade a la acción de partido. En el mejor de los casos, cuando un escritor ha adquirido audiencia y reconocimiento, puede influir en la opinión haciendo pública la suya, su apoyo a determinada causa o su repugnancia por otra. Pero ese escritor no pone su arte al servicio de la política, sino su persona, y por ello un Thomas Mann, por ejemplo, no escribe una novela, sino un folleto —*Achtung Europa*!— como lo podría haber hecho cualquier político anti-hitleriano. Es su nombre, su persona, y no su arte lo que pone en juego con esas páginas.

Pero también puede ocurrir que la cuestión política que empuja al escritor a hablar le afecte de manera tan completa en su existencia que se vea en la necesidad de abandonar su arte para tomar las armas, o se imponga de tal modo a su imaginación creadora que se le convierta en materia literaria. Y entonces esa creación no sería una coartada de su inactividad, sino un corolario de su acción —distancia que va, por ejemplo, de la postura de Malraux a la de Montherlant frente a nuestra guerra—. Lo cual nos trae a nuestro punto de partida: que la llamada «literatura de compromiso» no puede ser moneda para comprar la tranquilidad de una conciencia de hombre que se reprocha su inactividad. Como literatura, como moneda, es falsa, a falso suena, y ni pasa ni sirve ni se compra nada con ella.

Max Aub no nos parece haber querido en ningún momento hacer de su obra literaria coartada de inactividad. Ni parece tampoco haber pretendido en ningún momento asumir la fun-

---

18 Maurice Blanchot, *L'Espace littéraire*, Paris, Gallimard, 1955, 53.

ción del historiador al escribir sus novelas y relatos en torno a la guerra civil española. Ni dar «las grandes líneas», ni las grandes fechas, ni presentar todos los grandes personajes de la época. Aub piensa que la guerra civil ha sido un acontecimiento colectivo cuya interpretación corresponde a los escrutadores de un lejano futuro. Max Aub, como novelista, llega al convencimiento de que su deber, y su impulso, le llevan a hablar de lo que ha visto: «Creo que no tengo derecho, todavía —decía en 1946, en la contraportada de *El rapto de Europa*—, a callar lo que vi para escribir lo que imagino»[19]. Pero si al novelista, que no quiere ni puede usurpar la función del historiador, lo que le interesa es la naturaleza humana, de la que quisiera dar su imagen, justa y viva, sus novelas y relatos hablarán de los hombres que conoció durante la guerra, de sus acciones y pasiones, sus palabras, sus pensamientos: de Max Aub mismo, que los ha ido reviviendo en la lejanía del exilio. Lo que él y sus criaturas vivieran de la guerra, lo que han hablado y discutido, sin preocuparse demasiado por cualquier pertinencia o impertinencia que no sea la de la autenticidad. Recrear no es transcribir, si acaso un poco filtrar. Filtro y espejo el propio escritor, su manera de ver, su modo de intuir. ¿Cómo asombrarse de que Rivadavia, Templado, Cuartero, Dalmases o Terraza, Herrera mismo, hablen y piensen, poco o mucho, según la voluntad de su creador, que en ellos se recrea? ¿Ni cómo asombrarse de que muchos, si no todos los acontecimientos históricos mencionados en su obra narrativa lo sean en función de los intereses, las pasiones y los humores de sus personajes, que son suyos?

Hay algunas breves apariciones de personajes «históricos» en las novelas del *Laberinto español*. Más que en el papel que desempeñaron en la Historia, los vemos como los vio Aub mismo, retrato físico, impresión personal. *Campo del Moro* y *Campo de los almendros*, en orden de más a menos, se distinguen en algo de las precedentes. Y ese algo es precisamente la intención con que en ellas aparecen varios protagonistas de la Historia,

---

[19] *El rapto de Europa*, teatro, México, Tezontle, 1946.

especialmente en torno al episodio terminal de la guerra civil, que comienza con la lucha por el poder entre «casadistas» y gubernamentales, y termina en el puerto de Alicante. Max Aub cree estar en posesión de datos ciertos y de precisiones de tan poco mencionados episodios, y de sus protagonistas. De todos modos, la novela no se deja arrastrar por la Historia: se apodera más bien de ella, envolviéndola en su materia propia, en sus personajes creados. Y así, la figura de Besteiro se borra frente a la intensidad trágica del modesto tipógrafo Fidel Muñoz, que, como la conciencia del pueblo, se eleva frente a él exigiéndole explicaciones para no hundirse con su fe en el semidios. Con ser ficticios —o por serlo— se imponen al lector con mayor evidencia y validez que los borrosos mascarones de la Historia, figurones de nombre conocido y actitudes movedizas y compuestas. El arte da, al margen de la Historia, perennidad a lo fugaz. Venciendo al tiempo, no parece estar a su servicio.

La «objetividad» de la visión de la Historia en la obra narrativa de Aub no puede ser otra cosa que autenticidad. La Historia tiene cabida en la novela en la medida en que ha encarnado en el hombre. En cuanto encarnación subjetiva, no en cuanto Historia. Max Aub da testimonio de sí mismo, y su testimonio sobrevive a la Historia. Muerta ya ésta, sigue viva la pasión que dio vida a la obra de arte. Por eso se equivoca el autor al decir que un relato como *El remate* carecerá de sentido dentro de unos años. El sentido se conserva vivo en la pasión que provocó el escrito, la expresión. Y aunque no tengan sentido para los lectores de hoy muchas de las cuestiones políticas del siglo XVII español, lo tiene la pasión de Francisco de Quevedo, que dejó constancia de aquéllas en la suya, por sus escritos. Y más cuenta hoy el hidalgo oscuro que su señor Felipe IV. ¿Habrá hoy quien pida cuentas a Quevedo por no haberlas dado de todo lo que pasó en su tiempo? ¿De haberlas dado de acuerdo con los dictados de su generosa y desmedida pasión política? Dio cuenta en la medida que se le iba haciendo suyo, y en ello reside su perennidad. Bernanos, como Claudel, dijeron sobre la guerra de España *todo,* mal que pese a unos y otros: todo lo que les concernía, todo lo que les apasionaba. Y los silencios pueden llegar a decir tanto como las palabras. Definidos por lo que decimos, limitados por lo que callamos [20].

---

[20] Después de terminado el presente trabajo, leemos, en una reciente entrevista con Jean-Paul Sartre, unas afirmaciones de éste sobre la cuestión de la subjetividad y la objetividad que representan un cambio total de su posición anterior: ...«dans *L'Être et le Néant*, ce que vous pourriez appeler la «subjectivité» n'est pas ce qu'elle serait aujourd'hui pour moi: le petit décalage dans une opération par laquelle une intériorisation se réextériorise elle-même en acte. Aujourd'hui, de toute manière, les notions de «subjectivité» et d'«objectivité» me paraissent totalement inutiles. Il peut sans doute m'arriver d'utiliser le terme objectivité, mais seulement pour souligner que tout est objectif. L'individu intériorise ses déterminations sociales... puis il re-extériorise tout cela dans des actes et des choix qui nous renvoient nécessairement à tout ce qui a été intériorisé. Il n'y avait rien de tout cela dans *L'Être et le Néant*» (en «Le Nouvel Observateur», Paris, 21 janvier 1970, 41). Estas afirmaciones del filósofo francés no pueden sino confirmarnos en nuestra actitud.

II

LA CONSTRUCCIÓN DEL RELATO Y DE LA NOVELA

Al considerar separadamente, en la primera parte de nuestro estudio, los distintos relatos y novelas que constituyen *El laberinto mágico,* hemos podido apreciar, bajo el desarrollo de sus anécdotas, ciertas características básicas de la temática y la fabulación. Dejando, como anunciábamos, para los dos últimos capítulos de esta parte, un intento global de interpretación de la «dianoia» del *Laberinto,* vamos ahora a ver ciertos aspectos concretos de la construcción narrativa, correspondientes a la manera de estructurar los relatos y a la aplicación de ciertas técnicas narrativas por parte de Aub. Intentaremos, en ese aspecto, establecer la relación del relato aubiano con las técnicas cinematográficas, y dilucidar las características de lo que hemos llamado «realismo trascendente» en Aub.

* * *

1

Dejando de lado, por lo que toca al relato breve, todo lo que, en los de Aub, se ajusta a las características tradicionales del género en punto a estructura, nos detendremos brevemente para señalar tres tipos de relato en los que Aub ha realizado una labor innovadora dentro de la narrativa española. Estas tres maneras de relato las calificamos, respectivamente, de encadenamiento o unanimista, trágico y laberíntico.

El relato de encadenamiento nos parece, en efecto, inspirado en una idea unanimista, a propósito de la serie interminable de consecuencias que acarrea el menor incidente cotidiano o la conversación más intrascendente. Dichas consecuencias pueden ser de dos órdenes: el primero, interior al individuo, desencadenando todo un conjunto de meditaciones y ensoñaciones: de ahí que la forma de monólogo interior más apta para reflejar dicha situación sea aquella cuya hilación se mantiene en las zonas más claras de la conciencia, frente al tipo caótico del «flujo de la conciencia», a la manera joyceana [1]. A este tipo de elaboración corresponden fragmentos importantes de la obra narrativa de Aub, del que el más notable modelo es, probablemente, un capítulo de novela: «Nacimiento de una comedia», perteneciente a *Campo de sangre* [2]. El segundo tipo de consecuencias es exterior al individuo, y se manifiesta por una serie encadenada de acontecimientos, todos ellos motivados por el primer incidente generador. *La espina, Las sábanas, El árbol, De los beneficios de las guerras civiles*, son otros tantos ejemplos típicos de esta forma de relato. La herencia unanimista, que Aub enriquece con múltiples variantes —por ejemplo, *De los beneficios* no se basa en un acontecimiento real, sino en la hipótesis de tal acontecimiento— está reconocida implícitamente en la dedicatoria a Jules Romains al frente de *Las sábanas*, dedicatoria que no tiene evidentemente el mismo significado de simple reconocimiento por un notable favor, que justificara antaño la misma ofrenda del *Narciso* [3].

---

[1] Vid. André Cuisenier, *L'art de Jules Romains*, Paris, 1935, 235-38.

[2] CS, 175-96.

[3] Aub conoció a Romains en Gerona, y éste le dio una carta de presentación para E. Díez-Canedo, que tanta importancia debía tener en el desarrollo de la vocación literaria del escritor valenciano. Otras presencias unanimistas quedan señaladas ya en ciertas actitudes de los personajes, que pasan de su aislamiento individualista al alma unánime del

El segundo tipo de relato, al que calificamos de trágico, se caracteriza por su desenlace fulgurante y violento. El efecto fulminante de dichos desenlaces es grande en relación con la desproporción extensiva del mismo respecto al resto de la historia. Se llega al extremo de que, momentáneamente al menos, el lector no alcanza a ver toda la importancia de la historia, y su relación con el final, deslumbrado por el fogonazo y explosión de éste. A tal tipo de relato pertenecen, entre otros, el *Homenaje a Próspero Mérimée*, *Memo Tel*, y, en general, la mayoría de sus *Cuentos mexicanos*. *El Cementerio de Djelfa* es otro relato del mismo tipo, que se repite igualmente en las *Historias de mala muerte*, y de las que el modelo más típico, por su concisión, es posiblemente *El testamento*. En este brevísimo relato, reducido al puro esqueleto anecdótico, el final fulgurante alcanza a iluminar toda la historia, no dejando ningún aspecto de ella en la sombra o el silencio. En dos brevísimas páginas, con la escueta narración de una anécdota, Aub nos hace ver, en hirientes trazos, la imprevisible condición humana, los límites que el azar se complace en imponer a su voluntad. No nos parece que pueda darse más en menos.

Hemos llamado trágico a este tipo de relato inspirándonos en la propia retórica de Aub, tal como la manifiesta en su relato *Del tiempo justo de la descomposición*: «Las auténticas tragedias carecen de antecedentes, no tienen razón de ser. Suceden de pronto y embarazan; colmo del arte, que tiene otra medida» (que la realidad)[4].

En este juego de anticipación y satisfacción consiste fundamentalmente la psicología formal del arte; en él se explican las dos formas menos complejas de anticipación y de satisfacción que son el «suspense» y la sorpresa. Aub utiliza intencionalmente el desequilibrio entre ambos elementos de dicho juego, acen-

---

grupo, en torno a un acontecimiento privilegiado. —Serrador, en la calle, durante la lucha armada en las calles de Barcelona, es un buen ejemplo: CC, 219-22, 230-40—.

[4] AP, 56.

tuando la sorpresa tanto más cuanto el «suspense» se reduce al mínimo, tendiendo a desaparecer [5].

El tercer tipo de relato, de estructura laberíntica, se desarrolla sobre el mismo esquema, acentuando, por oposición, el «suspense», y no procurando ninguna satisfacción con un desenlace, sobre el que se deja planeando la misma elaborada ambigüedad que caracteriza toda la presentación suspensiva. A lo largo de esta estructura laberíntica, de la que sería ejemplo y modelo *El sobresaliente*, en cada recodo del relato, una nueva perspectiva va a terminar en un nuevo recodo, con otra perspectiva que parece invalidar la anterior, en un continuo juego de engañifa visual, semejante, por su esencial ambigüedad, al título mismo del relato: sobresaliente —el que sobresale— es, en la jerga torera, el que no sobresale: el sustituto siempre al pairo, a la espera de la oportunidad, a lo que caiga, para acabar cayendo él mismo, no siendo sino sustituto de su propia persona. Al fin del relato, el lector persiste en un total desconcierto: El barquillero ¿es Bernardo Candela o Pedro Arévalo? La historia da una última vuelta con la rueda de la fortuna del barquillero, que quizás no se pueda identificar ni con uno ni con otro, dejando al lector mareado de tantos giros de 180 grados, y a la puerta, otra vez, del laberinto suspensivo.

A ambas formas opuestas y complementarias de «suspense» y sorpresa pueden asimilarse buena parte de las estructuras narrativas más complejas de Aub. Así, frente a largos trancos novelescos en los que comentarios, discusiones y opiniones de los personajes se extienden en una suspensión interminable, que ninguna opinión personal del autor, como tal, va a dilucidar (dejando a cada lector la posibilidad de adoptar una actitud

---

[5] R. Domenech, en su introducción a *Morir por cerrar los ojos, loc. cit.*, 52, ha señalado, bajo la etiqueta de relato monosituacional, aplicándolo fundamentalmente al análisis del teatro en un acto de Aub, la ruptura de la situación, «frecuentemente de manera espectacular».

Sobre el análisis de la anticipación y la satisfacción, vid. el artículo de Kenneth Burke, *Psychology and Form*, reproducido por Marvin Levich, ed., en *Aesthetics and the Philosophy of Criticism*, New York, Random House, 1963, 226-27.

personal o inquietarse indefinidamente ante la opción que queda abierta ante él), aparecen, por otra parte, episodios trágicos. Estos últimos, como los relatos antes estudiados, ofrecen, por contraste, una tensión narrativa en la que cada uno de los movimientos, pensamientos, gestos de los personajes, descritos con una elíptica sobriedad, aumentan la tensión dramática. Y, de pronto, el desenlace tajante, mondo hueso astillado, en toda su sorpresa y brutalidad. Así se describen, frente a los episodios «anatómicos» de la cena de Nochevieja en *Campo de sangre,* los desenlaces patéticos de la muerte de Herrera o de Rosario. Del mismo modo se oponen, en *Campo del Moro,* las charlas de Templado, Dalmases y los anarquistas en la cárcel, con la muerte de Lola y, luego, de las mujeres que la acompañan al cementerio [6].

Ya hemos podido ver cómo relatos enteros —*Juego de cartas*— adoptan esa fórmula esencialmente abierta del «suspense» sin sorpresa, en una multiplicidad de ambigüedades prácticamente interminable. En cambio, colecciones enteras de relatos adoptan sistemáticamente la fórmula sorpresiva. No queremos aquí dejar de citar los micro-relatos de *Crímenes ejemplares,* que lo son también en eso.

* * *

Nos parece conveniente intentar una apreciación del problema implícito en las novelas de Aub directamente relacionadas con la Historia de España, y que podríamos asimilar al problema general de toda novela enfrentada con la Historia. Ya hemos visto un aspecto del problema al tratar la cuestión de la objetividad del narrador. Veamos ahora sus implicaciones en la manera de construir la novela o el relato.

Claude Edmonde Magny ha planteado el problema de la estructura novelesca en ese aspecto. Empezaremos por traducir

---

6 Adoptamos el término, como más tarde el de «anatomía», del léxico modalista de Northrop Frye en *Anathomy of Criticism,* Princeton, Princeton Un. Press, 1957.

algunos párrafos de su argumentación, modificándolos ligeramente para aplicarlos a la novela aubiana de la guerra civil.

Señala Mme. Magny la oscilación perpetua del relato novelesco entre dos planos que la habilidad del narrador tiene que integrar: el de los acontecimientos históricos y el de los destinos personales. Hay, naturalmente, una estrecha solidaridad entre la suerte de los distintos personajes y la de la guerra, pero esta dependencia queda en algo puramente mecánico si no consigue transformarse en un lazo orgánico que la fusión —en el interior de una misma obra— de elementos discordantes manifestaría estéticamente. El hecho de que la obra sea novelesca no es ajeno al fracaso. Porque la novela «escenifica» destinos demasiado encarnados, siluetas demasiado individualizadas, ningún empalme resultaría posible entre las intrigas necesariamente anecdóticas en las que figuran sus héroes, y el porvenir de las grandes abstracciones que baraja la Historia: España, Europa, la paz, el patriotismo, la República, la democracia, la revolución...

Una manera de reparar el fracaso: disminuir considerablemente la importancia de uno de los dos planos. Con lo cual, si fuera el plano de los acontecimientos impersonales el que predominase, la personalidad de los protagonistas quedaría reducida a un pobre esquematismo. De ahí que, para no producir una visión de tablado de marionetas, se pueda recurrir a la multiplicidad de personajes.

El problema estructural de toda novela «histórica» se acentúa tanto más cuanto más reciente es la época en que se centra. ¿Cómo soldar lo real y lo imaginario, la verdad y la ficción, la realidad histórica y la novelesca? El problema puede resolverse, y generalmente se ha resuelto, al nivel de los personajes. Veremos esta cuestión con algo más de detenimiento en el tercer capítulo, al hablar de la creación de tipos y personajes en Aub, pero señalamos ya que consiste en dejar (según una solución que Mme. Magny hace remontar al *Esmond* de Thackeray, y que usaron Tolstoi en *La guerra y la paz,* Balzac en *Un asunto tenebroso,* y Stendhal en algún episodio de sus novelas, y que el unanimismo recuperó —por ejemplo, en *Les hommes de bonne volonté*, de Jules Romains—), en dejar, repetimos, en un plano de fondo a las figuras más importantes del episodio histórico, que no intervienen sino rara vez en la intriga y que se ven sólo como siluetas, para no traer al primer plano más que a los personajes imaginarios, haciendo que el alejamiento, la intensidad de la iluminación y la precisión de sus contornos sean siempre proporcionales a la importancia de los mismos, en razón directa el primer factor, y los otros en razón inversa, método que Mme. Magny llama de gradaciones o de planos de realidad [7].

Max Aub viene, pues, a inscribirse, en cierto modo, en una larga tradición de la novela histórica, que a él le llega, más directamente, a través del conocimiento de Tolstoi y de Jules Romains, pero que utiliza libremente, aumentando, como hicieron en nuestro siglo Dos Passos o Malraux, el aspecto socio-anecdótico uno, el dialogismo el otro.

Permítasenos apuntar a otro aspecto, a nuestro parecer fundamental para la interpretación de la novela «histórica» de Aub. Nos referimos a su evidente composición fragmentaria, sobre la que volveremos a insistir en los capítulos finales. Esa fragmentabilidad de sus novelas reside no solamente en la forma de montaje de los distintos capítulos, episodios y paréntesis narrativos según una técnica de superposiciones que prescinde de las transiciones narrativas o «conjunciones», sino en el modo mismo con que las novelas nos parecen escritas. No creemos difícil ni demasiado osada la afirmación de que la mayor parte de las novelas de Aub está esencialmente escrita en forma de episodios o fragmentos sueltos, que luego el autor ensambla según un esquema estructural preconcebido de manera que tenga en cuenta el total de las piezas de que dispone para la construcción del mosaico. Así ha sido construido, cuando menos, *Campo de sangre*, según nos consta por haber podido rastrear algunos fragmentos narrativos que, como sobrante no integrado, aparecieron posteriormente, como cuentos, en *No son cuentos* y en *Ciertos cuentos*, colecciones éstas donde quedaron reunidos

---

7 C. E. Magny, *Histoire du roman français*, *op. cit.*, 316-19.

igualmente los fragmentos de dos novelas nunca fraguadas, a las que Aub ya había dado título en 1943: *Tierra de campos,* y *Campo francés* —versión novelesca de lo que fue luego compuesto en forma de guión cinematográfico libre, y que tomaría el título de la novela nunca compuesta, al llegar el momento de su publicación en 1965—.

No poseemos pruebas concretas de las demás novelas del *Laberinto español,* pero, por su forma, se aproximarían a dicha manera, al menos, *Campo de los almendros, Campo abierto,* y, en menor proporción, *Campo del Moro* y *Campo cerrado.*

Esta estructura fragmentaria se nos presenta como antitradicional respecto a las formas típicas de la novela realista y naturalista, y las nuevas formas de construcción novelesca que de ella proceden. En cambio, remontándonos por la tradición noventaiochista de Baroja o —sobre todo— del Valle-Inclán de *Tirano Banderas* y del *Ruedo Ibérico,* y pasando por la clásica novela de episodios —la picaresca, Cervantes—, podríamos apuntar un entronque con la épica pre-novelesca, cuya característica es, precisamente, la mayor autonomía de sus elementos parciales [8].

La epopeya parece imposible en el mundo científico de «la realidad conocida experimentalmente», donde la organización prescinde de mitos y de milagros. Pero leyendas, milagros y mitos siguen siendo las bases de la antropogonía popular. Y, quizás por ello, cuando el pueblo se erige de nuevo en protagonista de la Historia, a la manera heroica, la epopeya vuelve a ser posible. De ahí la aparición de una poesía épica durante nuestra guerra civil, la floración del romancero, los episodios de bárbara crueldad y de heroísmo épico de que el pueblo se hizo personaje principal. De ahí también que la novela de la guerra civil pueda ser concebida como epopeya. Y, sin embargo, como señala Mme. Magny, para seguir siendo novela, ha de conservar el aspecto personal, el «tono privado».

---

[8] Vid. W. Kayser, *Interpretación y análisis de la obra literaria,* Madrid, Ed. Gredos, B. R. H., 350.

Los recursos de Aub son múltiples para superar ese «tono privado»: la multiplicación de los personajes, la supresión del protagonista individual, reemplazándolo por el colectivo. Este último, en efecto, puede conseguir lo que no puede hacer el protagonista tradicional: abarcar todo el acontecimiento. Recurso es también la supresión de descripciones morosas, estáticas, en favor de un realismo trascendente [9]. Y en el lenguaje, la supresión de nexos y verbos de estado. En los actores, la combinación de tipos recurrentes y de personajes que aparecen y desaparecen a lo largo del *Laberinto*. Y, en fin, la abundancia de diálogo y conversación, que dramatizan la diversidad de personas y de creencias.

De manera más sutil, el autor intenta la inmersión del lector en el relato, como en la épica tradicional, para vivificarlo. Un detalle en apariencia tan insignificante como el cambio de demostrativo en la narración puede ser un rasgo más de esa tendencia, como en el fragmento siguiente: «Ambrosio Villegas mira al portero, viejo, que se ha hecho viejo *ahí*, en el zaguán, en las salas. No sabe qué contestarle» [10].

En el mismo episodio de la novela vemos otro recurso de intención semejante: una pregunta se hace sin que previamente el autor la atribuya a un personaje determinado. Sabremos de quién es la pregunta solamente por la reacción del personaje a quien va dirigida. Responde el procedimiento a la exacta realidad del momento: la voz se oye primero; el que la oye, sintiendo que le llega por la espalda, se vuelve, y sólo entonces verá al autor de la pregunta. El narrador se ha situado, pues, en su personaje: no tiene otro punto de vista que el suyo. Y en ese proceso, evidentemente, obliga al lector a ponerse a su vez en el lugar del personaje en el momento del relato.

* * *

[9] En CA, 319, Villegas se burla de alguien que narra una anécdota dando detalles descriptivos del lugar. Lo mismo piensa Dabella en CV, 111.

[10] CAL, 13.

2

Hay un personaje del *Laberinto* que, al escribir a un viejo compañero de infortunio, intenta, entre paréntesis, explicarle su forma de escribir. Y en esa explicación podemos buscar el nexo entre el estilo épico y el cinematográfico, épica popular de nuestro siglo, a cuyo trato damos un lugar importante en la génesis de las técnicas de construcción propias a la narrativa aubiana:

> Te escribo a salto de mata, para ver si recuerdas mejor dejando a tu imaginación sitio para que eche a volar. Si digo las cosas como son, parece poco: hay que buscar mojones de referencia e irlos apretando con una cuerda. Las palabras son tan pobres frente a los sentimientos que hay que recurrir a mil trucos para dar con el reflejo de la realidad.
>
> Como en el cine: superponer imágenes, rodar al revés, poner pantallas, filmar más rápido o más lento que la verdad. Si plantas la cámara frente a los actores, a la buena ventura del sol, y filmas la escena entera, no habrá quien la aguante. El buen paño en el arca se pudre. Hay que arreglar los escaparates [11].

Si es cierto que el creador de ficción ya no cuenta para su novela con el público reunido en auditorio, modificándose así la actitud narrativa del juglar, dos razones fundamentales justifican que tal actitud no se vea esencialmente modificada en la obra de Aub: su experiencia de autor teatral y su práctica de la cinematografía.

En efecto, Aub ha vivido, como escritor, en una disposición esencialmente dramática, que se manifiesta por su extensa producción teatral, y que lo orienta, aun sin querer, en una actitud de enfrentamiento con un auditorio. A ello ha contribuido el hecho, puramente anecdótico, de que el auditorio del teatro de Aub haya rara vez tomado cuerpo, y por consiguiente,

---

[11] HMM, 79-80.

que no exista una esencial diversidad de actitud entre el novelista y el dramaturgo.

A esa presencia dramática se puede hacer corresponder el hecho importante de que el diálogo vivo y rápido de las réplicas y contra-réplicas (propio del teatro) abunde tanto en su novela como la conversación de largos párrafos enunciativos y narrativos, que corresponden a la forma tradicional de la novelística.

No son, sin embargo, tan frecuentes las interferencias dramáticas como para provocar formas híbridas de teatro y novela equivalentes a las galdosianas, que Aub conocía bien. No consideramos clasificable dentro de tal categoría *Campo francés,* que es híbrido de novela y guión cinematográfico. Pues bien, el hecho nos parece tanto más significativo de una voluntad consciente cuanto que Aub ha afirmado repetidas veces el influjo que en sus años formativos tuvo la obra de Roger Martin du Gard, especialmente *Jean Barois*[12].

La estructura novelesca de *Jean Barois,* en efecto, no prefigura el tipo de novela conversacional que utiliza Aub, y nos parece emparentada más bien con la novela dialogada. El hecho de introducir las palabras o los pensamientos de los personajes por una simple mención del nombre, como en los textos teatrales, ahorra a Martin du Gard todo el engorro y la monotonía que resultaría del uso de verbos y nexos introductorios habituales en la narrativa. A esa supresión neta y sistemática Aub ha preferido la libertad de utilizar el procedimiento o no, según le convenga. Y lo cierto es que, salvo en raros momentos de sus novelas —recordamos ahora dos en *Campo de los almendros*—, no lo emplea[13]. Y aun es posible que dichos fragmentos no sean sino restos del primitivo intento de Aub, consistente en escribir la historia de los últimos días de la guerra en Alicante en forma de tragedia, aprovechando las circunstancias históricas que favorecían el respeto a las tres unidades. Así lo menciona Aub en sus «páginas azules»[14].

---

12 Vid. E. Rodríguez Monegal, *El arte de narrar,* 40-41.
13 CAL, 381-82; 401-402.
14 *Ibid.,* 364.

Aub innova suprimiendo en sus relatos ese tipo de verbo, sintagma o frase introductorios, sin por ello ajustarse a la disciplina de la acotación, con la que Martin du Gard ofrecía los indispensables datos necesarios a la comprensión del texto, según la misma tradición del teatro escrito. A lo largo de los extensos y movidos diálogos novelescos de la obra aubiana, resulta en ocasiones difícil —y, en algunos casos límite, imposible— identificar al personaje que habla y expresa una opinión bien determinada. El defecto con que se resigna a pagar esa libertad estructural deja de serlo únicamente en algunos fragmentos en que, intencionalmente, no importa quién se expresa, como ocurre en las escenas colectivas protagonizadas por el grupo anónimo.

Es posible que el autor mismo no se haya percatado del hecho, si admitiésemos que le es indiferente la identidad del hablante, por estar todos sus personajes envueltos en una dialéctica íntima al autor. En el sentido en que se afirma que todos son el autor, la indiferencia sería consciente. Pero la confusión ocurre también en los diálogos de la más incompatible controversia, cuando al lector, por lo menos, le parece indispensable la identificación de los hablantes para orientarse en el *Laberinto*. A menos que sea esto último lo que el creador ha querido evitar, lo más probable será que se deba a la manera visual con que el autor concibe sus personajes, según veremos en el tercer capítulo, lo cual le hace olvidar a veces que, si para él la identidad del personaje es bien evidente, no lo será así para su lector.

Por lo que se refiere a los contenidos del *Jean Barois,* es evidente que tuvieron que impresionar a Aub. La fe total en la razón humana, la esperanza en un mundo cada vez más dueño de sus recursos, en el que las fronteras del saber humano van ensanchándose más y más, han debido contribuir a fundamentar la concepción del mundo que en el joven Aub se iba forjando, y que en tantos puntos vendrá a coincidir con la postura representada por el personaje de Martin du Gard. De hecho, tanto la esperanza en el porvenir del hombre (atenuada en Aub por el contraste con la dura realidad inmediata de su vida y de su época) como el afán de la justicia sobre todas las cosas que caracterizan a Jean Barois, se reproducen en la obra aubiana. Por otra parte, ciertos principios del materialismo racionalista que Barois defiende están en Aub de manera dialéctica [15].

La actitud esencialmente dramática del relato aubiano se manifiesta regularmente en su narrativa a través de la forma epistolar, si hemos de seguir atribuyendo a ésta el carácter dramático que le señalara Goethe [16]. Dos novelas —*Luis Alvarez Petreña* y *Juego de cartas*—, así como numerosos relatos y cuentos, son ejemplos del subgénero. Tampoco faltan fragmentos epistolares en el resto de sus novelas y relatos, ya desde *Geografía*. Particularmente dramáticas son las incluidas en la última parte de *Campo de los almendros*, que aparecen sin transición entre fragmentos de conversación y diálogos.

Los formalistas rusos ya habían distinguido, a partir de una distinción establecida por Otto Ludwig —especialmente en sus póstumos *Shakespeare Studien* (1871)—, entre dos formas de relato: «die eigentliche Erzählung» y «die szenische Erzählung». Al segundo caso se puede asimilar el modo narrativo de Aub, si nos atenemos a la descripción genérica hecha por Eikhenbaum:

> Esa especie de relato recuerda la forma dramática no solamente por la insistencia en el diálogo, sino también por la preferencia manifiesta por la presentación de los hechos en lugar de la narración; percibimos las acciones no como contadas, sino como si se produjeran ante nosotros sobre la escena... a veces los diálogos toman una forma puramente dramática y su función es menos la caracterización de los personajes que la progresión de la acción. De esa manera se convierten en

[15] El problema de la libertad opuesta al determinismo, que en Aub es una constante de controversia, era en *Jean Barois* una beata aceptación del determinismo y una negación de la verdadera libertad en los actos y los motivos del individuo. (Otra cuestión es la libertad, término político, entendida como los derechos del individuo frente a la sociedad, y que, como tal, no se opone al determinismo cósmico sino al humano, es decir, a la justicia. La reconciliación de ambos —o su conciliación— resume el ideal político de Aub).

[16] Cit. por W. Kayser, *Interpretación y análisis de la obra literaria*, Madrid, Ed. Gredos, 2.ª ed., p. 313.

> el elemento fundamental de la construcción. La novela rompe de ese modo con la forma narrativa y se transforma en una combinación de diálogos escénicos y de indicaciones detalladas que comentan el decorado, los gestos, la entonación, etc.[16 bis].

La explicación se completa con una nota sociológica que hemos observado nosotros mismos repetidas veces en nuestro contexto social español:

> Sabemos muy bien que los lectores buscan en ese tipo de novela la ilusión de la acción escénica y que a menudo no leen más que las conversaciones, omitiendo (la lectura de) las descripciones o considerándolas únicamente como indicaciones técnicas[17].

Otra cuestión relacionada con el diálogo y la conversación en la novela es el viejo y manido dilema entre escribir como se habla o estilizar el lenguaje, que adquiere toda su restante acuidad. El problema ha perdido gran parte de su interés en la literatura contemporánea, debido a la ruptura de las fronteras clásicas entre lengua hablada y lengua escrita. El movimiento no será posiblemente sino cíclico, y el mismo proceso parece haberse producido desde los más remotos tiempos recordados por la historia literaria: la lengua literaria se apoya en la lengua oral, remozándose, si bien procediendo a una reelaboración artística de dichos elementos, no por el simple gusto de transfigurarla, sino por la imposibilidad de la lengua escrita de completar con los valores propiamente lingüísticos todo lo que en la comunicación oral pertenece al tono y a la mímica. Esa imposibilidad lleva necesariamente aparejada una reelaboración de la lengua hablada. Pero hay épocas, como señalan Alonso y Lida, en que la lengua literaria «se va encerrando profesionalmente en sí misma, y momentos en que una generación de escritores siente de pronto la asfixia y abre puertas y ventanas al aire de afuera»[18].

[16 bis] B. Eikhenbaum, *Sur la théorie de la prose*, en *Théorie de la Littérature*, 197.

[17] CAL, 317, 401, 406, 411-13.

[18] A. Alonso y R. Lida, *El impresionismo lingüístico*, 211.

En su cuaderno, anota Ferrís: «¿Hablar es escribir o escribir es hablar? Habla el que escribe y escribe el que habla, si lo hacen bien. —Y mal. Lo que sucede es que no será escritor ni orador»[19]. El mismo Aub, contestando en 1958 a nuestra pregunta, a propósito del diálogo: «¿Quiere Ud. escribir como se habla, con tal de que se hable bien?», escribía:

> Quiero escribir como se habla, sin que me importe el que se hable bien. Ahora, como una conversación está llena de gangas, de repeticiones, de dudas, a la fuerza hay que reinventar. Pero la materia prima está siempre en el personaje. En los diálogos huyo de la «literatura»[20].

Digamos, en fin, a propósito del diálogo aubiano, que en él aparece, sin duda, un aspecto más de la continuidad del *Laberinto mágico*, desde *Geografía* y *Fábula verde* a *Ciertos cuentos*, desde *Luis Alvarez Petreña* a *Las buenas intenciones*, tal como el mismo autor lo veía, aunque sin darle el valor que nosotros le atribuimos dentro de la argumentación de conjunto[21].

* * *

La segunda razón fundamental que, aliada a la vocación dramática, explica ciertos rasgos épicos de la narración aubiana, es, como anunciábamos, su larga experiencia cinematográfica.

Ya vimos, en la segunda parte de nuestro estudio, cómo en el mundo del *Laberinto* la manera visual de captar la realidad ocupaba un puesto privilegiado. En esa base biológica puede venir a enraizarse la experiencia y el gusto por el cine que caracterizan a Max Aub. Ya conocemos la historia de las relaciones de nuestro escritor con el cine, que comienzan por su estrecha colaboración con André Malraux en la realización de *Sierra de Teruel*, continúan con su labor de guionista para el cine hispano-mejicano, y debía culminar con su biografía novelesca de Luis Buñuel.

---

19 CAL, 439.
20 Carta de Max Aub, 7 enero 1958.
21 *Ibid.*

En la obra de Aub, además del evidente interés cinematográfico de *Campo francés,* cabe señalar la presencia del cine en ciertos aspectos de su estilo a la manera del guión, en la estructura visual de sus descripciones fácilmente transcriptibles a lenguaje de imágenes y que utilizan procedimientos propios de la cámara cinematográfica.

Demos al cine lo que es de época. A pesar de la escena del vizcaíno en la novela de Cervantes, nunca la manera visual de contar ha dominado tanto la narrativa como desde la llegada del cine. Y hemos mencionado la escena cervantina, que tan justamente ha estudiado Francisco Ayala, para señalar como tal vez excesiva la tendencia —nuestra y de otros— a explicar muchos de los procedimientos narrativos contemporáneos como préstamos directos del cine, cuando éste no es sino un intento de objetivación extrahumana de las propiedades visuales del hombre, y que, por consiguiente, cabe encontrar una audacia visual que aún no haya sido intentada en el cinematógrafo cuando ya tiene tradición novelesca [22]. Es evidente que, desde muchos puntos de vista, la cámara cinematográfica es una superación del ojo humano, pero lo es también la visión del novelista, cuyo instrumento —la imaginación— es de una perfección superior a la cámara, no siendo esta misma sino un producto —uno más, y no el último— de esa misma imaginación creadora. Pero sería absurdo, por otra parte, negar que la aparición del cine como entretenimiento público ha contribuido poderosamente a la tendencia visual en las técnicas narrativas. Sin olvidar que ésta sigue yendo, cuando quiere, más allá del cine, al que sirve también en momentos de miseria y de triunfo. A eso se refiere Aub cuando dice: «Y me dejé coger por el toro del cine». La expresión viene de 1938, época de su colaboración con Malraux. El guión preparado por Aub no fue sino el primero de una larga serie escrita, *modus vivendi,* en sus primeros años de exilio mejicano. *Campo francés,* como el resto del *Laberinto,* quizás no alcanzará toda su plenitud hasta que se integre en una ver-

---

22 Vid. Francisco Ayala, *Experiencia e invención,* Madrid, Taurus, 1960, 53. El cine japonés ha utilizado el mismo recurso cervantino de la detención del movimiento en *La plegaria del soldado* (c. 1962).

sión cinematográfica de aliento einsensteiniano, como tantas de sus obras de mayor fuste dramático esperan una representación sobre las tablas.

No extraña, pues, la abundancia de procedimientos visuales en su narración. Tal vez en buena parte se originen en el hábito del trabajo guionístico, como ocurre evidentemente con los verbos de visión habitualmente suprimidos por pleonásticos: se enumera simplemente lo que va entrando en el campo visual:

> Teruel allá arriba, todavía ardiendo por un costado. Un caballo muerto a medio apartar. La teoría de los refugiados socorridos por los guardias y la infantería. A la izquierda, a lo lejos, la hilera de las camionetas descubiertas de los de Asalto, enfilada al resguardo de los árboles desguarnecidos; los bancos espaldados de los carromatos puestos sobre una tarima muy alta. Los soldados ayudan a los civiles a encaramarse. Los viejos con boinas, las mujeres a pelo desgreñado o con pañuelos negros. La trapa, algún motor terrestre. Unas cornejas. Un soldado con los bultos de una anciana, otro con un niño en brazos, otro con dos[23].

Guión cinematográfico casi en estado puro, incluidas las acotaciones para la trama sonora. Claro que siempre se podrá decir que el que primero tuvo que escribir un guión de cine utilizó una técnica semejante a la del carnet de notas. Idea evidentemente útil para trazar la génesis del estilo guionístico, no para explicarlo, tal como hoy se emplea. Lo cierto es que, líneas más adelante, el escritor Aub desafía al más audaz de los cineastas a convertir en imágenes el pasaje siguiente:

> Por los caminos que bajan por la torrentera lejana se agarra la niebla; las cimas ya de otro mundo. Más soldados: los morenos sin afeitar, más morenos. Sobre el cielo oscuro la nieve caída parece más blanca. Mujeres con mantas, viejos con mantas. El suelo es una manta. El amor es una manta: amante[24].

---

[23] CS, 272.
[24] *Ibid.*, 273.

A veces la técnica es cinematográfica, estrictamente hablando, no de guión. En un guión, como en un texto teatral, no faltaría la indicación de que termina una escena y otra empieza. En los casos que ahora apuntamos, es como si su autor y lector estuvieran viendo la historia, el filme ya realizado: un fundido es suficiente. Y ni siquiera eso: las simples décimas de segundo que van del final de una secuencia al comienzo de la siguiente, la distinta luminosidad, la presencia de nuevos personajes. Ejemplar de ese tipo de relato visual es el fragmento de las páginas 13 a 14 en *Campo de los almendros*. Un breve espacio blanco es la única advertencia del cambio de lugar y de tiempo. Poco a poco, alternando el monólogo interior con las sensaciones exteriores, va el autor adentrándonos en la nueva situación, metiéndonos dentro del cuerpo y del devaneo mental de Vicente Dalmases. Pero el autor no deja de estar presente: como el objetivo, toma distancias, cambia sus planos y perspectivas a voluntad, efectiva. Con respecto al lugar, la distancia es progresivamente mayor: primero el cuerpo de Vicente, sus contactos con los otros cuerpos colindantes. Luego, la sensación de movimiento, la de oscuridad. Un detalle más: «Madrid queda atrás a sesenta o setenta kilómetros por hora». Por el siguiente detalle, que la carretera es mala, y, sólo al fin del fragmento, que va en un camión repleto de hombres. La sensación de lentitud en el transcurrir del tiempo, a pesar del desplazamiento en el espacio: «El tiempo se multiplica por sí mismo en la noche enorme...»

Nuevo espacio blanco. Toca al lector deducir lo que ha ocurrido, a partir del nuevo punto de visión del personaje: «Desde lo alto de aquel cerro, en las lindes del robledal, Vicente ve dar la vuelta a la carretera y desaparecer». La carretera ¿y el camión? Dalmases hace su camino a pie. Una pareja de guardias. Dalmases se echa por tierra. La tierra a la altura de los ojos es su único panorama: «la tierra seca, el polvo, las guijas. Debiera de haber una hormiga...» He ahí en lo que el novelista aventaja al cine: a la contemplación objetiva se superpone el desarrollo del pensamiento no manifestado en voz. Es la ventaja del escritor, si la sabe aprovechar, sin miedo a una absurda ortodoxia behaviorista. El cine no se impone más límites que los que sus propias posibilidades le señalan, por el momento. ¿Por qué se los impondría el escritor en un más acá de lo posible? Llegar hasta donde se pueda. Así hace Aub, y a la variedad de planos sensoriales corresponde, alternando con ellos, una variedad no menos abundante de planos discursivos.

Es interesante comparar la primera versión de *Campo francés,* pensada en función del cine, con la segunda *—Morir por cerrar los ojos—*, refundida en orden a su adecuación a los límites del teatro. Desde el punto de vista estructural, según indica Aub, se puede ver lo que va del cine al teatro, «al revés de lo que suele suceder»[25]. Un proceso que, si lo comparamos con el usual de transcribir teatro para el cine, puede ser, efectivamente, muy instructivo. Desde el punto de vista de la materia, el proceso de transcribir teatro a cine suele ser una amplificación de tipo disolutivo: poco o nada se añade a las palabras, todo el escenario, que tiende a disolver así su concentración original de tres tiempos y tres lugares. El problema del adaptador: encontrar la forma de visualizar, en variación de enfoques, lo que había sido pensado en función de la cámara fija de que hablaba el personaje del *Cementerio de Djelfa.* Lógicamente, una buena adaptación cinematográfica puede explotar las alusiones al pasado en el texto teatral, ampliándolas visualmente en *flash-back.* Por el contrario, la multiplicidad de escenarios que un filme ofrece, la cantidad de motivos visuales posibles a un guionista, estimula a éste a explotar dichas posibilidades al máximo. Reducir luego un guión que ha sido construido de ese modo, hasta hacerlo entrar dentro de los límites espacio-temporales de la obra teatral, y resignarse a sus pobres recursos mecánicos, y, sobre todo, la reducción de la variabilidad prácticamente infinita de enfoques del objetivo a la relación invariable entre espectador y espectáculo teatral, resulta extremadamente difícil.

Comparando concretamente *Campo francés* con *Morir por cerrar los ojos,* vemos, sin embargo, que Aub aumenta en su

---

25 CF, 6.

versión teatral la longitud de los papeles y la extensión de cada parlamento. Danos esto a entender cómo el autor, obligado a reducir el número de los personajes y a renunciar a la mayor parte de sus mensajes visualizados, no renuncia por eso a comunicarnos su contenido, que pasa al texto. Gana éste al cinematográfico, por otra parte, en coherencia por lo que se refiere a la evolución que sus protagonistas sufren, motivándose la crisis de manera mucho más evidente.

Las correlaciones de la novelística contemporánea, desde Dos Passos en adelante, con el cine, han sido estudiadas de manera muy detallada por Claude Edmonde Magny en *L'Âge du roman américain* [26]. Queremos, a su propósito, discordar de la confusión que la escritora francesa hace entre la imposibilidad de que la cámara sea objetiva, y la correspondiente imposibilidad del novelista. Dice Madame Magny —y traducimos—:

> El cine es el arte más comprometido de todos, incapaz por esencia, a despecho de su aparente objetividad, de ofrecernos una sola imagen que sea abstractamente impersonal. Toda escena, en el cine, está necesariamente fotografiada desde un punto de vista, y este punto de vista forma cuerpo con ella, es inseparable de su esencia; no es posible eliminarla para darnos una visión absoluta, la visión de un ser que no tendría punto de vista [27].

Dichas impecables afirmaciones no corresponden, como decimos, al mismo plano de subjetividad que el humano. Lo que, a nuestro entender, las diferencia esencialmente, es que la subjetividad de la cámara es simplemente material: una limitación de sus propiedades mecánicas. En cambio, aunque no lo parezca, el escritor puede, materialmente, intentar una panorámica en que la imaginación se sobreponga a las limitaciones puramente mecánicas del sentido de la vista. El compromiso del novelista, como ya hemos visto, es de otra índole: espiritual,

---

[26] C. E. Magny, *L'âge du roman américain*, Paris, Ed. du Seuil, 1948. Vid. especialmente la primera parte, en la que intenta una estética comparada de la novela y el cine.

[27] *Ibid.*, 99.

y su limitación, por consiguiente, la de su conocimiento. Nada llega a la conciencia del hombre que no se relacione en cierto modo con su propia existencia. Nada transmite, pues, la conciencia a su vehículo —la palabra— que no esté filtrado a través del hombre cúya es, de la misma manera que nada llega a la película que no haya pasado por el objetivo [28].

Tras esta aclaración que nos parecía indispensable, y a la que ya había respondido el cubismo, al menos intencionalmente —«Una pintura total. Sin olvidar lo que nos funda: los objetos desde el punto de vista de Dios, que tiene mil ojos», dice Campalans— [29], vengamos ahora a considerar algunos de los procedimientos novelísticos utilizados por Aub y que tienen su equivalente, o su inspiración, en los cinematográficos, todos ellos ya enumerados por Mme. Magny, y que no hacemos sino aplicar a la técnica aubiana.

El más usual y evidente, el «découpage» en planos diferentes. Este procedimiento permite la presencia alternada de diferentes anécdotas, de diferentes personajes en lugares distantes, o el paso de un acontecimiento actual a otro pretérito, que los técnicos denominan «crossing up». En el cine, este procedimiento suele limitarse al cruce de dos historias. En la novela de Aub, puede haber una pluralidad de historias entrecruzadas. Incluso hemos podido verificar un ritmo distinto en el procedimiento: la oscilación entre las diferentes historias cruzadas va en «crescendo» y en «accelerando», a medida que la acción va subiendo en temperatura dramática, y que el desenlace se acerca. Un ejemplo típico de este modo de hacer se encuentra en el capítulo «6 de noviembre» de *Campo abierto.* Sin embargo, podríamos decir que no es a la influencia directa del cine, sino a la del unanimismo, a la que este cambio y aceleración de planos puede filiarse. En efecto, la alternancia y la aceleración

---

28 No olvidamos la reelaboración de la película en el laboratorio de montaje, ni las experiencias de filme sin cámara del canadiense MacLaren: pura fantasía...

29 JTC, 226. Campalans, de cualquier modo, se queda corto. Es Dios el objetivo ideal que reclama Mme. Magny: el ser que no tiene punto de vista.

se dan en un episodio de *Mort de quelqu'un*, presentando alternativamente planos del viaje del viejo Godard camino de París, y del movimiento de los vecinos en la casa de París, donde se hace una colecta de puerta en puerta para comprar una corona de flores que las buenas gentes han decidido ofrendar, en póstumo homenaje, a su vecino muerto, el hijo de Godard. Pero en *Mort de quelqu'un* el procedimiento se limita a una alternancia de dos planos básicos —el tren / la casa—, mientras que el de Aub comporta varios lugares y diferentes grupos de individuos, como corresponde al mayor alcance, colectivo, del episodio [30].

El «travelling», o caminar de la cámara en movimiento continuo también tiene su equivalente en la novela contemporánea. Observamos un notable ejemplo de Aub en *Campo cerrado,* cuando Serrador, desde la imperial de un tranvía, cruza Barcelona, prosiguiendo luego su camino hacia los altos, hasta dominar Barcelona en una panorámica [31]. Pero el ejemplo más complejo de tal procedimiento lo encontramos sin duda en el capítulo «Julio Jiménez, autorretrato», de *Campo de sangre.* Durante casi veinte páginas, el personaje realiza una marcha nocturna a través de las calles de Barcelona, sumida en la oscuridad y la llovizna helada, mientras los aviones dejan su carga de muerte sobre la ciudad. Termina el capítulo con la llegada del protagonista al portal de su casa.

También en este capítulo hay ejemplos continuos de cruces entre la realidad y el recuerdo —«flash-back»—. A veces, como ya ocurre en un fragmento de *Luis Álvarez Petreña,* la imagen del pasado se mantiene en sobreimpresión sobre la del presente del personaje: ...«la forma de camello que tenía uno de los desconchados de las barras de la cama, encima de tu cabeza, la tengo fija ahí, frente a mí, mezclada con el M. Z. A. del bordado del vagón» [32].

---

30 Otras reminiscencias de *Mort de quelqu'un*: el viaje de Serrador, CC, 45-46.

31 CC, 53-54.

32 LAP, 57.

No faltan tampoco los fundidos encadenados, por los que la transición entre dos situaciones espaciales o espacio-temporales se realiza a través de la sobreimpresión de dos imágenes semejantes, la segunda de las cuales sustituye paulatinamente a la primera. La transición puede ser provocada por dos aspectos sonoros semejantes, como en el siguiente ejemplo:

> Pita y campanillea el carrusel, gira la noria, chilla el macaco del barracón de rabizas. Cruza, una calle más arriba, una ambulancia con el mismo timbre que el de los recuerdos [33].

El procedimiento, como decimos, es de influjo cinematográfico, con lo cual no se excluye la presencia de tal procedimiento en la literatura anterior al cine, y así lo ha señalado Dámaso Alonso a propósito de *A la vida retirada* [34]. Y es que en todos estos procedimientos cinematográficos podemos encontrar una nota común de elipsis, una tendencia a la supresión de las transiciones, que aligera el relato contando con la inteligencia del espectador, como en el texto literario se cuenta con la formación previa del lector. Con la elipsis se eliminan tantas frases inútiles y manoseadas, tanto «entretanto» y «dejamos a Fulanito en medio de la tormenta», que, por cierto, eran utilizadas en los tiempos del cine mudo, al que, faltándole tradición, no le era posible contar con la inteligencia del espectador [35]. Lo cual viene a corroborar que, de la misma manera, la técnica novelística hubiera acabado por prescindir sistemáticamente de tales elementos conjuntivos. Y ahí nos parece ver una diferencia entre ambas artes: el cine ha avanzado en menos de medio siglo más en el uso de la elipsis que la novela en tres.

De hasta qué punto existe una subconsciencia cinematográfica en el arte novelístico de Aub son pruebas los numerosos

---

[33] CS, 55.

[34] Dámaso Alonso, *Poesía española*, Madrid, Gredos, B. R. H., 1952, 157. Valle-Inclán también ha utlizado el procedimiento en la escena del náufrago —*Viva mi dueño*—, si bien por la época y gustos de Valle, el influjo del cine no se puede descartar de antemano.

[35] Ramón J. Sender recuerda en *Hipogrifo violento* la existencia de narradores para iletrados en los cines zaragozanos de los tiempos de su adolescencia.

momentos en que, frente a una situación real, el autor y sus personajes no pueden evitar una reminiscencia cinematográfica, lo cual nos señala al mismo tiempo la importancia alcanzada por el séptimo arte en la vida cotidiana: ya la naturaleza imita al cine. Veamos algunos ejemplos en Aub:

> Fajardo se lleva la mano a la nuez. —No tener dónde resguardarse. Aquella llanura secadía... Es la única vez en que viví ese cinematográfico efecto famoso, tan conocido, de apoyar la mano en el talud de la trinchera para lanzarse al ataque [36].
>
> (Cuartero, exasperado por las mordaces palabras de su mujer, piensa): «Ahora es cuando *les* pegan la bofetada...» [37].
>
> ...Como en una película cómica... [38].
>
> ...Lo ve acercarse como en el cine... [39].
>
> ...Despidiéndonos como en las películas: vuélvete y no me veas marchar [40].

* * *

En ese movimiento interno de la obra literaria, por el cual la «forma» y el «fondo» se crean mutuamente, haciendo ver la inutilidad de la pedagógica dicotomía, nos es posible contemplar cómo la técnica polivalente, multiforme, de la novela contemporánea, se adecúa perfectamente y provoca las preferencias temáticas del novelista, interesado en esbozar un fresco familiar o de época mucho más que destinos individuales. «La novela que ya no se centra en un individuo, la novela que pretende ante todo significar, debe recurrir a la sucesión de planos como único artificio técnico que le permite alcanzar la complejidad deseada en el interior de una narración continuada y, observando la misma objetividad que en el cinema, transformar suficientemente las escenas descritas para adaptarlas al designio establecido y hacerles expresar el sentido profundo de la obra» [41]. Con la salvedad ya expresada de la diferencia entre objetividad de la cámara y objetividad del novelista, no cabe decir mejor

---

[36] CS, 434.
[37] *Ibid.*, 139.
[38] CC, 45.
[39] CV, 352.
[40] CS, 440.
[41] C. E. Magny, *L'âge du roman...*, 85.

que Madame Magny. Y ello explica, entre otras cosas ya vistas, la inferioridad evidente de novelas como *Los cipreses creen en Dios,* escrita según los cánones realistas tradicionales, pero con intenciones semejantes a las de Aub o a las de Cela en *La colmena.* Pero quizás estamos cayendo en el mismo error que repudiamos, al separar una intención —un fondo— y una forma: lo que nos llevaría a concluir la completa falta de autenticidad de tal novela, o que las intenciones de Gironella no son las mismas. Releyendo el prefacio a *Un millón de muertos,* es esta última hipótesis la que nos parece plenamente justificada.

* * *

A modo de escolio, quisiéramos hacer una observación a propósito de ciertas características visuales del estilo aubiano. El agigantamiento, la observación intensa de lo insignificante, nos hacen pensar en el encuadre fotográfico que, por medio de un objeto anecdótico situado en un primer plano, crea una profundidad mayor en los demás planos, que son los que, realmente, motivan el interés del contemplador. «Un paisaje sin primer término adecuado pierde mucho» —dice Dabella en una de sus cartas [42]. Pero más aún nos llevan a pensar en la posible caracterización de un estilo «miope», que trasciende de los ojos al mundo mismo, como en el pasaje en que Templado, al comienzo de la guerra, sigue viviendo sus mismos placeres habituales, y siente que «el bienestar indefinible en lo hondo de un sillón lengüeteando un alcohol o varios, seguía aparejado a ese difuminar de las cosas lejanas, como si el mundo mismo se hubiese vuelto miope» [43].

En *Yo vivo,* Enrique medita, acostado en la playa, contemplando la arena de cerca: «Todo es extraordinario, bello y magnífico visto de cerca» [44]. En *El cojo,* como en *Una canción* o en algunos pasajes de *Campo abierto* y *Campo de los almendros,* un personaje repite esa experiencia de la contemplación, a mí-

---

42 CV, 108.
43 CS, 35.
44 YV, 20.

nima distancia del ojo, de objetos minúsculos e insignificantes que adquieren importancia y belleza insospechadas. El cojo, tumbado en la tierra, «por primera vez la veía tan de cerca y descubría cosas asombrosas en sus menores rendijas» [45]. Para el personaje innominado de *Una canción*, una hoja de olivo, los movimientos afanosos de una hormiga o unas moscas necrófilas constituyen el objeto de su atención [46]. Y Agustín, el protagonista de *Las buenas intenciones*, no atreviéndose a mirar a Remedios, «puso su atención en una miga de pan escapada a la limpieza. Parecía una esponja pequeña, el fijarla sin pestañear la agrandó terriblemente, ya era una roca puesta en medio de una playa desierta. Una playa granate con flores amarillentas y piquillos verdes» [47].

Más compleja en su descripción detallada de los primeros términos, que contrastan con los confusos segundos planos y el horizonte, es la visión de Teresa Guerrero:

> La actriz veía a su interrogador como un bulto de sombra recortado sobre una Barcelona de diorama. El mar, a media altura, se perdía en bruma y cielo, Montjuich presentaba su giba a la altura del hombro izquierdo del vis a vis. La llanura del Llobregat se disolvía en plata espolvoreada, el sol chapaba el mar como un escudo: no le traspasaba rayo, hería los ojos... La mesa de caoba cubierta con un cristal biselado recogía el cielo, el bisel daba en crisopacio, el teléfono con su dentadura de rueda, retorcía su hilo negro; brillaba la ebonita negra del aparato. La mañana refulgía por todas partes. Teresa daba su mate a aquella habitación enjalbegada, en cuyos paramentos sólo lucía un retrato sepia de Azaña con gran collar y banda. En una esquina, al lado de una lucida escupidera de cobre, un escribano o secretario rebuscaba en los cajones de su escritorio [48].

En general, puede decirse que los fragmentos descriptivos en la obra de Aub responden a esa misma técnica de planos

---

45 NSC, 43. Vid. el pasaje completo más adelante, págs. 331-332.
46 CCI, 7-11.
47 BI, 58.
48 CS, 451.

contrastados, de oposición de luces y sombras, quizás por una tendencia total en su manera de hacer, que podríamos llamar dialéctica o dramática, y que se manifiesta a todos los niveles, como ya hemos tenido ocasión de ir viendo. La misma idea del *Laberinto mágico*, como veremos más adelante, responde a una figura de ese tipo, en la que lo ilimitado se opone y se encierra a la vez en los límites. Veremos, al nivel de los personajes, el mismo recurso de la afirmación por la oposición.

Ya sabemos que la descripción de interiores es muy rara, limitándose a los datos que estrictamente *funcionan* en el relato. La descripción del paisaje, también rara, se caracteriza a su vez en la preferencia por las madrugadas o los crepúsculos, donde el autor puede establecer una oposición entre noche y día, entre colores de ambas gamas [49]. En otros momentos del día o de la noche, también el paisaje se describe en situaciones contrastantes: durante una tormenta o una lluvia, a la luz del fuego o de la luna, siempre a partir del contraste entre la luz y la sombra [50].

Hemos analizado en otro lugar y ocasión determinados aspectos del estilo aubiano, que nos llevaron a hablar de un «realismo trascendente» [51]. Oponiendo a la abundancia de diálogos la escasez de las descripciones en la obra de Aub, y discutiendo la crítica del supuesto «desequilibrio» resultante, hecha por Eugenio de Nora, señalamos en primer lugar que la crítica se hace en nombre del equilibrio narrativo, lo que nos parece equívoco. ¿Quiérese con ello decir que debe existir una cierta proporción entre la narración de hechos y la parte concedida al diálogo? Cabe entonces preguntarse cuál es la finalidad de la obra narrativa. Para ello, consultemos al propio Aub: veamos qué entiende por narración, cuál es su intención como novelista, y veamos luego lo que va del dicho al acto.

---

49 Vid. CS, 11, 313-14, 338-39; CA, 128-32; CV, 111.

50 Vid. CS, 45-63; AP, 30-32; CIC, 48-52, 71-72; CV, 97; CS, 486-87, 510-11, 269; CIC, 34.

51 «El realismo trascendente y otras observaciones acerca de la narrativa española contemporánea», en *Papeles de Son Armadans*, CL, septiembre 1968, 197-228.

En 1946 copiaba ya Aub como válida la vieja definición de Dryden, aplicándola, *mutatis mutandis,* a la novela: «Imagen justa y viva de la naturaleza humana, representando sus pasiones, humores y cambios de fortuna, para placer y enseñanza de la humanidad». Y en 1950, comentando las teorías novelísticas de Ortega, dice: «Todo ello favorecía la eclosión de un arte de pastiche, fácilmente fabricable, de pegote, de fuera adentro. Haciendo olvidar que el arte de novelar consistía en crear historias o personajes, de los cuales manara verdad y poesía». Crear historias y personajes, es decir, personajes con sus historias. Más adelante, al referirse en el mismo *Discurso de la novela española contemporánea* a las tendencias de la novela a mediados del siglo presente, Aub habla de «realismo trascendente», y explica el adjetivo «no por la importancia sino por el hecho de ser un arte llamado a traspasar y penetrar en un público cada vez más amplio». «Realismo en la forma pero sin desear la nulificación del escritor como pudo acontecer en los tiempos del naturalismo. Subjetivismo y objetividad parecen ser las directrices internas y externas de la nueva novelística». Esta aparente contradicción de lo subjetivo y lo objetivo como tendencias simultáneas creemos salvarla al estimar que la objetividad reclamada por los novelistas es en realidad la autenticidad, como hemos tenido ocasión de dilucidar en el primer capítulo de esta tercera parte de nuestro estudio.

En la tarea de recrear personajes con historias a través del autor, no caben dudas de que tan significativas son las acciones como los móviles, las ideas como los actos. De ese modo tienen lógicamente un puesto en la narración las discusiones sobre lo que al autor interesa —es decir, a sus personajes—, que justifican los actos de éstos por lógica o por contraste. Ahora bien, dentro de la «vividura» del autor y de sus personajes, la discusión adquiere una enorme importancia, tal vez igual o mayor que los actos. La novela y su autor no son abstracciones: tienen nombre y encuadre geográfico, son españoles y viven en España —en cuerpo o en recuerdo—. El hombre español, según un *cliché* utilizable aquí, está más abocado a la discusión, a la pasión, que a los actos. Y, por otro lado, mira más dentro de sí y de los otros que al mundo objetivo circundante. Así nos resultan mucho más reprochables en punto a desequilibrio las novelas realistas decimonónicas, vueltas hacia los contornos inanimados de sus personajes, concediéndoles un lugar que nunca han tenido en los intereses del hombre hispánico. «¿Qué me importa a mí cómo era la pantalla de aquella sala?», dice un personaje de *La calle de Valverde,* hablando precisamente de la novela realista del XIX. ¿Quién no ha sentido y aun sucumbido alegremente a la tentación de saltar por encima de tanta interminable y académica descripción, a todas luces inoperante, de interiores y de paisajes? Recuérdese que Unamuno ya recogía de boca del público el término de «paja» como denominador de tal tipo de recurso novelesco.

Por el contrario, cuando Nora comenta las tendencias discursivas de la novela aubiana, dice que ocupan la atención. No se trata, pues, de esa sensación de inutilidad, de inoportunidad que se apodera del lector ante las descripciones «realistas». Este tipo de descripción realista, en un volumen antológico de buen escribir, haría mejor papel. Y recuérdese, por el lado de antaño, lo que separa el realismo del siglo XIX, universal sabelotodo, del realismo de almas de la novela picaresca, donde las cosas están presentes en la medida en que participan con el hombre de su aventura: en cuanto significativas. Y no habrá quien diga que la ausencia de descripciones en nuestra novela clásica degenerase en abstraccionismo, como se ha afirmado de la novela unamuniana.

El error del realismo del siglo pasado fue creer que bastaba reproducir el contorno, con la suficiente fidelidad, para recrear el ambiente, ignorando que el ambiente no lo crean las cosas, sino las relaciones de los hombres entre sí, o de los hombres con las cosas. Y así es como hemos dado en llamar «trascendente» al estilo que queríamos caracterizar y que, como vemos, tiene profundo arraigo. Las cosas aparecen en él en la medida en que trasciende hacia ellas el interés del hombre, ofreciéndolas éste al lector a su través. Las cosas se humanizan en este realismo, mientras que, en el otro, el hombre puede quedar cosificado, ser analizado con el mismo aparato y el mismo desprendimiento que un espécimen mineral o vegetal, y aun en perfecto equilibrio con ellos. El cientifismo nos parece tan fuera de lugar en la novela como la novelería en un tratado de botánica descriptiva. Con todo lo cual no creemos que la novela realista del XIX no alcance en España, en sus mejores momentos, la altura de nuestra novela clásica, ni que su nivel medio le sea inferior. En cambio, creemos que por ese camino mineralógico se han perdido el esfuerzo y los intereses de la escuela del «nouveau roman» francés, ante cuyas atomizaciones descriptivas y «asepsia» total no logramos salir de una aburrida indiferencia, y solamente cuando, descuidando las reglas del juego, se dejan llevar por la interioridad humana, alcanzan esos novelistas los felices momentos que, en fin de cuentas, les han dado más lectores que sus principios insostenibles.

Podemos afirmar que en el nuevo realismo del que Aub nos parece ser sujeto ejemplar, el paisaje es espejo del sentimiento humano. No se trata, como en el Renacimiento o en el Romanticismo, de que el paisaje parezca participar de los sentimientos del hombre, o que se adapte, teatralmente, como telón o música de fondo a los sentimientos o acciones de los personajes ficticios. Es más bien el personaje el que, según su estado de ánimo, deforma su percepción del paisaje. Tomemos dos ejemplos que caractericen, de manera evidente, lo que queremos llamar «realismo trascendente»:

> El campo se abría, desolado y asolado. Ahora habían cobrado cuerpo unos cuantos setos que separaban diversas heredades. Quién sabe por qué, a esa hora triste, el campo no parecía tener fin. La tierra era plana, y el sol, invisible, estaba fijo. No habría otra noche. O mejor, la noche ya había caído para siempre sobre Domingo Soria, y él tenía la culpa en parte, en parte muy exigua, pero la tenía [52].

* * *

> ...Guillén nota cómo el aire de la mañana de ataque es distinto al de todas las madrugadas: sopla viento de adentro y sálese por las niñas dándoles un brillo insospechado; el estó-

---

[52] CCI, 30.

> mago da sensación de vacío, la boca es pura sed, y el mador aflora a pesar del frío, cuando lo hace: mundo al revés: atacamos [53].

Todo el cuento *Una canción*, que abre la colección de *Cuentos ciertos*, es un ejemplo típico de esa manera de hacer. En él se da igualmente una variante de la misma técnica: a veces es el paisaje el que verdaderamente realiza una penetración irresistible en el hombre, hasta el extremo de modificar el curso de sus cogitaciones: «País de mieles, todo huele a romero, la sangre huele a romero, la muerte huele a romero». O las interrumpe:

> El Cojo se puso a contar entre un disparo y otro, para ver de darse cuenta de cuánto tardaba. Se hizo un lío. Intentó hundirse más en la tierra. Por primera vez la veía tan de cerca y descubría cosas asombrosas en las menores rendijas. Las hierbas se le convertían en selva, unas collejas próximas, con sus tallos ahorquillados, le parecieron monstruos fantásticos. El olivo que tenía a la izquierda y que ahora adivinaba inconmensurable, le protegía. De eso tuvo la sensación muy exacta. Disparó tres tiros sobre algo que se movía a lo lejos y alcanzó la cabezuela de una margarita; descubría dos mundos nuevos. Pensó en la paz y palpó la tierra acariciándola [54].

Dentro de esa participación en la novela de todos los intereses del personaje-autor o del autor-personaje, no cabe duda de que la forma dialógica vivifica la comunicación de las ideas y de las opiniones. Es, en fin de cuentas, la manera favorita de la comunidad española, en la línea de la filosofía viviente y caliente, frente al mortecino filosofar de los solitarios. Piénsese en la pasión del español por la tertulia, sea estática —café, sala de redacción, rebotica o sacristía— o peripatética —calles y plazas mayores, caminos de las afueras—. Sin olvidar que muchas ideas, grandes y pequeñas, nos han venido a los españoles por ganas de discutir el punto de vista ajeno, con lo

---

[53] NSC, 56.
[54] *Ibid.*, 43.

que se explican cosas insignificantes, como esta disensión frente a un criterio emitido por Eugenio de Nora, hasta los inmensos ríos de docta erudición con que nos vienen anegando dos grandes maestros de la historiografía española. He aquí cuanto, con muy ligeras variantes, decíamos hace dos años [55].

Podría verse el mismo valor trascendente en las raras descripciones de interiores que ha escrito Aub. Ya hemos señalado la escena en que Teresa Guerrero contempla los objetos que la rodean, durante su interrogatorio. Las demás descripciones de objetos citadas al intentar una caracterización del estilo miope responden a una misma necesidad del personaje de concentrarse en cosas insignificantes o indiferentes para distraerse de su angustia o de su miedo, trascendiéndolos. Del mismo modo cobran valor los objetos, mil veces contemplados en su saloncillo, para la moribunda que protagoniza *El matrimonio*, tragedia cotidiana.

Se podría, evidentemente, discutir la oportunidad del calificativo «trascendente» aplicado a una forma de realismo, puesto que todo realismo tiene como intención ir más allá de los límites internos del individuo en busca de la realidad de las cosas. Pero se puede, igualmente, argüir que precisamente el realismo pretende, como el naturalismo, presentar las cosas como tales, excluyéndose el observador y el autor de la presentación. En cambio, la manera trascendente a que aludimos no pretende el conocimiento de las cosas como son, ni presume que tal conocimiento sea siquiera posible. No es, pues, el conocimiento de las cosas, sino el conocimiento de ese conocimiento, la *manera* de conocerlas, lo que llamamos trascendental [56].

---

[55] *Loc. cit.*, 199-207.

[56] Véase, en apoyo a nuestro punto de vista, la definición que de «filosofía trascendental» hace Ernst Cassirer en su *Philosophy of Symbolic Forms*, III, 6: «Trascendental Philosophy is concerned not so much with objects as with our manner of knowing objects as such, insofar as such knowdlege is held to be possible a priori. It alone strives to be not so much a definite knowledge of objects as a knowledge of knowledge».

III

TIPOS, PERSONAS Y PERSONAJES DEL *LABERINTO*

En la segunda parte de nuestro estudio, a propósito de los varios aspectos de la visión del mundo que del *Laberinto mágico* se desprende, tuvimos ocasión de señalar la profusión de humanidad que circula por las páginas novelescas de Aub. Ya apuntábamos la posibilidad de distinguir en ella tres géneros de hombre: los tipos, los personajes y las personas. Y, entre todos ellos, a la vez sombra y espejo, la imagen del creador mismo, omnipresente, persona, personaje y tipo de su *Laberinto*. Pero pretender una neta delimitación entre los seres cuyos rasgos se repiten en variantes diversas, y aquellos que se mantienen por más tiempo y con el mismo nombre en el *Laberinto* —tipos unos, personajes otros—, y a la vez distinguir, de los tipos y los personajes, las personas, es decir, los seres de la vida «real» que aparecen en la novela con el mismo nombre con que aparecen en las historias —la de España, la de su literatura—, es pena y tiempo perdidos, y ganas de ponerles puertas a los *Campos*.

En efecto, la idea no sería despreciable si el autor hubiera querido, consciente o inconscientemente, establecer tal distinción. Pero no nos parece que haya sido así, sino al contrario. Ya veremos, al hablar de la imagen total del *Laberinto*, cómo los mismos personajes reaparecen unas veces con sus mismos nombres, otras cambiándolos. Y no se trata, en realidad, de «tipos», según la antigua tradición de personificar caracteres —el avaro, el celoso—, a la que, es cierto, encendió velas el Aub dramaturgo de la preguerra. Los personajes de Aub, algunos de cuyos rasgos físicos, tics, frases o manías se reparten y comparten a voleo, podrán ser un día míticos: el tiempo sólo lo dirá, porque tal calaña de personaje no sale a la novela como el soldado para la guerra de los treinta años, sino a la aventura. Algo sabemos, siglos más tarde, de lo que sucesivas generaciones de lectores han hecho de Don Quijote, de Celestina o de Don Juan. Nada podemos saber, coetáneos del autor —o ficciones suyas (¿no es hoy Avellaneda ficción cervantina?)—, de lo que las futuras generaciones harán, si algo hacen, con Julián Templado. Aunque nos parece —y es un parecer sin demasiados fundamentos— que no hay en nuestro tiempo materia para mitos individuales: la disolución del complejo del yo, que muchos intentan en los papeles, pero que aún no han logrado hacernos tragar a los personajes de carne y hueso que vivimos, somos y estamos gracias a él, ha hecho que, en ese sentido, la literatura no pueda hacer otra cosa sino pastiches de viejos héroes, tan de una pieza. Y si algo ha de pasar a mejor vida mitológica, será precisamente ese multiforme y proteico sobrehombre que es el *Laberinto mágico.*

No se nos escapa la evidencia de que, cuando menos, cabe distinguir a los personajes históricos de los que no lo son, cuando Aub los ha integrado en el *Laberinto* con sus nombres, «con los que les pusieron en los papeles». Pero ocurre para un lector de nuestra generación, que anda ya por los cuarenta, que algunos personajes de los tales históricos, si son de los de tercera fila, no acaba de distinguirlos de los otros. ¿Cómo saber, si no nos lo dicen, que «el padre Benito» o Juan Ignacio Mantecón son más «reales» que —pongamos por buen caso— Victoriano Terraza o Pedro Guillén? Ya a la siguiente generación le empieza a ocurrir lo mismo. Dentro de veinte años, los que lean *El laberinto mágico,* posiblemente no distinguirán, en la entrevista de Besteiro con Fidel Muñoz, entre el personaje de ficción y el histórico. No importará que, para la Historia, Besteiro tuviera una existencia distinta a la del tipógrafo. Para nosotros las historias de la guerra carlista son todas pura ficción, y Bradomín se inclina ante el pretendiente Don Carlos con la misma naturalidad que ante el señor de Brandeso.

Más aún, el autor, intencionalmente, borra las pistas y las mezcla. Pedro Guillén, gobernador de Teruel en el *Laberinto,* tiene como modelo a Juan Ignacio Mantecón, que con su nombre aparece en otros lugares del mismo. ¿Qué queda hoy de las claves que causaban el pícaro goce de nuestros padres al leer *Troteras y danzaderas*? Lo poco que nos dejaron por escrito los cronistas mundanos de la crítica. ¿Qué quedará mañana de las que encubren tantos fantoches de *La calle de Valverde* que ahora sacan los pies de la manta? La preocupación de Aub en sus «páginas azules», a propósito de lo visibles que son en su obra las soldaduras, es transparente, mientras comenta lo bien que las disimulan hoy los *Episodios* de Galdós, y eso que los tales, como él mismo señala, «eran historia» [1].

Pero ya lo insinuamos, el problema lo es sólo para Aub y sus contemporáneos. Y no sólo las soldaduras visibles afectan a nuestra manera de leer el *Laberinto.* Tan importante o más es el hecho de que, precisamente por nuestro conocimiento de

---

1 CAL, 359. La lectura de estas «páginas azules» es luminosa para entender la vida y las estructuras de los hombres del *Laberinto,* tal como los ve, a su término, su creador. Además de esa preocupación, a la que el mismo Aub se da respuesta en su glosa al «¿qué se hicieron?» manriqueño, es útil señalar la manera de enfrentarse el escritor con sus criaturas antes de pasar de la potencia al acto, o de los ojos al papel. De la vida a la muerte, si muerte es inmovilidad, quedar fijo y fijado para siempre: «El novelista tiene que escoger entre miles de personajes... Escoge y no escoge, se deja llevar por los que conoce y por otros que se le presentan inesperadamente». A ese dejarse llevar responde la múltiple presencia de los personajes que, como veremos, pueden ser bautizados cada vez con un nombre distinto, y seguir siendo el mismo, sin contar las veces, claro está, en que el autor quiere darles el mismo nombre de siempre y, fallándole la memoria, lo falsea. Así Bonifaz es una vez Santiago y otra Jacinto, y Xavier de Bosch puede ser Jorge. No es un secreto: son cosas que la mujer de Aub, encargada de corregir sus distracciones, pasaba por alto. Aub *ve* a sus personajes, los oye, reconociéndolos siempre en el espejo de su memoria imaginaria; sus nombres son, para él, lo de menos.

la historia reciente de España, el peso fatalista que abruma a los personajes de nombre conocido está agravado porque sabemos de antemano cuál es el fin que espera a todos ellos. Así se acentúa igualmente el desfase entre los personajes históricos y los que, por sus nombres de ficción, no nos dejan adivinar sus avatares y final destino. Se impone este hecho, sin duda, a todo escritor empeñado en tal empresa de trenzado entre el hilo de la Historia y el de la ficción. Y por eso señalábamos (a propósito de la presencia cinematográfica en la obra de Aub) la corrección intencional del autor, del mismo orden que forzaba a los pintores de techos y cúpulas a corregir el ángulo de la visión de sus futuros observadores por medio de una deformación calculada de las figuras. La corrección, en el caso del novelista, ya hemos dicho que consiste en hacer desaparecer al personaje histórico en un plano secundario, episódico, contrafigura y sombra que permite un mayor relieve a los personajes inventados. («¿Inventada la Bovary, inventado Julien Sorel, inventado Miau?», se pregunta precisamente Aub cuando intenta distinguir entre «gente real y gente inventada». Y Aub se responde a sí mismo al decir: «Viven Kutusov y el príncipe Andrés, iguales»: el general de la historia rusa, y el edecán «inventado» por Tolstoi). Por una vez, tentados por el juego etimológico en que se complacía Unamuno, apuntemos a la raíz de la palabra: *invenire,* es decir, encontrar. Unos y otros personajes los encuentra el autor: unos en la memoria histórica, otros en la memoria personal, cuando no en ambas a la vez, todos encontrados a la entrada del laberinto de los espejos, es decir, de la voluntad creadora y recreadora del artista.

«El novelista escribe: Era alto, con la nariz trompetera y dos pecas en el carrillo derecho. Y ahí queda: no lo mueve nadie» [3]. En ese sentido se diferencia el poder total del novelista de la sumisión del dramaturgo a sus intérpretes, como entiende muy bien Paulino Cuartero. El novelista «opera sobre cadáveres». Es idea del mismo personaje, dramaturgo, que com-

---

[2] CAL, 365.
[3] CS, 190.

parte con Ferrís, el escritor que nunca podrá escribir una novela:

> Si escribiera, por ejemplo: «Manuel de la Peña, alto, fuerte, etcétera» o, aun sin escribirlo, dijera lo que ve o siente, ya no se trataría de un vivo por el solo hecho de haberle *acostado* sobre el sudario de esta página. Todos los personajes están muertos, son muertos. Que resuciten en los demás es otro problema, pero se les puede volver a matar, como si me pusiera ahora a escribir sobre el Quijote, si es que algo nuevo se me ocurriese a su salud.
>
> La literatura: ese gran cementerio... España, madre de personajes —¿cuántos en Lope solo?—, España, enorme camposanto [4].

Esa cualidad «cadavérica», es decir, inmutable y perenne, es lo que el escritor envidia a sus personajes, cuando ve a Asunción, su figura femenina predilecta, vivir en sus eternos veinte años, «que veo ir de aquí para allí, sin ocuparse para nada de mí, ignorándome. La inventé, y vive, para mí, y no tiene nada que ver conmigo» [5]. Es esa presencia ausente de la amada del feo nombre, el río de fondo que integra toda la disquisición aubiana de las «páginas azules». Y ama quizá más que a ninguna otra de sus criaturas del *Laberinto* a esa Asunción, precisamente porque le es ajena como ninguna otra.

Queremos con esto apuntar al hecho de que los personajes del *Laberinto* le son propios, «son más que parte de lo que él fue» ...«partido y repartido» [6]. «Naturalmente que Flaubert fue la Bovary y Céline, todos sus personajes», y Cervantes, Don Quijote y Sancho, y Tirso, el burlador. Son y no son. *Esta es la cuestión»*... «La relación del autor con sus personajes es compleja, como la del hombre con sus hijos y sus nietos. Son suyos,

4 CAL, 434.

5 *Ibid.*, 359.

6 *Ibid.*, 364. (La concisión conceptista de la frase exige —o ruega, pues no es el imperativo de su paradigma— una lectura lenta para desentrañar toda su dimensión. Y esta afirmación, valga una vez por todas, se aplica a la obra entera de Aub, que quizás no sea de estos tiempos en que se nos quiere obligar a cursillos científicos de lectura rápida «Lea Ud. *Le cimetière marin* en una hora, y entérese»... ¿De qué?).

en parte, sin duda. Pero las influencias ajenas son tantas que el escritor —o el padre— acaba por no saber lo que es suyo y lo que no»[7].

En parecidos términos, si bien cargados con la pasión que su autor intenta escamotear, se expresa su criatura Cuartero, metida a creador:

> Personajes míos atados a mí por mil cordones umbilicales. Si os suelto os desconozco y me desconocéis, como desconozco a mis hijos y me asombro de ellos: vida llena, olvidada de mí. (...) El futuro es una ruina, una sola ruina en soledad y la hiedra enroscada a mis personajes sordomudos, arremolinados, destrozados, retorcidos, deshechos por el afán de gritar...
> (...) Sólo mis personajes unidos a mí por el cordón de la vida, heridos, sangrantes de las heridas de las palabras, que los vacían, entallan y decentan, como si fueran piedras[8].

No parece el hecho de la filiación de los personajes al creador ser visto trágicamente por Aub ni por Cuartero. Otra es la opinión de Ferrís, aherrojado en su lúcida impotencia o pesimismo intelectual:

> Soy incapaz de inventar un personaje: todos los que invento (?) piensan como yo. Así, ¿dónde puede nacer el interés? (...) Incapacidad de crear personajes. Doy vuelta sin convertir en fuego mis movimientos. Púdrese en mí el maná y se convierte en polvo. Esta frase última está bien, pero tengo la seguridad de que no es mía, de que leí algo semejante[9].

Una cosa es que los personajes nazcan de su autor, que mil cordones umbilicales le hayan unido a ellos, y otra que el autor, al cabo del parto, siga identificándose con ellos. Precisamente, con el paso del tiempo, el autor podrá reconocer en ellos, fragmentariamente, lo que fue, no lo que es. Así puede explicarse la aparente contradicción entre las anteriores opiniones de Aub en las páginas azules, y la siguiente, que aparece cinco antes:

---

7 CAL, 365-66.
8 CS, 420-22.
9 CAL, 438.

> El autor ve a sus personajes, no se identifica con ellos; eso es cuento y cuentos, como el de que Dios nos crió a su imagen y semejanza. Dios es un gran escritor y nos ve desde fuera. Crear es ver lo creado. Explicación de la frase famosa: somos criaturas de Dios [10].

Desde 1924, Virgina Woolf pregunta cómo es posible crear un personaje, cuando la persona es algo esencialmente increado y siempre imprevisto [11]. *Eppur, si muove.* Lo que ocurre es, para tomar homeopáticamente el remedio del psicoanálisis que nos trajo la enfermedad, que los personajes son mixtificaciones o «sublimaciones narcisistas» que nada tienen que ver, directamente, con los personajes reales que, según dicen, no somos más que puro complejo de ser. Así dispuestos, nos divierte ver a Aub en ese «ganas de verse» que él mismo dice ser la literatura. Aunque a nuestro entender, dentro de la esencial manera dialéctica de la obra aubiana, ésta ha hecho a Aub tanto como Aub a su obra, según la célebre y certera figura de Montaigne respecto de sus ensayos. No es tanto la vida del autor lo que explica la obra, como ésta a aquél. El *Quijote* se explica hoy tan bien sin Cervantes como el *Lazarillo de Tormes* sin su autor. A pesar de los esfuerzos de la erudición, sigue éste en el anónimo, tal como sin duda lo decidiera de antemano, y lo anunció, para quien quisiera entender, simbólicamente, en la anónima paternidad con que obsequia a su personaje. ¿Podría hoy, en cambio, explicarse Cervantes sin el *Quijote*? El Max Aub que a nosotros nos interesa es el que queda en el laberinto de su *Laberinto,* sublimado y multiplicado en José Molina, en Santiago Peñafiel, en el joven Terraza, en Dabella, en Alfaro, Lledó, Cuartero, en Dalmases, en el mismo D. Manuel el Espiritista que, «alegre sin llegar a la borrachera, tropezaba menos en las erres que en su sano juicio» [12]. Y, naturalmente, queda en Julián Templado, a quien le gustan los juegos de palabras,

---

10 CAL, 360.

11 En Michel Zeraffa, *Personne et personnage,* Paris, Klincksieck, 1969, passim.

12 CM, 30.

las librerías de viejo, que no tiene oído, que tenía un abuelo francés con estanque y carpas, que tiene una concepción visual del mundo y un «afán desesperado de encontrarse en los demás»[13]. Es evidente que no establecemos estas relaciones sin fundamento; conociendo muchos datos de la vida y la persona del escritor Max Aub, no es difícil señalarlas. Pero considerando inútil, inoperante, dejar constancia de tales correspondencias («explicar la obra por el hombre equivale, en resumidas cuentas, a explicar lo conocido por lo desconocido», según justa apreciación de Boris de Schloezer), dejaremos al lector incapaz de hacerlas en una sana ignorancia, y al que las conoce, en el gozo de seguir en posesión de secretillos y de claves que no están al alcance de todas las fortunas: *Dat veniam corvis,* según decía el padre Juvenal.

Otro dato más operante es el de la presencia de Max Aub, con su nombre, como personaje del *Laberinto,* y no solamente en el «ex-abrupto cordis» de sus páginas azules, que no son, bien mirado, más que un epílogo impaciente que, como ciertos actores aficionados, sale a escena antes de tiempo. Revísense las novelas: el señor Max Aub aparece en *La calle de Valverde* tres veces —una de ellas escribiendo la misma comedia de incomunicados que han escrito también, o piensan escribir, Molina y Cuartero—; una en *Campo de sangre,* contando cosas de la película que está haciendo con Malraux, otra en *El remate,* como historiador de la literatura, una más como relator de la *Pequeña historia marroquí*[14]. Sus apariciones son breves: nos recuerda, inevitablemente, el procedimiento de Alfred Hitchkock en sus filmes. ¡Cuántos personajes de Aub pasan como él por el *Laberinto*! Y, en ese aspecto, imposible para el lector la clásica, confortable, «plena adhesión del alma a los personajes y acontecimientos», que busca ser recompensada, según la esperanza de nuestra tradicional retórica[15]. Ese rápido circular de los personajes episódicos —lo son la inmensa mayoría—

---

13 CS, 204.
14 CV, 165, 318, 386; CS, 403; HMM, 16; CIC, 154.
15 W. Kayser, *Interpretación y análisis...*, 318.

entre dos portazos, dejando apenas entrever una vida de la que nunca, quizás, se volverá a saber, no consiente al lector, como tampoco al autor, la posibilidad de «dejarse morir en un rincón» ni «el absurdo renovarse o morir del *modern style,* sino el oscuro de los caminos encontrados, el laberinto»[16].

> ¿Eres verdaderamente así? Yo qué sé. Veremos si mañana, al intentar fijarte de nuevo, me sales de la pluma de otra manera. Del conjunto de estas maneras quisiera yo encontrar algo de luz[17].

Así decía Petreña, el triste, de su inalcanzable Laura. Si sabemos poco de los individuos fugaces, perecederos, debemos terminar por saber mucho del hombre laberíntico, al que a fuerza de asedio, a fuerza de «conjuntar maneras», llegamos a amar, es decir, a conocer. No nos importa tanto ver en un Julián Templado un nuevo don Quijote cuerdo, o consciente de su locura, a la vez Quijano y Quijote, que arremete contra los molinos de viento a sabiendas de que lo son, y quizás para poderse probar a sí mismo que está por encima o más allá de todos los molinos y de todos los gigantes. Ni nos importa tanto ver en la muerte de Ferrís el sacrificio ritual y simbólico del escritor deshumanizado, que muere por no perder su pluma —objeto que simboliza tanto su aislamiento como su independencia—. Nos importa más sentir al hombre laberíntico como ejemplar del hombre desarraigado, tan de nuestro siglo, el hombre teorético que continuamente pone en tela de juicio a todo y a todos, empezando por sí mismo.

Y, frente a él, el arbóreo, enraizado, que vive su vida directa e inmediatamente, sin echarse por los vericuetos tan arriscados del considerar, pensar y dilucidar. Tan arbóreo, que en *Enero sin nombre* puede llegar a adquirir naturaleza de árbol, y ver pasar al otro con conmiseración y superioridad. El hombre laberíntico de Max Aub está en los antípodas de la rata humana de Miguel Delibes, del hombre-abeja, acolmenado e instintivo

---

16 EC, 39.
17 LAP, 32.

de Cela. Pero a la vez lo lleva dentro de sí, y está en perpetua lucha y diálogo con él. Con lo cual volvemos por un aspecto más a la esencial estructura dialéctica del relato aubiano, frente a la estructura monologante del de Unamuno, por ejemplar caso: si en éste el diálogo no es más que partero de las ideas ya dispuestas, preconcebidas, y pretexto para hacerlas más digestivas, en el aubiano la opinión brota precisamente de la oposición discursiva. Como las anécdotas, los personajes ganan su relieve en esa dialéctica constante e inacabada, que los va desplazando y situando. Véase, por ejemplo, el procedimiento que consiste en introducir, como contrapunto, un personaje ajeno al episodio, o intencionalmente alienado, o realmente enajenado [18].

El protagonista es siempre aquel que, desde una postura inicial de indecisión, va integrándose en la marea del episodio, haciéndolo suyo, subjetivizándolo, y llegando a la situación privilegiada del relato, o no alcanzándola, según la relativa fuerza de su empeño. Así Serrador y Dalmases, así Templado o Cuartero en alguna rara ocasión. Campalans es, por su parte, personaje circular, que da la vuelta entera al tablero, y acaba, como corresponde, al extremo del punto de partida. Alfaro, el de *Las buenas intenciones,* presintiendo apenas las cosas, ni dentro ni fuera, es la víctima del portazo.

Todos los personajes pueden, pues, situarse por sus respectivas actitudes frente y dentro del episodio, que los une a todos. El tipo heroico puro, que el creador admira, se opone al voluntariamente alienado, al espectador apasionado que representa la postura del intelectual y, genéricamente por tanto, la del creador, respecto a la anécdota colectiva y conflictiva. Postura que no debe confundirse con la del creador respecto de sus criaturas, a las que, salvo notable y rara excepción —el soplón, el traidor, el policía—, engloba en su amor universal, por las que se apasiona como parte suya, y ante las que se admira, sorprendido de sus inesperadas actitudes y gestos.

Sería inducir a error no subrayar ahora lo que nos parece

---

18 CM, 256; CC, 226-28; Valcárcel en CAL, passim.

evidente: que ese héroe admirado por su creador no existe como individuo, en las páginas de su *Laberinto*, y que sólo cobra cuerpo y movimiento al repaso veloz de los distintos personajes del *Laberinto* que comparten distintos rasgos del héroe, como esos libritos inventados por los funcionarios de Herr Goebbels, en los que cincuenta imágenes sucesivas tomadas de un fragmento cinematográfico, al ser repasadas velozmente por una presión del pulgar, simulaban la animación del personaje propuesto a la adoración del pueblo.

De cada uno de sus personajes toma un fragmento de la actitud heroica. Porque cada uno de ellos, como individuo, es más pasivo que activo en su relación con los hechos. Se ve envuelto en ellos, pero no surge de él ni necesariamente los condiciona; sigue siendo el juguete de poderes hostiles o favorables, que intervienen en sus vidas, como en las de los personajes homéricos. Y a la vez, como los de Esquilo, se plantan firmemente en el suelo, toman un gesto resuelto de responsabilidad, que les sale de la entraña ética, y por un momento se obstinan frente al azar y niegan el sino. Y si el gesto es pasajero en los individuos, su repetición nos da la ilusión de la verdad para el sobre-hombre del *Laberinto*; en eso se distinguen los héroes de los antagonistas en la obra de Aub: estos últimos no tienen jamás ese gesto: son los Alfaro, los Luna, los Mustieles.

Quizás por ese valor supra-individual de los personajes del *Laberinto*, muy pocas de sus novelas se dejan clasificar en el casillero de Lukacs, que, distinguiéndolas en tres tipos según sus héroes individuales, sólo admitiría una novela tradicional como *Las buenas intenciones*, que será del tipo segundo, como, tal vez, el *Luis Álvarez Petreña* y, con muy buena voluntad, el *Jusep Torres Campalans* [19]. En ellas se enfrentan —a veces sin oponerse, como en la primera— hombre y mundo. Pero en el *Laberinto*, como hemos visto, no hay héroes individuales. Es una novela del acontecimiento y de su intromisión y dominio

---

[19] En Lucien Goldmann: *Introduction aux premiers écrits de Lukacs*, epílogo a Georges Lukacs, *La théorie du roman*, Berlin-Spandau, Ed. Gonthier, 1963, 175.

en la vida del individuo y de la sociedad, novela de la interpenetración de estos dos polos del mundo: el hombre y la sociedad de un lado, de otro el acontecimiento, forma concreta que corresponde a la abstracción del «azar», y que condiciona, en espera de mejores tiempos, la historia y las historias [20].

Valdría la pena quizás recordar aquí, una vez más, la escuela unanimista en la que Aub recibió, frente a las corrientes individualistas que dominaban en el siglo, la sensacional revelación de la colectividad, de la dependencia entre los hombres, y de que en la suma de éstos nunca se produce la ecuación aritmética del $1 + 1 = 2$. Y al unanimismo debe agradecer seguramente Aub esa visión que todavía le hace decir en la páginas azules de 1966: «La gente existe mientras vive. Luego empieza a morir lentamente en los demás» [21]. Así tantos de sus personajes, de los que es arquetipo mínimo la insignificante Paquita Suances, costurera barcelonesa [22].

Lo que va de Jules Romains a Aub es sin duda, y cuando menos —siendo mucho—, lo que media entre el optimismo esencial de una mística colectiva, dada ya por hecha, antes de 1914, y la discreta esperanza de que, a pesar de los últimos cincuenta años de este siglo y mundo, esa colectividad en la que se concilien libertad y justicia exista más allá de los discursos de circunstancia.

---

[20] CAL, 363.

[21] CS, 331.

[22] Es el último tipo de personaje, ejemplificado en el abúlico Alfaro, el que llamó la atención de Robert Marrast, y que menciona en su prefacio a la traducción francesa de *Las buenas intenciones*: «Ses personnages possèdent fréquemment un caractère de marionnettes, dont le destin tire capricieusement les ficelles. Mais leur humanité n'en souffre pas: ils parlent une langue qui est celle qu'on peut entendre, tous les jours, dans les rues d'Espagne. Cette authenticité du langage leur confère une épaisseur que l'humour aurait pu leur ôter» (*loc. cit.*, 11). Su humanidad no sufre, en efecto, pero no creemos que por el hecho de su lenguaje coloquial —justificación que valdría para todo teatro de marionetas, popular o literario, del tablado transhumante a los escenarios lorquianos— sino porque, como hemos visto, son personajes épicos, personajes que, como el hombre de su siglo —y Aub lo sabe a su costa— están sintiendo continuamente los tirones arbitrarios de los hilos del destino, cosa que reflejan todos los personajes, luchen o no contra esa manía policiaca del *fatum*.

IV

LA LENGUA DEL AUTOR Y LA DE LOS PERSONAJES

Los personajes de Aub tienen la mala costumbre de decir lo que sienten, con todos los aderezos que en la realidad de todos los días salpimientan la conversación de los hombres. Hoy, en la literatura española de la postguerra, es ya un hecho tan admitido que el exabrupto se transcriba sin iniciales, eufemismos o puntos suspensivos, que parece inútil dar explicaciones por el uso del «tal cual». Al contrario, ya rizado el rizo, cabe excusarse de lo contrario, como el viajero de la anécdota que, sentado en un compartimiento lleno de damas, saca de su bolsillo un saquito de caramelos y dice: «Uds. dispensarán, señoras: espero que no les moleste si no fumo»... Pero en 1943, cuando Aub da a la edición su *Campo cerrado*, apenas apuntan las barbas pánicas de Cela por el lejano horizonte literario, y aún se siente obligado a presentar un prefacio en el que, a la vez que se da a conocer, se justifica por la transcripción de los exabruptos, y dice:

> Claro está que todo se resolvería con tacharlos, tarea fácil en un relato indirecto en el cual —¡oh magia de la 3.ª persona del indicativo!— con escribir que el lenguaje de los personajes va salpimentado, sálese del compromiso. Pero el traer las conversaciones a primer término, y en primera persona, hace insoluble, para mí, el problema; y bien poco pude contra ese afán de mis personajes por romper a hablar [1].

---

1 CC, 10-11.

Opónelos en esto, como ya hemos visto, a los personajes de teatro, para quienes, todavía hoy, no ha llegado el momento de la liberación léxica.

Comparando la pacatería verbal todavía imperante en la novelística de aquellos años, con el desenfado de nuestros clásicos, tanto del teatro como de la novela, intenta Aub una explicación histórica de tal regresión, que aun hoy nos parece muy puesta en razón. Así pretende responsabilizar a la pudibundez dieciochesca, francesa y borbónica, que sobrevivió, tomando cartas de burguesía, a la Revolución, y que se repartió en el mundo occidental con las mochilas napoleónicas y la influyente divisa del neoclasicismo francés.

Todavía en *Campo de sangre* los personajes de la cena recogen la preocupación de su autor y se explican entre sí las buenas razones del uso de las «palabrotas», esta vez a partir de su probada eficacia en la vida real. La anécdota ejemplar que protagoniza Guillén sirve para ilustrar jocosamente la argumentación. A pesar de todo ello, Aub, manteniéndose también en esto dentro de su típica manera de hacer por oposición de contrarios, recurre con frecuencia al uso de eufemismos, cuya presencia realza a la vez el valor de los vulgarismos y da al eufemismo una dimensión irónica evidente[2].

Otra cuestión que, en torno al lenguaje, preocupa al autor y a sus criaturas, es la de la imposible frescura del idioma, al nivel del lenguaje coloquial tanto como al del literario. «Las influencias ajenas son tantas que el escritor acaba por no saber lo que es suyo y lo que no» —dice Aub en un pasaje ya citado[3]—. A Ferrís, después de escribir una frase que le gusta, le hemos visto también reaccionar diciéndose: ...«está bien, pero tengo

---

[2] CS, 92-95. He aquí algunos ejemplos típicos de eufemismo irónico: (por el sexo masculino) «goza con la manía de sacar, enseñar y sopesar sus partes» (CCI, 335); «los divinos atributos» (CS, 91); «los divinos adminículos» (CS, 109); (alusión a una reputación de homosexualidad): «los recibieron en Italia con los... brazos abiertos» (CS, 297); (por hijo de puta): «esos hijos de las de la calle de la Aduana» (CA, 470); (la menstruación): «el tío Paco» (CV, 125).

[3] CAL, 366.

la seguridad de que no es mía, de que leí algo semejante»[4]. Al otro extremo del *Laberinto,* Petreña, con el mismo problema que Ferrís, intensificado hasta llegar a la obsesión, dice al borde de la muerte: «Hasta aquí, en medio del mar, llega la literatura, y yo te enseñaría, si tuviese ganas, cómo cada frase mía lleva en sí germen de libro ajeno; y por eso, por falta de ser yo mismo, muero»[5].

El peso abrumador de tantos siglos de literatura —«literatura, literhartura», comenta Fajardo, burla entristecida—[6] se deja sentir en todos los personajes del *Laberinto,* a partir de *Geografía,* que hay que leer y releer cuidadosamente para ver la conciencia que el autor tiene de su situación epigonal en la historia de la literatura. Pero de esa misma situación suele sacar fuerzas de flaqueza, y tomando una distancia irónica respecto a la tradición y a la propia labor, el escritor juega con ella en una interminable serie de connotaciones que complican conscientemente la ambigüedad del mensaje. Ya hemos mencionado, al resumir el lado más aparencial de su obra en la primera parte de este trabajo, ese carácter de *pastiche* intencional que es el nervio del arte contemporáneo, desde las «Meninas» de Picasso hasta las novelas pseudo-policiacas de Robbe-Grillet.

Por supuesto, y por suerte para Aub, es la obra la que se impone a su autor tanto como él la hace. De otro modo, le hubieran sido fatales sus ideas sobre el lenguaje literario, que alguno de sus personajes comparte con él. Así, cuando Jusep dice que el material con que se cuenta para trabajar es fundamental, concreta: «Las grandes épocas literarias corresponden al esplendor del idioma, cuando los escritores están inmersos en el instrumento que les hace falta», no hace sino reiterar una sombría afirmación de Aub: (después de Cervantes, en la cumbre, por la novedad del idioma) «los que siguen... buscarán

---

4 *Ibid.,* 451.

5 LAP, 78.

6 CS, 486.

novedad en la idea, no en las palabras, así las retuerzan, ya inventadas o llegadas a su término» [7].

Error evidente: Cervantes, por ejemplo, no es más ni menos neologista que Aub, ni la lengua o las palabras llegan a ningún ápice de estabilidad. Viven, se anquilosan y mueren cuando otro término toma su lugar, y la lengua, insensiblemente, se va haciendo otra, siempre renovada: «*anzi si rinuova, come fa la luna*».

Si Petreña no hubiera estado ya marcado con el signo de los suicidas, hubiera sido consecuente con el desencanto de su última parrafada —«Todos los seres que cuentan de verdad lo habrán cantado ya. El primero que lo cantó se plagiaba ya a sí mismo»— y hubiese virtualizado una necesidad que compartieron con él todos los que han hecho uso de la palabra. Mucho antes, ya había dicho: «Cuando estoy contento, lo que prefiero es descubrir Mediterráneos, glorificar los lugares comunes y nutrirme de refranes» [8].

Del mismo modo que el autor y sus personajes establecen relaciones inevitables entre la realidad y el cine, no pueden evitar recordar sus lecturas ante un acontecimiento, un lugar, una sensación que les vivifica los recuerdos. En *Fábula verde* se habla de una viscosidad «como el contacto de una serpiente de folletín», la distinción entre la ciudad y el campo está en la mente de Margarita Claudia clara «como en una composición clásica, con regusto retórico», y su familia la encuentra un día «plantada en jarras en medio del cuadro de las coles, y tan teatral parecía que esperaron un momento que ascendiese la visión, como en cualquier comedia de magia» [9]. Salomar, en *Campo cerrado*, esperando que se inicie el movimiento nacionalista, recuerda la llegada de Don Quijote a Barcelona. Fajardo, como Cuartero, piensan siempre como escritores (—«Mi báculo

---

[7] JTC, 87; *Vuelta y vueltas al Quijote*, 58-59.

[8] FV, fols. v, xv, xvii.

[9] LAP, 39. Lo mismo dice el Anacoreta años después: «Los lugares comunes, ¡he aquí la ciencia, la sabiduría! Un refrán dice más acerca del pueblo que todo lo que emplean para una estadística. Es la entraña» (CC, 64).

más corvo y menos fuerte...» ¡Dios, qué soneto!—). El narrador de *Yo no invento nada,* al llegar cautivo a Argel, no puede dejar de recordar a otro bogavante de la galera literaria y manco famoso: «nos encerraron en un viejo bastión, cárcel ¡ay! sin ventanillas ni Zoraidas»[10].

* * *

Pero volvamos a la desesperación del personaje frente al vehículo de su comunicación, el lenguaje. No parece inquietarle tanto la cuestión de lo hereditario de las palabras como la de no poder encontrar la palabra precisa. Desde Petreña —« ¡qué tonterías escribe uno cuando quiere decir las cosas y no sabe! » ...« ¡Es tan agradable poder decir la palabra precisa, necesaria, y no sentirse despistado! »—, el problema que obsesiona a tantos del *Laberinto* está ya enteramente en el triste suicida: «No podré, por muy grande que sea mi empeño, dibujar claramente mi sentimiento»[11]. Así repite Cuartero, en brazos de Rosario: «Todos estos sentimientos que van buscando palabras en que construirse y que acaban yendo a las palabras sin remedio... Toda la desesperación humana radica en la imposibilidad de expresarse con exactitud»[12]. O bien: «¿Por qué hay una sola palabra para el dolor moral y el de la carne? ¡No me duele nada y me retuerzo de dolor! Me duele el alma. Me duele el alma. ¡Una palabra, una palabra para decir lo que siento! », dice el mismo Cuartero a la muerte súbita de su amante[13]. Y Lledó: «El sentimiento es tuyo, pero las ideas te las dan hechas, aunque no quieras, con la lengua. El idioma es una cosa seria»[14].

---

[10] CC, 199; CS, 175-96, 273; NSC, 138; G, 19, 35, 40-41, 45, 47-8, 58; LAP, passim. Vid., por ej., «pegarse un tiro, como en las novelas de Pérez Escrich».

[11] LAP, 38, 25, 28.

[12] CS, 371.

[13] *Ibid.*, 504; «Arduum est nomina rebus et res nominibus reddere, como dijo Plinio, y don Álvaro nos enseñó. Ardua empresa amoldar los nombres a sus objetos y éstos a aquéllos» (CIC, 54). Vid. también las versiones de Jacobo el cuervo (CCI, 210-12) y la de Campalans (JTC, 197-98).

[14] CC, 108.

Y del lado de acá del *Laberinto,* Templado habla con Vicente Dalmases: «No es que no sepamos lo que quieren decir las palabras. Es que las palabras, en el fondo, no dicen gran cosa» [15]. Y Aub, en fin, se consuela en sus páginas azules: «(el autor) se consuela pensando... que la verdad sólo es la poesía, que la poesía sólo son las palabras, que la verdad poco tiene que ver con ellas y que si acertara a inventar veinte daría lo que siempre busca en vano» [16].

Ese pesimismo sobre el alcance de las palabras se basa en la realidad misma del lenguaje, que autor y personajes demuestran sentir profundamente desde su laberinto: «La realidad subjetiva se caracteriza por su extrema individualidad y concreción, mientras que el mundo de las palabras se caracteriza por su universalidad», afirma Cassirer [17]. Son, pues, como todos los signos, indeterminadas y ambiguas, y llevan necesariamente hacia el lugar común. «Sólo lo que no es particular a la intuición personal o a su sensación, sino común a otros, es accesible al lenguaje... y en cuanto se considera críticamente, se ve obligado a renunciar a toda pretensión de representatividad, ni siquiera de conocimiento o de comprensión de cualquier realidad, sea del mundo «interior» o del «exterior» [18].

Pero, por otro lado, un optimismo es posible cuando se piensa en las palabras no como signos sino como imágenes, tal como quiere Maurice Blanchot. Toda reproducción es inferior al original si no pretende otra cosa que la reproducción, pero es precisamente lo contrario, es en el progresivo alejamiento de lo inmediato donde reside el carácter de la creación artística. Si la repetición se basa en la igualdad, la designación se basa en la diferencia. *El laberinto mágico* puede salir, y sale efectivamente, de la contemplación del cosmos. Hemos dicho *sale,* y no *reside.* Sale, y en la medida en que, por su salida, se aleja del mundo real, existe como creación literaria. Lo que no quiere ni puede decir que esa medida esté hecha con la

[15] CAL, 267.
[16] *Ibid.,* 360.
[17] E. Cassirer, *Philosophy of Symbolic Forms,* I, 188.
[18] *Ibid.*

materia de las evasiones. El autor sale, toma distancias, en el peor de los momentos se lanzará a correr, pero no se evade, es decir, no vuelve nunca la cabeza. Y al lector, circulando por el *Laberinto,* no se le ofrecen más ventanas que las que dan al mundo: de allí se sale a él con un deseo de configuración que seguramente el mundo no tiene. Pero que sin duda, así piensa el lector, debiera tener.

Cuartero, en su mejor momento, es quien, de todos los meditadores del *Laberinto,* se aproxima más al auténtico valor de la palabra en el interior del mundo de la ficción aubiana: la palabra se busca, y ésta es la que caracterizará luego al sentimiento, que en ella encontrará forma, sentido, realidad, recibiendo auténtica y total existencia. Y no sólo las palabras a los sentimientos, sino las palabras a las palabras mismas, por desteñir unas sobre otras, por cruzamientos, desintegrándose para reintegrarse en nuevas formas a las que nuevas acepciones vienen a machihembrarse. Repetimos el largo soliloquio, dialogado consigo mismo, en sus más significativos aspectos:

> La palabra que nace de esa palabra que destiñe, esa palabra que va tomando forma y que sin saber cómo ya está ahí: hecha, construida, teoría de sonidos que de pronto se arquitectura, ya molde para siempre. Se piensa por ladrillos, adobe tras adobe. Quién piensa en piedra seca, quién en polvo, quién moleña, quién cemento. Las palabras me van haciendo. ¿Y los actos? ¿No están hechos los actos de palabras? ¿De polvo de palabras?... Nunca se escribe exactamente lo que se quiere; las palabras se pasan y dicen más de lo que suponías. ¡Qué luz! ¡Qué canto! ¡Qué agradecimiento! [19].

«Los elementos del léxico, siempre dispuestos a devenir *otros,* a explotar en nuevas direcciones semánticas... Y puesto que cada cosa existe —dice Umberto Eco, hablando del lenguaje joyceano— en la medida en que se la nombra, encontraremos en las palabras el mismo movimiento, el mismo juego de las metamorfosis continuas; por el retruécano, el equívoco... penetra en el inmenso flujo del lenguaje para dominarlo y, a

[19] CS, 373-74.

través de él, dominar el mundo»[20]. Max Aub, joven escritor de los años veinte y treinta de este siglo, tiene más de una razón para ambicionar ese dominio del lenguaje: llegado apenas adolescente a su país de adopción, instalarse en el nuevo idioma será instalarse en su nueva circunstancia. Y cuando, contra su voluntad, tiene que salir de su patria tan tenazmente ganada, persistir en el hogar imaginario de su lenguaje de escritor será la manera de seguir siendo español en el exilio, frente al exiliado en su tierra que era, según Eco, el irlandés Joyce.

Nos parece que para penetrar en el río del lenguaje con la intención de trastrocarlo se requiere una capacidad de asombro ante la materia, una mirada inocente, como la que puede tener quien se acerca a un idioma desde el conocimiento de otro. Y ese privilegiado mirar que nos permite jugar con las sonoridades de las palabras recién descubiertas, es el don gratuito de todo bilingüe: Aub, niño parisino, para quien el español era lo que para su personaje Margarita-Claudia: algo vago y sonoro, un lenguaje cifrado que utilizaban sus padres cuando querían hablarse sin que él los entendiera, como para Margarita-Claudia era el cielo de España: «Así es el cielo en España, siempre, pero sin esa nubecita», y un disfraz de carnaval le «traía un recuerdo confuso de oros bordados y montera negra». Y de pronto, al azar de una guerra, Aub, español para siempre: el idioma, sus padres, ya no tendrán nunca más secretos para él: se lo jura a sí mismo.

Ese sentido de la relatividad del idioma, que acaba por ejercerse sobre la primera lengua, desandando el camino, persiste indefinidamente en el bilingüe. Aub, por su parte, nunca escribió sino en español, y ese séptimo sentido se le exacerbó en compañías tan obsesionadas por la renovación del léxico como eran los grupos de jóvenes vanguardistas españoles, y se estimuló con las salsas clasicizantes de su amigo Salomar-Santamarina. El amor por Quevedo, que es de la postguerra, era inevitable, no el de Góngora, que no llegó más allá del aniversario famoso.

---

20 Umberto Eco, *L'oeuvre ouverte*, 265, 272.

Se ha dicho que Unamuno se comporta con el lenguaje como un bilingüe. No creemos, en primer lugar, que el bilingüismo de un bilbaíno, educado desde la escuela primaria en castellano, pueda compararse con bilingüismos como el de Aub, que ya había hecho su escuela primaria en francés. Y, de cualquier modo, el juego verbal de Unamuno no nos parece espontáneo, sino intencionalmente cultivado, por medio de recursos eruditos —el remontar contracorriente etimologista— o retóricos y conscientemente planeados —el quiasmo, o técnica de darle la vuelta al calcetín— [21]. Aub, por su parte, juega con el lenguaje por asociación de sonoridades preferentemente —«poltronas... poltrones»... «ir con los cuentos y las cuentas»... «gramófonos y grafómanos»... «colinas de colinabos»... «los sacerdotes, los hacer dotes»...—. Es este tipo de asociación el más típico del usuario de un nuevo idioma, y fácil venero de chistes que asombran a los «cristianos viejos», ignorantes, en su rutina, de las posibilidades asociativas de su propia lengua [22]. Por ello abunda particularmente en los primeros años literarios de Aub. Otras veces, es un fenómeno de cruzamiento entre ambas lenguas lo que produce eso que en gramática llaman galicismo. Pero para Aub, joven ilusionado, no hay peyoración en ello, sino una posibilidad más de juego:

> [Margarita-Claudia contempla un cuadro de coles, y su enamorado galán contempla su nuca, su cuello. Y comenta el escritor, al margen]: ¡Ay, si todos quisiesen saltar conmigo, sonrientes, de un idioma a otro! Del castellano al francés, porque sí. ¡Qué fácil entonces mi cometido! De *col* a col, de *chou* a cuello. Todo quedaría perfectamente explicado. El beso iniciado por él hacia la nuca, el fruncimiento de las cejas y la razón de la frase anterior de Margarita Claudia, y hasta el vago deseo que «chou» despertaba en él. Pero todavía no llegó el tiempo... [23].

---

[21] Vid. Josse de Kock, *Introducción al cancionero de Unamuno*, Madrid, Gredos, 1968, 123-30.

[22] Véase en el capítulo V de esta parte un breve muestrario de estos chistes.

[23] FV, fol. xvi, nota.

A veces, en *Geografía,* el galicismo parece involuntario: el personaje tiene la «duda tenue de que pudiese estar *jugando* —¿qué comedia era, Dios mío?—»... «Ella se encogía de hombros, llevando encima toda la *platitud* de esos puertos, iguales para su marido» [24]. «Mi vieja», en boca de Petreña, es gálica innovación, como lo son «garza» por 'puta' y «macabeo» por 'fiambre' [25]. Otras veces se cita la palabra francesa, sin afeites —«*enmerdeuses*»— o con referencia y versión: «esas son mis cebollas, como dicen los gabachos»... «de esos que los franceses llaman 'culos de saco' » [26]. Y Petreña cuenta:

> Los franceses dicen que el que se encuentra en las condiciones mías está *fauché,* es decir, segado. El francés es un lenguaje equívoco y dulzón; pero yo me siento efectivamente segado, cortado por mi base, tumbado en tierra, ya sin vida, sin raíces [27].

Y páginas adelante:

> Tú lejos, me hundo. *Sombrer* dicen los franceses de los barcos que se hunden. Sombrear, caer en las sombras, desesperar, esto es lo que me sucede cuando estoy lejos de ti [28].

Dabella escribe desde La Coruña, a cuenta de una escapada hecha con mil pesetas de su padre:

> ...de tanto oír hablar de La Coruña en casa y lenguas de mi progenitor, «estaba dicho» que el primer lugar a donde había de volar era aquí. Lástima que volar, en español, no tenga las mismas acepciones que en francés, porque te explicaría —además— las posibilidades crematísticas de mi viaje. «Estaba escrito» que me quedaría con las mil pesetas [29].

---

24 G, 24.
25 LAP, 60; CS, 209, 275.
26 CS, 118; CC, 155; CS, 12.
27 LAP, 37.
28 *Ibid.*, 45.
29 CV, 105.

Todavía Ferrís, en *Campo de los almendros,* hace su chiste bilingüe, recordando su intimidad con una «planturosa» mujer: «Tête à tête... ¡Qué tetas, señor, qué tetas!» [30]. Y en *Campo abierto* se recuerda a un desventurado traductor que daba «criada y feliz» como resultado de «bonne et heureuse» [31].

* * *

De su nueva situación mejicana, y dejando aparte los *Cuentos mexicanos,* en los que, naturalmente, abundan los mejicanismos, tampoco es difícil encontrarlos en el resto de su obra, dándoles un aire hispánico como el que predicaba Valle-Inclán [32]. Menos frecuentes son los regionalismos mediterráneos, aunque Aub habla corrientemente catalán y valenciano [33].

Más adelante consideraremos, al estudiar los aspectos estructuralmente laberínticos, otras formas típicas de la escritura aubiana, ya anunciadas, como la transformación de lugares

---

30 CAL, 407. Otros galicismos léxicos: «el mundo es una vasta 'combina'» (CS, 76)... «gran caballero de industria, como dicen los gabachos» (CIC, 231); «planturoso» (CV, 374).

31 El galicismo sintáctico es raro en la obra de postguerra: «como dicen los franceses: por él mismo» (CS, 183); «no es con bizantinismos... *que* podréis descubrir» (CS, 127); «el sol acaba teniendo razón de los detritus» (CA, 298).

32 Algunos mejicanismos en Aub: «camión» ('autobús') (BI, 326); «bulbo» ('lámpara de radio') (BI, 345); «balacera» (BI, 326); «fregado mundo» ('jodido m.') (CC, 78: este mejicanismo planteaba la posibilidad de que Aub retocase CC antes de editarlo en 1943, como «cacahuatero», con tercera *a* indudablemente mejicana —CC, 62—. Pero el autor nos hace saber que fue corrección del tipógrafo mejicano). «Ándale no más» (CS, 208); «chipichipi» ('llovizna') (CS, 346); «nos fregarían de buenas a primeras» (HMM, 65); «tarifar» ('morir') se da como mejicanismo en *El remate* (HMM, 13), y el interlocutor no-mejicanizado de Remigio manifiesta su ignorancia del término. Mejicanismo sintáctico: «¿No que te quedabas?» (CAL, 242).

33 Algunos regionalismos en Aub: «lloramicos» (de «ploramiques») (CCI, 70); «resopón» (resopó, 'alimento que se toma antes de acostarse, en la noche') (CS, 94); «aguileta» ('moneda de 5 céntimos, de cobre') (CA, 37); «nano» ('niño') (CM, 42); «cucada» ('agusanada') (FF, 120); «escursó» ('víbora') (CMEX, 143). Valencianismo sintáctico es «*hubieron* grandes revuelos» (CC, 167).

comunes, modismos y refranes. Señalemos aquí, por lo que concierne al léxico, un gusto por la precisión en los términos que demuestra a cada paso la progresiva maestría idiomática del escritor. No será vano recordar que pasó tres largos años de cárceles y campos de concentración sin más literatura para sus tiempos muertos que los versos de Quevedo y un diccionario de la lengua. «Las notas y recuerdos que acumulé necesitarían cien años de vida para resolverlos en libros»[34]. Su preocupación se transmite a sus personajes, y Dabella escribe a un amigo:

> He descubierto que las golondrinas trizan, las perdices ajean, las grullas gruñen. Sabía que los cuervos crascitan o croajan y que las ranas croan. Pero nadie ha sabido darme el verbo exacto del graznido de las gaviotas[35].

Dentro de la evolución evidente de sus usos léxicos, es fácil señalar una curva ascendente de términos raros y neologismos, cuyo ápice podemos situar en *Campo de sangre,* descendiendo muy evidentemente en *Campo abierto,* con respecto a la anterior y a *Campo cerrado.* Es esta razón la que, sobre todas, nos lleva a suponer la existencia de una primera versión de *Campo abierto* si, como declaró Aub a Rodríguez Monegal, la novela fue escrita en París, entre *Campo cerrado* y *Campo de sangre*[36].

---

34 Carta de Max Aub, 31 diciembre 1953.

35 CV, 108.

36 Abrimos dos páginas «al azar» de CS: 110-113, y subrayamos: epilón, torreznero, fárfara, entrecuesto, cantero, perico, sobrejuanete, jisca, mogotes, tolmos, jándalo, y un neologismo: cantalinada. Para los gustosos de estadísticas, más de cien neologismos levantamos, agazapados en las páginas de la novela, y más, muchos más términos inusitados. En cambio, en *Campo abierto,* apenas quince, entre unos y otros. (No pretendemos, desde luego, haber hecho un recuento exhaustivo, pero la evidencia es fácil de observar).

Entre tal abundancia de neologismos, pueden distinguirse cierto número de procedimientos: *a)* por cruce de palabras: de baba y babieca, «babión»; de murmullar y barbullar, «marmullar»; *b)* por composición: duermeduro, deshozacultura, turbasueños; *c)* por derivación: tafanaria (adj.), golosinera (adj.), bobaliconada, enyemar, paticojera, abrillantinado, encogollado, trascalado.

Las preferencias de Aub parecen ir al neologismo formado por el

Los neologismos, a veces, pueden responder a una tendencia humorística, al chiste basado en la similitud sonora: así, de una persona flaca, se dice, en lugar de «apergaminada», que es «abergaminada», evidente alusión a la quijotesca flacura de José Bergamín. «Menstrualmente» alude a la periodicidad tanto como a la causa de que se le agríe el carácter a la platera de *Campo cerrado*.

Rara vez se deja llevar Aub a juegos aliterativos extensos. Veamos tres ejemplos excepcionales, el último de los cuales llega a la cacofonía intencional: «a lo lejos el pipirigallo entonaba su kikirikí» [37]; «un barbián de barba barbillera, bastante bien plantado» [38]; «picaño, pequeño, cacoquimio» [39].

La metáfora vanguardista «modern style» es menos usual en Aub de lo que podría esperarse, incluso en su obra de preguerra. Dabella, cuando utiliza una imagen de ese tipo —«El mar es ese punto de apoyo que necesitaba Arquímedes para levantarle la tapa de los sesos al mundo»—, reacciona inmediatamente: «Eso llega del lado de Ramón. ¿Ves por qué no podré escribir nunca? Siempre huelo el origen de lo que pienso» [40]. Sensibilidad que, como hemos visto, compartía con Petreña.

Podemos señalar, en la curva de la evolución lingüística de Aub, tres momentos o etapas:

a) Una etapa de tanteos, representada particularmente por su teatro en un acto de la pre-guerra, y en la lucha por la

---

prefijo *a* + nombre + sufijo *-ado* (atunelado, apanalado, alacranado) y al formado por dos sustantivos o un sustantivo modificado por el sufijo -i, seguido de un adjetivo: cachigordete, cariampollado. La tendencia al diminutivo en -illo es frecuente, sobre todo, en el período 1939-1942: en una sola página de CC —34— señalamos: jadeillo, barrillo, famulilla, finquilla, azadilla.

37 FV, fol. xviii.

38 CS, 81.

39 CS, 71.

40 CV, 111. Otras metáforas «ramonianas»: «Un grillo cosía en las esquinas el cielo a la tierra con puntadas en forma de serrucho» (CC, 36); «los confetis pinteaban el suelo con su viruela de colores, dándole aire de cielo al revés, cansado, inmóvil, quizás muerto» (CIC, 33).

posesión del idioma, frente a los viejos hábitos del francés que se manifiestan en el léxico, pero sobre todo, y de la manera más insidiosa, en la rigidez del orden de las palabras en la frase, y en los calcos sintácticos. Aub supo acertadamente empezar, como escritor, por el género que naturalmente pedía y consentía la mayor sencillez expresiva. A pesar de todo, es interesante confrontar las dos versiones de *Espejo de avaricia*, entre las que median ocho años, para comprobar la evidente progresión, el minucioso trabajo de corrección a que el autor ha sometido sus textos. La libertad con que usa la frase compuesta, constelada de construcciones parentéticas, es ya evidente en el prefacio a la versión de 1935 [41].

b) Una etapa de afianzamiento en el idioma, influida por la tendencia contemporánea, ya citada, a «renovarse o morir», de lo que más tarde Aub mismo llamará irrespetuosamente «la cagarrita literaria», y que, en sus excesos idiomáticos, alcanza su ápice en Aub en ciertos poemas abarrocados, fugaz resultado de los aniversarios gongorinos: «Abullonadas gárgaras enluta / soledad de lenguas... / aguas en amantes trocan aires...» [42]. La euforia de Aub, señor y amo del léxico y de los recovecos de la sintaxis, termina, como ya queda dicho, con la última página de *Campo de sangre*.

c) Etapa de progresivo control sobre los medios expresivos, simplificación evidente del aparato sintáctico, de la exhuberancia léxica y del gusto neologista, que se inicia con la versión conocida de *Campo abierto* —1951—. Esta etapa culmina diez años después, con *La calle de Valverde*, para mantenerse posiblemente a un nivel de sabia contención no desmentido hasta el momento. Para comprobar este proceso de auto-control, disponemos de un utilísimo auxiliar en la confrontación de los relatos aparecidos en *Sala de espera* entre 1948 y 1951, pero

---

[41] El lector interesado y erudito podrá encontrar numerosos datos y minucias sobre la cuestión en nuestra tesina de licenciatura, *El teatro de Max Aub hasta 1936*, Fac. de Filosofía y Letras, Universidad de Madrid, junio de 1954, asesorada por Don Joaquín de Entrambasaguas, y felizmente inédita.

[42] En «AZOR», Barcelona, número 2, noviembre de 1932.

escritos con anterioridad, y la reedición de 1955 en los *Cuentos ciertos,* para la que Aub ha realizado una revisión minuciosa y significativa, porque la hace siempre en el sentido de la supresión, del acortamiento de la frase, en la eliminación de nexos conjuntivos, correspondiendo a un gusto conceptista cada vez mayor, que en los últimos escritos empieza ya a dar algún signo de anquilosamiento.

Veremos, a propósito de la estructura laberíntica, nuevos aspectos de estas cuestiones.

V

LA ESTRUCTURA DEL *LABERINTO MAGICO*: LOS LÍMITES Y EL *LABERINTO*

> Tenemos un límite en todas las direcciones, pero no encontramos límites en ninguna dirección. (Simmel, *Lebensanschauung*, I).

Max Aub, como escritor y a través de su obra, manifiesta tempranamente preocupaciones estructurales, que comparte con sus personajes. Dichas preocupaciones podríamos centrarlas en torno a dos aspectos básicos de la cuestión: los límites de la obra, y la organización interna de la misma. Es evidente que los personajes novelescos de Aub no tienen noción de la obra de su creador sino a través de una metáfora cósmica. Situados todos por su autor en un espacio geográfico y en un tiempo histórico precisos y concretos, pueden creer en su realidad humana. Pero el autor que mueve los hilos, hace las voces y pinta los decorados, sabe que esa realidad es otra que la humana, y que su artefacto tiene otra estructura interna y otros límites que los del mundo que transpone.

Por ello nos parece lícito utilizar todo cuanto de significativo encontramos en los dichos, sentimientos o acciones de los personajes, a propósito del mundo que les rodea, y a modo de una parábola inversa. Es decir que, mientras el autor cree estar construyendo —y construye— una parábola del mundo real, los personajes nos construyen y ofrecen una parábola de ese otro mundo real en que viven: la obra novelesca de su creador. Por otra parte, y según una atinada sugerencia de Francisco Ayala, que ya hemos utilizado en nuestros estudios literarios precedentes (—«la virtud de un título atinado es tal que subsume enteramente el escrito cuya designación se propone, y en cierto modo llega a hacer superfluo el texto al convertirlo en un simple desarrollo que amplifica, sí, demuestra y explica la esencia contenida, pero que, en puridad, nada añade»—) [1], seguiremos para nuestra interpretación los datos que el título del «Laberinto mágico» nos sugiere.

Max Aub afirmó, en el prefacio a *Campo cerrado,* haber tomado el título de una lectura de San Agustín, que nos cita sin más referencia. El título, según la intención expresa del escritor, estaba llamado a englobar las cuatro novelas proyectadas para tratar el tema de la guerra civil española. El acierto del título es tal, a nuestro entender, que no sólo subsume a la obra, puesto que es anterior a buena parte de ella, sino que le impone su propia estructura. En efecto, ya hemos visto que el proyecto equilibrado de una tetralogía se ha convertido en una serie laberíntica de textos de todas dimensiones. En segundo lugar, *El laberinto mágico* se presenta ante nosotros como título que puede englobar tanto la obra sobre la guerra civil como toda la demás, incluidas sus creaciones de preguerra, según podremos justificar por varios fragmentos significativos.

Ya el mismo Aub, después de terminar *Campo de los almendros* decía a Rodríguez Monegal que, en lugar del título previsto, la serie de la guerra vendría a llamarse «por el título de las novelas, *Campo español*» [2]. Frente a la posibilidad de tal título, el autor no deja de sentir que el primitivo es más exacto, más personal y menos ambicioso [3]. Teniendo en cuenta que la serie no comporta sólo las novelas cuyo denominador común es el término «campo», preferiríamos nosotros el de *Laberinto*

---

[1] F. Ayala, *Histrionismo y representación,* Buenos Aires, Editorial Sudamericana, 124 (ed. 1944).

[2] En E. Rodríguez Monegal, *El arte de narrar,* 45.

[3] *Ibid.*

español, como parte que es del *Laberinto mágico,* entendido este último título como su obra completa.

Y es que, como dijimos, *El laberinto mágico* la engloba toda, como *La comédie humaine* la de Balzac. El autor no está prisionero de su título, sino que éste ha emanado de su visión del mundo, o mejor dicho, de su inquieta interrogación en el mundo. Los proyectos novelescos de Aub, tal como nos los indicaba en 1964, señalan una persistencia en el laberinto del que, menos precavido que Dédalo y mucho más que el estúpido Ícaro, no tiene más hilo de salida que el río de su propia vida: «De un lado pienso irme a la última guerra carlista y por el otro a Creta, para volver al toro de fuego y al agua que corre, generalmente invisible, a través de todo» [4]. Al margen de la frase mecanografiada, hay una apostilla a mano —«¡oh laberintos!»—, sobre cuya importancia no hace falta insistir.

En la misma carta, buscando razones para haber seleccionado el título, confiesa: «Me acogí a ese título... tal vez porque no sabía cómo salir de él». Lo cual nos parece una proyección inconsciente del presente de la carta —1964— sobre el pasado de 1939, o de 1943, si el título fue adoptado definitivamente al escribir el prefacio. Es realmente ahora cuando Aub ya no sabe —o ya no puede— salir vivo del *Laberinto*:

> En puridad —afirma Ayala— todo escritor auténtico tiene un tema, y sólo uno, como tiene una personalidad y un acento, un tema que lleva dentro, clavado en la entraña, y que va desplegando de mil maneras a lo largo de su obra y de su vida... el tema, esencialmente, no cambia... puesto que expresa algo tan inescindible y enterizo como la reacción radical del hombre ante el mundo, su problema, la interrogación que desde el fondo de su alma dirige al Universo. Por eso, cuanto más sincera y directa es la obra de un autor, cuanto menos recargada de construcciones, amenidades y artificios, en suma, cuanto más valiosa, mejor evidencia la unicidad del tema a través de las sucesivas piezas que la integran [5].

---

[4] Carta de Max Aub, 14 julio 1964.
[5] F. Ayala, *op. cit.*, 213-14.

La afirmación, dicha a propósito de Eduardo Mallea, nos parece perfectamente repetible en torno a la obra de Max Aub.

* * *

Acerquémonos ahora a la figura del *Laberinto mágico* para considerar sus límites y su organización interna.

El espacio mítico que abarca y crea la obra novelesca, por contraste con los espacios funcionales de la ciencia, es un espacio estructural. Esto es un hecho repetido y aceptado expresa o implícitamente por cuantos adoptan o aceptan un análisis estructural en literatura. Pero no parece haberse considerado que, precisamente por ser el espacio mítico de la obra literaria un espacio de dicho orden, existe entre sus elementos una relación estática de inherencia. Y por consiguiente, por mucho que procedamos a dividir sus partes, siempre encontraremos en cada división la forma del todo. Su mundo espacial, como el de todo mito, y el cosmos en el que se inscribe, parece haber sido construido de acuerdo con un modelo definido, que se puede manifestar a nosotros en escala reducida o ampliada, pero que, grande o pequeño, sigue siendo el mismo [6].

Por eso, cada vez que los personajes del mundo novelesco manifiestan, por experiencia, la existencia de límites en su mundo, están señalando la existencia de los límites totales del mundo tanto como los límites parciales.

Veamos ahora en qué aspectos del mundo interior o del cosmos mítico-novelesco sienten los personajes la presencia de límites.

En primer lugar, con respecto a su relación con el «otro», se le presentan al hombre del laberinto los límites en sus intentos de comunicación. Y ese hecho se presenta desde Petreña, el supremo desconsolado del *Laberinto*, que afirma la posibilidad de salvación en poder «comunicar su pasión» «...pero tus ideas las tienes que guardar y comer, como algún dios griego, y nutrirte de ti mismo» [7].

---

6 Véase E. Cassirer, *Philosophy of Symbolic Forms*, I, 88.
7 LAP, 78.

Coinciden Petreña y el Enrique de *Yo vivo* —el insatisfecho y el ahito— en una misma idea: que las sensaciones no se pueden comunicar. «Esto que tú puedes sentir quizá dentro de ti, pero que no puedes comunicar», en palabras de Petreña, es lo mismo que Enrique propone retóricamente como desafío a las capacidades comunicativas del hombre: «¿Podría un cualquiera que no conociese el olor de la rosa representárselo por tus palabras? No. Las frases sólo sirven para los recuerdos. Pero la cosa en sí, el olor de la rosa ¿cómo decirlo?» [8].

Unos, como Enrique, se satisfacen con esos límites, y siguen gozando de la vida. Otros, como Petreña, se suicidan. Y en fin, los que, como Ferrís, pasan por una situación colectiva catastrófica, ya no pueden aferrarse a la posición epicúrea de Enrique:

> Lo triste es que somos unos y nos importan los demás. Bueno, digo lo triste, desde tu punto de vista. Desde el mío... Yo soy yo y tanto me da lo que tú pienses. Pero tú quisieras saber lo que pienso de ti, y no pienso sino de mí. Uno sólo puede pensar de sí y con ese parecer andar por el mundo: a ciegas, claro está. Y de topadas, de cabezazos, quiebros y quiebras y requiebros está el universo lleno... ¡Si a uno pudiese, de verdad, importarle únicamente su parecer y voluntad! Pero, ca. Lo que quiere el hombre es señorear. Y a eso llaman ética [9].

Ambos, Petreña y Ferrís, sufren del mismo padecimiento: sentir que el instrumento de la comunicación entre los hombres, la palabra, tiene unos límites muy estrechos. Los límites de la expresión, ya lo señala Max Aub, prologuista a los documentos de Petreña en 1934, son la causa de «sus cruentas luchas con las palabras, a las que alude con frecuencia» [10]. Así, dice Petreña momentos antes de su desaparición:

> ...lo que yo deseo comprender no se entiende por muchas razones: la primera es por no saber exponer claramente lo

8 YV, 36. Lo mismo dice Dabella —CV, 111—.
9 CAL, 99.
10 LAP. 11.

que quisiera entender. Si yo pudiese decirte esto que te escribo, si tuviese la certeza de que lo comprendías no lo escribiría. Si nos entendiéramos en este mundo no habría escritores [11].

Y sin embargo, entre Petreña y Ferrís, ambos muertos violenta y simbólicamente, hay un largo camino recorrido: Petreña se sacrifica al pesimismo de su incomunicabilidad, a la imposibilidad de salir de sus estrechos límites, y Ferrís se deja matar por un representante del nuevo orden antes que ser despojado de su pluma, es decir, del instrumento simbólico y práctico de su comunicación por la palabra escrita. Como si se hubiera percatado súbitamente de que en la aparente estrechez de sus límites se adivinara una progresión respecto al pasado histórico del hombre: un pasado hecho presente por el simbólico representante del orden. Testigo de la fe en el progreso de la inteligencia, frente a Petreña, testigo de incredulidad.

Parece evidente que, cuando los personajes del *Laberinto* miran hacia un más allá de sus límites, sienten la angustia de su pequeñez frente a las posibilidades infinitas del cosmos. En esos momentos, todos pueden decir con Templado, que «las palabras, en el fondo, no dicen gran cosa. La inteligencia tiene tales límites que dan ganas de llorar» [12]. Y es lo que dicen, más concretamente, José Ignacio Mantecón o Jusep Torres:

> ...Si me echo a pensar que lo que pienso no llega más allá de mis narices, que lo demás no hay manera de conocerlo, me entran ganas de vomitar [13].
>
> No podemos ir más allá de nosotros mismos. Tenemos límites. Lo sentimos como deben sentir los muertos las tablas de su ataúd. Más allá está la tierra. La tierra, la que no está sola [14].

La imaginación, que permite entrever mayores posibilidades, límites más desahogados, procura ese sentimiento de menos-

---

11 *Ibid.*, 77.
12 CAL, 267.
13 *Ibid.*, 76.
14 JTC, 221.

cabo a los personajes del *Laberinto*. Así lo siente Templado al decir: «Me sobra imaginación y me falta inteligencia. Yo no sé si todas las ideas de todos nacen a la rémora de las de los demás, pero yo no tengo otras, y ese sentimiento de dependencia es mi mayor humillación» [15]. Es lo mismo que, aplicado a su manera de escribir, como de entender al mundo, sentía Petreña en los momentos lúcidos que preceden a su muerte: «Hasta aquí, en medio del mar, llega la literatura, y yo te enseñaría, si tuviese ganas, cómo cada frase mía lleva en sí germen de libro ajeno» [16].

Pero frente a ese hecho, la postura de Petreña —«por eso, por falta de ser yo mismo, muero»— no es, con mucho, ni la única ni la que aparece como mejor o frecuente. Unos lo aceptan con consciencia de menoscabo, como hemos visto hacer a Templado. Otros, con gusto, como el protagonista de *Yo vivo*, equivalente al de Templado —otro gozador—, aunque sin dolor por los límites, en cuyo interior se complace. Así, en sus límites físicos:

> Alarga hacia las cuatro esquinas de la cama los veinte dedos de que dispone. Seguridad de que no puede llegar más lejos. Toda esa superficie es él, no da más de sí. Intenta, con placentero esfuerzo, ganar unos centímetros, estirando en lo posible sus articulaciones, lanzando a fondo sus músculos; cree sentir sus tendones, las puntas de sus pies. ¿Cuánto medirá en cruz? No se interesa en calcularlo. Quietud, dulce apacibilidad. Descanso [17].
>
> ... El traje de baño le ciñe encerrándole en sus límites. El pecho se ensancha de todo el aire que le cabe. ¡Dueño de la tierra y del mar! [18].
>
> ... Si la tierra es ancha y llega más allá de la punta de sus dedos. Ancha, más ancha que larga. Nota su sombra, su sombra fresca y oscura. Todo lo que hace sombra existe, siente sus límites dibujados, y se complace... [19].

---

15 CS, 34.
16 LAP, 78.
17 YV, 8-9.
18 *Ibid.*, 12.
19 *Ibid.*, 14.

En fin, para el materialista histórico, no sólo es así la realidad, sino que hay que adoptarla con orgullo, y colaborar a ensancharla en la insignificante medida de cada uno:

> [Habla Espinosa, comunista] Se piensa de las cosas en la medida en que otros han pensado antes que uno. Recoges el mundo, al nacer, en el estado en que lo encuentras, y te mueves entre las formas que otros han creado, y de la misma manera que no puedes, tú solo, cambiar el trazado de las calles, tampoco el de los pensamientos. Puedes escoger, y no mucho. Y como dejes la humanidad a tu muerte, ese ha sido el progreso y tu gloria... El sentimiento es tuyo, pero las ideas te las dan hechas, aunque no quieras, con la lengua [20].

Los límites existen para el hombre del *Laberinto*, como para su equivalente del mundo extra-novelesco, como para la tierra sobre la que viven. Pero estos límites, que para el hombre se confunden con su horizonte, son límites establecidos por el hombre para colonizar una parte del universo y del hombre mismo: el horizonte del microcosmos y el del macrocosmos se alejan a medida que se establecen las coordenadas internas. Por eso Lledó puede decir a sus contrincantes: «No queréis saber que se vive de los medios, que los fines no existen, que no hay más fines que los medios; el ideal es horizonte: ¡cógelo, bobo! » [20].

Particularmente, la impaciencia de la imaginación es lo que, a la vez, estimula a distanciar cada vez más el horizonte y molesta para la ejecución de lo inmediato: «Yo no puedo estar con vosotros porque tengo la vida, y no la milicia, por encima de todo: ese prodigioso deseo, ese empuje del mundo que no puedo suponer limitado» [21]. Así dice Templado, pero no sin reconocer acto seguido, en su lucidez, lo insensato e irreflexivo de su postura: «por dejarme llevar de mis reflejos y no ponerles la barrera de la voluntad. Desorganizado, a lo que salga. ¿Que con esto no se arregla el mundo? Ya lo sé. Pero digo lo que pienso» [21].

---

[20] CC, 107-108; 152.

[21] CS. 406.

El limitarse es una necesidad del hombre. Así lo siente Aub ya en 1934, al presentar a su apócrifo Petreña, cuando le critica su «falta de límites». Naturalmente, se está refiriendo a esa forma impaciente de la imaginación que dificulta y puede incluso llegar a esterilizar la actividad del hombre dentro de sus límites aceptados y provisionales, ofuscándolo frente al sentido del mundo, que no es otro, para la realidad mítica, que el que el hombre mismo le ha dado. De ahí que la postura del engendro creado por Ferrís en su cuaderno —microcosmos dentro de otro, teatro en el teatro— sea completamente absurda, al oponer, frente a frente, un mundo visto como sin sentido, y un yo que lo tiene o que lo cree tener: «lo mismo da»[22].

De la necesidad de la limitación viene que, en medio de la felicidad, haya el autor de señalar que, cuando menos, los límites del propio ser existen[23]. Los acepta Enrique; los acepta y los explica, quizás más intuitivo que los demás, José Molina, intentando convencer a Aparicio de algo que éste, en el fondo, sabe perfectamente («Parece que, a veces, este bárbaro adivina» —piensa Aparicio). Negándole a la vida el sentido trágico que le quería dar el personaje de Ferrís, afirma que ni la vida ni el destino lo son. Sin embargo:

> El hombre, para con el hombre, tropieza siempre —siempre— con sus propios límites: los de los demás, que son los suyos... No con lo incomprensible sino con el fin de los propios medios: donde empiezan los demás. No se puede ir más allá. De ahí la importancia de algunos sentimientos a los que no se les ha dado la categoría que merecen, por ejemplo: el cansancio, la fatiga. Como la vista: se ve hasta un cierto punto —impreciso—. Como el oído. Estamos encerrados, pero sólo por la ineficacia de nuestros sentidos, por el no poder más de la inteligencia. Todos más o menos miopes, no sólo con los ojos. El destino es una suma de limitaciones. De ahí, si quieres, su acento trágico. Las gafas, los microscopios, los telescopios sirven, pero no mucho; nunca lo suficiente. Los suficientes son los que no quieren o no pueden darse cuenta de sus limitaciones, de sus

22 CAL, 447.
23 BI, 85.

> límites. Por eso la humildad, la auténtica, es la virtud que más aprecio y me fastidian los pedantes: esos que presumen de saber, al infinito. Y también, de ahí, la fuerza de los mitos, de la poesía que, al confundir límites, nos reconforta, haciéndonos olvidar los nuestros. Cadenas, en el buen sentido. Estas limitaciones, esos encadenamientos que forman el hombre, son lo más entrañable que tenemos; lo que nos hace sentir lo demás, a los demás, la raíz de la solidaridad, de la que no tienes ni la menor idea. Quiero a mis amigos, a mi novia —cuando la tengo— por sus límites, por sus extremos [24].

En su euforia vital, un personaje como Enrique, por excepción, puede tener una sensación «panteísta» (el panteísmo, en ese sentido, es algo de lo que se acusan los personajes, bajo ese nombre o del de «animismo») en la que se confunden los límites propios y los del mundo: «Nota cómo los límites de su cuerpo son los del horizonte y que, dentro de él, crecen, viven, se agitan, perfectos, los árboles, las hierbas, el perro y hasta esas gentes sentadas alrededor» [25].

El peligro, dentro de esas limitaciones del mundo del hombre, es que éste, dejándose llevar por la inercia provocada por la satisfacción de lo hecho, desprecie el imperativo de la imaginación impaciente y se engolfe en un inmovilismo total. A ese tipo de actitud alude y de él acusa Lledó, en *Campo cerrado*, cuando dice a un grupo de conocidos:

> Yo hago poco más o menos lo mismo, pero sé que soy despreciable. Vosotros os enorgullecéis y vanagloriáis de vuestro estiércol. Y, lo que es peor, queréis luchar pensando en el pasado; en algo concreto, con límites y todo, y cuadros de historia. Un verdadero cromo. Un día te dije que estáis muertos. Lo reitero. Para vosotros, los mejores, España es un museo y una biblioteca [26].

Frente a dicho inmovilismo, la imaginación empuja al hombre a acelerar el proceso, ensanchando los límites, cambiando

---

[24] CV, 233-34.
[25] YV, 46.
[26] CC, 152.

las bases del quehacer humano, por el camino de la ciencia —así lo creen los personajes del *Laberinto*— si bien, para científicos como Prometeo N., la ciencia, más que evolución, es una forma de revolución. El otro camino de aceleramiento es, evidentemente, la revolución social, a la que se oponen, histórica y lógicamente, las defensas del inmovilismo satisfecho. Así, en la etapa revolucionaria que sigue al alzamiento nacionalista, podía Mustieles sentir que «era evidente que habían cambiado los límites del mundo»:

> Pensó que así como para él habían derribado barreras, para otros la impresión debía ser contraria, hasta de encajonamiento. Pero eso era lo que estaba bien. Todos aquellos que, hasta aquel momento, habían deambulado por la vida como si todo fuese suyo estaban ahora recluidos en un corral. En un inmenso corral: acorralados. Y para él todo era llano: podían pasar de un campo a otro, de una casa a otra, de una calle a otra, de una huerta al camino, de fuera adentro, o al revés, sin necesidad del permiso de nadie, con su sola presencia. Con el solo permiso, con el solo carnet. Ya todo estaba llano [27].

La vida adquiere un cariz distinto y, sobre todo, un «tempo» furioso, que se siente en la velocidad con que todo parece ocurrir y correr: «La revolución. La importancia de ser esto o lo otro. Trabajo nuevo y vida nueva. La ciudad desconocida, los coches a toda velocidad» [28]. A veces, el hombre inmerso en la revolución puede llegar incluso a creer que los límites han desaparecido, sintiéndose «libre, en un mundo nuevo, sin límites» [29]. Por tal optimismo del individuo puede Prometeo N. decir que «las revoluciones son obra de hombres jóvenes, con el porvenir por delante» [30].

La ciencia, por el contrario, consciente de la realidad dialéctica expansiva, tiene claramente establecida su noción del mundo. Frente a los intuitivos como Molina, o frente a los

---

27 CA, 107.
28 *Ibid.*, 118-19.
29 *Ibid.*, 130.
30 CIC, 206.

ciegos como Petreña, los científicos —Burgos en *Campo de los almendros,* Riquelme en *Campo abierto*— son capaces de describir ese mundo: «¿Qué hacemos? —dice Burgos— alejar, ampliar el terreno vivo, que es del hombre. Por mucho que camine siempre hay un horizonte» [31]. Lo mismo había dicho anteriormente Riquelme: «A medida que pasa el tiempo el hombre agranda el mundo. Y lo seguirá agrandando cada día más, gracias a la ciencia. No hacemos más que empezar» [32].

Para estos hombres, y los que como ellos confían en el avance de la inteligencia humana, es evidente que, aunque existe un más allá de los límites, «un más allá de lo que podemos percibir» —como dice Riquelme—, en la práctica ese más allá es ignorado y olvidado mientras la actividad del hombre no alcanza a ejercer su influjo y su poder en algún punto o zona del mismo. «En la teoría, la esfera de visión es más amplia que la esfera de acción» —dice Cassirer—, pero «la intuición mítica primero se expande en la esfera en la que... práctica y mágicamente ejerce su dominio. A eso se refieren las palabras del Prometeo goethiano: para él sólo existe la esfera que llena con su eficacia; nada existe ni por encima ni por debajo de ella» [33].

* * *

Hemos visto bastante claramente que el mundo en que viven los personajes de la ficción novelesca es sentido, en detalle como en conjunto, como un espacio y un tiempo limitados. ¿Cómo es, sin embargo, por su organización interna, esa esfera de que hablan Goethe y Cassirer?

Desde sus comienzos, el hombre, lo hemos ya anunciado repetidas veces, siente estar en un laberinto. Esa es la forma que, salvo rarísima excepción, adquiere el mundo de la ficción aubiana, y que se manifiesta en todos los planos. Veremos de seguido una serie de ejemplos determinantes de ese símbolo dialéctico de la obra que es el laberinto.

31 CAL, 160.
32 CA, 514.
33 *Op. cit.*, II, 185.

Especifiquemos, en primer lugar, el casi único momento en la obra de Aub en que el contorno parece ordenarse radialmente hacia un centro y, por tanto, constituir una forma completa de la esfera geométrica. Se trata, evidentemente, del texto de 1936, *Yo vivo*. A todo lo largo de éste, como ya vimos al hablar de los límites, el personaje se siente el centro de un mundo antropomórfico, cuyos límites u horizontes se confunden con los propios, agitándose dentro de él cuanto en el mundo se agita [34]. Pero aún más tempranamente en la obra aparecen personajes conscientes de los límites externos y de la estructura laberíntica interna de su cosmos. Así, cuando considerando la memoria, a la manera agustiniana, un personaje aparentemente sin fondo (hemos visto cómo la crítica ha tratado siempre *Fábula verde* como cantidad y entidad no significante) como es Margarita Claudia, comparte con su creador una visión laberíntica de la misma. Obsérvese en el siguiente fragmento cómo el personaje duda entre la seguridad y estabilidad que le procuran ciertos datos de la memoria y de los sentidos, por una parte, y por otra la inquietud y la incertidumbre de lo desconocido, del futuro:

> Margarita Claudia no ve claro hacia adentro... la oscuridad y el atascamiento... ¿Siente acaso subir entre ella y lo otro las barreras infranqueables, o ni siquiera las ve, no viendo más allá de los límites de su carne, o mejor, sin divisar su fin? ¿Se preocupa por saber dónde acaba? ¿Dónde empieza a ser o a ser otra cosa? ¿O siente esa seguridad, esa placidez de sentirse en su epidermis sin saber más que lo que estrictamente le rodea, le toca a un centímetro de distancia, sin importarle lo demás?
>
> (¿No ves aquel cerezo? ¿Te sientes punto? ¿O al revés, tienes inmensa sed de amar y te notas a ti misma impalpable, inexistente, pero en potencia de amarlo todo?) No lo sabe y quisiera ahondar más y se pierde; no son conocidos laberintos, revueltos caminos por los cuales por el gusto, el olor, el tacto, teniendo la sensación de haberse perdido —voluntariamente, pero no hay que decirlo—, se sabe exactamente a qué calle, a qué plaza

---

[34] YV, 46. Ver también pág. 24.

interior se va a salir. Es un estanque quieto, profundo, de mercurio si se quiere, incomprensible. (Un grillo, Margarita Claudia ¿has oído un grillo? Y en seguida, de su ruido, atado sin saber cómo, un recuerdo exacto, claro, nimio, un rótulo, por ejemplo: «Frutería»). Un salto sobre el estanque, ya se siente del otro lado, con luces nuevas. Pero es indiscutible que en el salto se ha desprendido algo suyo. En esa busca del no sé qué perdido en la persecución del recuerdo exacto, Margarita Claudia se volvió a hundir en su inseguridad interior [35].

Más previsible era la imagen laberíntica en Petreña:

¿Dónde estás, mi vida, que no te encuentro? Te voy cercando por los aires, y te escapas. Lanzo desesperadamente mis brazos adelante para alcanzarte, y huyes. Huyes de mi laberinto —para ti paso cómodo— y me dejas perdido, perdido sabiendo dónde estoy, pero sin ser capaz de buscar una salida [36].

El amor es un laberinto según lo expresa, sin conciencia de la identidad de la imagen, Templado a Lola Cifuentes: «Un no saber por dónde salir. —Un lío. —Si quieres y lo tomas a broma. Un dejarse ir y reencontrarse de pronto. Un billete de ida con vuelta desconocida» [37]. Y el matrimonio, institucionalización del amor, es visto por Aparicio como «un laberinto sin salida decorosa para el hombre» [38]. Lo que, perdiendo el decoro, presupone una salida. No en balde los analistas a la Goldmann-Lukacs dirían que el matrimonio es un «valor degradado», un valor de cambio con respecto al valor de uso que sería el amor.

La existencia se simboliza también por el laberinto, tácita o expresamente: «No se puede saber a dónde vamos, ni siquiera a qué venimos. A cada momento hundimos el vacío a codazos y cabezazos» —dice Cuartero— [39]. Y en la conversación entre Templado y Riquelme, ya hemos visto definir por aquél y acep-

---

35 FV, fols. xiii-xiv.
36 LAP, 75.
37 CS, 213.
38 CV, 293.
39 CA, 462.

tar por éste el mundo del hombre como «un laberinto mágico»... «limitado por nuestros cinco sentidos»[40]. Idea que, como José Burgos expresa, simboliza el movimiento dentro de los límites de los sentidos, porque «el universo no es, como la tierra, redondo», y por ello no se alcanzarán nunca los límites teóricos del progreso humano[41].

No es de extrañar, como advertíamos, que la reflexión en torno a la figura del laberinto se haga más consciente a medida que el autor cree acercarse al término del mismo, y puede reflexionar sobre la obra. Así se comparan en *Campo de los almendros* el puerto de Alicante, y España misma, y el fin de la guerra, a un laberinto[42].

Igualmente significativa, aunque de proyección simbólica subconsciente, es la pesadilla de Dalmases en esta misma novela: el personaje sueña que marcha por un larguísimo corredor, que recorre hasta llegar a un ojo inmenso en cuyo interior penetra, no sin dejar su cabeza en la guillotina del iris, para desembocar, por una puerta final, a un huerto de naranjos. «Hay que salir, escaparse del laberinto» —piensa en su pesadilla—. La salida al huerto prefigura, a nuestro entender, el momento tan ansiado del retorno del exilio, y el símbolo va, subconscientemente, más allá de lo que el propio autor supone[43].

En sus ensayos, de 1949 a 1969, pueden señalarse alusiones a esa concepción laberíntica propia del mundo narrativo de Aub. Así, cuando en su carta a Roy T. House indica que el arte ya no tiene las mismas pretensiones de antaño, «sin más hilo de Ariadna que las ciencias exactas»[44]. Y en *Enero en Cuba* insiste: «Hoy, tampoco el absurdo «renovarse o morir» del *modern style*, sino el oscuro de los caminos encontrados, el laberinto y la imposibilidad de dejarse morir en un rincón»[45].

---

[40] CA, 514.
[41] CAL, 160.
[42] El fin de la guerra: CAL, 195; España: 402-403, 351-52; La existencia: 353-54.
[43] CAL, 106-107.
[44] HH, 34.
[45] EC, 39.

El hilo del *Laberinto,* junto con las ciencias, lo hemos visto ya en los sentidos de Margarita Claudia, y se puede asimismo señalar en el amor. Es eso lo que piensan Cuartero y Templado en el final del *Laberinto*: —«Qué más quisiéramos, que tener entre las manos el hilo de Ariadna. —Para eso habría que estar enamorado»[46]. Por ello, cuando después de innumerables episodios de mutua búsqueda se encuentran Vicente y Asunción en el puerto, sienten «los corazones henchidos, la confusión de los sentimientos, al término de sí mismos. El hilo del laberinto»[47].

* * *

En la extensión novelesca del *Laberinto* ocurre que los personajes se encuentran en los mismos lugares ya pisados por otros, de los que ellos no tienen idea, pero que autor y lector recuerdan. Así, Fajardo y Don Leandro pasan por Viver, el pueblo de Serrador, y van a parar a su propia casa, donde Don Leandro morirá. Allí la madre sigue preguntando a cuantos milicianos pasan y estuvieron en Barcelona, si saben algo de su hijo Rafael, ignorante de su fin. Ya señalamos que en ese mismo pueblo de Viver, donde comienza el *Laberinto español,* irán a terminar las últimas páginas de *Campo de los almendros.*

Dalmases pasa, a su vez, en su accidentado viaje hacia Valencia, por un poblado al que «unos le dicen La Cruz, otros Fresnillo», según le dice una vecina. El caserío es el mismo de *Las buenas intenciones*: el «lugarejo más cercano al campamento, el que unos llamaban Santa María y otros —desde el principio de la guerra— el Portazgo, quién sabe por qué»[48]. Y por el lugar en que se acaba de hacer justicia sumaria y homeopática con el «Uruguayo», pasan poco después, inconscientes de la tragedia innoble, los jóvenes del grupo teatral en su camioneta, que «hace un esguince para evitar el cuerpo atravesado en la cuneta»[49].

---

46 CAL, 294.
47 *Ibid.*, 327.
48 CAL, 17; BI, 278.
49 CA, 196.

El autor describe a sus personajes en situaciones laberínticas. Así a Lola Cifuentes, en un momento difícil «el aire se le había vuelto laberinto»; lo mismo le ocurre a Herrera: «Nunca la soledad le había producido una suspensión semejante, de tantos sitios a donde poder ir; quedarse quieto, indeciso (...) sin enlaces, sin referencias: la situación neta del ahogo» [50]. Recuérdese igualmente la situación del personaje de *Trampa* que forma la historia entera, y que no es otra que la del enfrentamiento con la caída en el laberinto [51].

Dabella compara su experiencia en el baile con un Maelstrom [52]. Y Mustieles en *Campo abierto,* desbordado por las circunstancias revolucionarias, habla de Dédalo:

> El bullicio, la agitación, la tensión nerviosa, el gentío, el trabajo a realizar, la concurrencia, la confusión, la mezcla, lo túrbido, las tinieblas de la preñez, Dédalo y laberinto, revuelto. Los corredores llenos de gente. El va y ven... [53].

Como era de prever, también este tipo de descripción del personaje en su mundo revuelto como laberinto se acentúa en *Campo de los almendros,* pero, como hemos visto, no falta desde su obra de preguerra. En el primer libro del *Laberinto español,* Serrador, al enfrentarse imaginativamente con la gran ciudad, «se representa Barcelona como un enrejado de calles infinitas y por ellas una multitud corriendo casi sin mover los pies» [54]. A Julio Jiménez, en el largo camino hacia su casa, por la noche helada de Barcelona, una idea «se le queda fija a pesar de los esfuerzos para borrarla. Anda diez metros con ese laberinto a cuestas» [55]. Y Templado, a quien dieron recado de ir a visitar al hijo enfermo de Jiménez, lo olvida: «No hizo ningún esfuerzo por grabar la cita en su flaca memoria. Además, quién

---

[50] CS, 204; 425.

[51] AP, 12-17. Ver la primera parte del presente estudio, p. 163-66.

[52] CV, 140.

[53] CA, 118. Parecidas situaciones se dan en el teatro de Aub: véase *Morir por cerrar los ojos,* parte I, acto 2: La gente corriendo como por un laberinto. ¡Los timbres! ¡Las escaleras mecánicas!

[54] CC, 45.

[55] CS, 58.

sabe si en... los laberintos de sus primeras y segundas intenciones...» [56]. Monse, por el extremo del *Campo español,* circula por un mundo igualmente descrito en términos laberínticos [57].

El autor mismo, al hablar en las páginas azules de la novela, se refiere al «laberinto del puerto de Alicante», especificando páginas después que «aquel finisterre [es] el lugar donde la palabra laberinto cobra su significado de construcción llena de rodeos y encrucijadas, donde era muy difícil orientarse...» salvando la orientación por innecesaria frente a lo mágico del *Laberinto,* y aceptando el resto como «una definición de la novela, y más de nuestro tiempo» [58].

Los personajes, al correr de los pasadizos del *Laberinto,* aparecen y desaparecen para volver de nuevo, en un ajetreo al que se pueden encontrar precedentes literarios ilustres, aunque lo cierto es que aquí, como nunca, el procedimiento corresponde exactamente en su reflejo parcial a la estructura total del mundo narrativo en que se integra. Y es ésta una razón más para incluir las novelas que el autor creía marginales, dentro del *Laberinto mágico.* Así, podemos ver aparecer en *Las buenas intenciones* a Salomar, Jorge de Bosch, Riquelme, Chuliá, el «Padre Benito», el «Tellina», Tula, que son personajes de uno o varios de los *Campos.* De *La calle de Valverde* pasan al *Laberinto español,* entre otros, los Terraza y Fidel Muñoz, como los Miralles vienen a ella desde *Campo abierto,* aunque en éste su apellido fuese Torner.

Este último procedimiento es corriente en el *Laberinto:* el «Grauero» de *Campo abierto* es el Terraza, padre, de *Campo del Moro;* Félix Nogués, «Robespierre», de *Campo de sangre.* es el mismo tipo conocido ya en *Campo cerrado* bajo el nombre de el «Anacoreta». Y es que, a nuestro entender, en este mundo laberíntico —el tiempo tiene propiedades cíclicas— los caracteres individuales están muy a menudo multiplicados en un laberinto de espejos que, deformándolos en variantes situacionales, los tipifica bajo diversos nombres. Si bien la idea no

[56] *Ibid.,* 65.
[57] CAL, 36.
[58] *Ibid.,* 361, 365.

es propia de Aub y, una vez más, podrían encontrársele precedentes, por ejemplo, en la tetralogía bíblica de Thomas Mann, o en el *Finnegan's Wake* de Joyce, es evidente que la confusión entre lo personal y lo típico se adapta perfectamente a la estructura del *Laberinto mágico.*

El parecido entre los personajes va desde el dato que se refiere a un gesto mecánico hasta una total identidad. Del primer caso es ejemplo típico y curioso el gesto de echarse un mechón rebelde de pelo hacia atrás con un movimiento de la mano, gesto que comparten Vicente Dalmases y Manuel Aparicio con André Malraux, de quien quizás lo aprendieron [59]. Por la familia, el mismo tipo reúne a Dalmases, a los Jover y a Dabella [60]. Una síntesis de personas y personajes son los chamarileros, tan frecuentes en el *Laberinto*: Don Piscis y Ambrosio de *Campo cerrado,* Lucas González de *Las buenas intenciones,* Juanito Valcárcel de *Campo de los almendros*; muchos de sus rasgos y manías se vuelven a encontrar en otros personajes de distintas cataduras: en el espiritista Don Manuel Bertrand de *Campo del Moro,* en los dos archiveros —Zamora, de *Campo de sangre,* y Villegas, de *Campo abierto* y *de los almendros* [61]—. La abuela de armas tomar, dominadora del clan familiar, se reproduce en variantes de *Campo cerrado, Campo de sangre* —dos—, *La calle de Valverde* y *Campo de los almendros* [62].

Ya hemos visto que Templado se había «imaginado una figura bastante precisa de la mujer que quería» [63]. Esa misma mujer, en su tipo físico, se repite, con variantes menores, en Pilar, la hija de Lucas el chamarilero, en Lola, la hija del bibliófilo espiritista, y en Rosario, la del archivero Zamora. Las tres, después de ser amantes de Alfaro, Dalmases y Cuartero, respectivamente, encuentran una muerte violenta —o se la buscan— durante la guerra [64]. A ese tipo de mujer se aproximan

---

59 CA, 40; CV, 166-67; CAL, 359.
60 CA, 19; CA, 39-40; CV, 94, 100.
61 CC, 82, 251; BI, 211-22; CAL, 22-30; CM, 21-31.
62 CC, 51-52, 61-62; CS, 30, 345-50; CV, 218; CAL, 37-40.
63 CS, 37.
64 BI, 256; CM, 20, 63, 247; CS, 336-76, 504.

el personaje de *Esa,* la Dorita Quintana de *Campo abierto,* incluso la Matilde joven que Templado recuerda, o la Remedios de *Las buenas intenciones.* Y las familias suelen tener una tía o criada vieja, gorda, quejicosa, malograda y bocona, masoquista y mangoneadora: es la tía Remedios de *Campo de sangre,* la tía Concha de *Campo abierto* y *Campo de los almendros,* Doña Larda de *La calle de Valverde,* el *Personaje con lagunas* [66].

El barbiponiente, onanista y manipulador de criadas, es uno de los tipos más abundantes: a él corresponde un momento de las vidas de Serrador, de Templado, de Terraza, de Molina, de Ferrís, de Julio Gómez «el Gordo» [67].

Los tipos pueden aparecer indistintamente en relatos y en novelas. Ya hemos mencionado la variante femenina de *Esa* y la gorda del *Personaje con lagunas.* Ocurre frecuentemente entre los tipos que concurren en los diferentes campos de concentración de la *Historia de Jacobo, El limpiabotas del Padre Eterno, Campo francés* y *No son cuentos.* Y entre personajes de *La calle de Valverde* y de *Ciertos cuentos,* como Rodrigáñez, catedrático de instituto y mentor de Molina, que repite a Don Álvaro Gamón, pintoresco catedrático con las mismas funciones, que aparece episódicamente en *La falla* [68]. A veces, raras, el personaje se repite dentro de la misma novela: ya hemos mencionado las dos abuelas de *Campo de sangre,* añadamos aquí el tipo de escritor cegato, fracasado, que aparece en *La calle de Valverde* bajo los nombres de Jaime Bordes y de Antonio Breceda [69].

Otras veces, los personajes van emparejados, y la pareja completa es la que repite variantes tipológicas. Así ocurre con el grupo de actriz y su inseparable acompañante: Josefina Camargo y Asunción en *Campo abierto,* Teresa Guerrero y Cristinica en *Campo de sangre,* Mercedes Ordieres y Márgara Muñoz. (En este último caso, los papeles se invierten, y es la sombra de

---

65 AP, 42-43; BI, 42; CS, 31; CA, 222-23.
66 CS, 335; CA, 43; CAL, 21, 25, 537-38; CV, 43; FF, 135-36.
68 CV, 227-29, 31; CIC, 49-50, 54-55.
67 CS, 29; CC, 34-38; CV, 148, 217, 226; CAL, 93, 407.
69 CV, 149-50; 222-23.

la predestinada a las tablas la que acaba por suplantarla). En otro nivel, se asemejan a ellas las dos componentes de la pareja femenina de *Las buenas intenciones,* Remedios y Petra.

El grupo de contertulios discutidores, evidentemente, se reproduce, por generación espontánea, en torno a las mesas de los cafés, en las tertulias de bibliófilos, y en los paseos de la ciudad, sin que sea necesario citar ejemplos, como tampoco para el tipo de espía o chivato, «bête noire» del *Laberinto,* del que enumeramos no menos de diez y nueve variantes entre novelas, cuentos y obra teatral.

No hemos pretendido agotar en este ejemplario los tipos cuyas variantes aparecen a la lectura atenta y repetida del empecinado erudito. Se trata, a nuestro entender, una vez más, de un procedimiento perfectamente ejemplar dentro de la estructura del *Laberinto.* No dudamos de que el autor podría haber puesto en entredicho muchos de los acercamientos que hemos avanzado. No por ello perderá validez el procedimiento ni el conjunto de los ejemplos que lo ilustran.

Igualmente interesante para subrayar el parentesco y la armonía estructural del símbolo, que se reitera a todos los niveles de la creación, sería el intento de identificación de caracteres épicos o trágicos, según una noción ya expuesta anteriormente.

La estructura del relato mismo nos aparece, sin grandes dificultades, como correspondiente a la fórmula del *Laberinto.* La anécdota se ramifica indefinidamente, a cada encrucijada de caminos, a cada encuentro de personajes. Caminos que llevan a otros, y otros que llegan a un atolladero, resultando callejones sin salida. Pero a cada momento los caminos parecen todos iguales e igualmente anchos y viables. Sólo después de haberlos recorrido completamente podremos atribuirles importancia relativa. ¿Tiene el autor una visión panorámica del *Laberinto*? La misma que el lector, es decir, *a posteriori,* después de haberlo construido. La diferencia entre él y el lector es su capacidad de disponer luego el material narrativo según una secuencia temporal. Es él quien establece por dónde pasará el lector primero y después. Ese orden temporal sobre el desorden formal es privilegio del autor, y por ello debe considerarse significativa cualquier estructura, cualquier pauta dentro de esa ordenación del caos narrativo.

En el orden interior de la progresión narrativa, nos bastará seleccionar un texto significativo y ejemplar en *La calle de Valverde*: Molina y Gabriela se nos presentan esperando el pronunciamiento de la noche de San Juan, como participantes de la conjura (págs. 210-13). Mientras esperan, una disquisición sobre religión los entretiene. Bruscamente, se abre un largo paréntesis o desvío (págs. 213-36), en que se narran los orígenes familiares y la vida de Molina. A partir de la página 234, la historia de Molina se reduce a su encuentro con Gabriela en el inmediato pasado a la noche en que se hallan. Y a ella vuelve el relato, en el mismo lugar donde quedara veintitrés páginas antes, «como ahora, la noche de San Juan, frente a la Cibeles...» [70].

Alguna vez Aub se da cuenta del exceso de diversión, en ambas acepciones, que puede significar para el lector el relato de historias parentéticas como la de Molina. Ahí, más que en la abundancia de diálogos reprochada por Eugenio de Nora, habría que señalar un posible resentirse del equilibrio narrativo, suponiendo que tal equilibrio fuese deseable virtud *per se* en la obra de arte. Lo cual dista mucho de ser cierto dentro de los límites de la obra en general, y, digámoslo sin ambages, absolutamente desplazado en la obra laberíntica que nos toca analizar aquí. De cualquier modo, sólo en rarísimas ocasiones Aub relata una de esas historias parentéticas al pie de sus páginas, siguiendo un procedimiento ya utilizado, aunque con otras intenciones, por Pérez de Ayala, que había recibido la sugerencia de la lectura de los novelistas ingleses, si bien no queda descartada la posibilidad de que Aub conociera los antecedentes franceses señalados por Rodríguez Monegal en su ensayo citado [71]. El procedimiento, por su utilización excepcional,

---

[70] CV, 236.

[71] En *Tres testigos españoles,* 20, cita E. Rodríguez Monegal las novelas de Marcel Aymé, en las que se utiliza el mismo recurso. Las de Aub se encuentran en CA, 34-35 y CS, 377.

podemos considerarlo como desprovisto de significación frente a la constancia del uso parentético en el contexto. Hasta tal punto es así que, cuando el autor, llevado por su impulso, repite dos veces el mismo episodio, en *Campo de los almendros*, comenta en itálicas: «El autor sabe que ya lo contó antes, no es suya la culpa»[72].

En otra ocasión, en *Campo abierto*, aparece por primera vez el personaje Fajardo. Y sería tan normal dentro del estilo aubiano que se hiciese un paréntesis narrando su vida y milagros, que el autor —que ya lo ha hecho en *Campo de sangre*— se siente obligado a decir: «ni entra aquí la historia de Fajardo...»[73]. Naturalmente, esta observación la hacemos teniendo en cuenta nuestra hipótesis de que la versión final y conocida de *Campo abierto* es posterior a *Campo de sangre*.

* * *

Hemos visto las múltiples manifestaciones narrativas, temperamentales y filosóficas que se encierran en *El laberinto mágico*. Pedir una estructura cristalina y geométrica al conjunto sería no haber aceptado siquiera el título que el autor ha dado a su obra. Dentro de ella, el laberinto está compuesto de largos corredores —el mayor de ellos, las quinientas cuarenta y tres páginas de *Campo de los almendros*—, pasadizos menores y breves recodos, como *Los creyentes* —dos páginas—, o *La llamada* —una sola—. La estructura del Laberinto es la estructura del creador y de sus protagonistas, una estructura caótica, dominada —no unificada— por la voluntad y regada por una misma sangre. Una sangre que llega más allá de la voluntad. Voluntad de ser y pasión de existir, la pasión llega donde no alcanza la voluntad. El límite, el que marcan los sentidos: esos cinco sentidos que para Aub son a la vez los cinco instrumentos del progreso ilimitado, y el límite de ese progreso. Ese es el laberinto de Aub: la vida del hombre, el hombre dentro de sus

[72] CAL, 478-80, 495.
[73] CA, 481.

límites. Por ello hemos creído que Aub limitaba arbitrariamente su *Laberinto* a las narraciones que tocan la guerra civil y sus consecuencias. Si es cierto que la imagen del laberinto se impone con más fuerza a partir de los *Campos* (y centrándose en la conversación entre Cuartero y Riquelme, en *Campo abierto*), más cierta aún es, como hemos tenido ocasión de ver, la presencia del símbolo en su obra de preguerra y en las obras «marginales» del período posterior a 1939.

Detengámonos ahora en algunos de los corredores novelescos del *Laberinto*, con intención de analizar su estructura interna.

Campo cerrado, en primer lugar, presenta una estructura externa cuyos contornos más aparentes se ofrecen bajo una luz intencional de armonía y equilibrio. La obra se divide en tres partes, y cada parte en tres capítulos. Podría ser azar; un dato nos prueba lo contrario: en el epílogo —o «colmo»— aparece un capítulo que, temáticamente, tiene su lugar en la tercera parte de la novela. Esta parte, en efecto, habla de veinticuatro horas en la vida de Barcelona. Cada capítulo se ocupa de dos espacios temporales consecutivos: «Vela y madrugada» el primero, «Mañana y mediodía» el segundo, «Siesta y atardecer» el tercero. La frase con que termina el capítulo tercero («caía la noche, subían los tiros») nos lleva de la mano a otro capítulo, que tomará título de esa noche. Pero incluirlo como un cuarto capítulo significaba la ruptura del carácter tríptico de la novela, e incluir la noche en el último de los tres significaba destruir el carácter díptico de los capítulos. Por ello pasa el autor la noche al epílogo, al que, normalmente, sólo pertenecía la lista de destinos humanos o escalafón de la muerte en que culmina la novela.

Esta disquisición nuestra parecería bizantina e inoperante si no señalásemos a continuación que el segundo y el tercero de los volúmenes mayores del *Laberinto* —*Campo de sangre* y *Campo abierto*— también están acabados en estructura de tipo tripartito. Lo mismo ocurre con *Las buenas intenciones*, escrita tres años después de *Campo abierto*. En *Campo de sangre* se pueden señalar otras simetrías: el mismo número de capítulos

—trece— para la primera y la tercera parte (ambas situadas en Barcelona). El primero y el último capítulo de la primera parte forman un intencional «capicúa»: «Madrugada de tres» - «Las tres de la madrugada». En *Campo abierto* la estructura, por lo que se refiere al número de capítulos en las partes, es de 6-3-6.

Tanta coincidencia deja fuera de dudas, nos parece, lo voluntario del procedimiento. A pesar de lo cual, sigue siendo bizantina y desprovista de interés si no encontramos una significación al hecho. Cuenta habida de la formación clásica y dramática de Aub, esa tendencia al equilibrio trimembre correspondería al trío de la presentación, el nudo y el desenlace. Pero realmente, sólo en *Campo cerrado* y *Las buenas intenciones* el desarrollo de la anécdota puede ajustarse a la correspondencia propuesta. En el caso de *Campo de sangre* y de *Campo abierto,* las segundas partes corresponden más bien al apelativo de entremeses, de paréntesis en la «acción» principal: Teruel y el archivero Don Leandro entre dos torrenteras barcelonesas, dos ramblas de humanidad —*Campo de sangre*—; intermedio de Claudio Luna, falangista, «del otro lado», entre dos ciudades republicanas en guerra: Valencia y Madrid, que se unen por encima del entremés, gracias a la continuidad de los personajes que van de Valencia a Madrid —*Campo abierto*—.

Observemos, por último, que *Campo del Moro,* diez años posterior a *Campo abierto,* ya no presenta esa tripartición. Se divide en siete partes, correspondientes a siete días. Y en la misma época, *La calle de Valverde* y *Jusep Torres Campalans* presentan la misma forma de «heptamerón». Con *Campo de los almendros,* volvemos a una estructura semejante a la de *Campo abierto*: divídese en tres partes, y la proporción de los capítulos es de 7-4-7, completados con apéndices, como *Campo cerrado*: la cauda de la segunda parte, y la Addenda final.

Pero con todo esto aún no hemos dicho gran cosa. Situémonos en el rincón del lector, no en la mesa de operaciones del crítico que lleva meses, años, releyendo las obras: esas triparticiones, o las posteriores en siete, pasan inadvertidas para el lector medio. Es tanto como decir que, a pesar de la posible intención del autor, las partes no *significan*: la sensación del lector es otra. La estructura que éste puede observar en los tres primeros *Campos* es la del mosaico: la ligazón de los episodios y de los personajes se hace mucho más en el recuerdo del lector después de completada su lectura, que en el trabajo de acabado de la creación: como un muro donde las piedras sillares casan entre sí, pero ninguna amalgama las une, ningún mortero las ata. Como el cuadro impresionista en que la unión se hace en el ojo del espectador convenientemente alejado, y no en los trazos del artista. En *Campo del Moro* la obra es también de sillar. No hay pintura de trazo fundido, lamido, no es un cuadro de historia o de Historia a lo decimonónico, de lo que es perfectamente incapaz Aub: piénsese en *Las buenas intenciones,* su novela más «convencional» en ese aspecto, y véase la notable diferencia con el realismo del XIX, en el que casi cuenta tanto el contorno físico en que se mueven los personajes como los personajes secundarios. En el tipo de «realismo» existencial que informa la novela de Aub, el interés se vuelve a los personajes de segunda fila, es decir, al contorno humano en que se mueven los «principales», mucho más que al contorno físico, hasta el extremo de que —como ocurre en la novela azoriniana, detenida en la contemplación estética y estática del contorno físico—, la existencia de los que serían personajes de contraste se va comiendo la atención del autor. La contemplación dinámica del contorno existencial eleva a todos los personajes a una misma dimensión humana, y ya no se puede mantener la distinción habitual entre protagonistas y personajes secundarios, entre intriga principal y secundarias o episódicas, puesto que todos los personajes son protagonistas, y todas las intrigas, principales.

En ese sentido estructural de la novela, no es exacta la habitual clasificación de «barroca» que se aplica a la aubiana, puesto que el barroco pone toda la obra de arte en función de un elemento central, de una figura a cuya relevación y revelación contribuyen las demás, mientras que en la obra de Aub cada personaje, cada detalle está tratado con idéntica intensidad y amor parejo. Sus obras bien pueden fragmentarse en cuentos, siguiendo un proceso de descomposición inverso al que suponemos en su construcción. El procedimiento sería equivalente al que se hace con la compartimentación y ampliación de fragmentos de cuadros renacentistas, procedimiento que lleva a su máxima aplicación Malraux en su museo imaginario, y Max Aub en su *Jusep Torres.* En *Campo del Moro* es evidente una mayor ligazón entre los episodios y los personajes, realizada a la manera más tradicional de los encuentros entre estos últimos. No es que exista mayor comunidad de intereses o de preocupaciones que en los libros anteriores: en aquellas novelas, como en ésta, los personajes están también unidos por la participación y el testimonio en los acontecimientos históricos. Sin embargo, esa necesidad que parece tener el lector de la comunicación física, del codo a codo entre los personajes, aunque no sea más que al azar de un tropezón en una calle, se satisface en *Campo del Moro,* como se satisfará en la mayor parte de *Campo de los almendros.* Pero como hemos indicado, el interés del autor por sus personajes sigue siendo el mismo, y el resultado también, en la abundancia de los mismos. Por ello, la ausencia de personaje central, a la manera clásica, al que los demás se unen radialmente, está compensada de otro modo: la relación entre ellos se hace a través de un laberinto de encuentros, manera mucho más variada que el sistema encadenado que se emplea en otras novelas contemporáneas, y de la que podía ser ejemplar *La noria* de Luis Romero. Cabría incluso señalar funciones específicas al personaje Dalmases, tal vez mercurial mensajero —motorizado, material y materialista, pese a su adorador el «Espiritista»— entre personajes, y entre los de ficción y los de la Historia.

Contradictorias nos pueden parecer esa aparente estructura formal de las novelas de Aub, por un lado, y frente a ella, la enredada madeja que es imagen de su andadura interna. Si volvemos ahora a la imagen del *Laberinto mágico* tal como la hemos presentado a partir de las descripciones de Riquelme y de Burgos, podremos encontrar en ella una exacta correspondencia con la aparente contradicción señalada: *límites externos fijos y numerables, pero espacios ilimitados en el interior de esos límites.* En la antropogonía, lo importante, lo que mueve e interesa al hombre, es esa expansión interna ilimitada. Lo otro, el límite externo, lo de más allá, *es,* pero no cuenta. Así el lector siente la importancia de ese movimiento interno del laberinto, sin percatarse de que existen límites externos y numerables, de los que sólo su creador tiene conciencia —puesto que no se sale de ellos—, y sin los cuales, a fin de argumento, no habría creación: la acotación del espacio exterior la hace posible.

Toda obra literaria propone al lector, con mayor o menor consciencia —o inconsciencia— del hecho, un mundo a la vez cerrado por fuera e ilimitadamente abierto por dentro. El fundamento de este mundo no es otro que la materia de que está hecho: el lenguaje. Tiene éste una estructura externa que nos permite afirmar su finitud exterior, correspondiente a la lengua, y una ilimitada capacidad interior de agrupaciones significativas, correspondientes al ejercicio personal e individual del habla. Y, como en todos los niveles de la imagen del laberinto, es aquí también la capacidad combinatoria del habla la que hace posible la modificación de los límites externos de la lengua, que justifica la evolución de todo lenguaje vivo. Todo lenguaje tiende a renovarse, en un dinamismo inherente a los organismos vivos, pero cuya justificación no está en un principio abstracto sino en la voluntad consciente de comunicación de cada uno de los usuarios de la lengua, en cada uno de los actos del habla, desde el simple mensaje volitivo hasta la más compleja construcción literaria.

No nos puede sorprender que, al nivel del lenguaje, el símbolo del laberinto siga manifestándose en la obra aubiana. Lo contrario mostraría, a nuestro entender, una falta esencial en la estructura, que indicaría a la vez la voluntad de estructura preconcebida —y, consiguientemente, falta de espontaneidad— y la ausencia de la misma a un nivel del conjunto —falta de inteligencia global del mismo—. La materia y la forma de la obra son inseparables, salvo en la imaginación del observador y del pedagogo: en la realidad creadora, ambas se van dando mutuamente existencia:

> Sólo los no artistas (lo mismo da poetas, novelistas, dramaturgos, pintores, músicos) no comprenden este hacerse de la obra a medida que crece. Estoy por decir que es la diferencia esencial entre el artista y los que no lo son... por eso un reportaje no es casi nunca una obra de arte. Fáltales libertad. Una obra de arte tiene que estar hecha, que estar haciéndose en libertad.
>
> Toda obra de arte es un descubrimiento. Es decir, que no puede preverse más que genéricamente, en sueños, proféticamente. Toda obra de arte se forja con andaderas, entre principios, de la mano de la duda. Se rectifica, se ratifica... A veces salta como un rayo, de sorpresa en sorpresa. El que quiera hacerlas científicamente exactas puede dormir tranquilo: sueña [74].

Al nivel del arte de escribir, el autor se plantea tempranamente el problema del decir exacto: «¡Es tan agradable poder decir la palabra precisa, necesaria, y no sentirse despistado!» —dice Petreña— [75]. Pero las palabras, como ya supone Enrique en *Yo vivo,* tienen limitaciones. No hay palabras para determinados sentimientos o sensaciones. Ni es ese el camino para el escritor, por el que se va a la postura de Dabella, o de los que él critica: «No daré nunca con las palabras. Se escribe siempre para los que saben. Cuando no, como ahora, ¿cómo explicar? No dudo que páginas enteras de minuciosa descripción sirvan para lograr ese fin. Pero cuando me enfrento con ellas, en las novelas por lo menos, las salto: me tienen sin cuidado» [76].

Y es que ninguno de estos personajes se ha dado cuenta de que el valor evocador de la palabra no está en su empleo aislado, sino en el uso de la misma al nivel del enunciado, y que la emoción «inefable» que las palabras aisladas no expresan, la puede manifestar, en cambio, el enunciado: un poema, un cuento, una saga novelesca. Y no con la supuesta precisión de las palabras, sino con la imprecisión que de sus combinaciones se desprende, creando la ambigüedad esencial a todo mensaje.

---

[74] JTC, 84-85.
[75] LAP, 25.
[76] CV, 111.

«Empléense enhorabuena palabras de varios sentidos, para hacer sentir lo inseguro de ese gran disfraz de la lengua en el que se ahogan los tontos por falta de olfato»[77]. Campalans, desde la atalaya de la pintura, ve a la vez los árboles y el bosque.

El escritor, frente al «espejo blanco», araña la superficie con unos primeros balbuceos casi inconscientes. Sonda o soga lanzada al fondo del pozo, hasta que del fondo vayan surgiendo, llamadas unas por otras, las palabras, la prodigiosa corriente verbal. ¿Cómo extrañarnos del tono general conceptista de la obra aubiana? Conceptismo entendido como estilo de las iluminaciones zigzagueantes, fundado en la fundamental interdependencia de las significaciones del lenguaje, de las familias semánticas, en las que, como ocurre en las humanas, el conocimiento de todos contribuye a mejorar el conocimiento de cada uno, y viceversa. No queremos decir que el conceptismo esté basado totalmente en relaciones significativas de palabras: el mismo parentesco —por lo que toca a importancia— existe entre palabras aparentemente unidas por una simple semejanza fonética y por una homofonía.

Con esto creemos llegar a otro aspecto importante del estilo, tal como lo pensaba Campalans: la sangre da vida al sistema al tiempo que se va acomodando físicamente a la estructura de su canalización; pero ésta, a su vez, se ha hecho al empuje de la sangre y por su imperativo circulatorio. Y si no es así biológicamente, lo es al menos literariamente: la «forma» se adapta al «fondo» mientras le procura nuevas dimensiones, demostrando —repetimos— todo lo que de escolar e ingenuo simplismo tiene la separación de ambos elementos. El estilo de Aub, tal vez de modo más claro y completo que otros, se nos revela en ese proceso de la forma precediendo al fondo. El abandono a las sugestiones del lenguaje —escuela unamunesca— fructifica en descubrimientos, en panoramas insospechados, a los que llega muchas veces por simples analogías de sonidos e incluso de ritmos. Recuérdese la extraordinaria meditación

---

[77] JTC, 229.

de Cuartero, en la que manifiesta la evidencia de tal proceso, como escritor [78].

La frase aubiana suele adoptar la misma estructura parentética que su discurso novelesco. No se trata de meandros solamente, en los que la velocidad del curso del pensamiento disminuye, sino de brazos y ramificaciones por los que una parte de la corriente se aventura para engolfarse, sin salida, teniendo que volver —escritor y lector— a la corriente principal abandonada. Véase un ejemplo ya típico en *Luis Alvarez Petreña*:

> ¿Por qué no llegaste a ser mía? Y ahora una confesión que te ha de ofender, así a primera vista —luego te divertirá y sonreirás y no andará la palabra «infeliz» lejos de tus labios (y con cuánta razón, pero en otro sentido)—, ésta: ¿sabes las veces que he pensado decirte: «¿Cuánto dinero quieres para acostarte conmigo?» Muchas, Laura, muchas. Pero si hubieses accedido, ya sé que no te hubiese vuelto a ver. Además, tengo la seguridad de que no lo hubieses querido, que, de necesitarlo, a otras puertas hubieses llamado. Todo esto después de saber que esta absurda idea mía no puede tener realidad, porque hoy no tengo dinero suficiente [79].

Las oraciones independientes son muchas veces parentéticas en el estilo aubiano, por razón de su contenido. Explican, detallan, dan vueltas sobre lo mismo, inciden en busca de nuevos aspectos insospechados, de recovecos desconocidos o —mejor— olvidados. «Nada se aprende de una vez —piensa Enrique— y el deleite, repetir». Y prosigue:

> Lo fugaz deja siempre un ligero amargor. Tal vez tampoco lo frecuente es bueno. Pero lo único nunca tiene valor humano. Volver, reiterar —no mucho, mas sí un tanto— para convencerse de la realidad: que una golondrina no hace verano. Con la repetición, se asegura la prueba de la existencia, se descubren nuevas laderas antes apenas entrevistas [80].

---

[78] CS, 373. Sobre esta idea del fondo precediendo a la forma, vid. Albert Beguin, *Balzac visionnaire*, Genève, Skira, 1946.

[79] LAP, 29.

[80] YV, 67.

El conceptismo se manifiesta igualmente en la elipsis de los verbos copulativos: «Era cierto y su orgullo»... «la cosa: que calló»... «lo cierto: que»... «lo peor: quién te remataba»... «le tenían lástima y en mucho»... Este tipo de construcción elíptica va siempre precedido de una dubitativa o disyuntiva que queda sin respuesta. El sintagma del tipo «lo cierto» señala, en ese caso, un mínimo de seguridad dentro de la incerteza del conjunto, como si el autor fuera balizando la inabarcable procela, marcando con mínimos hitos el camino escueto en el bosque inmenso e informe. Todas señales de vano deseo de orientarse en el laberinto.

El juego de palabras, la figura etimológica, la paronomasia, el retruécano, están igualmente insertos en la estructura laberíntica. Y desde *Fábula verde,* el procedimiento se señala claramente, y de la misma manera que en *Geografía* la evocación de los nombres exóticos excitaba la imaginación de los personajes —viejos y jóvenes discípulos de la «magia» proustiana—, el léxico de cada día provoca en la imaginación el disparo de otros términos vecinos en la memoria personal, en una especie de reacción en cadena dentro de las estructuras semánticas del lenguaje. En *Fábula verde,* cuando Margarita se pasea en el mercado «por las naves abandonadas, naves de navegar», ve «colinas de colinabos», y en el campo, la «retama de retar». Y por la noche duerme «sin sueños, pétreamente, con la mente de piedra». Se habla en *Geografía* de «hilos de telegrafía sin ellos». «Enrique sabe —de saber y de gusto—» en *Yo vivo,* y su Matilde, en el momento del abrazo amoroso «cree oír una referencia a su corazón, que golpea ahora en sus temporales. Temporal, viento y ola, y el batir del agua y el reventar seguido, a compás del mundo que rueda. Temporal de temporales» [81].

Ya en *Campo cerrado,* a propósito de un juego de palabras de un contertulio de Salomar, el autor, en una de sus raras intervenciones como narrador, comenta cómo «el retruécano era para algunos de los presentes una manera de pensar; con la mollera vacía, les salvaba el idioma. Sus admiraciones corrían

---

[81] FV, fols. v, xi, xvi; G, 7; YV, 14, 59.

de Unamuno a Muñoz Seca»[82]. Alude, pues, tanto a los peligros del juego de palabra —fermosa cobertura de la nulidad— como a las fecundas posibilidades del mismo, que desde siempre practicaba Unamuno como método de trabajo y predicaba desde su tribuna periodística. Ya hemos mencionado el excelente trabajo de Josse de Kock, que en su *Introducción al Cancionero de Unamuno* ha analizado pormenorizadamente todos estos procedimientos, y a él nos remitimos para los datos y las necesarias precisiones retóricas. Pero nos permitiremos citar un párrafo del erudito holandés, en el que atribuye a estas figuras, y especialmente a la etimológica y a la paronomasia, determinados caracteres que concuerdan perfectamente con nuestras intenciones interpretativas:

> El análisis etimológico es un método dinámico, progresista y original de creación tanto en el plano ideal como en el poético. Por medio de la etimología, Unamuno se esfuerza en agotar todas las aptitudes de una palabra para darle nuevas posibilidades de asociación. Trata de suscitar conexiones que por olvidadas, inéditas e insólitas, enfocan problemas desde otros ángulos y abren nuevas perspectivas. Procura encontrar otros puntos de contacto entre las palabras ...Como la rima, la figura etimológica es fuente de metáforas[83].

Del juego paronomásico, que se confunde intencionalmente con el anterior, y que en realidad no tiene más razón que la homofonía más o menos exacta, puede decirse otro tanto. A cualquier lector de Aub le será inútil la enumeración de los ejemplos, por su evidencia y su abundancia. La curva de su utilización, sin embargo, puede hacerse exactamente coincidir con la de la evolución general de su estilo, que ya hemos señalado. Enlázanse estos procedimientos de buceamiento en las posibilidades del lenguaje como expresión, con el uso ya subrayado de términos inusitados y de neologismos, y con el remozamiento de la frase hecha, el modismo y el refrán. Representa esta renovación de proverbios o frases hechas un aspecto más

[82] CC, 129.
[83] Josse de Kock, *Introducción al Cancionero de Unamuno*, 155.

de la dialéctica entre los límites externos y la libertad interna, correspondiendo al primer aspecto la convención fraseológica; al segundo, el ejercicio de libre innovación de sus elementos componentes. Al nivel de la frase, sus intenciones corresponden a las de la figura etimológica, o de la paronomasia al nivel del léxico. No es difícil encontrar una acumulación de procedimientos, que ejemplificamos brevemente:

> «El ser tan de partido, a brazo partido, partidos, seres incompletos, cerrados, faltos de amor» [84].
>
> —Sin más razón que la mía, que se me va al cielo.
>
> —Lo que se llama írsele a uno el santo al cielo [85].
>
> A hombros con su verdad, hombro con hombro, hombre con hombre [86].
>
> Veranda. Ver, anda; anda a ver, veranda. Levántate y anda. Veranda [87].
>
> Era un pedazo de pan, que no negaba a nadie como lo tuviera [88].

Se originan así expresiones satíricas, chistes conceptistas llenos de malicia verbal. He aquí algún ejemplo:

> Barcelona se ha convertido en una inmensa minúscula lonja.
>
> —Sí, la casa de Trócame Roque [89].
>
> —Me dejas de piedra. —Eso quisieras: una estatua [90].

Dentro de esta curva de procedimientos, la estadística señalaría un aumento del chiste conceptista hasta llegar a su culminación en *Campo de los almendros*. Veamos ejemplos de éste:

> —Si no hubiese habido divisiones entre nosotros, ni Franco, ni San Franco. —Si, justamente, alma de Dios, lo que nos han faltado han sido divisiones (pág. 140).

---

[84] CA, 96.
[85] CS, 19.
[86] CA, 488.
[87] CS, 175.
[88] CA, 365.
[89] CS, 108.
[90] CV, 378.

—Azaña es un hombre de palabra.
—De palabras (pág. 167).

Batiéndose en retirada. Bueno, eso de batirse es mucho decir (pág. 181).

Desamparados en Valencia, parece un chiste (pág. 257).

—Me habré equivocado de fecha. —Y de facha (pág. 278).

—Ahuecar la voz antes de ahuecar el ala, o de que nos ahuequen (pág. 324).

—¿Dónde está esa puñetera junta de evacuación?
—Evacuando— dice un culto (pág. 368).

—Cállate ya (le dicen a uno que habla por retruécanos).
—Es un ejercicio retórico nada más.
—Lo que te van a retorcer es otra cosa (pág. 401).

—Cambié mi reloj por un chusco, mi chusco por nada.
—A chusco no me vas a ganar (pág. 403).

* * *

El dejarse llevar por las resonancias del lenguaje, por sus innumerables posibilidades expresivas, puede dar origen a frases de una complejidad zigzagueante:

> «Perder con los buenos es ganar más antes que menos», como puedes leer en el Correas. ¿Cuántas sacarán de mi cuero? ¿Te acuerdas de cuando Lomba y Pedraja andaban en ídemes por el campo, tocando una campanilla —¿como Vidriera?— para que se apartaran las doncellas? [91].

> Carlos Santibáñez del Río se aprovecha siempre del presente que le queda. (Para él: presente = regalo, en todas sus acepciones: ahora dádiva, placer, don, comida, descanso, comodidad, complacencia, alhaja. —Sí, tú siempre mejorando lo presente —como le dice la Otra) [92].

> ...suena un tiro y hay un muerto tirado, panza arriba, tras el tercer olivo, a la derecha. Un muerto de mi compañía. Un muerto que me hace compañía. Un compañero muerto en campaña, en el campo, al duro sol que merodea allá arriba, verdadero [93].

* * *

[91] CAL, 407.
[92] CV, 189.
[93] CCI, 8.

Campo cerrado empieza con la descripción de un episodio tipo, simbólicamente laberíntico: el del toro de fuego de Viver. La bestia, en el rito popular, lleva el fuego en sus astas, corriendo por calles y plazas del pueblo, en busca de una salida que no existe. De la noche hasta la madrugada, hasta caer exhausto, el toro, solo, fuerte y noble, a la vez que víctima de los muchos, débiles y arteros, lleva consigo el terror de todos, víctima propiciatoria. Es el toro que, como Zamora el archivero afirma, y repite Aub al final de su obra, fue el principio de la historia peninsular. «El toro de Ur, desde la Mesopotamia», según dice el archivero: «Aquí sobrevive el toro de fuego, capitán, el jubillo, el toro y la estrella, capitán, origen de Teruel» [94].

Las mismas alusiones se hacen más evidentes en *Campo de los almendros,* en donde la reflexión del autor sobre su obra se hace más fácil y más consciente, con cierto alejamiento cervantino. Los personajes ya juegan a citar el *Laberinto,* a sacarlo en sus conversaciones, como Don Quijote puede hablar de la primera parte de la novela de su autor, desde la segunda. Pero no hay que dejarse llevar demasiado por la sospecha, intencionalmente fomentada por el autor, de que esa proyección sobre la obra es «inventada» y *a posteriori.* No bastaría para probar lo contrario con recordar el hecho ya citado de que Aub se propusiera escribir sobre Creta y el laberinto: la intención se manifestó con posterioridad a la terminación de *Campo de los almendros* y pudo muy bien ser provocada por la observación desde fuera.

Basta, en cambio, para nuestra prueba, el hecho de que el *Laberinto español* comience con el episodio del toro de fuego de Viver, del que surge su primer personaje —Serrador— y que el último, breve episodio de *Campo de los almendros* tenga otra vez lugar en Viver, en donde corre el mito de un Serrador vivo, guerrillero del «maquis» serrano, y se habla ya de la próxima fiesta del toro. Podría argüirse que atribuimos excesiva importancia a esta coincidencia cíclica. Creemos, a pesar de todo, que no se le puede dar nunca bastante para explicar el

---

94 CS, 299.

sentido del mundo, el gran símbolo cosmogónico que es la obra narrativa de Aub. Que se le puedan señalar raíces a su visión circular en la obra de Vico, en la idea de que el tiempo es cíclico, no es menoscabar la total cohesión de la obra aubiana. También hay en ello, como en la obra de Joyce, inspirada igualmente en Vico, «un medio de mostrar cómo el comienzo y el final de los ríos del tiempo y de la vida forman una unidad dentro de la más asombrosa multiplicidad»[95]. Véngale sólo de Vico, o se complete con las afirmaciones de Goethe en sus máximas («Der ist der glücklichste Mensch, der das Ende seines Lebens mit dem Anfang in Verbindung setzen kann»), Aub, como Joyce, como T. S. Eliot («in the beginning is my end, in my end is my beginning») no hace sino intentar dar forma exterior a sí mismo, proyectar en obra su visión del mundo.

Queda por demostrar que no nos excedemos al juzgar el episodio del toro de fuego de Viver como un símbolo del *Laberinto*. En ningún momento del mismo lo explicita el autor. Es la lectura atenta de la «fiesta» tradicional, tal como la describe Aub, la que nos ha estimulado a la comparación. Cualquier lector cuidadoso habrá llegado a la misma conclusión. Pero hay más. Supiéralo o no Aub en el momento de escribir el primer capítulo de *Campo cerrado* —y nos inclinamos a pensar que sí—, lo cierto es que el toro de fuego de Viver es una supervivencia del viejo rito mitológico. Basta leer el libro de R. F. Willetts, *Cretan Cults and Festivals*, en el que se integran y completan todos los estudios anteriores sobre la cuestión, para comprender que el toro de fuego de Viver, en su carrera nocturna, es una viva reliquia del rito mágico solar de las civilizaciones mediterráneas, que el toro, símbolo de la divinidad solar, corre durante la noche para mantener vivo al sol durante su ocultación —su «bajada a los infiernos»—. El ceremonial del Nuevo Año que se celebraba en Mesopotamia con un toro blanco, «divino toro de Anu, gloriosa luz que ilumina las tinieblas», y que fue llevado a Creta y de aquí a Grecia y el resto del Mediterráneo, tenía lugar en Nisan (marzo y abril) y en Teshrit (sep-

[95] Meyerhoff, *op. cit.*, 40.

tiembre a octubre). A esta última fecha corresponde aún la celebración en Viver. ¿Qué relación entre el toro y el laberinto? Nos la da Willetts, repitiendo la consagrada teoría de Frazer:

> Since the sun was conceived as a bull, it seems likely that the Labyrinth at Knossos was an arena or orchestra of solar pattern designed for the performance of a mimetic dance in which a dancer masqueraded as a bull and represented the movement of the sun [96].

Y más adelante:

> The Labyrinth built by Dedalos was recognized in Antiquity as an imitation of the Egyptian Labyrinth, which, in turn, was generally believed to be sacred to the sun [97].

El mismo dios-toro aparece entre los fenicios con el nombre de Shor-El, aparentemente relacionado con el año solar. Y Frazer, citado por Willetts, ya había señalado la presencia en las monedas de Knossos de la figura del Minotauro, o de un sol o estrella en lugar de éste. Tendría, pues, razón Don Leandro al hablar de su toro de Teruel; la estrella sobre las astas, cabe añadir, es el mismo fuego del toro de Viver. Y el laberinto no cesa de llevarnos, una y otra vez, a los mismos lugares comunes, una vez más olvidados y recordados. El *Laberinto español,* con su toro solar, no estaba tan lejos, pues, del *Ruedo ibérico* de Valle-Inclán.

He ahí, en términos de análisis estructuralista, la connotación del toro de Viver en la obra de Aub. Queda, en cambio, ampliamente abierta la puerta para las denotaciones, a partir de la discusión que los personajes aubianos establecen en torno a la interpretación del toro y el caballo en el *Guernica* de Picasso: el toro, España, sus hombres, su pueblo.

La imagen laberíntica, según anunciábamos, había sido no ya precedida, sino en algún momento sustituida por la más

---

96 R. F. Willetts, *Cretan Cults and Festivals,* London, Routledge and Kegan Paul, 1962, 100.

97 *Ibid.,* 103.

armónica del círculo. El mundo en que los jóvenes sentidos de Enrique —y los de su creador— se encuentran inmersos, tiene esa forma perfecta. El hombre todo porosidad, todo disponibilidad, siente acudir, de todos los puntos del círculo, de todas las dimensiones de la esfera, los rayos benéficos que le instauran en el centro. La generosidad cósmica afluye a este lugar en que el yo se encuentra enteramente dispuesto, todo transido de agradecimiento y de sorpresa cotidianamente renovada, de encontrarse en el centro de tanta perfección, en el punto ideal para que se con-centren en él todos los beneficios del mundo natural. Postura análoga a la de Jorge Guillén, el Jorge Guillén de *Cántico,* tal como nos la interpreta Georges Poulet en *Les métamorphoses du cercle* [98]. Enrique concentra todas las posibilidades en un solo deseo a la vez, con la capacidad versátil del ser joven. Así lo veía ya Balzac en su *Théorie de la démarche*: «Le sauvage et l'enfant font converger tous les rayons de la sphère dans laquelle ils vivent à un désir; leur vie est monophile et leur puissance gît dans la prodigieuse unité de leurs actions» [99].

Si la visión esférica del mundo es excepcional incluso en la obra de preguerra —recuérdese a Petreña, a Margarita-Claudia y a Hipólito en sus laberintos respectivos—, es prácticamente imposible después de 1936. La espada de fuego desciende al círculo paradisíaco, y, como un océano en turbulencia, todo se desplaza, y, con el todo, el sujeto. Después del torbellino, todo queda en perpetuo caos. Y el hombre, vuelto en sí del seísmo, empieza la peregrinación interior en busca del centro perdido. Ese círculo, cuyo centro escapa a la búsqueda, pero que la memoria trae continuamente al recuerdo, y que, con todas sus facultades, el hombre se empeña en reconstituir, no es otra cosa que el laberinto. El laberinto es un círculo cuyo centro se escamotea perpetuamente en una estructura movediza y engañosa. Y aquí aparece la única y posible metamorfosis del círculo,

---

98 Georges Poulet, *Les métamorphoses du cercle,* Paris, Plon, 1961, 517-18.

99 Cit. por Poulet, *ibid.,* 213.

contra la opinión, más respetuosa del *esprit de géométrie,* de Poulet, para quien el círculo es una «forma no metamorfoseable por definición» [100].

No deja el peregrino exiliado de encontrar aquí y allá fragmentos de la estructura perdida, gajos en goces aislados de los sentidos, torsos fragmentados de la antigua geometría euclidiana y perfecta. Templado, absorto ante la refracción de un rayo de sol en el botón nacarado de su pijama, representa uno de esos instantes privilegiados. Pero el hombre del *Laberinto,* descentrado, no volverá nunca a gozarlos durablemente, como le ocurre en esa armonía antropocéntrica tan manifiesta en *Yo vivo.* He aquí dos párrafos ejemplares y únicos de la *harmonia mundi*:

> Mundo, nosotros, mundo redondo, dando vueltas. ...Mi vida... tú... dando vueltas en el aire, en el vacío inmortal; mundo eterno dando vuelta y vuelta y vuelta, y tú siempre enfrente. Así se creó todo, sin más misterio que tu cintura molleda, hilo que nos enreda; madeja, rueda, rueca, huso, centro del mundo, trompo solo, círculo, giro. Somos loriga y todos los rayos que salen de nosotros, disparados hacia el horizonte redondo.
>
> ...El mundo es tuyo, tuyo y de todos. El mundo es la medida del hombre. El mundo mide un metro setenta, y tiene la talla cuarenta y cuatro, la talla de Matilde [101].

El que el poeta, como Jorge Guillén, persista, como un sonámbulo, cantando esa armonía tras el cataclismo, es quizás lo que hace exasperarse de envidia a los personajes-escritores del *Laberinto,* como hemos visto repetidas veces [102]. «Los poetas son otra cosa. Hombres de suerte», es frase que se refiere sin duda a esto.

Apenas el momento culminante del encuentro de los amantes (Paulino y Rosario en *Campo de sangre,* Vicente y Asunción en el puerto de Alicante —amor, hilo del laberinto—) sirve para que se sientan, fugazmente, recuperados en esa estabilidad del

---

100 *Ibid.*, ii.
101 YV, 48, 66.
102 Cons. Parte segunda, cap. VI, notas 14 y 15 de este estudio.

centro del círculo, y así se explica la alusión, de otro modo sibilina, que subrayamos en el encuentro de Vicente y Asunción:

> Los corazones henchidos, la confusión de los sentimientos, al término de sí mismos. El hilo del laberinto. Boca y manos, abrazos y sueños, sabiduría. ¿Cómo se llama el puerto? ¿Qué día, qué hora, qué sitio? *El centro no tiene lugar*. Es el blanco, ellos son el blanco; lo vivo. En la noche, luz [103].

Y Paulino y Rosario:

> Por las calles estrechas, por las plazas, el campo, los viales, la maleza del monte, a Paulino Cuartero nada le parece real. Tiene la sensación de que lo plantan todo a su alrededor para acompañarle, que el mundo es decorado, que cuando, desde lo alto, miran la ciudad y el mar extendidos abajo, acaban —un segundo antes— de disponerlos para que los pueda mirar, que la naturaleza es cuadro. Lo que importa, lo que existe, lo que abulta, es Rosario. Lo demás es salsa, añadidura, fondo, foro. Rosario plantada enfrente, ahí, palpable, existiendo, viva: Paulino se siente aire, árbol, paisaje, alrededor. Paulino Cuartero ve sus brazos y todo él se siente brazo, con ganas de abrazar al mundo; el mundo, por un fenómeno inexplicable, es Rosario, únicamente Rosario, y teniéndola a ella, siente tener todo el mundo. Y, de rodillas, Paulino Cuartero da gracias a Dios, al dios de luz, al creador, de haber conseguido reducir el mundo a forma abrazable para él: el viento, los colores, los breñales, los setos, la hierba, el mar, la ciudad entera, la lluvia fina es Rosario. Paulino Cuartero va por la calle sintiendo que las casas, el tranvía, las aceras, los hilos del teléfono, las antenas, la luz eléctrica, todo está en Rosario. No puede ni asombrarse del milagro, porque su propia sombra, todo lo que sale de él, está en Rosario [104].

A partir de esos momentos de luz que el autor da a sus personajes, no sabe qué hacer con ellos, en este nuevo mundo donde el acentramiento no puede ser perdurable. La confesión del no saber, que el autor hace para Asunción, valdría igual-

[103] CAL, 327.
[104] CS, 365.

mente para Rosario [105]. Tras unos episodios amorosos, breves, la muerte se lleva súbitamente a esta última. A Vicente y Asunción, por el amor que a ésta profesa su creador, se les consiente salir del campo de los almendros, hacia la noche, con el día entre sus brazos, fuera del laberinto antropomórfico en que los hombres se debaten.

---

[105] CAL, 366.

VI

LA ESTRUCTURA DEL *LABERINTO MAGICO*: ANTROPOMORFISMO Y MAGIA

No es sorprendente para el lector de la obra aubiana la afirmación de que existe en ella, en todos sus niveles, un aspecto antropomórfico bien evidente, que corresponde al antropomorfismo de las figuras mismas del círculo y del laberinto, correspondiendo la primera a la imagen clásica del narcisismo, la segunda a la visión antropomórfica de la divinidad, que, en el humanismo agnóstico, sustituye la divinidad por una humanidad divinizada.

Menos evidentes que los antropomórficos, los elementos mágicos no dejan por ello de presentársenos con cierta importancia, que viene a justificar su presencia adjetiva en el *Laberinto*. Intentaremos a lo largo de este último capítulo poner en claro los distintos aspectos y niveles de aparición de ambos elementos en la obra narrativa de Aub.

* * *

1

Ya Hume, en su *Natural History or Religion,* veía en la humanidad una tendencia universal que la llevaba a concebir los demás seres como semejantes al hombre, y a atribuir a los objetos todas las cualidades que son familiares al ser humano y de las que éste se siente consciente [1].

Cassirer, en su magistral estudio tantas veces citado aquí, ha señalado, de la manera más extensa y convincente, la configuración antropomórfica del lenguaje, del mundo y de los mitos del hombre. Más adelante citaremos algunos pasajes de su obra particularmente significativos para el entendimiento de ciertos aspectos del antropomorfismo en el *Laberinto mágico*.

No solamente la filosofía se ha preocupado de la cuestión: la obra de Freud precede a la de Cassirer en ciertas apreciaciones, particularmente las desarrolladas en *Totem y Tabú*, donde, con intención de aplicarlo a sus métodos terapéuticos, el fundador de la escuela del psicoanálisis señala tres fases en la manera de concebir el mundo, que él hace corresponder a las tres fases del desarrollo de la libido individual. A la fase animista correspondería, en efecto, el narcisismo, a la religiosa, la objetivación de la libido en los padres, y a la fase científica, la madurez caracterizada por la renuncia a la búsqueda del placer y la subordinación de la fijación objetiva a las conveniencias y exigencias de la realidad [2].

La figura circular del mundo, en cuyo centro se sitúa el hombre, correspondería, pues, a esa fase narcisista, puesto que el hombre «persiste, en cierto modo, narcisista, incluso después de haber encontrado objetos exteriores para su libido; pero las fuerzas que le atraen hacia esos objetos son como emanaciones de la libido que le es inherente, y pueden en cualquier instante volver a ella» [3].

Gaston Bachelard aplicaba en sus estudios sobre el agua y los sueños la misma idea freudiana, al decir: «Narciso hace de su imagen el centro del mundo» [4]. Y a ese antropocentrismo individualista corresponden, como ya señalábamos, textos de preguerra excepcionales en la obra aubiana, de los que es sín-

---

[1] En E. B. Tylor, *Primitive Culture*, I, 477.

[2] S. Freud, *Totem et tabou*, Paris, Payot, 1924, 126.

[3] *Ibid.*, 125-26.

[4] Gaston Bachelard, *L'eau et les rêves*, Paris, Corti, 1947, 34.

tesis el *Yo vivo,* y que tienen su equivalente teatral en el *Narciso* de 1928, donde el drama del narcisismo se presenta a partir de una de sus consecuencias: la incomunicabilidad entre el individualista y «el otro», su incapacidad de amar bajo otra forma que la refleja [5]. Todavía, desde otro punto de vista, uno de los personajes del *Laberinto,* en *Campo cerrado,* afirmaba: «el arte... son ganas de verse venir, un laberinto de espejos. Ver y ser visto» [6]. La figura circular de Narciso ha tomado, como vimos, una forma de desorden interno que la hace ya laberíntica, aun dentro de su narcisismo intelectual. Obsérvese que la afirmación se pone en boca de un clásico intelectual «turrisebúrneo»: Lledó, a la vez consciente de la nueva situación e incapaz de «descender a la calle».

La misma idea freudiana del animismo está subrayada en la obra de Jung, actualizándola: «Nosotros seguimos también proyectando aún nuestros datos psíquicos en el mundo exterior, nuestro mundo sigue siendo un mundo animista» [7].

La lingüística se ha preocupado también, como era previsible, por las aplicaciones de estas teorías filosóficas y psicológicas al análisis del lenguaje y de su historia. Ya Carnoy, en 1927, corroboraba en su tratado de semántica la importancia del animismo antropomórfico en la formación del lenguaje, confirmando:

> Cette tendence psychologique est, du reste, si forte, que l'anthropomorphisme occupe, même dans les conceptions des hommes d'aujourd'hui, une place considérable. Même le savant doit perpétuellement se mettre en garde contre son imagination pour ne pas tomber dans le même travers.
>
> En tout cas, ce sont les images empruntées à la vie de l'homme qui «parlent» le plus à nos esprits. De là les expressions innombrables de nos langues où des abstractions et des choses matérielles sont représentées comme ayant la forme, les organes ou la façon d'agir des êtres humains (prosopopée) [8].

---

[5] Max Aub, *Narciso,* Barcelona, Imprenta Altés, 1928.

[6] Lledó en CC, 161.

[7] C. G. Jung, *L'homme à la découverte de son âme,* Paris, Payot, 1962, 169.

[8] A. Carnoy, *La science du mot,* Louvain, Ed. Universitas, 1927, 332.

Ullmann ha analizado prácticamente el comportamiento antropomórfico del lenguaje en las similitudes, procediendo a una distinción entre las sustantivas, provocadas por una equivalencia discernible entre el mundo subjetivo y el objetivo, del tipo «ojo de la aguja», «the apple of the eye», y las puramente emotivas, provocadas por la semejanza del impacto emocional producido [9].

Más interesantes parecen las aplicaciones realizadas al estudio estilístico por Elisa Richter en *Impresionismo, expresionismo y gramática* (hablando del habla cotidiana):

> (en el habla), la vivificación de las cosas es tan habitual que la diferencia entre el acaecimiento inanimado y el animado —entre el suceder y el hacer— se borra por completo en el idioma. La rueda corre (...) el cuchillo corta. A estos vestigios vienen a añadirse los nombres que designan tanto el instrumento como el agente: destornillador (...) [10].

Este antropocentrismo, del que vamos a ver evidentes y numerosos ejemplos en la obra de Aub, nos parece concordar exactamente con las bases antropológicas del existencialismo contemporáneo. Así lo ve Manuel de Diéguez, al resumir el pensamiento de Sartre en los términos siguientes, que nos parecen adecuarse perfectamente al *Laberinto mágico*: «Sartre no cesa de insistir en el carácter artificial de todo arte que pretenda dar cuenta de las cosas, y con mayor motivo aún, de los hombres, al margen de su significación humana... He aquí el mundo habitado por el hombre... el mundo tiene un sentido antropomórfico, que es su verdadero, su único sentido... las pasiones y los impulsos del alma... nos iluminan tanto sobre nosotros como sobre el universo» [11].

Los personajes del *Laberinto* no dejan de sentir y hablar, en plena conciencia, de tales fenómenos. Así, en *Campo abierto*,

---

9 Stephen Ullmann, *Principles of Semantics,* Glasgow-Oxford, 1952, 224-25.

10 *El impresionismo en el lenguaje,* 63-65.

11 Manuel de Diéguez, *L'Écrivain et son langage,* Paris, Gallimard, 1960, 269-72.

en el mencionado diálogo entre Riquelme y Cuartero, dice aquél:

> —El hombre ha sacado su esencia de su existencia. Y los valores morales han surgido, existen, son, por obra de la naturaleza. Un perro es fiel, un árbol, hermoso; el hombre, inteligente.
>
> —¿Y el arte?
>
> —Siempre existe lo mejor. El arte no es aparte. Está hecho a la medida del hombre, por el hombre, para el hombre. Lo mejor siempre sorprende. Pero buscarle explicaciones irracionales son ganas de perder el tiempo [12].

En la cena de *Campo de sangre*:

> —Se hace uno a las piedras que le rodean...
>
> —Estás equivocado... son las piedras las que se hacen a uno. No se hace el hombre al nicho sino que se hacen los nichos para los hombres.
>
> —Calla, animista guitón.
>
> —Nada de animismos, joven. Creo en el mundo, y en el hombre: su centro.
>
> —Su paralelo —replica Herrera [13].

En esa perspectiva se ve y se valora la relación entre los hombres y las cosas. Conversan Templado y Cuartero:

> —Lo que piensan los hombres de las cosas es más importante que las cosas en sí. No importan los hechos sino las ideas que los determinan [14].

Lázaro Valdés, por su parte, tiene una opinión abiertamente determinista de la cuestión, creyendo al hombre inseparable de su medio originario: «sin las piedras los hombres no tienen patria. Son las piedras y los ríos los auténticos padres de los hombres, sus progenitores» [15].

---

[12] CA, 517.

[13] CS, 105. (El texto de la edición dice: «son las piedras las que *le* hacen a uno.» Deducimos, por el contexto, que es una errata).

[14] CA, 461.

[15] FF, 46-49.

De los años de formación de Templado cuenta su narrador: «Empezó a husmear la humana manera de entender el mundo e interesarle más que los hechos en sí»[16]. Por su parte, Don Leandro Zamora, al intentar dar una explicación del ensimismamiento hispánico, relaciona el antropomorfismo con la visión interiorizada del mundo, aunque limitándola a la herencia bereber[17].

Max Aub, ensayista, al preguntarse qué es el hombre, se responde: «Cada quien contesta según le va o le vaga el pensamiento. Eso sí, y enfáticamente, todos le ponen en primer término, sin lograr acuerdo del por qué»[18]. Y añade más adelante: «Creo que el valor del hombre está en la relación de él y las cosas, y no en él y en las cosas»[19]. No puede extrañarnos, dentro de tal contexto, que la estructura misma del *Laberinto mágico* adopte una forma antropomórfica. El hombre, dentro de la nueva concepción humanista del mundo, es una forma correspondiente a la antigua teogonía antropomórfica. Ya Jung señalaba a Roland Cahen el antropomorfismo subyacente en la definición de Dios por San Agustín: «Dios es un círculo infinito cuyo centro está en todas partes, y cuya circunferencia no está en ninguna». Esta imagen, dice Cahen, parece reposar, en efecto, en una proyección de la estructura del yo, intuitivamente percibida»[20].

Creemos, cuando menos, que tal definición corresponde a la del hombre en su mundo expansivo tal como la imaginan y exponen los Riquelme y los Burgos del *Laberinto*. Laberinto, hombre y obra narrativa constituyen una ecuación estructural palmaria a todo lo largo de esta última. Tanto al nivel de las historias como al de los personajes, como del lenguaje, el antropomorfismo nos aparece evidente desde la obra de la preguerra.

---

16 CS, 31.
17 *Ibid.*, 288-89.
18 HH, 27.
19 *Ibid.*, 36.
20 En C. G. Jung, *L'Homme*, 170, NdT.

Es este aspecto de la temprana obra de Aub una más entre las razones que nos llevan a extender el título laberíntico a toda ella. Ya hemos señalado, junto con la imagen laberíntica de la memoria sensorial de Margarita Claudia, la fundamental identificación de ésta con el mundo vegetal, con la tierra «madre», a lo largo de *Fábula verde*. Dice Cassirer:

> Life is felt to have a single dynamic and rythm throughout the innumerable objective forms in which it may be manifested. Not only man and beast have this rythm in common, but also man and the plant world. And in the development of totemism animal and plant are never sharply differentiated... Man's descent from a certain plant variety as well as the transformation of men into plants and plants into men are everywhere recurring motif of the myth and the mythical tale [21].

Algunos relatos de Aub están basados exclusivamente en una imagen antropomórfica. Así *La ingratitud*, en el que una vieja, esperando al borde de un camino a un hijo único que no volverá nunca, es un árbol que «parecía una vieja ladeada en el borde del camino» [22]. *La lancha* relata la historia de un barquichuelo hecho con el árbol que constituye el bien único, y el arraigo a lo ancestral, de su constructor y tripulante; la reacción humana del tronco abatido causará la desgracia del hombre [23]. Recuérdese también *Enero sin nombre*, cuyo protagonista-narrador es un árbol [24]. Las comparaciones implícitas en el estilo aubiano entre la tierra fértil, la vegetación de un lado, de otro el hombre, son abundantes. Veamos algunos ejemplos:

> (El Cojo) se paró a mirar el paisaje: no lo había hecho nunca, nunca se le hubiera ocurrido pararse a mirar una tierra que no tuviese que trabajar. Ahora descubría la tierra: le pareció hermosa en su perpetuo parto. Allí, a lo lejos, unos hombres la herían cuidándola... (...) Acaricia la tierra, la desmenuza en

---

21 E. Cassirer, *op. cit.*, II, 187.
22 CIC, 84.
23 *Ibid.*, 7-15.
24 CCI, 43-81.

> la palma de la mano, la soba como si fuese el anca de una caballería lustrosa... La tierra sube por todas partes: en la hierba, en el árbol, en las piedras, y él se deja invadir sin resistencia notando tan sólo: ahora me llega a la cintura, ahora al corazón, me volveré tarumba cuando me llegue a la cabeza [25].

Otro personaje «detiénese a la sombra de un cinamomo que empieza a parir sombra» [26].

Mustieles observa

> ...los troncos de los eucaliptos, desollados, con la piel arrancada, a tiras. Ya está ahí un ligero aire; se estremeció: no tenía epidermis, estaba en carne viva, pero no sangraba [27].
>
> (unos árboles) retuércense más que crecen, desesperados de tanto frío y de tanto calor [28].
>
> ...la hierba ya se venga y levanta su bandera verde donde puede, y es en muchos sitios [29].
>
> ...tierra abierta, desparrancada, violada y rendida, enseñando sus entrañas a las nubes que la hienden y fecundan... [30].

También los objetos inanimados o la tierra estéril, o el mar, están animados de vida humana o animal:

> La tierra seca no muestra aún sus cicatrices ni sus arrugas de vieja pedigüeña [31].
>
> ...en el rincón más hostil uno (de los sillones) cura su pata enferma [32].
>
> ...una vieja máquina de escribir con todos sus dientes al aire... [33].
>
> ...las cosas pierden ya sus formas por los rincones [= oscurece] [34].

---

[25] NSC, 26, 33-34.
[26] CS, 17.
[27] CA, 128-29.
[28] NSC, 55.
[29] *Ibid.*, 62.
[30] AP, 30.
[31] *Ibid.*, 28.
[32] CS, 27.
[33] *Ibid.*, 27.
[34] *Ibid.*, 337.

...mi vaso tiene la garganta seca [35].

...el ascensor, de cuerpo presente, boquiabierto [36].

...se ven las panzas del humo a la luz de las llamas, no las espaldas, ni la altura [37].

...La playa está picada de viruelas por los agujeros que todos cavan, luego alzan las mantas, como hongos. Nadie le hace caso al mar, alambrada rugiente, perro de presa, con espuma a lo largo de la dilatadísima boca. Presos [38].

En tres ocasiones semejantes, los hombres coinciden en ir a aplacar sus desolaciones al borde del mar humanizado:

...la espumilla de las suavísimas olas que lamían incansables la fina arena parda que mataba todos los ruidos hasta el de su mismo mar, convirtiendo su presencia en sordas, tibias palmadas en las ancas de la tierra. Olas pequeñas, resignadas, sin otro aliento que el lento palpitar del agua inmensa, sístole y diástole del Mediterráneo dormido [39].
(Molina) sale a la playa, procurando que no le oigan. El mar se rompe, también de dolor, en la misma tierra. Las olas babean su espuma, ruidosamente, seguido, impotentes, deshechas por dentro [40].
...Las olas se matan entre sí, de dentro afuera, de afuera adentro [41].

En *Yo vivo,* la animación del mar es, al tono vital de Enrique, benévolo y benéfico monstruo domado:

El mar está ahí, entero, lento, beato, con sus palmaditas y sus palomas, gaviotas, y su espumilla y su lengua, y su sabor y su olor de sal húmeda y su tranquilidad mañanera, y su frescura interna, esperándole [42].

---

35 CS, 208.
36 *Ibid.,* 330.
37 CC, 250.
38 CCI, 289.
39 CIC, 55.
40 CV, 226.
41 AP, 23.
42 YV, 14-15.

> Rompe el agua enorme, la vence, manda en ella, la parte con los hombros, penetrándola, hiriéndola: ella le sostiene [43].

Humanízanse el cielo, los astros, el correr del día:

> El cielo estaba pálido, de un azul tan blanco que la bóveda aparecía claramente sin fin, algunas nubecillas lo humanizaban [44].
>
> Coqueto, el sol alarga su pata despidiéndose orgulloso [45].
>
> ...el sol renaciendo como un pezón, y su areola sonrosada [46].

De *Geografía* son los tres siguientes ejemplos:

> El sol sobre cubierta, tropezando sin ton ni son.
>
> La tarde se caía, tropezando en los rincones, iba desigual, en zig-zags, hacia la puerta entornada del oeste.
>
> [apoyado sobre una esfera armilar]. Creyó entonces sentir bajo sus manos, humanización melodramática de la geografía, el cráneo no de alguien, sino de algo incalificable [47].

Señalemos, de paso, la incongruencia de haber llamado estilo deshumanizado a una manera de escribir que, precisamente, se caracterizaba por el antropomorfismo de sus imágenes, y hacía radicar el arte en el retorno a las viejas formas míticas en las que, como dice Cassirer, refiriéndose, entre otras obras, al Purusha del *Rig-Veda* hindú:

> The unity of microcosm and macrocosm is so interpreted that it is not so much man who is formed from parts of the world, as the world from parts of man [48].

Es frecuente la identificación total o parcial de la ciudad con el cuerpo humano, imagen material y colectiva de la obra antropomórfica del hombre: «Veracruz, tan caliente, tan quieta,

---

43 *Ibid.*, 25.

44 CS, 31. Véase en CS, 314 la descripción antropomórfica de un amanecer.

45 AP, 31-32.

46 CS, 11. El protagonista de *Narciso* dice: «Se está degollando el sol con la navaja del horizonte» (*op. cit.*, 121).

47 G, 7, 46.

48 *Op. cit.*, I, 91.

tan vieja del siglo pasado...»[49]. Barcelona entera está descrita de ese modo en *Campo cerrado*:

> Ya por entonces conocía Barcelona: el movimiento circulatorio de las Rondas, la cruz de sus túneles; teníala en la mano como cosa viva: su esternón el Paseo de Gracia; sus costillas, de Diputación a Córcega; sus húmeros, Diagonal y Cortes; sus radios, el paseo de San Juan y el Paralelo cruzados, unidos por sus manos de mar, sosteniéndose el corazón y las tripas: las Ramblas; sus arterias y sus venas: acuchilladas por la Vía Layetana, apuñaladas arteramente por el Portal del Ángel; desangrándose en el mar; su coxis, el puerto; sus piernas y su andar, el viento y las olas. Barcelona, herida de sangre y lisiada, alegrísima de sol y abundancia, ciudad anclada y siempre dispuesta al viaje, piojosa y desnuda; libre con oscuras rémoras; trabada la lengua y agilísima de deseos[50].

Otro ejemplo notable es la descripción de Teruel durante el sitio, con la descripción de sus ruinas desoladas en varios pasajes intercalados a lo largo de cincuenta páginas de *Campo de sangre*. He aquí algunos ejemplos:

> Los sillares, arpados de metralla; los canceles, desmenuzados; los muros, apedreados de viruela; la lechada, caída como ronchas de sarna; el mortero aboqueteado de cráteres rojos del ladrillo herido. Despeinados todos los postes...[51].
>
> El alero roído por la metralla dibuja un garabato en una nube que acierta a pasar, parda sobre el gris. Las vigas a los aires, como muñones[52].
>
> Desde aquí se nota la gangrena y el cáncer de las paredes, a más de dos kilómetros[53].

Todo un relato puede estar basado en la animación de una simple sensación olfativa, como es el caso de *Ese olor*[54]. En

---

49 HMM, 49.
50 CC, 55-56.
51 CS, 224-25.
52 *Ibid.*, 229.
53 *Ibid.*, 274. Otros ejemplos en CS, 207 —«tirita la ciudad descristalada»—, CS, 346; CC, 241; CS, 413.
54 AP, 37-39.

algunos casos el antropomorfismo se transfiere de una parte a otra del cuerpo, que adquiere metafóricamente las propiedades de la primera: (a Dabella) «le tartamudeaban las piernas»[55]. En esta imagen más compleja, la transferencia se combina con la animación de un objeto: «En las manos hambreadas [de los combatientes], los dientes agudos de los cargadores»[56].

Término segundo del diálogo entre el hombre y el mundo, ocurre que al antropomorfismo del mundo corresponda una telurización del hombre. A esa dependencia aludían Lázaro Valdés o Templado en el párrafo citado al comienzo del capítulo. Ya hemos mencionado el relato *La ingratitud*, en que la vieja se hace árbol tanto como el árbol recuerda a una vieja[57]. Otro relato entero —*La verruga*— parte de la piedra gris y porosa que vino a quedar como único vestigio de la lucha entre el personaje y su creciente verruga. En *La hambre*, «sólo la Barragana grande tenía nadie sabe cuantos años, siempre agachada al lado de la puerta, parecía otro montón de adobes grises, medio carcomidos»[59].

Ya Enrique, a su manera eufórica, sentía, como Margarita Claudia, su fusión con la tierra:

> Se siente hecho de tierra. Todo lo demás es soberbia. Se nota hecho de los cuatro elementos: tierra sus músculos, agua su sangre y su saliva, aire sus pulmones, fuego su sexo y el darse cuenta. Vivo sobre lo que vive. Vivo, que vive. Es su vida, sus brazos, sus piernas, su sangre. Siente cómo su sangre fluye y se filtra en la arena, cómo cada poro es un vaso comunicante con cada grano de arena, cómo por esos sifones transcurre, se transvasa su sangre. ...Agradece el haber nacido, el poder dar las gracias por estar ahí, sintiendo el calor del sol que se alza lentamente, recortando su sombra sobre la arena todavía fresca y nueva, dándose cuenta del placer de sentirse vivir[60].

55 CV, 138.
56 CC, 240.
57 Véanse las notas 15 y 16.
58 CIC, 103-108.
59 CMEX, 74.
60 YV, 13.

Dentro de esta unidad dialéctica nos parecen estilísticamente inoperantes las distinciones retóricas del tipo de la que quiere separar la personificación del animismo, por ser respectivamente procedimientos de tipo expresionista e impresionista, como quieren Elisa Richter y, tras ella, Raúl Castagnino [61]. Amado Alonso y Raimundo Lida, en *El impresionismo lingüístico,* resumen la distinción, pero la critican igualmente, al decir que «no hay animismo sin vivificación, y al revés» [62]. Al retorno a ese antropomorfismo dialéctico se refería Jusep Torres, el lúcido personaje aubiano, al decir: «hay urgentemente que volver el hombre a la medida de las cosas, las cosas a la medida del hombre» [63].

2

Si hemos interpretado bien los orígenes mitológicos del *Laberinto mágico,* pudiendo remontarnos hasta los antiguos ritos táuricos de la cuenca del Mediterráneo, lo mágico del *Laberinto* puede igualmente retrotraerse hasta los ritos que el toro de Viver nos conserva en el presente narrativo. En efecto, el sentimiento mítico que nace del entendimiento de la vida del hombre, unido a la intuición objetiva de la naturaleza, sirve de base para la creencia de que los procesos objetivos pueden ser determinados mágicamente. En la mentalidad mítica:

> ...the path of the sun and the course of the seasons are not regulated by an inmutable law; they are subject to demonic powers and accesible to magical powers. The imitative games and rites connected with the various festivals are based on the

---

[61] Elisa Richter, *op. cit.,* 92-93; Raúl Castagnino, *El análisis literario,* Buenos Aires, Ed. Nova, 1965, 230-31.

[62] *Loc cit.,* 202.

[63] JTC, 131. Otros aspectos de la dialéctica entre el individuo y el todo colectivo están señalados en el cap. que trata de los personajes. Y ni siquiera vale la pena de señalar el hecho de que las narraciones directamente inspiradas en la mitología africana u oriental *—Uba-Opa, Los peces...—* están impregnadas de antropomorfismo, manifiesto a todos los niveles del relato.

> notion that the life-giving power of the sun and the vegetative forces of nature must be aided and guarded against hostile powers, by human activity[64].

En esta mágica visión del mundo, el toro de fuego no sólo representa y ayuda al sol en su lucha contra las fuerzas demónicas de la noche: el toro *es* realmente el sol, su lucha es la del sol, y por ello, como señala Cassirer, no puede aplicarse a tal magia el calificativo de analógica. Esta forma de mímica, que se afirma como base de todo arte dramático, no es, pues, nunca una actividad simplemente estética: tiene igual carácter trágico y sagrado que la acción mítica misma[65].

La imagen del mundo como laberinto, propia al drama narrativo de Aub, aparece ante nosotros con semejante carácter mágico: *El laberinto mágico* no es una copia del mundo: es el mundo ilimitado reducido a los límites de la voluntad y la inteligencia de su autor, corporeizado por su magia verbal. Como lo es toda manifestación del arte moderno, según presentía ya Baudelaire en *L'Art Philosophique,* al decir que el arte nuevo consistía en crear una magia sugestiva que englobase a un tiempo el mundo exterior al artista y al artista mismo. Aub, por su parte, ha comentado otras afirmaciones del mismo orden, al decir: «Hallar lo finito en el infinito está mucho más cerca de la emoción que la fórmula contraria de Baudelaire»[66].

La obra literaria, por otra parte —y ya hemos visto repetidamente las manifestaciones estructurales de tal principio—, corresponde al mágico de *pars pro toto,* válido tanto para su concepción del espacio como del tiempo. En ella, el *aquí* es a la vez *aquí y en todas partes,* el *ahora* está abrumado por el peso del pasado y preñado de futuro[67]. La magia no es otra cosa que una técnica de realización de los deseos: la palabra es la fórmula sesámica que vence cualquier resistencia: *Carmina vel caelo possunt deducere lunam.*

---

64 Cassirer, *op. cit.,* II, 109-110.
65 *Ibid.,* 39-40.
66 EC, 39.
67 Cassirer, *op. cit.,* 110.

> Thus the power of man in that sphere of feeling and thinking is subject to an empirical limit, but in principle, is unlimited; the I knows no barrier that it does not strive to leap —sometime— successfully [68].

Lo mágico, pues, del *Laberinto* viene a reforzar la propia sustantividad de la figura: lo ilimitado dentro del límite teórico.

La palabra, insistimos, realiza la primera y básica forma de la acción y la coerción mágicas. En ese sentido ha analizado Kenneth Burke la magia del verbo:

> The magic decree is implicit in all language: for the mere act of naming an object or situation decrees that it is to be singled out as such-and-such rather than something-other. Hence I think that an atempt to eliminate magic, in this sense, would involve us in the elimination of vocabulary itself as a way of sizing up reality [69].

Confrontemos ahora un texto aubiano de creación en la creación, el ya citado en que Cuartero se enfrenta a su propia obra de teatro en el acto de ir tomando cuerpo por la palabra [70]. La magia de las palabras transforma a su autor conforme a los sentimientos expresados. Habla el propio Aub en el prefacio a *Campo cerrado*: «Mis personajes hablan así en el reflejo mágico de mi imaginación» [71].

A lo largo de su obra, no es difícil señalar algunos testimonios lúcidos del poder mágico. Así Dionisio Velázquez: «El pensamiento mágico base de la máquina con que se quiere imponer el hombre al mundo» [72]. El amor es el otro mágico prodigioso que posibilita la dominación del mundo —como vimos en los momentos cruciales de la fusión amorosa entre Enrique y Matilde en *Yo vivo,* entre Vicente y Asunción en *Campo de los almendros,* entre Cuartero y Rosario en *Campo*

68 *Ibid.,* 221-22.
69 Kenneth Burke, *Philosophy of Literary Form,* 5.
70 CS, 373.
71 CC, 10.
72 CAL, 93.

de sangre—. Revela asimismo nuevos paisajes desconocidos. Cuartero habla a Rosario dormida:

> Todo esto que resiento lo llevas escondido y desconocido. Eres mi propio ser que dormía. Fuente mía. Mágico prodigioso que con tu sola presencia y aposición de la mano has hecho crecer en mí árboles nuevos. Me voy conociendo, conociéndote [73].

El arte es magia. Así lo sienten los jóvenes actores de *Campo abierto*: «El teatro, instrumento mágico que les iba a permitir establecerse en la vida según el trabajo que libremente habían escogido» [74]. Y, más claramente aún, Jusep Torres:

> Pintar es capturar. No nos distinguimos gran cosa de los pintores de la cueva de Altamira. Hacemos nuestras abluciones antes de empezar una representación. Queremos «cazar» una cara, una sandía, una guitarra. Toda representación es mágica. Todo arte «sale» por arte de magia. Sácase la obra de la manga. ¿Cómo? Sólo los profesionales lo saben. Y son los peores. Para que la obra sea verdadera el primer sorprendido debe ser el autor.
>
> Saber lo que quiere hacerse, pero por obra de magia. Pintaban bisontes para cazarlos, pero no sabían exactamente cómo. Esperaban ayuda divina. Como nosotros para cobrar pieza.

Para «cobrar pieza», y «a ciegas», escribía también Petreña:

> ¡Qué extraño resultado! No tenía, al empezar a escribir, idea alguna. Iba a ver lo que salía de mi corazón, a ver si vaciaba de una vez y me fabricaba uno nuevo. Lo veo difícil, a pesar del crédito que goza la teoría de que los literatos nos curamos los amores acuñándolos en elzeviriano [76].

En ese sentido hay que recordar las afirmaciones de Freud a propósito del arte:

---

[73] CS, 375.
[74] CA, 27.
[75] JTC, 233.
[76] LAP, 22-23.

> El arte es el único campo en que las ideas como todopoderosas se han mantenido hasta hoy. Sólo en arte sigue ocurriendo que un hombre atormentado por sus deseos haga algo que se parece a una satisfacción; y, gracias a la ilusión artística, ese juego produce los mismos efectos afectivos que si se tratase de algo real. Con razón se ha podido hablar de la magia del arte y comparar al artista con un mago. Pero esta comparación es quizás más significativa aún de lo que parece. El arte, que no empezó seguramente en tanto que «arte por el arte», estaba al comienzo al servicio de las tendencias que, en su mayoría, se han apagado en la actualidad. Es lícito suponer que entre esas tendencias se encontraba un buen número de intenciones mágicas [77].

Para Don Leandro, naturalmente, también la magia es distintiva de la vividura hispánica: «Vegetarianos y amigos de la magia. Lea Ud. a Feijoo. En ningún país europeo hubo tal influjo de supersticiones, astrología, magia» [78]. Y añade: «Influencia persa por los muslimes. La alquimia y los milagros». Y la alquimia, precisamente, junto con la magia numérica o almacabala son formas mágicas a las que remontan química y cálculo aritmético y algebraico. De esta última forma mágica no recordada por Don Leandro se muestran todavía adoradores los hombres ante los ojos asombrados de Jacobo: «La adoración mágica a ciertos caracteres llamados números es otra prueba de su mentalidad primitiva y prescritas creencias» [79]. Y el protagonista de *Yo vivo,* en pleno éxtasis de dominación del mundo, puede decir que «todo es numerable. Las cosas existen porque son hermosas y tienen un común denominador» [80].

* * *

La segunda forma discernible de coerción mágica en el *Laberinto* correspondería a esa seguridad del hombre que se

---

[77] S. Freud, *Totem et tabou,* 137.
[78] CS, 312.
[79] CCI, 195.
[80] YV, 27.

apoya en el verbo y el número para rechazar a nivel del subconsciente, sometiéndolos, los complejos que tienden a suplantar a nivel de la conciencia al complejo básico del yo, según la idea de Jung: «Se comprende, en semejante caso, que el yo tiene todos los motivos para someter el complejo a una prudente magia verbal» [81].

A esa magia corresponden las formas eufemísticas o apotropaicas del lenguaje primitivo y del lenguaje literario, en el que habría, subyacente, un carácter neurótico del tipo señalado por Jung [82].

La tercera forma coercitiva del lenguaje tendería a sacar al hombre moderno de su horror por la historia, que es, según Diéguez, «uno de los complejos fundamentales del marxismo»:

> Cette horreur est si visible que seule la poésie nous en délivre, «la poésie moderne, imposant le mot comme un objet, en fait une fraîcheur au dessus de l'Histoire» —Barthes—. Ainsi le mot devient magique, c'est un totem qui délivre par sa matière même [83].

A esa magia huidora de la historia como alienación es a la que se enfrenta —y de la que se abstiene—, medio envidioso, el típico personaje aubiano que pone al poeta, como hemos visto, en un mundo aparte.

Pero es evidente que sus personajes, por otra parte, someten la Historia a otro proceso de coerción mágica. No sólo se busca en los relatos mitológicos como *Uba-Opa* o *Los peces blancos de Patzcuaro* una explicación de los rasgos de las especies en un acontecimiento del pasado, con lo que se les encuentra una satisfactoria justificación espiritual. Un orden semejante de ideas subyace, a nuestro entender, en todos los intentos, más o menos coloreados de ciencia pragmática y experimental, de interpretar los acontecimientos del presente y las características raciales o nacionales en episodios o gestas del pasado,

---

81 C. G. Jung, *op. cit.*, 186.
82 *Ibid.*, 231-32.
83 Diéguez, *L'Écrivain...*, 141.

satisfaciendo así la misma inquietud por el mismo medio: «el tiempo es la primera forma original de justificación espiritual» [84]. ¿No es a esa misma necesidad de justificación del hecho literario a la que sucumbimos cada vez los intérpretes de la obra narrativa, a pesar nuestro?

* * *

Quisiéramos haber podido establecer la trama subyacente en la obra del *Laberinto mágico*: un antropomorfismo humanista del que toda divinidad tradicional está excluida, salvo la del hombre mismo, que posee la eternidad colectiva, como consuelo de haber perdido la infinidad personal. Dentro de los límites temporales del hombre-individuo, la eternidad ilimitada del hombre-especie. Distínguese así del existencialismo de tipo heideggeriano, cuya visión del hombre no trasciende de su carácter individual. De ahí que, frente al pesimismo ateo del existencialista alemán, se oponga el optimismo colectivista del humanismo aubiano, que le hace rechazar la calificación de existencialista, si por tal se entiende discípulo de Heidegger. Esa reacción es, en efecto, el motor de la carta a Roy Temple House, que analiza desde esas premisas la distancia entre el existencialismo heideggeriano, «positivismo de lo subjetivo», y la postura de Aub, que él mismo no llega a etiquetar, aunque admite que, de ser existencialista, lo sería «de otra cuerda» [85]. En el prefacio a *Campo francés*, en cambio, acierta Aub con la formulación precisa al decir:

> Por otra parte, la poesía —es decir, la literatura— es la relación —otra vez las distancias— del hombre con la muerte, teniendo en cuenta la distinción fundamental: que el hombre —solo— tiende a la destrucción, a la muerte; y el mundo, la humanidad, a la vida [86].

---

[84] Cassirer, *op. cit.*, II, 105.

[85] HH, 33-44. Ver especialmente págs. 35-36.

[86] CF, 7. Es evidente para nosotros que el existencialismo de Aub reside en las preguntas, no en las respuestas. No habría razón, de lo contrario, para poner juntos a cristianos, agnósticos y ateos bajo la rúbrica

Nos parece evidente, como ya señalamos al analizar las interpretaciones del *Laberinto* que generosamente se dan en el final *Campo de los almendros,* que Aub tiene mejor noción de sí mismo y de la visión del mundo que ofrece su obra, una vez ésta al término de sí misma. No son, a pesar de lo que pueda decir Aub, esas interpretaciones menos válidas que las prepuestas a la creación. A lo intuitivo de éstas viene a unirse ahora la meditación ante la obra que se acaba. Y es aquí donde podría aplicarse la idea de Maurice Blanchot a propósito de la metamorfosis del autor en su obra:

> Il est vrai que beaucoup de créateurs paraissent plus faibles que les autres hommes, moins capables de vivre et par conséquent plus capables de s'étonner de la vie. Peut-être en est-il souvent ainsi... Quand ils se mettent à l'oeuvre dans l'insouciance de leurs dons, beaucoup sont des êtres normaux, aimables, de plain-pied avec la vie, et c'est à l'oeuvre seule, à l'exigence qui est dans l'oeuvre, qu'ils doivent ce surcroît qui ne se mesure que par la plus grande faiblesse, une anomalie, la perte du monde et d'eux-mêmes. Ainsi Goya, ainsi Nerval [87].

¿Así Max Aub? En términos más concretos y adecuados a la estructura propia del relato aubiano, lo mismo viene a decir Cassirer cuando afirma:

> Once again we see confirmed the fundamental rule which governs all spiritual development, namely that the spirit arrives at its true and complete inwardness only by expressing itself. The form taken by the inner life reacts upon and determines its essence and meaning [88].

---

existencialista. ¿Qué soy yo? tiene sentido para el existencialista no como un análisis de las esencias sino como una consideración del devenir: de la suma de sus actos en el tiempo. Este es la básica categoría de la existencia para cierto número de hombres contemporáneos. Y sea cual sea la respuesta que se dé al «qué soy yo», si ésta toma como categoría básica del análisis el tiempo, es una respuesta existencialista (Campalans, situado en los comienzos del siglo, dice: «Dentro de pocos años importará lo que ha nacido con nosotros, la cuarta dimensión: el tiempo», JTC, 131).

87 Maurice Blanchot, *L'Espace littéraire,* Paris, Gallimard, 1955, 50.

88 *Op. cit.,* II, 196.

Ya intuía Petreña que era ilusoria «la teoría de que los literatos nos curamos los amores acuñándolos en elzeviriano»[89]. La obra de un escritor —lo hemos dicho— no acaba sino con su voz, cuando la obra es realmente producto matriz del hombre entero y verdadero. Una vez cortado un fragmento de ella, que llega a la luz —a la imprenta— por razones y en momentos enteramente circunstanciales que son de pan llevar, el autor prosigue su acto creador incansablemente, con las mismas inquietudes, de las que ese fragmento meteórico de la obra no puede enajenarle, y vuelve otra vez al mismo punto de partida. Imagen, una vez más, del laberinto. A eso se refiere igualmente Umberto Eco, cuando, relacionando la estructura abierta de la obra de arte con la formulación de la nueva matemática, afirma:

> L'Univers est devenu mobile et changeant: contradiction et opposition ne sont plus le mal qu'il faut éliminer par les formules abstraites de l'ordre, mais le ressort même d'une vie qui exige sans cesse de nouvelles explications de la part de qui veut s'adapter pas à pas aux formes mouvantes que prennent les choses à la lumière de la recherche[90].

El valor significativo de los elementos que integran *El laberinto mágico* se juzga, a nuestro parecer, en relación con los aspectos existenciales de la vida del hombre: en sus existencias a) solo, b) conviviente, c) con-circunstante, d) trascendente. Ni siquiera se plantea en ella el problema de la *esencia* del hombre en otros términos que de existencia, y mucho menos se le define como un compuesto de entidades sustanciales. En cambio, se nos presenta, prácticamente, como una entidad funcional, con noción de identidad de sí. Esa unidad funcional se siente, tanto por el autor como por los personajes, encauzada en la noción de continuidad en el tiempo. El tiempo de narración, pues, es el necesario cauce para el fluir constante de los

---

89 Ver nota 76.

90 Citamos por la traducción revisada por el autor: *L'oeuvre ouverte*, Paris, Ed. Du Seuil, 1965, 285.

personajes en cuanto unidades funcionales, ya que sólo por el tiempo de narración puede comunicarles el creador esa noción de continuidad temporal.

¿Cómo ve, a fin de cuentas, el creador, su tema? ¿Es lo que hay que llamar «mensaje», «sentido», «Weltanschauung», «antropogonía»? Lo importante, a nuestro entender, es que el autor ha sabido dar, estructuralmente, es decir, en un más allá de las palabras, la misma visión, sentido o antropogonía que está explícita en sus palabras: primeramente, a través de las sensaciones y sentimientos de sus personajes; en segundo lugar, a través de los destinos de sus criaturas, y en tercer lugar, a través de la estructura misma de su obra.

Primero: la vida del hombre es un laberinto y corre por un laberinto, la vida de los hombres es un cruce de laberintos, la vida del hombre termina en su laberinto, allá mismo donde empezara.

Segundo: esos laberintos que el hombre es y por el que el hombre corre cruzándose sus caminos con los de los otros hombres, son infinitamente variados y asombrosos, y en ellos todo adquiere volumen por contraste, en una perpetua dialéctica de contrarios, sin los cuales la vida del hombre no sería lo que es ni tendría las dimensiones que tiene.

El hombre va del gozo al dolor, siempre sobre la común dimensión del asombro, al empuje de un azar más o menos previsible pero nunca seguro, ni siquiera probable. (Se asombran incluso, y quizás más que todos, los seres del *Laberinto* que, en un momento determinado, creen tener una forma cualquiera de ariádnico hilo entre los dedos). Única manera de alcanzar cierta andadura probable en la caótica circulación del laberinto: la ruptura de la soledad, trascendiendo los valores individuales por los colectivos. De la fraternidad entre amigos, contertulios, familia, compañeros de armas o de letras, hasta el amor, por medio de la comunicación con el otro, bajo una u otra forma de la sociabilidad. Y la mayor desgracia, por el contrario, la soledad, y el sentimiento de la incomunicabilidad.

Los personajes, a la vez típicos en sus ideas, su aspecto físico, profesión o historia, son distintos en cada una de sus individualidades concretas. Son así formas de retruécano —o equívoco— al nivel de la creación de personajes, como lo son al nivel de la «intriga» esas situaciones que se repiten, como las ideas que vuelven; como lo son los títulos reincidentes de los capítulos y los títulos de las obras, y la estructuración externa de las mismas. Todas ellas manifestaciones del eterno devaneo en que se estructura el universo aubiano: el laberinto como imagen de la historia del hombre, retorno caótico e incontrolado por parte de sus protagonistas mismos: la visión del mundo corresponde a la visión de la obra, y la estructura de ésta a la de aquél.

Incluso la naturaleza metamórfica de los elementos del léxico, siempre dispuestos a hacerse otros, a estallar en nuevas direcciones —según la afirmación ya citada de Eco— nos parece posible precisamente en la medida en que sus límites colectivos —la sintaxis— son mucho más estables y fijos, permitiendo esos juegos al nivel corpuscular del léxico.

CONCLUSIÓN

La primera parte del estudio que aquí acaba ha pretendido un primer acercamiento a la obra narrativa aubiana a partir del estudio de cada una de las obras por separado, pero reunidas según ciertas líneas de afinidad. Estas líneas podrían resumirse en tres: temporal, argumental y estilística, sobre las que se ha intentado una agrupación de la obra que nos facilitara la tarea analítica.

Una primera agrupación de textos aubianos parece tener como límite el año 1936, fecha del inicio de la guerra civil española. Los textos narrativos anteriores a dicha fecha pueden, a su vez, ser objeto de distinción. En primer lugar, *Geografía* y *Fábula verde,* intentos de novela según los cánones imperantes en el momento, que la crítica ha venido llamando deshumanizados, y que convendría mejor llamar desolidarizados. En segundo lugar, *Luis Álvarez Petreña,* resultado de una reflexión muy consciente sobre los límites de la escuela y sobre el callejón sin salida a que conducía la llamada deshumanización en un momento en que el hombre, agobiado por sus pasiones sociales y políticas, no puede mantener por más tiempo una postura literaria marginal y aséptica en un mundo cada vez más afectado por la marea ascendente de la nueva ideología colectivizante. Al escritor se le ofrece como disyuntiva abrazar dichas ideologías, tendiendo hacia un arte comprometido o solidario con los nuevos valores, o de defensa de sus privilegios de intelectual, paralela a la reacción de la burguesía frente a los valores colectivos socioeconómicos. En ambos casos, se ofrecen al escritor otras tareas más urgentes que la práctica de la literatura experimental. El escritor, salvo raras excepciones —escritores demasiado maduros dentro de la «escuela», o neófitos de la última hornada—, abandona su tarea narrativa.

Dentro de dicha perspectiva, la tarea de composición de la última obra del período —*Yo vivo*— parece resultar de un compromiso quizá no consciente entre los valores formales de la estilística «escolar» y la efusión trascendente por la que busca manifestarse el pleno vital del hombre de treinta años: momento privilegiado en que el escritor, totalmente seguro de sí y de su instrumento estilístico de indagación, gira en torno a sí mismo, explorando los límites de ese mundo de los sentidos, y de la comunicación sensorial y afectiva con el «otro».

La segunda etapa comienza en el momento en que, tras la imposición de las realidades políticas en la vida del individuo por obra de la guerra civil, el escritor, que se ha identificado claramente —como todos fueron llamados a hacerlo por la fuerza del conflicto— con uno de los bandos (el que representaba para él el derecho a la evolución hacia la nueva sociedad colectivista) y se ha comprometido por su constante y manifiesta colaboración, hace balance. Y se encuentra con que, si bien, con el fin de la guerra, el tiempo es de nuevo un valor del que dispone enteramente, ha perdido, con la derrota de los suyos, todo lo que constituía su anterior existencia: su país, sus ideales, su hogar, su grupo, sus amigos, su libertad.

Y el escritor, que antes de 1936 poseía ya prácticamente el instrumento fundamental de su oficio, se encuentra en 1939 con que ese instrumento es lo único que sobrevive a su total expolio. El instrumento, acerado en tres años de combates, puesto a prueba en raras ocasiones (sus teatros de circunstancias, su relato *El cojo*), dispone ahora del tiempo recobrado y de la cerrazón total de su espacio exterior. Su estancia en cárceles y campos de concentración fuerzan al escritor a una sola dedicación entre los estrechos límites de su nuevo espacio vital: la escritura. Sobre saber el cómo, el escritor sabe muy bien el qué. Y de esa situación paradójicamente privilegiada —recuérdese la «boutade» que sobre las ventajas de las cárceles pone Aub en boca de Jacobo, el cuervo erudito— parecen brotar los elementos de sus futuros relatos, novelas y obras de teatro, y sus mejores poemas. Todos giran en torno al motivo esencial del que son hijos naturales: la guerra española. Todo cuanto gira en torno a dichos tres años de guerra adquiere una dimensión relativa a ellos. Así, los años precedentes a la guerra son la preguerra, más que la República, y los que la siguen, los años de la postguerra y del exilio, más que los de la guerra mundial. De aquí surgen los temas del exilio: el desarraigo, la soledad, la pérdida de la libertad, la derrota personal y colectiva. Frente a ellos se alza, no ya amenazador, sino omnipresente, en todo triunfante, el movimiento de defensa de la sociedad que ellos han pretendido destruir o sobrepasar.

La acumulación de los materiales y la redacción de los primeros textos se realiza entre 1939 y 1942. En rigor puede decirse que, desde 1943 hasta 1965, Aub no hace sino explotar esa acumulación de riqueza literaria, ese casi inagotable venero de escritura, mantenido, si se quiere, artificialmente por la necesidad siempre constante del exilio. Hasta el fin de la guerra mundial constreñido a sus límites mejicanos, y sólo después de 1951 libre para volver a ciertos países de la Europa occidental (su carta al Presidente Auriol es de 1951), siguen las puertas de la patria cerradas para el exiliado. Esa obsesión por la tierra perdida, que es fundamental en la emigración republicana, tiene como consecuencia, literariamente, el mantenimiento de una temperatura dramática que va más allá de la evolución natural de la vida de un solo hombre: la curva se prolonga largamente en su ápice, sin que apunte el declive necesario que alivie la tensión.

Una tercera etapa, que podemos situar hacia 1958, en torno a la aparición de *Jusep Torres Campalans*, señala claramente el inicio de la rama distensiva. Los exiliados empiezan a visitar España o a regresar definitivamente a ella. La tensión colectiva empieza a ceder. Para los escritores ha pasado ya el trance amargo de ver reconocido en el concierto internacional de las naciones el régimen contra el que han seguido teóricamente luchando, y de cuya caída esperaban el retorno a la patria. Ahora es el momento en que, personalmente o por experiencia ajena, se percatan, al confrontar sus recuerdos con la realidad española, de que ya no son los mismos que creían seguir siendo, y que la tierra perdida ya no existe sino en su memoria. Es el momento en que León Felipe redacta el prefacio a *Belleza cruel*, de Ángela Figuera. El mismo año aparece el *Campalans* aubiano, y al siguiente, su *Verdadera historia*: al gesto desolado del que se reconoce no sólo sin raíces sino sin la voz, sigue, para algunos, la reacción del humor irónico. Aub entre ellos, desarrolla ese desolado sentimiento que arrasa las últimas ilusiones, quizás deseando que de la limpieza de las últimas ruinas pueda originarse un proyecto de mundo nuevo.

Desde 1955, fecha de aparición de *Ciertos cuentos*, está interrumpido el proyecto novelesco que englobará el tema de la guerra civil. Se vuelve el escritor hacia el nuevo mundo de lo posible —*Cuentos mexicanos* es de 1959, y su trabajo en la Universidad de México empieza poco después—. Es el momento en que la sala de espera se ha hecho aceptada y casi gustosa sala de estar. Cuando se vuelve hacia España, la misma vena socarrona y malhumorista sigue manando, o dirige la vista al pasado más remoto, anterior a la república de 1931, y así se escribe *La calle de Valverde*.

El ciclo de la guerra civil, pendiente aún de término, se completa entre 1963 y 1967, con la aparición del díptico novelesco constituido por *Campo del Moro* y *Campo de los almendros*. Se diversifica el interés del autor hacia los cuatro puntos cardinales del mundo actual, hacia las raíces remotas del laberinto —Creta— o a las guerras civiles carlistas. Y otra vez al mismo período de *La calle de Valverde*, al preparar su novela sobre Buñuel.

El estilo, por su parte, sigue una curva ligeramente distinta. Quizás el no haber tenido en cuenta la posibilidad de una evolución distinta a la temática ha llevado a la crítica a afirmaciones cuyo alcance era abusivo, afirmaciones en las que hemos incurrido nosotros mismos. Y es que, efectivamente, el estilo sigue su propia evolución: las primeras obras de postguerra marcan el momento culminante de un preciosismo léxico y sintáctico que culmina en *Campo de sangre* y desciende visiblemente hacia un control cada vez más eficaz de la riqueza, expresiva pero a veces ligeramente caótica, hacia un clasicismo más riguroso. (Naturalmente, el clasicismo a que aludimos es relativo a la postura precedente, y no tiene más alcance que subrayar el distanciamiento). La reconstrucción de *Campo abierto* que avanzamos como hipótesis muy plausible, y la revisión de los elementos narrativos de *Sala de espera* en *Cuentos ciertos,* marcan, de 1951 a 1955, el progreso de esa contención. La estabilidad en la mesura del lenguaje se mantiene hasta la aparición de cierto exceso conceptista, quizá como consecuencia del desarrollo de su tono irónico, llegando a ser una nota más que dominante en *Campo de los almendros.*

ANEJO PRIMERO

ÍNDICE DE TEMAS SOCIOPOLÍTICOS Y DE PERSONAJES HISTÓRICOS

TEMAS SOCIOPOLÍTICOS

PERSONAJES HISTÓRICOS

ANEJO SEGUNDO

ÍNDICE DE ESCRITORES, ARTISTAS E INTELECTUALES EN LA OBRA DE MAX AUB [1]

1 Con exclusión de su obra crítica.

BIBLIOGRAFÍA

I. FUENTES: OBRAS DE MAX AUB

1. LIBROS (NOVELAS Y RELATOS)

Geografía, Madrid, Cuadernos Literarios, 1929, 68 págs., 14 cm.

Geografía (1.ª edición completa), México, Ediciones Era, Col. Alacena, 1964, 60 págs., 19 cm.

Luis Alvarez Petreña, Barcelona, Editorial Miracle, 1934 [1].

Fábula verde, Valencia (Tipografía Moderna, 1932), 1933, 20 folios no numerados, 35 cm.

Luis Alvarez Petreña (1.ª edición completa), México, Editorial Joaquín Mortiz, S. A., 1965, 150 págs., 18 cm.

Campo cerrado, México, Tezontle, 1943, 260 págs., 20,5 cm. (2.ª ed., Ed. Veracruzana, 1968).

No son cuentos, México, Tezontle, 1944, 156 págs., 19,5 cm.

Campo de sangre, México, Tezontle, 1945, 516 págs., 21,5 cm.

Sala de espera, 3 vols. (México), Gráficos Guanajuato, 1948-1951, 23 cm. [2] (Vol. I: núms. 1 a 10, junio 1948 a marzo 1949; Vol. II: núms. 11 a 20, junio 1949 a marzo 1950; Vol. III: núms. 21 a 30, junio 1950 a marzo 1951).

Campo abierto, México, Tezontle, 1951, 524 págs., 17,5 cm.

Yo vivo, México, Tezontle, 1953, 78 págs., 18 cm. (2.ª ed., no consultada, Barcelona, El Bardo, 1966).

Algunas prosas, México, Los Presentes, 1954, 60 págs., 17,5 cm.

Las buenas intenciones, México, Tezontle, 1954, 348 págs., 17,5 cm. (2.ª ed. incompleta, Barcelona, Ed. Delos-Aymá, 1968).

---

[1] Consultada en Madrid, 1954, no conservamos la referencia entera (ej. de la B. N.).

[2] El tercer volumen dice: Impresora Juan Pablos.

Ciertos cuentos, México, Antigua Librería Robredo, 1955, 236 págs., 17 cm.

Cuentos ciertos, México, Antigua Librería Robredo, 1955, 364 págs., 17 cm.

Crímenes ejemplares de..., México, Impresora Juan Pablos, 1957, 66 págs., 20,5 cm.

Jusep Torres Campalans, México, Tezontle, 1958, 312 págs., 20 cm.[1].

Cuentos mexicanos (con pilón), México, Imprenta Universitaria, 1959, 162 páginas, 19,5 cm.

La verdadera historia de la muerte de F. F. y otros cuentos, México, Libro Mex Editores, 1960, 156 págs., 21,5 cm.

La calle de Valverde, Xalapa, Universidad Veracruzana, 1961, 396 págs., 19 cm. (2.ª ed. incompleta, Barcelona, Delos-Aymá, 1968).

Campo del Moro, México, Joaquín Mortiz Ed., 1963, 256 págs., 19 cm. (2.ª ed. incompleta, Ed. Delos-Aymá, 1970).

Juego de cartas, México, Alejandro Finisterre Ed., s. a. (c. 1964), 104 cartas de 17 × 11 cm. en funda de cartón impresa.

El zopilote y otros cuentos mexicanos, Barcelona, Ed. E. D. H. A., S. A., 1964, 208 págs., 20 cm.

Campo francés, París, Ediciones Ruedo Ibérico, 1965, 316 págs., 20,5 cm.

Historias de mala muerte (Obras incompletas de Max Aub), México, Joaquín Mortiz Ed., 1965, 158 págs., 18 cm.

Mis páginas mejores, Madrid, Editorial Gredos, Antología Hispánica, 24, 1966, 278 págs., 19 cm.

Campo de los almendros, México, Joaquín Mortiz Ed., 1968, 543 págs., 19,5 cm.

2. Otros libros consultados

Narciso, Teatro, Barcelona, Imprenta Altés, 1928, 124 págs., 23,5 cm.

Espejo de avaricia, Carácter, Madrid, Cruz y Raya, Ediciones del Árbol, 1935, 148 págs., 23,5 cm.

Morir por cerrar los ojos, drama, México, Tezontle, 1944, 252 págs., 21,5 cm. (2.ª ed., Barcelona, Aymá, col. Voz Imagen, 1967).

Discurso de la novela española contemporánea, México, El Colegio de México, Jornadas, 50, 1945, 108 págs., 23 cm.

El rapto de Europa o siempre se puede hacer algo, drama real, México, Tezontle, 1946, 150 págs., 21,5 cm.

Cara y cruz, drama, México, Sociedad General de Autores de México (1948), 76 págs., 19 cm.

---

[1] Editorial Lumen publicó en 1970 la edición española.

Manual de historia de la literatura española, vol. II, México, Editorial Pormaca, S. A., 1966, 374 págs., 20 cm.

Hablo como hombre (Obras incompletas de M. A.), México, Joaquín Mortiz Ed., 1967, 162 págs., 18 cm.

Enero en Cuba (Obras incompletas de M. A.), México, Joaquín Mortiz Ed., 1969, 122 págs., 18 cm.

Teatro completo, México, Aguilar, Biblioteca de Autores Modernos, 1968, 1.405 págs., 18 cm.

3. Otras obras

Los poemas cotidianos, Barcelona, Imprenta Omega, 1925 (ed. de 50 ejs.).

Teatro incompleto, Madrid, Sociedad General Española de Librerías (Imprenta Omega, Barcelona), 1931, 138 págs., 17,5.

A (poemas), Edición privada de 35 ejs.

Proyecto de un teatro nacional, Valencia, Edición del autor, 1936.

San Juan, tragedia, México, Tezontle, 1943, 126 págs., 21,5 cm.

Diario de Djelfa, México, Unión Distribuidora de Ediciones, 1944.

La vida conyugal, drama, México, Ediciones Letras de México, Libros del Hijo pródigo, 1944, 94 págs., 18 cm. (2.ª edición en Obras incompletas, J. Mortiz Ed., 1966).

De algún tiempo a esta parte (monólogo), México, Tezontle, 1949, 71 págs., 20 cm.

Deseada, drama, México, Tezontle, 1950, 206 págs., 18 cm.

No (teatro), México, Tezontle, 1952, 226 págs., 21,5 cm.

Canciones de la esposa ausente, México, Edición privada, 1953.

Antología de la prosa española del siglo XIX, 3 volúmenes, México, Antigua Librería Robredo, 1952-1962, 21 cm.

La poesía española contemporánea, México, Imprenta Universitaria, 1954, 234 págs., 18 cm.

Tres monólogos y uno sólo verdadero, México, Tezontle, 1956, 128 págs., 22 cm.

Una nueva poesía española (1950-1955), México, Imprenta Universitaria, 1957, 218 págs., 18 cm.

Heine, México, a expensas del autor a fines del año 1957, Gráficos Juan Pablos, 136 págs., 12 cm.

Lira perpetua, México, Ed. privada, 1959.

Del amor (espectáculo), México, Suplemento de «Ecuador», 1960, 44 págs., 22,5 cm.

Poesía mexicana (1950-1960), México, Aguilar, 1960, 373 págs., 21 cm.

El remate, Número extraordinario de Sala de espera, México, Distribuciones Avándaro, 1961, 25 págs., 24 cm.

Antología traducida, México, Imprenta Universitaria, 1963, Universidad Nacional Autónoma de México, 134 págs., 19 cm.

Las vueltas (teatro), México, Joaquín Mortiz, 1965 (Obras incompletas), 114 págs., 18 cm.

Pruebas (ensayos), Madrid, Ed. Ciencia Nueva, 1967, 203 p.

El cerco (teatro), México, Joaquín Mortiz, 1968 (Obras incompletas), 95 páginas, 18 cm.

Retrato de un general, visto de medio cuerpo y vuelto hacia la izquierda (fechado en 1968) (teatro), México, Joaquín Mortiz, 1969 (Obras incompletas), 94 págs., 18 cm.

Poesía española contemporánea, México, Ediciones Era (Enciclopedia Era, 8), 1969, 240 págs., 19,5 cm.

Últimos cuentos de la guerra de España, México, Ed. Monte Avila.

Guía de narradores de la Revolución Mexicana, México, Fondo de Cultura Económica (Presencia de México, 4), 1969, 143 págs., 17 cm.

4. TEXTOS EN REVISTAS (CONSULTADOS)

«Actualidad de Cervantes», en *Hora de España,* 5, Valencia, mayo de 1937, págs. 66-69.

«Nota a *Así que pasen cinco años*», en *Hora de España,* 11, Valencia, noviembre de 1937, págs. 67-74.

«El Cojo», en *Hora de España,* 17, Barcelona, mayo de 1938, págs. 73-89.

«Pedro López García», en *Hora de España,* 19, Barcelona, julio de 1938, págs. 81-100.

«La *Numancia* de Cervantes», en *La Torre,* 14, Puerto Rico, abril-junio de 1956, págs. 99-111.

«Vuelta y vueltas al *Quijote*», en *Libro jubilar de Alfonso Reyes,* México, Universidad Nacional Autónoma, 1956, págs. 51-67 (reeditado con el título de «Prólogo para una edición popular del *Quijote*», en *Papeles de Son Armadans,* 47, Palma, febrero de 1960, págs. 105-126).

«Notas mexicanas», en *Siempre,* suplemento literario n.º 78, México, 14 agosto 1963, págs. ii-v.

«El cementerio de Djelfa», en *Ínsula,* Madrid, 204, noviembre de 1963, página 16.

«Al publicarse *San Juan*», en *Primer Acto,* Madrid, 52, mayo de 1964, páginas 6-7.

«Crímenes y epitafios mexicanos, y algo de suicidios y gastronomía», en *Papeles de Son Armadans,* 101, Palma, 1964, págs. 194-212.

«Hércules y Don Juan», en *Revista de la Universidad de México,* XX, 3, noviembre de 1965, págs. 12-15.
«La Virgen de los Desamparados», en *Cuadernos Americanos,* XXV, 4, México, 1966, págs. 241-245.
«Antología traducida (Segunda entrega)», en *Papeles de Son Armadans,* 122, Palma, mayo de 1966, págs. 153-173.
«Algunos muertos recientes que uno ha conocido», en *Papeles de Son Armadans,* 125, agosto de 1966, 193-202.

5. CORRESPONDENCIA

Setenta y ocho cartas de M. A., entre el 31 de diciembre de 1953 y el 16 de febrero de 1970, al autor de este trabajo.
Cinta magnetofónica con una autobiografía, México, laboratorio de la Universidad Autónoma, 1966.

6. TRADUCCIONES CONSULTADAS

Les bonnes intentions, París, Stock, col. *Les Liens du Monde,* 1962, 292 páginas. Trad. de Robert Marrast.
Die bitteren Träume, München, R. Piper & Co. Verlag, 1962, 384 págs. Trad. de Helmut Frielinghaus.

II. ESTUDIOS Y ARTICULOS SOBRE AUB [1]

Díez-Canedo, Enrique. Prefacio a *Los poemas cotidianos* (1925) (v. sección I, 3).

Díez-Canedo, Enrique. «El teatro impreso», en *El Sol*, Madrid, 9 diciembre 1928.

—. «Sobre *Teatro incompleto*», en *El Sol*, Madrid, 19 julio 1931.

Chabás, Juan: «*Fábula verde*», en *Rev. de Occidente*, CXV, enero 1933, págs. 103-105.

Díez Canedo, E. «Max Aub y su *Espejo de avaricia*», en *La Voz*, Madrid, 9 diciembre 1935.

Domenchina, Juan José. *Crónicas de Gerardo Rivera*, Madrid, Aguilar, 1935, págs. 210-14.

Chabás, Juan. «(Sobre Aub)», en *El Sol*, Madrid, 26 noviembre 1935.

Thomas, Lucien-Paul. «Préface à *Fable verte*», Bruxelles, *Journal des Poètes*, 1937.

González López, Emilio. «*Campo cerrado* de M. A.», en *Revista Hispánica Moderna*, XI, 1945, julio.

Rejano, Juan. «Imagen del mundo. La tragedia del *San Juan*», en *El Nacional*, México, 1943.

Paz, Octavio. «Reseña de *San Juan*», en *El Hijo Pródigo*, México, agosto 1943.

Díez-Canedo, Enrique. «Prefacio a *San Juan*», México, Tezontle, 1943 (v. secc. 3).

—. «*La vida conyugal*», en *El Hijo Pródigo*, México, abril 1944.

---

[1] Las referencias bibliográficas incompletas proceden de una bibliografía cedida por el Sr. Aub, y no han sido verificadas para este estudio. Las referencias se presentan por orden cronológico.

Giner de los Ríos, Francisco. «*No son cuentos*», en *El Hijo Pródigo*, México, 1945.

Salazar, Adolfo. «La paradoja de la novela», en *Novedades*, México, 6 febrero 1946.

Bell, Aubrey F. «*Campo de sangre*», en *Books abroad*, Oklahoma, spring, 1946.

Gil Mariscal, Félix. «Por el mundo de los libros», en *Universidad de México*, I, 7, abril 1947.

Sender, Ramón J. «El rapto de Europa», en *Books Abroad*, winter, 1947, Oklahoma.

Chabás, Juan. «Max Aub», en *Literatura española contemporánea, op. cit.*, págs. 652-684.

Rodríguez Monegal, Emir. «*Campo abierto*», en *Marcha*, Montevideo, 19 diciembre 1952.

R. T. H. (Roy Temple House). «*Yo vivo*», en *Books Abroad*, Oklahoma, spring, 1954.

Poniatoska, Elena. «*Yo vivo*», en *Excelsior*, México, 22 septiembre 1953.

Campos, Jorge. «*Las buenas intenciones*», en *Insula*, 108, diciembre 1954, Madrid.

Schade, George D. «*Las buenas intenciones*», en *Books Abroad*, spring, 1955, Oklahoma.

F. S. «*Ciertos cuentos, Cuentos ciertos*», en *Indice*, Madrid, agosto 1956.

Couffon, Claude. «Rencontre avec M. A.», en *Les Lettres Nouvelles*, París, 27, 1959.

M. D. (Manuel Durán?) «*Jusep Torres Campalans*», en *Cuadernos*, París, 39, nov.-diciembre 1959, 115-116.

Aleixandre, Vicente. «Carta a Max Aub», en *Insula*, Madrid, 155, octubre 1959, pág. 2.

Soldevila-Durante, Ignacio. «El español Max Aub», en *Insula*, Madrid, 160, marzo 1960, págs. 11-15.

—. «El español Max Aub» (texto completo), en *La Torre*, Río Piedras, 33, págs. 103-120 (enero-marzo 1961).

Marra-López, José R. «*Cuentos mexicanos*», en *Insula*, Madrid, 162, mayo 1960, pág. 10.

Fouchet, Max-Pol. «*J. T. Campalans* par M. A.», en *L'Express*, París, 512, 6 avril 1961, pág. 32.

Corrales Egea, José. «De un mes a otro. I. Los ríos de España», en *Insula*, 176-177, Madrid, julio-agosto 1961, págs. 20-22.

Doménech, Ricardo. «Piezas en un acto de M. A.», en *Cuadernos Hispanoamericanos*, 150, Madrid, junio 1962.

Agostini del Río, Amelia. «Los cuentos de Max Aub», en *Revista Hispánica Moderna,* XXIX, 1, New York, 1963, págs. 62-63.

Durán, Manuel. «Max Aub, o la vocación del escritor», en *Siempre,* México, 14 agosto 1963, págs. vi-vii.

Quinto, José María de. «Informe apresurado sobre el teatro de Max Aub», en *Primer Acto,* 52, Madrid, mayo 1964, págs. 15-18.

Marra-López, José-Ramón. «La obra literaria de Max Aub», en *Primer Acto,* 52, Madrid, mayo 1964, págs. 8-14.

Sastre, Alfonso. «Un drama de Max Aub», en *Primer Acto,* Madrid, 52, mayo 1964, págs. 15-18.

Calvo Hernando, Manuel. «Un pintor que nunca existió», en *Ya,* Madrid, 7 febrero 1965.

Hornedo, R. M. «Max Aub, *El zopilote*», en *Reseña,* 7 abril 1965, páginas 108-110.

García Lora, José. «Fabulación dramática del fabuloso Max Aub», en *Insula,* 222-23, Madrid, mayo-junio 1965, págs. 14 y 23, núms. 224-25, julio-agosto, págs. 28-29.

García Ponce, Juan. «*Campo Francés* de M. A. Testimonio y advertencia», en *Siempre,* 678, México, 22 junio 1966, xiii-xiv.

Puccini, Dario. «Max Aub; el teatro del exilio», en *Siempre,* México, 14 septiembre 1966, págs. xiii-xiv.

Mainer, José-Carlos. «Incompleto Max Aub», en *Insula,* 238, Madrid, septiembre 1966, pág. 3.

A. M. (Antonio Molina). «Un libro lejano», en *Papeles de Son Armadans,* 129, diciembre de 1966, págs. 382-84.

Rodríguez Monegal, Emir. «Tres testigos españoles de la guerra civil», en *Revista Nacional de Cultura,* Caracas, 182, octubre-diciembre 1967, páginas 3-23.

Embeita, María. «Max Aub y su generación», en *Insula,* 253, Madrid, diciembre 1967, págs. 1-12.

Domingo, José. «Con Max Aub, en el laberinto», en *Insula,* 264, Madrid, noviembre 1968, pág. 7.

Chamorro, María Inés. «Max Aub, *Pruebas*», en *Cuadernos Hispanoamericanos,* 219 (marzo 1968), págs. 618-620.

Soldevila-Durante, Ignacio. «El realismo trascendente y otras observaciones acerca de la narrativa española contemporánea (A propósito de Max Aub)», en *Papeles de Son Armadans,* Palma, 150, septiembre 1968, págs. 197- 228.

VER IGUALMENTE:

Alborg, Juan Luis. *Hora actual, op. cit.*, II, págs. 75-136.

Marra-López, J. R. «M. A. Tragicomedia y compromiso», en *Narrativa española, op. cit.*, 177-216.

Martínez, Carlos. *Crónica de una emigración*, México, Libro Mex, 1959, páginas 74, 219, 221, 246, 247, 293, 294, 328.

Marrast, Robert. «Préface à *Les bonnes intentions*», *op. cit.* (V. secc. 6), págs. 7-14.

Nora, Eugenio de. *La novela española, op. cit.*, vol. II, 2, págs. 65-77.

Pérez Minik, Domingo. *Novelistas españoles, op. cit.*, págs. 298-302.

Doménech, Ricardo. «Introducción al teatro de Max Aub», en Max Aub, *Morir por cerrar los ojos*, Barcelona, Aymá, 1967, págs. 20-64 (contiene una cronología sobre Aub).

Rodríguez Monegal, Emir. «Max Aub», en *El arte de narrar*, Caracas, Monte Avila, 1969, págs. 21-48.

Hoyo, Arturo del. «Prólogo» a Max Aub, *Teatro completo, op. cit.* (v. sección 2), págs. 9-32.

III. APÉNDICE BIBLIOGRÁFICO
(1969-1972)

1. Obras

Novelas escogidas, México, Manuel Aguilar Editor, 1970, 1340 p., 18 cm.

La calle de Valverde, Barcelona, Ed. Seix Barral, 1970 (reedición).

Vida y obra de Luis Álvarez Petreña (novela), Barcelona, Ed. Seix Barral (Biblioteca Breve, 310), 1971, 228 p., 19,5 cm. (Se trata de una edición ampliada con una importante tercera parte.)

Subversiones, Madrid, Ed. Helios, Col. de Poesía «Saco Roto», 2, 1971, 90 p., 16,5 cm.

La uña y otras narraciones, Barcelona, Ediciones Picazo, 1972, 184 p., 19,5 cm.

Pequeña y vieja historia marroquí, Madrid, Las Ediciones de los Papeles de Son Armadans (Azanca, 3), 1972, 155 p., 20 cm.

Crímenes ejemplares (Ilustr. de Ángel Jové), Barcelona, Ed. Lumen (Col. Palabra Menor, 5), 1972, 77 p., 18,5 cm.

2. Estudios y artículos sobre Aub

Domingo, J. «Novela histórica contemporánea: *Campo del Moro*», en *Ínsula*, 281, abril 1970, p. 5.

Cano, J. L. «Max Aub biógrafo: *Jusep Torres Campalans*», en *Ínsula*, 288, nov. 1970, p. 8-9.

Fernández-Braso, M. *De escritor a escritor*, Barcelona, Ed. Taber, 1970, p. 399-405.

Sobejano, Gonzalo. *Novela española de nuestro tiempo*, Madrid, Ed. Prensa Española, 1970, p. 54-62.

Ruiz Ramón, F. *Historia del teatro español. Siglo XX*, Madrid, Alianza Editorial, 1971, p. 269-298.

Tuñón de Lara, M. Prólogo a *Novelas escogidas*, p. 9-69.

Monleón, José. *El teatro de Max Aub*, Madrid, Cuadernos Taurus, 104, 1972, 146 p.

Primer Acto: Entrevista con M. A., n. 144, mayo 1972, p. 37-41 (seguido de *La vida conyugal*, p. 41-62).

Sanz Villanueva, S. *Tendencias de la novela española actual*, Madrid, Cuadernos para el Diálogo, 1972, p. 281-83.

Ponce de León, J. L. S. *La novela española de la guerra civil*, Madrid, Ínsula, 1971, 210 p. (passim).

Alonso de los Ríos, C. «Max Aub entre nosotros», en *Triunfo*, 504, 27 de mayo 1972, p. 57-60.

Molina, A. F. Prefacio a *La uña*, p. 11-18.

ÍNDICE GENERAL

Págs.

PRIMERA PARTE

LA PRODUCCIÓN NARRATIVA DE AUB EN SUS UNIDADES CRONOLÓGICAS Y ARGUMENTALES

BIBLIOTECA ROMÁNICA HISPÁNICA

Dirigida por: DÁMASO ALONSO

I. TRATADOS Y MONOGRAFÍAS

1. Walther von Wartburg: *La fragmentación lingüística de la Romania.* Segunda edición aumentada. 208 págs. 17 mapas.
2. René Wellek y Austin Warren: *Teoría literaria.* Con un prólogo de Dámaso Alonso. Cuarta edición. Reimpresión. 432 págs.
3. Wolfgang Kayser: *Interpretación y análisis de la obra literaria.* Cuarta edición revisada. Reimpresión. 594 págs.
4. E. Allison Peers: *Historia del movimiento romántico español.* Tercera edición, en prensa.
5. Amado Alonso: *De la pronunciación medieval a la moderna en español.* 2 vols.
6. Helmut Hatzfeld: *Bibliografía crítica de la nueva estilística aplicada a las literaturas románicas.* Segunda edición, en prensa.
9. René Wellek: *Historia de la crítica moderna (1750-1950).* 3 vols. Volumen IV, en prensa.
10. Kurt Baldinger: *La formación de los dominios lingüísticos en la Península Ibérica.* Segunda edición corregida y muy aumentada. 496 págs. 23 mapas.
11. S. Griswold Morley y Courtney Bruerton: *Cronología de las comedias de Lope de Vega.* 694 págs.
12. Antonio Martí: *La preceptiva retórica española en el Siglo de Oro.* Premio Nacional de Literatura. 346 págs.
13. Vítor Manuel de Aguiar e Silva: *Teoría de la literatura.* 550 págs.
14. Hans Hörmann: *Psicología del lenguaje.* 496 págs.

II. ESTUDIOS Y ENSAYOS

1. Dámaso Alonso: *Poesía española (Ensayo de métodos y límites estilísticos).* Quinta edición. Reimpresión. 672 págs. 2 láminas.
2. Amado Alonso: *Estudios lingüísticos (Temas españoles).* Tercera edición. 286 págs.
3. Dámaso Alonso y Carlos Bousoño: *Seis calas en la expresión literaria española (Prosa - Poesía - Teatro).* Cuarta edición. 446 páginas.
4. Vicente García de Diego: *Lecciones de lingüística española (Conferencias pronunciadas en el Ateneo de Madrid).* Tercera edición. Reimpresión. 234 págs.

5. Joaquín Casalduero: *Vida y obra de Galdós (1843-1920).* Tercera edición ampliada. 294 págs.
6. Dámaso Alonso: *Poetas españoles contemporáneos.* Tercera edición aumentada. Reimpresión. 424 págs.
7. Carlos Bousoño: *Teoría de la expresión poética.* Premio «Fastenrath». Quinta edición muy aumentada. Versión definitiva. 2 vols.
9. Ramón Menéndez Pidal: *Toponimia prerrománica hispana.* Reimpresión. 314 págs. 3 mapas.
10. Carlos Clavería: *Temas de Unamuno.* Segunda edición. 168 págs.
11. Luis Alberto Sánchez: *Proceso y contenido de la novela hispanoamericana.* Segunda edición corregida y aumentada. 630 págs.
12. Amado Alonso: *Estudios lingüísticos (Temas hispanoamericanos).* Tercera edición. 360 págs.
16. Helmut Hatzfeld: *Estudios literarios sobre mística española.* Segunda edición corregida y aumentada. 424 págs.
17. Amado Alonso: *Materia y forma en poesía.* Tercera edición. Reimpresión. 402 págs.
18. Dámaso Alonso: *Estudios y ensayos gongorinos.* Tercera edición. 602 págs. 15 láminas.
19. Leo Spitzer: *Lingüística e historia literaria.* Segunda edición. Reimpresión. 308 págs.
20. Alonso Zamora Vicente: *Las sonatas de Valle Inclán.* Segunda edición. Reimpresión. 190 págs.
21. Ramón de Zubiría: *La poesía de Antonio Machado.* Tercera edición. Reimpresión. 268 págs.
24. Vicente Gaos: *La poética de Campoamor.* Segunda edición corregida y aumentada, con un apéndice sobre la poesía de Campoamor. 234 págs.
27. Carlos Bousoño: *La poesía de Vicente Aleixandre.* Segunda edición corregida y aumentada. 486 págs.
28. Gonzalo Sobejano: *El epíteto en la lírica española.* Segunda edición revisada. 452 págs.
31. Graciela Palau de Nemes: *Vida y obra de Juan Ramón Jiménez.* Segunda edición, en prensa.
34. Eugenio Asensio: *Poética y realidad en el cancionero peninsular de la Edad Media.* Segunda edición aumentada. 308 págs.
36. José Luis Varela: *Poesía y restauración cultural de Galicia en el siglo XIX.* 304 págs.
39. José Pedro Díaz: *Gustavo Adolfo Bécquer (Vida y poesía).* Tercera edición corregida y aumentada. 514 págs.

40. Emilio Carilla: *El Romanticismo en la América hispánica.* Segunda edición revisada y ampliada. 2 vols.
41. Eugenio G. de Nora: *La novela española contemporánea (1898-1967).* Premio de la Crítica. 3 vols.
42. Christoph Eich: *Federico García Lorca, poeta de la intensidad.* Segunda edición revisada. 206 págs.
43. Oreste Macrí: *Fernando de Herrera.* Segunda edición corregida y aumentada. 696 págs.
44. Marcial José Bayo: *Virgilio y la pastoral española del Renacimiento (1480-1550).* Segunda edición. 290 págs.
45. Dámaso Alonso: *Dos españoles del Siglo de Oro.* Reimpresión. 258 págs.
46. Manuel Criado de Val: *Teoría de Castilla la Nueva (La dualidad castellana en la lengua, la literatura y la historia).* Segunda edición ampliada. 400 págs. 8 mapas.
47. Ivan A. Schulman: *Símbolo y color en la obra de José Martí.* Segunda edición. 498 págs.
49. Joaquín Casalduero: *Espronceda.* Segunda edición. 280 págs.
51. Frank Pierce: *La poesía épica del Siglo de Oro.* Segunda edición revisada y aumentada. 396 págs.
52. E. Correa Calderón: *Baltasar Gracián. Su vida y su obra.* Segunda edición aumentada. 426 págs.
53. Sofía Martín-Gamero: *La enseñanza del inglés en España (Desde la Edad Media hasta el siglo XIX).* 274 págs.
54. Joaquín Casalduero: *Estudios sobre el teatro español.* Tercera edición aumentada. 324 págs.
55. Nigel Glendinning: *Vida y obra de Cadalso.* 240 págs.
57. Joaquín Casalduero: *Sentido y forma de las «Novelas ejemplares».* Segunda edición corregida. 272 págs.
58. Sanford Shepard: *El Pinciano y las teorías literarias del Siglo de Oro.* Segunda edición aumentada. 210 págs.
60. Joaquín Casalduero: *Estudios de literatura española.* Tercera edición aumentada. 478 págs.
61. Eugenio Coseriu: *Teoría del lenguaje y lingüística general (Cinco estudios).* Segunda edición. Reimpresión. 328 págs.
62. Aurelio Miró Quesada S.: *El primer virrey-poeta en América (Don Juan de Mendoza y Luna, marqués de Montesclaros).* 274 págs.
63. Gustavo Correa: *El simbolismo religioso en las novelas de Pérez Galdós.* Segunda edición, en prensa.

64. Rafael de Balbín: *Sistema de rítmica castellana.* Premio «Francisco Franco» del C. S. I. C. Segunda edición aumentada. 402 páginas.
65. Paul Ilie: *La novelística de Camilo José Cela.* Con un prólogo de Julián Marías. Segunda edición. 242 págs.
67. Juan Cano Ballesta: *La poesía de Miguel Hernández.* Segunda edición aumentada. 356 págs.
69. Gloria Videla: *El ultraísmo.* Segunda edición. 246 págs.
70. Hans Hinterhäuser: *Los «Episodios Nacionales» de Benito Pérez Galdós.* 398 págs.
71. Javier Herrero: *Fernán Caballero: un nuevo planteamiento.* 346 páginas.
72. Werner Beinhauer: *El español coloquial.* Con un prólogo de Dámaso Alonso. Segunda edición corregida, aumentada y actualizada. 460 págs.
73. Helmut Hatzfeld: *Estudios sobre el barroco.* Tercera edición aumentada. 562 págs.
74. Vicente Ramos: *El mundo de Gabriel Miró.* Segunda edición corregida y aumentada. 526 págs.
75. Manuel García Blanco: *América y Unamuno.* 434 págs. 2 láminas.
76. Ricardo Gullón: *Autobiografías de Unamuno.* 390 págs.
77. Marcel Bataillon: *Varia lección de clásicos españoles.* 444 págs. 5 láminas.
80. José Antonio Maravall: *El mundo social de «La Celestina».* Premio de los Escritores Europeos. Tercera edición revisada. 188 págs.
81. Joaquín Artiles: *Los recursos literarios de Berceo.* Segunda edición corregida. 272 págs.
82. Eugenio Asensio: *Itinerario del entremés desde Lope de Rueda a Quiñones de Benavente (Con cinco entremeses inéditos de Don Francisco de Quevedo).* Segunda edición revisada. 374 págs.
83. Carlos Feal Deibe: *La poesía de Pedro Salinas.* Segunda edición. 270 págs.
84. Carmelo Gariano: *Análisis estilístico de los «Milagros de Nuestra Señora» de Berceo.* Segunda edición corregida. 236 págs.
85. Guillermo Díaz-Plaja: *Las estéticas de Valle-Inclán.* Reimpresión. 298 págs.
86. Walter T. Pattison: *El naturalismo español (Historia externa de un movimiento literario).* Reimpresión. 192 págs.
88. Javier Herrero: *Angel Ganivet: un iluminado.* 346 págs.

89. Emilio Lorenzo: *El español de hoy, lengua en ebullición.* Con un prólogo de Dámaso Alonso. Segunda edición actualizada y aumentada. 240 págs.
90. Emilia de Zuleta: *Historia de la crítica española contemporánea.* Segunda edición, en prensa.
91. Michael P. Predmore: *La obra en prosa de Juan Ramón Jiménez.* Segunda edición, en prensa.
92. Bruno Snell: *La estructura del lenguaje.* Reimpresión. 218 págs.
93. Antonio Serrano de Haro: *Personalidad y destino de Jorge Manrique.* Segunda edición, en prensa.
94. Ricardo Gullón: *Galdós, novelista moderno.* Tercera edición, en prensa.
95. Joaquín Casalduero: *Sentido y forma del teatro de Cervantes.* 290 páginas.
96. Antonio Risco: *La estética de Valle-Inclán en los esperpentos y en «El Ruedo Ibérico».* 278 págs.
97. Joseph Szertics: *Tiempo y verbo en el romancero viejo.* 208 págs.
98. Miguel Batllori, S. I.: *La cultura hispano-italiana de los jesuitas expulsos.* 698 págs.
99. Emilio Carilla: *Una etapa decisiva de Darío (Rubén Darío en la Argentina).* 200 págs.
100. Miguel Jaroslaw Flys: *La poesía existencial de Dámaso Alonso.* 344 págs.
101. Edmund de Chasca: *El arte juglaresco en el «Cantar de Mío Cid».* Segunda edición aumentada. 418 págs.
102. Gonzalo Sobejano: *Nietzsche en España.* 688 págs.
103. José Agustín Balseiro: *Seis estudios sobre Rubén Darío.* 146 págs.
104. Rafael Lapesa: *De la Edad Media a nuestros días (Estudios de historia literaria).* Reimpresión. 310 págs.
105. Giuseppe Carlo Rossi: *Estudios sobre las letras en el siglo XVIII.* 336 págs.
106. Aurora de Albornoz: *La presencia de Miguel de Unamuno en Antonio Machado.* 374 págs.
107. Carmelo Gariano: *El mundo poético de Juan Ruiz.* 262 págs.
108. Paul Bénichou: *Creación poética en el romancero tradicional.* 190 páginas.
109. Donald F. Fogelquist: *Españoles de América y americanos de España.* 348 págs.
110. Bernard Pottier: *Lingüística moderna y filología hispánica.* Reimpresión. 246 págs.

111. Josse de Kock: *Introducción al Cancionero de Miguel de Unamuno*. 198 págs.

112. Jaime Alazraki: *La prosa narrativa de Jorge Luis Borges (Temas-Estilo)*. Segunda edición, en prensa.

113. Andrew P. Debicki: *Estudios sobre poesía española contemporánea (La generación de 1924-1925)*. 334 págs.

114. Concha Zardoya: *Poesía española del 98 y del 27 (Estudios temáticos y estilísticos)*. Segunda edición, en prensa.

115. Harald Weinrich: *Estructura y función de los tiempos en el lenguaje*. 430 págs.

116. Antonio Regalado García: *El siervo y el señor (La dialéctica agónica de Miguel de Unamuno)*. 220 págs.

117. Sergio Beser: *Leopoldo Alas, crítico literario*. 372 págs.

118. Manuel Bermejo Marcos: *Don Juan Valera, crítico literario*. 256 páginas.

119. Solita Salinas de Marichal: *El mundo poético de Rafael Alberti*. 272 págs.

120. Óscar Tacca: *La historia literaria*. 204 págs.

121. *Estudios críticos sobre el modernismo*. Introducción, selección y bibliografía general por Homero Castillo. 416 págs.

122. Oreste Macrí: *Ensayo de métrica sintagmática (Ejemplos del «Libro de Buen Amor» y del «Laberinto» de Juan de Mena)*. 296 páginas.

123. Alonso Zamora Vicente: *La realidad esperpéntica (Aproximación a «Luces de bohemia»)*. Premio Nacional de Literatura. 208 páginas.

124. Cesáreo Bandera Gómez: *El «Poema de Mío Cid»: Poesía, historia, mito*. 192 págs.

125. Helen Dill Goode: *La prosa retórica de Fray Luis de León en «Los nombres de Cristo»*. 186 págs.

126. Otis H. Green: *España y la tradición occidental (El espíritu castellano en la literatura desde «El Cid» hasta Calderón)*. 4 vols.

127. Ivan A. Schulman y Manuel Pedro González: *Martí, Darío y el modernismo*. Con un prólogo de Cintio Vitier. 268 págs.

128. Alma de Zubizarreta: *Pedro Salinas: el diálogo creador*. Con un prólogo de Jorge Guillén. 424 págs.

129. Guillermo Fernández-Shaw: *Un poeta de transición. Vida y obra de Carlos Fernández Shaw (1865-1911)*. X + 330 págs. 1 lámina.

130. Eduardo Camacho Guizado: *La elegía funeral en la poesía española*. 424 págs.

131. Antonio Sánchez Romeralo: *El villancico (Estudios sobre la lírica popular en los siglos XV y XVI)*. 624 págs.
132. Luis Rosales: *Pasión y muerte del Conde de Villamediana.* 252 páginas.
133. Othón Arróniz: *La influencia italiana en el nacimiento de la comedia española.* 340 págs.
134. Diego Catalán: *Siete siglos de romancero (Historia y poesía).* 224 páginas.
135. Noam Chomsky: *Lingüística cartesiana (Un capítulo de la historia del pensamiento racionalista).* Reimpresión. 160 págs.
136. Charles E. Kany: *Sintaxis hispanoamericana.* 552 págs.
137. Manuel Alvar: *Estructuralismo, geografía lingüística y dialectología actual.* 222 págs.
138. Erich von Richthofen: *Nuevos estudios épicos medievales.* 294 páginas.
139. Ricardo Gullón: *Una poética para Antonio Machado.* 270 págs.
140. Jean Cohen: *Estructura del lenguaje poético.* 228 págs.
141. Leon Livingstone: *Tema y forma en las novelas de Azorín.* 242 páginas.
142. Diego Catalán: *Por campos del romancero (Estudios sobre la tradición oral moderna).* 310 págs.
143. María Luisa López: *Problemas y métodos en el análisis de preposiciones.* 224 págs.
144. Gustavo Correa: *La poesía mítica de Federico García Lorca.* 250 páginas.
145. Robert B. Tate: *Ensayos sobre la historiografía peninsular del siglo XV.* 360 págs.
146. Carlos García Barrón: *La obra crítica y literaria de Don Antonio Alcalá Galiano.* 250 págs.
147. Emilio Alarcos Llorach: *Estudios de gramática funcional del español.* Reimpresión. 260 págs.
148. Rubén Benítez: *Bécquer tradicionalista.* 354 págs.
149. Guillermo Araya: *Claves filológicas para la comprensión de Ortega.* 250 págs.
150. André Martinet: *El lenguaje desde el punto de vista funcional.* 218 págs.
151. Estelle Irizarry: *Teoría y creación literaria en Francisco Ayala.* 274 págs.
152. Georges Mounin: *Los problemas teóricos de la traducción.* 338 páginas.

153. Marcelino C. Peñuelas: *La obra narrativa de Ramón J. Sender.* 294 págs.
154. Manuel Alvar: *Estudios y ensayos de literatura contemporánea.* 410 págs.
155. Louis Hjelmslev: *Prolegómenos a una teoría del lenguaje.* 198 páginas.
156. Emilia de Zuleta: *Cinco poetas españoles (Salinas, Guillén, Lorca, Alberti, Cernuda).* 484 págs.
157. María del Rosario Fernández Alonso: *Una visión de la muerte en la lírica española.* Premio Rivadeneira. Premio nacional uruguayo de ensayo. 450 págs. 5 láminas.
158. Ángel Rosenblat: *La lengua del «Quijote».* 380 págs.
159. Leo Pollmann: *La «Nueva Novela» en Francia y en Iberoamérica.* 380 págs.
160. José María Capote Benot: *El período sevillano de Luis Cernuda.* Con un prólogo de F. López Estrada. 172 págs.
161. Julio García Morejón: *Unamuno y Portugal.* Con un prólogo de Dámaso Alonso. Segunda edición corregida y aumentada. 580 páginas.
162. Geoffrey Ribbans: *Niebla y soledad (Aspectos de Unamuno y Machado).* 332 págs.
163. Kenneth R. Scholberg: *Sátira e invectiva en la España medieval.* 376 págs.
164. Alexander A. Parker: *Los pícaros en la literatura (La novela picaresca en España y Europa. 1599-1753).* 220 págs. 11 láminas.
165. Eva Marja Rudat: *Las ideas estéticas de Esteban de Arteaga (Orígenes, significado y actualidad).* 340 págs.
166. Ángel San Miguel: *Sentido y estructura de «Guzmán de Alfarache» de Mateo Alemán.* Con un prólogo de Franz Rauhut. 312 páginas.
167. Francisco Marcos Marín: *Poesía narrativa árabe y épica hispánica.* 388 págs.
168. Juan Cano Ballesta: *La poesía española entre pureza y revolución (1930-1936).* 284 págs.
169. Joan Corominas: *Tópica hespérica (Estudios sobre los antiguos dialectos, el substrato y la toponimia romances).* 2 vols.
170. Andrés Amorós: *La novela intelectual de Ramón Pérez de Ayala.* 500 págs.
171. Alberto Porqueras Mayo: *Temas y formas de la literatura española.* 196 págs.

172. Benito Brancaforte: *Benedetto Croce y su crítica de la literatura española.* 152 págs.

173. Carlos Martín: *América en Rubén Darío (Aproximación al concepto de la literatura hispanoamericana).* 276 págs.

174. José Manuel García de la Torre: *Análisis temático de «El Ruedo Ibérico».* 362 págs.

175. Julio Rodríguez-Puértolas: *De la Edad Media a la edad conflictiva (Estudios de literatura española).* 406 págs.

176. Francisco López Estrada: *Poética para un poeta (Las «Cartas literarias a una mujer» de Bécquer).* 246 págs.

177. Louis Hjelmslev: *Ensayos lingüísticos.* 362 págs.

178. Dámaso Alonso: *En torno a Lope (Marino, Cervantes, Benavente, Góngora, los Cardenios).* 212 págs.

179. Walter Pabst: *La novela corta en la teoría y en la creación literaria (Notas para la historia de su antinomia en las literaturas románicas).* 510 págs.

180. Antonio Rumeu de Armas: *Alfonso de Ulloa, introductor de la cultura española en Italia.* 192 págs.

181. Pedro R. León: *Algunas observaciones sobre Pedro de Cieza de León y la Crónica del Perú.* 278 págs.

182. Gemma Roberts: *Temas existenciales en la novela española de postguerra.* 286 págs.

183. Gustav Siebenmann: *Los estilos poéticos en España desde 1900.* 582 págs.

184. Armando Durán: *Estructura y técnicas de la novela sentimental y caballeresca.* 182 págs.

185. Werner Beinhauer: *El humorismo en el español hablado (Improvisadas creaciones espontáneas).* Con un prólogo de Rafael Lapesa. 270 págs.

186. Michael P. Predmore: *La poesía hermética de Juan Ramón Jiménez (El «Diario» como centro de su mundo poético).* 234 págs.

187. Albert Manent: *Tres escritores catalanes: Carner, Riba, Pla.* 338 páginas.

188. Nicolás A. S. Bratosevich: *El estilo de Horacio Quiroga en sus cuentos.* 204 págs.

189. Ignacio Soldevila Durante: *La obra narrativa de Max Aub (1929-1969).* 472 págs.

III. MANUALES

1. Emilio Alarcos Llorach: *Fonología española.* Cuarta edición aumentada y revisada. Reimpresión. 290 págs.
2. Samuel Gili Gaya: *Elementos de fonética general.* Quinta edición corregida y ampliada. Reimpresión. 200 págs. 5 láminas.
3. Emilio Alarcos Llorach: *Gramática estructural (Según la escuela de Copenhague y con especial atención a la lengua española).* Reimpresión. 132 págs.
4. Francisco López Estrada: *Introducción a la literatura medieval española.* Tercera edición renovada. Reimpresión. 342 págs.
6. Fernando Lázaro Carreter: *Diccionario de términos filológicos.* Tercera edición corregida. Reimpresión. 444 págs.
8. Alonso Zamora Vicente: *Dialectología española.* Segunda edición muy aumentada. Reimpresión. 588 págs. 22 mapas.
9. Pilar Vázquez Cuesta y Maria Albertina Mendes da Luz: *Gramática portuguesa.* Tercera edición corregida y aumentada. 2 vols.
10. Antonio M. Badia Margarit: *Gramática catalana.* 2 vols.
11. Walter Porzig: *El mundo maravilloso del lenguaje.* Segunda edición corregida y aumentada. 486 págs.
12. Heinrich Lausberg: *Lingüística románica.* Reimpresión. 2 vols.
13. André Martinet: *Elementos de lingüística general.* Segunda edición revisada. Reimpresión. 274 págs.
14. Walther von Wartburg: *Evolución y estructura de la lengua francesa.* 350 págs.
15. Heinrich Lausberg: *Manual de retórica literaria (Fundamentos de una ciencia de la literatura).* 3 vols.
16. Georges Mounin: *Historia de la lingüística (Desde los orígenes al siglo XX).* Reimpresión. 236 págs.
17. André Martinet: *La lingüística sincrónica (Estudios e investigaciones).* Reimpresión. 228 págs.
18. Bruno Migliorini: *Historia de la lengua italiana.* 2 vols. 36 láminas.
19. Louis Hjelmslev: *El lenguaje.* Segunda edición aumentada. 196 páginas. 1 lámina.
20. Bertil Malmberg: *Lingüística estructural y comunicación humana.* Reimpresión. 328 págs. 9 láminas.
21. Winfred P. Lehmann: *Introducción a la lingüística histórica.* 354 páginas.

22. Francisco Rodríguez Adrados: *Lingüística estructural.* 2 vols.
23. Claude Pichois y André-M. Rousseau: *La literatura comparada.* 246 páginas.
24. Francisco López Estrada: *Métrica española del siglo XX.* 226 páginas.
25. Rudolf Baehr: *Manual de versificación española.* 444 págs.
26. H. A. Gleason, Jr.: *Introducción a la lingüística descriptiva.* 770 páginas.
27. A. J. Greimas: *Semántica estructural (Investigación metodológica).* 398 págs.
28. R. H. Robins: *Lingüística general (Estudio introductorio).* 488 páginas.
29. Iorgu Iordan y Maria Manoliu: *Manual de lingüística románica.* Revisión, reelaboración parcial y notas por Manuel Alvar. 2 vols.

IV. TEXTOS

1. Manuel C. Díaz y Díaz: *Antología del latín vulgar.* Segunda edición aumentada y revisada. Reimpresión. 240 págs.
2. María Josefa Canellada: *Antología de textos fonéticos.* Con un prólogo de Tomás Navarro. Segunda edición ampliada. 266 páginas.
3. F. Sánchez Escribano y A. Porqueras Mayo: *Preceptiva dramática española del Renacimiento y el Barroco.* Segunda edición muy ampliada. 408 págs.
4. Juan Ruiz: *Libro de Buen Amor.* Edición crítica de Joan Corominas. Segunda edición, en prensa.
5. Julio Rodríguez-Puértolas: *Fray Iñigo de Mendoza y sus «Coplas de Vita Christi».* 634 págs. 1 lámina.
6. *Todo Ben Quzmān.* Editado, interpretado, medido y explicado por Emilio García Gómez. 3 vols.
7. *Garcilaso de la Vega y sus comentaristas (Obras completas del poeta y textos íntegros de El Brocense, Herrera, Tamayo y Azara).* Edición de Antonio Gallego Morell. Segunda edición revisada y adicionada. 700 págs. 10 láminas.

V. DICCIONARIOS

1. Joan Corominas: *Diccionario crítico etimológico de la lengua castellana.* Er reimpresión.

2. Joan Corominas: *Breve diccionario etimológico de la lengua castellana.* Segunda edición revisada. 628 págs.
3. *Diccionario de Autoridades.* Edición facsímil. 3 vols.
4. Ricardo J. Alfaro: *Diccionario de anglicismos.* Recomendado por el «Primer Congreso de Academias de la Lengua Española». Segunda edición aumentada. 520 págs.
5. María Moliner: *Diccionario de uso del español.* Reimpresión. 2 vols.

VI. ANTOLOGÍA HISPÁNICA

1. Carmen Laforet: *Mis páginas mejores.* 258 págs.
2. Julio Camba: *Mis páginas mejores.* Reimpresión. 254 págs.
3. Dámaso Alonso y José M. Blecua: *Antología de la poesía española. Lírica de tipo tradicional.* Segunda edición. Reimpresión. LXXXVI + 266 páginas.
6. Vicente Aleixandre: *Mis poemas mejores.* Tercera edición aumentada. 322 págs.
7. Ramón Menéndez Pidal: *Mis páginas preferidas (Temas literarios).* Segunda edición, en prensa.
8. Ramón Menéndez Pidal: *Mis páginas preferidas (Temas lingüísticos e históricos).* Segunda edición, en prensa.
9. José M. Blecua: *Floresta de lírica española.* Tercera edición aumentada. 2 vols.
11. Pedro Laín Entralgo: *Mis páginas preferidas.* 338 págs.
12. José Luis Cano: *Antología de la nueva poesía española.* Tercera edición. Reimpresión. 438 págs.
13. Juan Ramón Jiménez: *Pájinas escojidas (Prosa).* Reimpresión. 264 págs.
14. Juan Ramón Jiménez: *Pájinas escojidas (Verso).* Reimpresión. 238 págs.
15. Juan Antonio de Zunzunegui: *Mis páginas preferidas.* 354 págs.
16. Francisco García Pavón: *Antología de cuentistas españoles contemporáneos.* Segunda edición renovada. Reimpresión. 454 páginas.
17. Dámaso Alonso: *Góngora y el «Polifemo».* Quinta edición muy aumentada. 3 vols.
21. Juan Bautista Avalle-Arce: *El inca Garcilaso en sus «Comentarios» (Antología vivida).* Reimpresión. 282 págs.

22. Francisco Ayala: *Mis páginas mejores.* 310 págs.
23. Jorge Guillén: *Selección de poemas.* Segunda edición aumentada. 354 págs.
24. Max Aub: *Mis páginas mejores.* 278 págs.
25. Julio Rodríguez-Puértolas: *Poesía de protesta en la Edad Media castellana (Historia y antología).* 348 págs.
26. César Fernández Moreno y Horacio Jorge Becco: *Antología lineal de la poesía argentina.* 384 págs.
27. Roque Esteban Scarpa y Hugo Montes: *Antología de la poesía chilena contemporánea.* 372 págs.
28. Dámaso Alonso: *Poemas escogidos.* 212 págs.
29. Gerardo Diego: *Versos escogidos.* 394 págs.
30. Ricardo Arias y Arias: *La poesía de los goliardos.* 316 págs.
31. Ramón J. Sender: *Páginas escogidas.* Selección y notas introductorias por Marcelino C. Peñuelas. 344 págs.

VII. CAMPO ABIERTO

1. Alonso Zamora Vicente: *Lope de Vega (Su vida y su obra).* Segunda edición. 288 págs.
2. Enrique Moreno Báez: *Nosotros y nuestros clásicos.* Segunda edición corregida. 180 págs.
3. Dámaso Alonso: *Cuatro poetas españoles (Garcilaso - Góngora - Maragall - Antonio Machado).* 190 págs.
6. Dámaso Alonso: *Del Siglo de Oro a este siglo de siglas (Notas y artículos a través de 350 años de letras españolas).* Segunda edición. 294 págs. 3 láminas.
7. Antonio Sánchez-Barbudo: *La segunda época de Juan Ramón Jiménez (Cincuenta poemas comentados).* 190 págs.
8. Segundo Serrano Poncela: *Formas de vida hispánica (Garcilaso-Quevedo - Godoy y los ilustrados).* 166 págs.
9. Francisco Ayala: *Realidad y ensueño.* 156 págs.
10. Mariano Baquero Goyanes: *Perspectivismo y contraste (De Cadalso a Pérez de Ayala).* 246 págs.
11. Luis Alberto Sánchez: *Escritores representativos de América.* Primera serie. Tercera edición. 3 vols.
12. Ricardo Gullón: *Direcciones del modernismo.* Segunda edición aumentada. 274 págs.
13. Luis Alberto Sánchez: *Escritores representativos de América.* Segunda serie. Reimpresión. 3 vols.

14. Dámaso Alonso: *De los siglos oscuros al de Oro (Notas y artículos a través de 700 años de letras españolas).* Segunda edición. Reimpresión. 294 págs.
16. Ramón J. Sender: *Valle-Inclán y la dificultad de la tragedia.* 150 páginas.
17. Guillermo de Torre: *La difícil universalidad española.* 314 págs.
18. Ángel del Río: *Estudios sobre literatura contemporánea española.* Reimpresión. 324 págs.
19. Gonzalo Sobejano: *Forma literaria y sensibilidad social (Mateo Alemán, Galdós, Clarín, el 98 y Valle-Inclán).* 250 págs.
20. Arturo Serrano Plaja: *Realismo «mágico» en Cervantes («Don Quijote» visto desde «Tom Sawyer» y «El Idiota»).* 240 págs.
21. Guillermo Díaz-Plaja: *Soliloquio y coloquio (Notas sobre lírica y teatro).* 214 págs.
22. Guillermo de Torre: *Del 98 al Barroco.* 452 págs.
23. Ricardo Gullón: *La invención del 98 y otros ensayos.* 200 págs.
24. Francisco Ynduráin: *Clásicos modernos (Estudios de crítica literaria).* 224 págs.
25. Eileen Connolly: *Leopoldo Panero: La poesía de la esperanza.* Con un prólogo de José Antonio Maravall. 236 págs.
26. José Manuel Blecua: *Sobre poesía de la Edad de Oro (Ensayos y notas eruditas).* 310 págs.
27. Pierre de Boisdeffre: *Los escritores franceses de hoy.* 168 págs.
28. Federico Sopeña Ibáñez: *Arte y sociedad en Galdós.* 182 págs.
29. Manuel García-Viñó: *Mundo y trasmundo de las leyendas de Bécquer.* 300 págs.
30. José Agustín Balseiro: *Expresión de Hispanoamérica.* Con un prólogo de Francisco Monterde. Segunda edición revisada. 2 volúmenes.
31. José Juan Arrom: *Certidumbre de América (Estudios de letras, folklore y cultura).* Segunda edición ampliada. 230 págs.

IX. FACSÍMILES

1. Bartolomé José Gallardo: *Ensayo de una biblioteca española de libros raros y curiosos.* 4 vols.
2. Cayetano Alberto de la Barrera y Leirado: *Catálogo bibliográfico y biográfico del teatro antiguo español, desde sus orígenes hasta mediados del siglo XVIII.* XIII + 728 págs.

3. Juan Sempere y Guarinos: *Ensayo de una biblioteca española de los mejores escritores del reynado de Carlos III.* 3 vols.

4. José Amador de los Ríos: *Historia crítica de la literatura española.* 7 vols.

5. Julio Cejador y Frauca: *Historia de la lengua y literatura castellana (Comprendidos los autores hispanoamericanos).* 7 vols.

OBRAS DE OTRAS COLECCIONES

Dámaso Alonso: *Obras completas.* Tomo I: *Estudios lingüísticos peninsulares.* 706 págs. Tomo II: *Estudios y ensayos sobre literatura.* Primera parte. En prensa.

Juan Luis Alborg: *Historia de la literatura española.* Tomo I: *Edad Media y Renacimiento.* 2.ª edición. Reimpresión. 1.082 págs. Tomo II: *Época Barroca.* 2.ª edición. 996 págs. Tomo III: *El siglo XVIII.* 980 págs.

Homenaje Universitario a Dámaso Alonso. Reunido por los estudiantes de Filología Románica. 358 págs.

Homenaje a Casalduero. 510 págs.

Homenaje a Antonio Tovar. 470 págs.

Studia Hispanica in Honorem R. Lapesa. Vol. I: 622 págs. Vols. II y III, en prensa.

José Luis Martín: *Crítica estilística.* 410 págs.

Vicente García de Diego: *Gramática histórica española.* 3.ª edición revisada y aumentada con un índice completo de palabras. 624 págs.

Graciela Illanes: *La novelística de Carmen Laforet.* 202 págs.

François Meyer: *La ontología de Miguel de Unamuno.* 196 páginas.

Beatrice Petriz Ramos: *Introducción crítico-biográfica a José María Salaverría (1873-1940).* 356 págs.

Los «Lucidarios» españoles. Estudio y edición de Richard P. Kinkade. 346 págs.

Veikko Väänänen: *Introducción al latín vulgar.* 414 págs.

Vittore Bocchetta: *Horacio en Villegas y en Fray Luis de León.* 182 páginas.

Elsie Alvarado de Ricord: *La obra poética de Dámaso Alonso.* Prólogo de Ricardo J. Alfaro. 180 págs.

José Ramón Cortina: *El arte dramático de Antonio Buero Vallejo.* 130 págs.

Mireya Jaimes-Freyre: *Modernismo y 98 a través de Ricardo Jaimes Freyre.* 208 páginas.

Emilio Sosa López: *La novela y el hombre.* 142 págs.

Gloria Guardia de Alfaro: *Estudios sobre el pensamiento poético de Pablo Antonio Cuadra.* 260 págs.

Ruth Wold: *El Diario de México, primer cotidiano de Nueva España.* 294 págs.